柳鸣九文集

卷 1

论遗产及其他

采石集

海天出版社（中国·深圳）

图书在版编目（CIP）数据

柳鸣九文集.1,论遗产及其他·采石集/柳鸣九著.
—深圳：海天出版社，2015.6
ISBN 978-7-5507-1318-5

Ⅰ.①柳… Ⅱ.①柳… Ⅲ.①柳鸣九—文集②外国文学—文学研究—文集 Ⅳ.①I217.2②I106-53

中国版本图书馆CIP数据核字（2015）第051083号

柳鸣九文集.卷1
LIUMINGJIU WENJI JUAN 1

出 品 人	陈新亮
项目负责人	于志斌
选题策划	林星海
责任编辑	孙 艳
责任校对	万妮霞 陈少扬
责任技编	蔡梅琴
装帧设计	李松璋

出版发行	海天出版社
地　　址	深圳市彩田南路海天综合大厦（518033）
网　　址	www.htph.com.cn
订购电话	0755-83460202（批发） 0755-83460239（邮购）
设计制作	深圳市斯迈德设计企划有限公司（0755-83144228）
印　　刷	深圳市新联美术印刷有限公司
开　　本	787mm×1092mm 1/16
印　　张	36.5
字　　数	473千
版　　次	2015年6月第1版
印　　次	2015年6月第1次
定　　价	125.00元

海天版图书版权所有，侵权必究。
海天版图书凡有印装质量问题，请随时向承印厂调换。

出版说明

柳鸣九是我国著名的人文学者、外国文学研究界公认的权威专家,他长期从事学术文化工作,笔耕不辍,与时俱进,在法国文学史研究、文学理论批评、文化散文写作、文学名著翻译等领域均有丰实的业绩、很高的建树,其影响远远超越了外国文学研究领域。

柳鸣九的主要成就在法国文学研究方面,他的文学史论著规模宏大、立论稳健、辨析透辟、文风清晓,至今仍是本学科的权威史书。

他的理论批评,思想新锐、卓有胆识、气势充沛,在改革开放之初的外国文化思潮研究领域里,起到打破思想禁锢、破除坚冰的作用。

他的文化散文,记述描写了上世纪法国众多的文学大师,以及我国当代的西学名士名家,具有可贵的历史价值。他的散文富于知性、品位儒雅、感情真挚,不乏幽默情趣,是典型的学者散文。

在翻译方面,他的业绩亦颇为可观。其译笔洒脱,译意透辟,译品文采斐然,深得读书界欣赏,有不少译本广行于世。

《柳鸣九文集》被列入"广东省原创精品出版资金扶持项目",并获得"深圳市文化创意产业发展专项资金"的大力支持,特志感谢!我们要继续奉行社会文化建设举措,为我国文化学术建设添砖加瓦,为我国精神文明建设、中外文化交流做出贡献。

《柳鸣九文集》15卷，分为四大部分：

一、文学理论批评部分，包括第1卷至第3卷；

二、文学史部分，包括第4卷至第9卷；

三、文化散文随笔部分，包括第10卷至第12卷；

四、翻译部分，包括第13卷至第15卷。

《柳鸣九文集》中的各篇文章，作者按不同时期原著的出版形态收入，除删去各原著中相互重叠的内容外，未对文字做大的修改。我们尽可能保持原著出版时的历史风貌。

海天出版社

2015年5月

《柳鸣九文集》总目

卷1　《论遗产及其他》《采石集》

卷2　《理史集》《人性的观照》

卷3　《走近雨果》《自然主义大师左拉》《法兰西风月谈》
　　　《为什么要萨特》

卷4　《法国文学史》（上）

卷5　《法国文学史》（中）

卷6　《法国文学史》（下）

卷7　《法国二十世纪文学景观》（上）

卷8　《法国二十世纪文学景观》（下）

卷9　《法兰西文学大师十论》《拾遗集》

卷10　《巴黎名士印象记》《米拉波桥下的流水》《巴黎散记》

卷11　《名士风流》

卷12　《且说这根芦苇》《父亲　儿子　孙女》

卷13　《雨果论文学》《磨坊文札》

卷14　《莫泊桑短篇小说选》

卷15　《梅里美小说精华》《小王子》《局外人》
　　　《琳琅小集》《高龙巴智导复仇局》

柳鸣九

中学时代的柳鸣九

北京大学求学时期的柳鸣九

1979年第一期《外国文学研究》载有柳鸣九批驳日丹诺夫论断的长篇论文。该刊的第二期续载了该文的第二部分。

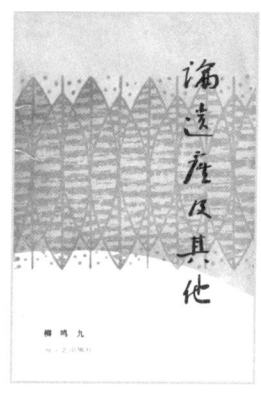
原版《论遗产及其他》

原版《采石集》

目　录

论遗产及其他

序	003
文化遗产问题上马克思主义与反马克思主义的斗争	009
论18世纪启蒙文学	
——兼批"四人帮"在文化遗产问题上的谬论	035
19世纪批判现实主义的历史地位与"四人帮"文化专制主义的破产	060
西方现当代资产阶级文学评价的几个问题	092
《法国文学史》前言	143
《伏尔泰哲理小说选》序言	145
"四人帮"的攀附与《红与黑》的意义	163
《雨果文学论文选》序言	188
《笑面人》前言	207
《嘉尔曼》前言	211
小中见大、高度精练的范例	
——《最后的一课》译后	214
拉法格的文学批评	218
丹纳的《艺术哲学》	239
论创作方法与世界观矛盾统一的关系	259
外国古典文学研究中的阶级分析方法	298
再谈外国古典文学研究中的阶级分析方法	302

论共鸣现象的实质及其原因
　　——关于共鸣问题的答复 ………………………… 306
论文艺欣赏阅读中的情感运动形式 …………………… 328

采 石 集

序 ……………………………………………………………… 345

自传文学的辩证法典范
　　——《忏悔录》中译本序 ………………………… 347
纪念狄德罗 …………………………………………………… 365
《如此世界》与哲理小说的经验 ………………………… 372
《法尼娜·法尼尼》与"意大利性格" …………………… 380
《红与黑》和两种价值标准 ……………………………… 389
《巴马修道院》·崇拜与写实 ……………………………… 400
梅里美的启示
　　——《梅里美小说选》中译本序 ………………… 408
法国的"莎士比亚"
　　——《缪塞戏剧选》中译本序 …………………… 417
法国浪漫主义文学的根源、发展和分野
　　——《法国浪漫派作品选》编选者序 …………… 429
画卷·史诗·精神·激情
　　——《悲惨世界》中译本序 ……………………… 460
奇特的结合
　　——《劳动》中译本序 …………………………… 476

严酷的真实
　　——《土地》中译本序 ·················· 489
给萨特以历史地位
　　——《萨特研究》编选者序 ·············· 503
新小说派说明了什么?
　　——《新小说派研究》编选者序 ·········· 527
爱情小说中值得重视的一支
　　——《外国短篇爱情小说选评》序 ········ 535
奥克塔夫与人物形象的类型化
　　——《阿尔芒斯》序 ···················· 539
精湛的白描艺术
　　——莫泊桑的《两个朋友》小析 ·········· 546
雨果与创作自由 ······························ 550
雨果的脚步 ·································· 558
雨果的意义与启示
　　——纪念他逝世一百周年 ················ 563

论遗产及其他

柳鸣九　著

序

收在这个集子里的文章,大都是我近两三年之中写的,只有少数几篇写于"文化大革命"前,当我在研究工作中还只是一个"新兵"的时候。从文章的内容来说,有两类情况:一类所论的是外国文学问题,结合论述了某些文艺理论问题;一类所论的是文艺理论问题,结合了外国文学的例证和资料。这两类文章的中心基本上是外国文学遗产的批判继承问题以及与遗产问题有关的其他问题,如对古典文学的欣赏共鸣问题、阶级分析问题、创作方法问题等。因此,把它们收集起来的时候,姑且名之为《论遗产及其他》。

文学遗产的批判继承在社会主义文化建设中是一个重要的课题。新中国成立后,由于党和国家的重视,由于文化战线上广大干部、评论工作者、研究工作者、翻译工作者的辛勤劳动,外国文学的翻译介绍、批判继承工作的确取得了巨大的成绩。但是,在社会主义时期,意识形态领域里一直存在着激烈的斗争,因此,文学遗产的批判继承,特别是资产阶级文学遗产的批判继承,往往就成为一个甚为敏感的问题,容易受到右的和极"左"的干扰,发生偏离或违背马列主义、毛泽东思想的原则的情况。新中国成立以来在文学遗产问题上出现的反复就充分说明了这一点。当然,干扰和破坏最大的是"四人帮",他们那条反革命的极"左"路线在整个文化领域里破坏之大、流毒之烈是难以估计的。不过,也应该看到,在文学遗产问题上,早在"四人帮"之前,也曾出现过一些偏差。如对过去时代的优秀文化遗产不是进行马克思主义的正确评价,而是进行了群众运动式的批判;不是严格地把学术问题与政治问题区分开来,而是把两者等同起来,或把学术问题上纲为政治思想问题,或对文学遗产进行政治运动式的处理;不是如毛泽东同志所提倡的那样贯彻双百方针,展开百家争鸣,推进评论工作和研究工作的发展,而往往是在强调批判资产阶级意识形态的同时,压制了不同的意见。正因为如此,当"四人帮"为篡党夺权推行一条"左"倾机会主义路线,在文化问题上打出"彻底批判""彻底决裂""破四旧""在意识形态领域里对资产阶级实行全面专政"的旗号时,一时颇为蛊惑人心;直到经过十多年充满了矛盾和痛苦的过程,人们才普遍从惨痛的事实教训中深切地认识到这条机会主义路线危害之大。从上述的情况来看,我们不妨可以说,新中国成立以来,虽然在对待文学遗产问题上,的确也存在过资产阶级的立场、观点、方法,但主要还是"左"的倾向干扰了马列主义、毛泽东思想的正确原则。因此,在评论工作、研究工作中,必须抓住这个主要的倾向。这个集子里的文章既然大部分写于粉碎"四人帮"之后,自然是针对这种倾向的。另外,有几篇写于"文化大革命"前的论遗产的文章,这次之所以也收入这个集子,也是因为它们与后来的文章基本上是前后贯串、一脉相承的缘故。

虽然"矫枉"往往容易"过正",但在理论问题、学术问题上最好力戒"过正"。在遗产问题上,马克思主义的原则既不是"彻底批判""彻底决裂",也不是"全盘接受",而是批判继承,古为今用,洋为中用。我们所主张的正确评价,其实就是在历史唯物主义指导下对遗产进行科学的分析,肯定其进步性,指出其局限性,取其精华,去其糟粕。要真正做到这点,最重要的是要有马克思主义理论的坚定性,敢于实事求是,不为时兴的舆论、流行的观点所左右,这是一个成熟的研究工作者、评论工作者应该具有的品格。从过去一些情况来看，我深感能做到这点之可贵，也深感要做到这点之不易，而我自己在这方面，仅仅只是开始有了一点觉悟，愿意由此学步而已。

研究工作就是提出问题和解决问题。粉碎"四人帮"的伟大胜利开辟了一个新的历史时期，带来了生动活泼的政治局面，使得外国文学评论工作、文学遗产的研究工作获得了提出问题、总结经验、百家争鸣所必需的良好条件。那么，外国文学遗产的研究领域究竟有多少值得提出和解决的问题呢？

我们应该看到，由于中国社会没有经历资本主义阶段，中国资产阶级力量薄弱，因而，新中国成立前，它在文化方面，包括在外国文学遗产研究方面所做的事少得可怜，这就决定了我们在外国文学遗产的研究方面基础也是薄弱的，决定了新中国成立以来的外国文学工作相当大一部分只是一般的翻译评介，而对理论性的问题、规律性的问题、倾向性的问题的切实研究则很不够。虽然这方面的研究也进行了一些，也取得了一些成绩，但因为外国文学问题、遗产问题本身的复杂性，再加上新中国成立初期苏联教条主义的影响，更严重的是后来"四人帮"的破坏和流毒，所以，在外国文学研究领域实际上已造成了成堆的问题，有待我们提出来加以解决，而且，其中有一些，不论从史、从论的角度来说，都是比较重要的问题，如：如何理解马克思、恩格斯所说的"同传统的观念实行最彻底的决裂"，这一"决裂"与批判继承的关系是怎样的；如何理解在意识形态领域里对资产阶级进行斗争，进行这种斗争与我们继承甚至学习资产阶级优秀文学遗产的关系怎样；如何理解列宁所说的"无产阶级敌视一切资产阶级和资产阶级制度的一切表现"，这种"敌视"与对资产阶级文化遗产的科学评价的关系怎样；对历史上留下来的遗产如何采取科学的一分为二的态度，从哪些方面去进行这种区分；过去时代优秀的文学遗产对我们今天除了认识作用和艺术借鉴作用之外，是否还有思想教育作用，这种思想教育的根据是什么；今天的读者阅读过去时代、不同阶级的文学作品会产生哪些反应，文艺欣赏阅读中的思想感情活动的规律、形式如何，实质是什么；如何看待历史上出现的重大的文学现象，如何理解"高峰"论，"高峰"论是否就是"拜倒"；如何看待一部分资产阶级文学对本阶级又批判又维护的关系，如何看待一部分资产阶级思想家与本阶级既"分裂""对立"又超脱不了本阶级范围的关系；如何对作家进行阶级分析，作出阶级定性的根据应该是什么；如何看待过去时代作家创作方法与世界观的关系，这里有哪些规律性的问题；如何看待资产阶级人道主义作为资产阶级文学的一个重要的思想基础，这种思想在20世纪是否已经完全丧失了其进步性以至完全"破产"了；如何正确评价现当代资产阶级文学，对资产阶级现代派文学是否也可以一分为二以及如何一分为二；等等。

以上这些问题无疑对外国文学研究、遗产问题的理论研究都具有重要的意义。对这些问题的正确理解将有助于外国文学评介工作、批判继承遗产工作健康地开展，而在这些问题上偏离马克思主义的原则，则将给这些工作带来损失，因此，它们都是值得提出来加以深入探讨的。我自己在写这个集子的文章时，主观上是有意识地接触到这些问题，也力求对它们提出自己的一些看法，但由于自己水平有限，恐怕还谈不上是提出了问题，而离解决问题就更远了。对其中有的问题，自己有时出于"力求稳妥"的考虑，也曾有意识地回避，如对古典作品的思想教育意义问题就是如此。原来我写《文化遗产问题上马克思主义与反马克思主义的斗争》一文时，关于思想教育意义问题曾经写了这样一段话：

> 还应该看到，"各个世纪的社会意识，尽管形形色色、千差万别，总是在某种共同的形式中运动的"①，之所以产生这种情况，就是因为在同样的经济发展阶段中，不同时代的不同阶级

---

① 《共产党宣言》，《马克思恩格斯选集》第一卷，第271页。

往往面对着一些相似的现实，有一些相似的实践，他们从各自的现实需要出发创造出来的社会意识形态，往往在形式上就有所相似。例如，在阶级社会中，不同的阶级都需要本阶级的成员服从本阶级的统一利益，于是不同阶级对此便有相应的"忠"的观念，虽然其中的阶级内容各不相同；又如，在国家还没有消亡的历史阶段，不同时代、不同阶级都有过爱国主义的观念；再如，私有制以后，一夫一妻制是占统治地位的家庭形式，于是，不同时代、不同阶级对夫妻关系就提出了各自的"忠贞"的准则。无产阶级根据自己的革命任务和共产主义的理想，要创造出崭新的社会意识形态，要以人类历史上从未有过的共产主义的理想和道德标准来教育人，而在这个过程中，过去时代那些上升阶级所创造的某些在历史上起过进步作用而在形式上又与无产阶级有所相似的社会意识形态、道德标准，对今天无产阶级也不是没有用处的。例如，过去时代的爱国主义思想、自我牺牲的精神、忠贞不渝的爱情理想，对社会主义道德思想教育也可以有辅助的作用。特别是在文学艺术作品中，作者都是把思想观念蕴藏在形象描绘之中的，读者所看到的往往是具体的形象和情状，而不是不同时代、不同阶级思想观念上的差异，这就有助于文学艺术作品直接诉诸不同时代、不同阶级的读者的感情，投合其爱好或需要。因为有这种缘由，历史上某些进步作品对无产阶级也具有思想教育作用。例如，南宋爱国诗人陆游有《十一月四日风雨大作》这样一首诗，"僵卧孤村不自哀，尚思为国戍轮台。夜阑卧听风吹雨，铁马冰河入梦来"，抒写了他的爱国主义感情，虽然作者是一个封建士大夫，他的爱国主义感情有阶级的局限性，与无产阶级的爱国主义不能同日而语，但这样一首诗并没有涉及作者思想观念中狭隘的阶级内容，只是描写了他虽然年老体弱，但在风雨之夜还梦想为国去戍守西北边疆的感情的情状，因而我们今天读来也不能不受到深深的感动和教育。其他历史上著名的爱国主义诗篇，如岳飞的《满江红》、文天祥的《过零丁洋》，其中对祖国山河深厚的感情，对侵略者慷慨激昂的斗争精神，在今天也能给无产阶级读者以强烈的感染，并且有积极的思想教育意义。

这段话在文章发表时删去了，因为我顾虑可能会引起争论和批评。现在回顾这件事的时候，我深感在理论上、学术上必须具有探索的勇气，而自己在这方面显然还是欠缺的。

在学术理论上，不仅需要有探索的勇气，而且需要有总结经验、不断前进的精神。人的正确思想既不是从天上掉下来的，也不是头脑里固有的，而只能是来自社会的实践。实践是检验认识是否正确的唯一标准，也只有实践才能使人们的认识不断提高和深化。外国文学问题、遗产问题既然本身具有一定的复杂性，要探讨其客观的规律、得出正确的结论绝不是一件容易的事，而且，不同的时期又总是在这个领域打下自己的烙印，流行的观点和舆论很容易在这里留下自己的痕迹。随着时代的进步、随着理论研究的深入和资料的不断充实，就需要提高认识，吸取教训，总结经验。在学术上的一贯正确是没有的，因此，必须敢于正视自己前进道路上的经验教训，力戒故步自封、文过饰非。在收编这个集子的时候，我也深感这一点的重要性，就我自己来说，在有的问题上认识也有过曲折，也曾受过流行观点、时兴舆论的影响，其中也是有经验教训值得总结的。如果我随着时代多少有了一点进步，主要还是因为我有认真总结自己的经验教训的愿望。

在科学领域，追求真理的道路真可谓"路漫漫其修远兮"，而探求者则是"上下而求索"，这个"求索"的过程是没有止境的，而我只不过刚刚开始起步而已，在起步的时候，难免有缺点错误，对此，我期待着同志们的批评帮助。

1979 年 4 月 5 日

文化遗产问题上马克思主义与反马克思主义的斗争

如何正确对待和处理历史上的文化遗产，不仅是历史研究范畴里的一个重要课题，而且是文化建设中的一项迫切的任务。在这个问题上，一直存在着马克思主义与反马克思主义的斗争。这一斗争是阶级的意识形态斗争的一个重要方面，也是政治路线斗争的表现和反映。反革命"四人帮"在这个问题上的反马克思主义的态度，就是他们向无产阶级进行阶级斗争的一个组成部分。因此，在这个问题上划清马克思主义与"四人帮"的反马克思主义的原则界限，分清理论是非，对于深入批判"四人帮"的反革命修正主义路线是完全必要的。

一、是区别对待，还是全盘否定

马克思主义的活的灵魂在于具体地分析具体情况。它对待文化遗产的态度，首先是以它对文化遗产所作的科学分析为根据的，它从不笼统地、抽象地把历史上留传下来的文化视为一个统一体，而是看到统一中的对立，采取一分为二的方法，把历史上剥削阶级与被剥削阶级的文化加以区分，而对剥削阶级的文化，又把其中的精华和糟粕加以区分。这种科学的分析方法是建立在深刻的辩证唯物论与历史唯物论的基础上的。

在马克思主义看来，作为观念形态的一定的文化，是一定社会的政治和经济的反映。在阶级社会里,一方面存在剥削阶级的压迫与剥削,一方面存在被剥削阶级的斗争与反抗。这种阶级对抗和斗争必然反映在文化上。列宁曾经指出,"每一个现代民族中,都有两个民族。每一种民族文化中,都有两种民族文化"①,一种是占统治地位的资产阶级文化,一种是民主主义和社会主义的文化。列宁虽然解剖的是资本主义俄国的情况,但这种对文化的阶级分析,完全适用于人类其他的阶级社会,即在任何阶级对抗的社会中,一方面存在着统治阶级的占统治地位的文化,另一方面也有劳动群众、被剥削阶级的文化。马列主义两种文化的学说从作为上层建筑的文化与经济基础的根本关系上,划清了两种不同文化的根本性质,是对历史上的文化遗产采取区别对待的一个重要的依据。

劳动群众、被剥削阶级是人类文明的创造者。从精神文化的创作来说,劳动人民也具有伟大的创造力和非凡的才能,历史上流传下来的劳动群众、被剥削阶级所创造的文学就充分说明了这一点。请看,我国古代那些反映劳动人民在想象中征服自然的神话,如女娲补天、后羿射日、大禹治水,表现了何等出色的幻想和瑰丽的色彩,《诗经》中那些揭露社会矛盾、反剥削、反压迫的民歌是多么悲愤深刻,而表现劳动生活和爱情的民歌又是多么纯朴动人。在外国,古代希腊神话,至今仍显示着不朽的魅力,长期在民间流传的史诗也那么生动地反映了古代的社会。劳动人民创造的这些文化遗产对我们具有高度的历史价值,是我们今天理所当然要珍视和继承的文化遗产。众所周知,无产阶级的革命导师对于反映了被剥削阶级、劳动人民的生活和斗争,表现了他们革命精神的民歌,从来都是很重视、很喜爱的。当然,我们也看到,在奴隶社会、封建社会中,奴隶和农奴在沉重的剥削和压榨下,负担着繁重的体力劳动,他们极少有条件参加精神生产,即使有少数掌握了文化知识的奴隶以及一部分出身低微的民间歌

---

① 《关于民族问题的批评意见》,《列宁全集》第二十卷,第15页。

手、行吟诗人,他们或者是被主人作为工具使用,完全为主人的精神消遣服务,或者不得不按照奴隶主、封建主的趣味进行创作。因此,即使是这些民间作者的作品往往也打上统治阶级思想的烙印,从民间产生的古代史诗就是如此。而且,在奴隶主、封建主进行专制统治的社会里,真正反映劳动群众的生活斗争、思想感情的创作和作品,也受到极大的摧残和焚禁,这就是为什么人类历史上不可能有奴隶阶级和农奴阶级的完整的思想体系和自成源流的文学艺术的发展的重要原因。

到了资本主义社会,无产阶级在创造自己阶级的文化方面,和以往历史上其他被剥削阶级的情况有了不同,由于无产阶级代表了最先进的生产方式,由于出现了马克思、恩格斯这样的背叛了自己的出身和阶级,转到无产阶级营垒中来的伟大的思想家、革命家,以及拉法格、梅林、普列汉诺夫这样一批具有高度文化教养和学识渊博的社会主义者,也由于在现代社会条件下,无产阶级的成员接受文化教育、掌握知识的条件有了相对的改善,而印刷新闻事业的发展也提供了有利的条件,无产阶级就有了可能创造出人类历史上空前的伟大光辉的文化。马克思主义关于哲学、政治经济学、科学社会主义的理论以及对历史、法律、军事、文学艺术等问题的论著,都是人类文明的伟大成就,也是无产阶级完成伟大历史使命、进行社会主义革命所必不可少的指南。

同样,在文学艺术方面,无产阶级也创造了人类历史上前所未有的成果。早在无产阶级还没有成为一个政治上自为的阶级登上历史舞台的时候,英国就出现了宪章派诗歌,表达了工人群众对残酷的资本主义剥削压榨的愤怒抗议。在无产阶级革命斗争风起云涌的时代,德国出现了被恩格斯誉为"德国无产阶级第一个和最重要的诗人"[1]的维尔特,法国出现了"一位最伟大的用歌作为工具的宣传家"[2]欧仁·鲍

---

[1] 《格奥尔格·维尔特》,《马克思恩格斯全集》第二十一卷,第6页。
[2] 《欧仁·鲍狄埃》,《列宁选集》第二卷,第435页。

狄埃，他所创作的《国际歌》把巴黎公社的理想传遍了世界，成为了无产阶级革命的伟大战斗号召。以巴黎公社为标志，从19世纪下半叶到十月社会主义革命的历史时期里，新兴的无产阶级文学已经形成了一股强大的潮流，向全世界预示了文学艺术的新方向。这里有德国的社会主义革命歌曲，有形象地表现了巴黎公社斗争的革命诗歌与小说，有拉法格、梅林、普列汉诺夫出色地运用了马克思主义历史唯物论的文艺批评，有高尔基深刻揭露了旧世界、热情描写了无产阶级的觉醒和斗争的杰出的长篇小说。在中国，正是在马列主义的影响下，发生了五四新文化运动。对这次运动，毛泽东同志作了高度的评价："不论在哲学方面，在经济学方面，在政治学方面，在军事学方面，在历史学方面，在文学方面，在艺术方面（又不论是戏剧，是电影，是音乐，是雕刻，是绘画），都有了极大的发展。20年来，这个文化新军的锋芒所向，从思想到形式（文字等），无不起了极大的革命。其声势之浩大，威力之猛烈，简直是所向无敌的。其动员之广大，超过中国任何历史时代。而鲁迅，就是这个文化新军的最伟大和最英勇的旗手。"①总之，从巴黎公社以后，无产阶级所创造的文学艺术是人类文化中辉煌灿烂的一部分，它体现了崇高的社会主义、共产主义的理想，闪耀着辩证唯物主义与历史唯物主义的思想光芒，显示了对历史发展深刻的理解，充满了无产阶级英勇斗争的精神，蕴含着共产主义新人的崇高情操，以阶级社会的文化前所未有的崭新面貌出现于人类历史上。

与马克思主义对文化遗产采取一分为二区别对待的科学态度相反，"四人帮"玩弄形而上学的手法，把被剥削阶级的文化与剥削阶级的文化混为一谈，反对马克思主义两种文化的学说，反对对不同的文化采取不同的态度，把两种文化加以混淆统称为"古代的""外国的"，声称"把古代、外国的当作经典那是不行的"，并且，由此出

---

① 《新民主主义论》，《毛泽东选集》第二卷，第658页。

发，竟然把巴黎公社以后一百年来的无产阶级的文学也一笔抹杀，称之为"空白"。在马克思主义看来，全盘继承古代的、外国的剥削阶级反动腐朽的文化，那是必须加以反对的，但这和"四人帮"的全盘否定有根本的不同。要问"四人帮"先生，难道高度评价历史上被剥削阶级的革命文化也是"不行"？！难道把气势磅礴的《国际歌》，把高尔基深刻表现了资本主义灭亡、无产阶级胜利的历史必然性的小说，把鲁迅掷向敌人的像投枪一样犀利尖锐的杂文当作无产阶级的文艺珍宝也是"不行"？！"四人帮"以形而上学的手法混淆阶级属性不同的两种文化，然后设置"不行"的禁条，正暴露了他们要否定无产阶级的革命文化财富，在文化上缴无产阶级的械的罪恶企图。

无产阶级不仅要把被剥削阶级的文化与剥削阶级的文化区别开来，珍视它的优秀传统，加以批判地继承和吸取，就是对历史上剥削阶级的文化也必须采取马克思主义一分为二的科学态度。

我们知道，在阶级社会中，精神生产是由统治阶级垄断的，历史上出现的那些哲学家、历史学家、文学家、艺术家，绝大多数都不是劳动人民，而属于剥削阶级。因此，如何对待历史上的文化遗产，其中心的问题就是如何对待历史上的剥削阶级的文化遗产。在这个问题上，马克思主义的态度是：一分为二，区别对待，去其糟粕，取其精华，既不是笼统否定、简单地加以抛弃，也不是全盘接受，主张兼收并蓄。

那么，用什么标准来作这种区别呢？毛泽东同志早就指出："无产阶级对于过去时代的文学艺术作品，也必须首先检查它们对待人民的态度如何，在历史上有无进步意义，而分别采取不同态度。"[①] 按照毛泽东同志所提出的这两条标准，对历史上剥削阶级所遗留下来的文化遗产就必须作这样一些区分：

如，把剥削阶级在上升时期所创造的文化与它在没落时期的文

[①] 《在延安文艺座谈会上的讲话》，《毛泽东选集》第三卷，第826页。

化区分开来。不同历史时代的剥削阶级在上升时期代表了当时进步的生产方式,是新兴的,有力量的;到了没落时期,它代表了当时已经过时的生产方式,是腐朽的、垂死的。它在上升时期所创造的文化是它向自己所要取代的统治阶级进行斗争的武器,而没落时期的文化,则是维护自己的已经开始腐朽的反动统治的工具。例如资产阶级在它作为一个新兴阶级向封建阶级斗争的历史阶段,就曾创造了文艺复兴的文学艺术与启蒙运动的文学艺术,而在19世纪后期向帝国主义过渡的阶段,则产生了形形色色的颓废派的文学艺术。文艺复兴的文学艺术从中世纪宗教禁欲主义中解放出来,体现出了"现代世界的曙光"①;18世纪的启蒙运动的文化为即将来到的资产阶级革命作了舆论准备,那些启蒙运动的作家们"本身都是非常革命的"②。这两种文学艺术与19世纪下半叶帝国主义阶段表现了反动资产阶级没落情绪的颓废文艺就有很大的不同,当然就不能不加区别、一概否定。

如,把在某一剥削阶级建立巩固统治之后,看出了新剥削制度的矛盾,敢于进行揭露批判的作家作品与那些仍制造幻想、掩盖矛盾的作家作品区分开来。在资产阶级取代了封建贵族成为统治阶级之后,从这个阶级里就出现了不少敢于正视资本主义社会日益暴露的矛盾、对社会黑暗进行揭露、对统治阶级进行批判的作家作品。这种情况的出现,有的是因为这个阶级的部分思想家由于分工不同与本阶级的积极成员的分裂达到了"某种程度上的对立和敌视"③;有的是因为资产阶级内部不同阶层、不同政治集团的矛盾冲突所引起的;有的是因为作家本人接近了人民,或者因为自己在生活中找不到自己的地位而产生了对现实的不满。19世纪积极浪漫主义作家与批判现实主义作家就都属于这种情况。他们虽是资产阶级的成员,但与那些逃避现实、

---

① 《〈资本论〉第三卷序言》,《马克思恩格斯全集》第二十五卷,第24页。
② 《反杜林论·引论》,《马克思恩格斯选集》第三卷,第56页。
③ 《费尔巴哈》,《马克思恩格斯选集》第一卷,第53页。

消极反动的作家很不一样。以19世纪法国浪漫主义运动中两个最大的作家而言，一个是雨果，他在自己的作品中对资产阶级社会的不正义发出了激愤的抗议，进行了无情的揭露和批判；另一个是拉马丁，他"体现了资产阶级共和国对自己的幻想，体现了它所编造的关于自己的夸大的、虚幻的、热烈的想象"①。这两个作家虽然按其地位和观点来看，都属于资产阶级，但对现实的态度完全不同，怎么能把他们混为一谈，一概加以否定？

如，把站在进步的立场上批判阶级社会现实的作家作品与站在反动立场上进行批判的作家作品区别开来。在19世纪上半叶资本主义秩序确立以后，文学艺术中出现了两种对资本主义社会现实的批判。一种是进步作家以前一辈启蒙学者关于建立理性国家、理性社会的理想为标准，面对着新建立的并不合理的资本主义秩序感到失望、幻灭而进行的批判，或者是从空想社会主义理想出发所进行的批判；另一种则是那些已经丧失了本阶级的天堂的封建贵族作家"半是挽歌，半是谤文；半是过去的回音，半是未来的恫吓"②的对现代社会的攻击。英国19世纪上半叶的浪漫主义运动中就存在着这样两种不同的倾向，既有对社会现实极为敌视的资产阶级诗人拜伦和被马克思誉为"真正的革命家""社会主义的急先锋"③的雪莱，也有站在反动立场上缅怀中世纪、反对资本主义文明的湖畔诗人，难道能够对这两种不同的作家作品一视同仁？

如，把在剥削阶级的没落时期看出了旧社会衰亡的必然性、对没落阶级进行了无情鞭挞的作家作品与粉饰现实、表现没落阶级颓废情绪、维护反动统治的作家作品区别开来。剥削阶级在没落时期的文化，作为一个整体，其性质和倾向是反动腐朽的，19世纪下半叶资本

---

① 《英法在意大利的调停》，《马克思恩格斯全集》第五卷，第516页。
② 《共产党宣言》，《马克思恩格斯选集》第一卷，第274页。
③ 《马克思恩格斯论艺术》第二卷，第261页。

主义向帝国主义过渡，欧洲的文学艺术领域就弥漫着颓废的空气，但是，也出现了一些虽属于剥削阶级却和这种反动潮流划清了界限、泾渭分明的作家作品。这种社会现象的出现，是剥削阶级内部矛盾的反映，是一部分不属于统治阶层的作家在帝国主义时期仍继承了过去资本主义上升时期的资产阶级民主主义思想传统的结果。西欧文学史上三部有名的描写资产阶级的没落的长篇小说——高尔斯华绥的《福尔赛世家》、托马斯·曼的《布登勃洛克一家》、杜·伽尔的《蒂波一家》，就是在这种思想基础上写出来的。这三部著名的长篇小说产生在英国、德国和法国三个不同的国度，更反映了某些带有普遍意义和规律性的东西，我们当然不能把这些作家作品和当时那些腐朽反动的文学艺术混为一谈。

如，把历史上对人民群众抱同情态度并反映了人民某些愿望的作家作品与敌视、轻蔑人民群众，歪曲表现人民形象的作家作品区别开来。应该看到，一切剥削阶级和劳动人民、被剥削阶级有本质的不同，这由阶级本性所决定，它们对劳动人民总是极尽污蔑之能事。因此，这些阶级的文艺都表现出对劳动人民的阶级偏见，创造了历史的被剥削阶级、劳动人民或则在其中得不到应有的地位，或则被歪曲地加以描写。在中国，封建时代不少作品都把起来反抗地主阶级压迫和剥削的劳动人民描写成"匪""贼"，《荡寇志》就是一例；在外国，贵族资产阶级的文学家也常以丑化劳动人民为己任，18世纪封建社会崩溃的前夕，欧洲文学史上就出现了一部著名的长篇小说《暴发户农民》，这部作品竟把农民青年描写成放荡的贵族式的人物，靠引诱妇女而在上层社会里步步高升，最后得到了荣华富贵。19世纪下半叶，资产阶级作家也往往在"下层题材"的小说里，把工人描写成酗酒纵欲、道德堕落、盗窃犯罪的典型，适应了反动统治阶级镇压无产阶级的需要，著名的自然主义作家龚古尔兄弟的《热曼妮·拉瑟顿》就是这样的作品。对于这一类歪曲劳动人民的作品，无产阶级必须进行批判。但是，另一方面，我们也应看到，当资产阶级作为新兴阶级与过时的生产方式和腐朽的统治阶级进行斗争的时候，它是以"全民代表"的姿态出现的，它不仅为本阶级的利益作斗争，而且还不得不在某种程度上照顾到劳动人民的一些利益，因此，这个时期的文艺作品往往就描写了一些人民的疾苦，反映了一些人民的愿望。狄德罗的《定命论者雅克和他的主人》和卢梭的《忏悔录》中某些篇章就对18世纪农民阶级悲惨的处境提出了强烈的抗议，而且，这个时期的资产阶级文学中还不止一次地出现了低贱者高明于高贵者、仆人战胜主人的题材。在封建阶级、资产阶级建立了自己统治的时期，有些作家或由于与统治阶级存在矛盾，或由于比较接近人民，或受了新兴阶级思潮的影响，也可能写出同情人民的优秀作品，如：中国封建时代有杜甫、白居易的一些反映民间疾苦的诗歌；外国资本主义时代，也出现了雨果的《悲惨世界》、左拉的《萌芽》、盖斯凯尔夫人的《玛丽·巴顿》等这些同情劳动人民的苦难、反映了人民的斗争的小说。对于这一类作品，我们当然应该重视，不能简单地加以否定。

以上只是我们对文化遗产所作的一些最主要的区分。除此以外，还可以有其他的一些区分，例如，同是某个阶级的上升时期，同是某一种文学艺术，其中也有比较积极进步的倾向与比较保守反动的倾向。还例如，同是某一个作家身上，甚至同是在某一部作品之中，也往往有进步与落后、积极与消极的不同成分，对这些都应该作些区分。马克思主义这种一分为二的区分方法并不是人为的，而是以客观对象本身内部固有的矛盾为依据的。对待剥削阶级的文化之所以必须采取一分为二的方法，就是因为在这种文化中客观上存在着不同的情况，必须按照历史唯物主义的标准"把它分解为精华和糟粕两部分"，只有在这个基础上，才谈得上正确对待文化遗产，才能做到毛泽东同志所要求的"排泄其糟粕，吸收其精华"[①]，批判继承，"古为

[①] 《新民主主义论》，《毛泽东选集》第二卷，第667页。

今用""洋为中用"。

"四人帮"与此相反,他们反对马克思主义矛盾统一的观点和发展的观点,从主观唯心主义出发,完全否认剥削阶级文化内部的不同情况,给其中民主性的精华也扣上"反动腐朽"的帽子加以排斥。按他们这样办,哪里还用得着取其精华,去其糟粕?哪里还谈得上批判继承,"古为今用""洋为中用"?这岂不是把革命导师关于正确对待文化遗产的原则否定得一干二净?!这里正暴露出"四人帮"反马克思主义的丑恶面目。

二、是在意识形态领域里对资产阶级坚决进行斗争,还是搞反革命文化专制主义

马克思主义是革命的、批判的。在马克思主义看来,历史上留下来的文化遗产,从根本的思想内容来说,都没有超出私有制性质的范围。而且,统治阶级的思想是统治的思想,这些文化遗产不可能不打上剥削阶级的烙印,因此,对这些遗产就必须是站在无产阶级革命的立场上,采取正确的态度。马克思主义从来都反对全盘继承,主张不仅摈弃剥削阶级反动腐朽的文化,即使是对优秀进步的文化遗产,也要"如同我们对于食物一样,必须经过自己的口腔咀嚼和胃肠运动,送进唾液胃液肠液,把它分解为精华和糟粕两部分,然后排泄其糟粕,吸收其精华","决不能生吞活剥地毫无批判地吸收"[①]。就以在历史上起过进步作用的文艺复兴、启蒙主义、批判现实主义的优秀文化遗产而言,也都具有资产阶级的阶级局限性。文艺复兴时期的文学在反对封建思想、禁欲主义对人的压抑和束缚的同时,把资产阶级个人主义的欲望与要求也当作合理的东西加以肯定,并宣扬为此可以不择手段,因此,骗子、流氓往往作为正面人物出现,受到作者的赞

---

① 《新民主主义论》,《毛泽东选集》第二卷,第667页。

赏；启蒙运动的文学对封建时代全部的上层建筑进行了无情的批判，宣扬了"理性的王国"，然而，这永恒的理性只不过是中等市民的理想化的悟性而已，其中就有关于私有财产是永恒的、不可动摇的原则；批判现实主义在对19世纪资本主义社会作了深刻揭露的时候，又宣传了个人主义、悲观主义以及对劳动人民的偏见。显然，在继承这些文学遗产的时候，就必须对其中的资产阶级局限性加以批判。

无产阶级对文化遗产采取一分为二、区别对待、批判继承的态度，完全立足于革命的需要，绝不是颂古非今，崇洋复古，而是要吸取有益的东西，达到"古为今用""洋为中用"的目的，达到为无产阶级政治服务、为发展社会主义文化服务的目的。这种态度是高度的革命性、党性和科学性的结合。"四人帮"对待文化遗产的态度完全与此相反。他们伪装革命，把自己打扮成彻底的无产阶级文化派、一切旧意识形态的死对头，他们声称要对历史上的一切优秀的文化遗产进行"彻底批判""彻底扫荡"。在他们这种假革命的口号之下，凡在历史上起过进步作用、对我们今天仍然有益的优秀文化遗产都被否定了。长期以来，"四人帮"的淫威所致，造成了这样一种难以容忍的情况：那些"可供群众在推翻了地主和资本家的压迫而为自己建立了人的生活条件的时候永远珍视和阅读的艺术作品"[①]完全被禁闭起来，出版社不准出版，图书馆不准出借，学校不准讲授，人们当然也不敢公开阅读，害怕招来"爱好四旧"之嫌，更不敢对它们加以肯定，唯恐被戴上"鼓吹剥削阶级意识形态"之帽。"四人帮"就是这样实行着历史上罕见的愚民政策和文化专制主义。

"四人帮"在这样做的时候，总是打着"向资产阶级意识形态作坚决斗争""与剥削阶级的意识形态作彻底决裂""在意识形态领域实行对资产阶级的专政"等这样一些革命的旗号，这是"四人帮"典型的打着红旗搞阴谋的手法，必须彻底予以戳穿！

[①] 《列夫·托尔斯泰》，《列宁全集》第十六卷，第321页。

首先，马克思主义对资产阶级以至一切剥削阶级的意识形态的坚决斗争，与"四人帮"的假革命、故作激烈是完全不同的。列宁曾经精辟地指出："无产阶级敌视一切资产阶级和资产阶级制度的一切表现，但是这种敌视并没有解除它应对资产阶级人士在历史上的进步和反动加以区别的责任。"[①]列宁提出的这一责任，是无产阶级历史使命的一部分，即无产阶级作为历史上最先进的阶级，必须站在辩证唯物主义、历史唯物主义的高度，对人类思想所建树的一切加以审查，扬弃其剥削阶级的糟粕，肯定其反映了历史发展规律和前进方向的精华，用来为人类走向共产主义的历史进程服务。这个任务只能由无产阶级来完成，也只有无产阶级才能完成。革命导师给无产阶级规定的这个责任，超出了一切剥削阶级所共有的狭隘的阶级局限性，而显示出无产阶级在思想上、政治上的伟大。但是，这一崇高的责任又和无产阶级向资产阶级意识形态作坚决斗争是不矛盾的，这两者是无产阶级在意识形态领域里进行革命的两个相辅相成的方面。革命导师从马克思、恩格斯到列宁、毛泽东，在他们的革命理论活动中就对历史上很多哲学家、历史学家、经济学家、文学艺术家都作过科学的评价。马克思还曾有过计划要写关于巴尔扎克的专文。因此，如果否定无产阶级这一历史责任，而且把这说成是无产阶级对资产阶级的敌视，那就是对无产阶级革命斗争的曲解、对无产阶级历史使命的歪曲，"四人帮"就正是这样做的。

那么，批判继承文化遗产、"古为今用"、"洋为中用"与同剥削阶级的意识形态彻底决裂的关系又是怎样呢？马克思、恩格斯说过："共产主义革命就是同传统的所有制关系实行最彻底的决裂；毫不奇怪，它在自己的发展进程中要同传统的观念实行最彻底的决裂。"[②]革命导师这段话是对无产阶级在生产资料所有制和上层建筑两个领域的

---

① 《旅顺口的陷落》，《列宁全集》第八卷，第34页。
② 《共产党宣言》，《马克思恩格斯选集》第一卷，第271~272页。

伟大革命任务的高度概括，是无产阶级的最高战斗纲领，它体现了彻底的、伟大的革命精神，它与"四人帮"假革命的"彻底扫荡"论、"彻底批判"论有着本质的不同。马克思、恩格斯所说的"传统观念"显然是指建筑在传统的所有制，即剥削制度基础之上的剥削阶级思想体系和阶级偏见，并不是指人类长期在生产斗争和科学实验中所总结出来的不同程度地反映了自然规律和社会发展规律的经验和思想。马克思就曾对资产阶级上升时期人文主义作家莎士比亚在《雅典的泰门》中关于金钱的罪恶作用的一段话表示高度的赞赏，指出这位作家"绝妙地描绘了货币的本质"[①]；唐代文学家柳宗元在《敌戒》中所说的道理，"皆知敌之仇，而不知为益之尤；皆知敌之害，而不知为利之大"，也曾得到了毛泽东同志的肯定。

对于文学艺术作品来说，更要作具体的分析。由于文学艺术是以形象反映生活，虽然作品中的形象要受作家的世界观的制约，但它作为现实生活的再现又具有相对的独立性，对于不同的读者会有不同的意义，因此，这种形象描绘和阶级思想体系、阶级偏见更不能简单地等同起来而被划入彻底决裂之列。我们知道，列宁曾经尖锐地批判了托尔斯泰的世界观和学说，指出他"狂信地鼓吹'不用暴力抵抗邪恶'"，"鼓吹世界上最卑鄙龌龊的东西之一，即宗教"，但同时却肯定了这位作家"创作了无与伦比的俄国生活的图画"，是"俄国革命的镜子"[②]，并且明确指出，"俄国无产阶级要接受这份遗产，要研究这份遗产"[③]。

而且，我们还应该正确理解，革命导师所指的决裂并不就是简单的抛弃，而是要进行分析批判，只有进行了真正科学的批判，才谈得上是"彻底决裂"，只有这种真正意义上的"破"，才有真正意义上

---

① 《1844年经济学哲学手稿》，《马克思恩格斯论艺术》第一卷，第240页。
② 《列夫·托尔斯泰是俄国革命的镜子》，《列宁选集》第二卷，第369页。
③ 《列夫·托尔斯泰》，《列宁全集》第十六卷，第325页。

的"立"。马克思主义的三个组成部分,正是对以往历史上非无产阶级的思想家所创造的古典哲学、古典政治经济学和空想社会主义进行了科学的分析批判,扬弃其消极的成分、继承其合理的内核而发展起来的。即使是对那些表现了剥削阶级反动腐朽思想的作品,马克思主义也不是采取把它们从历史上抹掉的办法,或无视它们的存在,或与之绝缘不去接触。"奇文共欣赏,疑义相与析",毒草可以肥田,就是很好的处置。18世纪有一本著名的小说《曼侬·莱斯戈》,它以同情和欣赏的态度写贵族浪荡子弟和坏女人的放荡无行、堕落犯罪的故事,不是一本好书,但是,恩格斯在《自然辩证法》中却把它引用来批判唯心主义哲学家。总之,革命导师所说的"同传统的观念实行最彻底的决裂"具有深刻丰富的涵义,"四人帮"却把它庸俗化,加以歪曲,并另提"彻底批判""彻底扫荡""彻底抛弃"的口号,正暴露了他们歪曲和反对马克思主义的本来面目。

　　同样,"四人帮"把历史上优秀的文化遗产和无产阶级专政对立起来而加以否定,在理论上也是极为荒谬的。无产阶级专政是人类历史上最先进、最合理的阶级专政。无产阶级是一切优秀文化最好的继承者、最好的评判者。我们的革命导师在这方面做出了光辉的榜样,他们对历史上一切重要的有价值的文化遗产都是欣赏和爱护的。马克思把狄德罗的《拉摩的侄儿》寄给恩格斯的时候,表示相信"这本不可模仿的作品"将给他亲密的战友"新的喜悦"[1],他自己在病中还带着很大的兴趣阅读英国浪漫派小说家司各特的作品[2]。恩格斯对历史上的文学遗产也具有广泛的兴趣,他不仅喜爱莎士比亚、卢梭、狄德罗、歌德、巴尔扎克的作品,重视狄更斯、乔治·桑、欧仁·苏等作家,而且也很注意历史上并不十分有名但具有一定价值的作家,从他致友人的信里,我们知道像英国17世纪伯尔顿这样并不为一般读

---

[1] 《马克思恩格斯论艺术》第二卷,第207页。
[2] 　同上书,第395页。

者所熟知的作家及其作品也引起了他很大的兴趣，并且"确信这本书将成为我经常享乐的源泉"①。列宁也是优秀文化遗产的爱好者，他经常阅读普希金、莱蒙托夫、托尔斯泰等作家的作品。他珍藏着法国小说家左拉的照片。他特别喜爱的文学作品有歌德的《浮士德》、雨果的《惩罚集》、杰克·伦敦的《热爱生命》。他对贝多芬的音乐作品的兴趣是那样强烈，甚至表示"愿意每天都听一听"。同样，毛泽东同志对于历史上的文化珍品也很重视，并且具有很高的古典文化的修养。

革命导师的光辉榜样彻底粉碎了阶级敌人那些污蔑无产阶级专政是野蛮的、毁灭文化的谰言，显示出共产主义革命家的伟大气魄。关于共产主义与传统文化的关系，恩格斯曾经这样预示在共产主义社会中人们的文化生活："每个人都有充分的闲暇时间从历史上遗留下来的文化——科学、艺术、交际方式等等——中间承受一切真正有价值的东西。"②难道我们今天的无产阶级专政不正是为了争取这种消灭了阶级而物质生活和精神生活都巨大丰富的共产主义的早日到来吗？因此，审查、整理和保护历史上一切优秀的文化遗产，显然是无产阶级专政在文化方面的一个重要的任务。而"四人帮"打着所谓坚持无产阶级专政的旗号否定优秀的文化遗产，正是给无产阶级专政抹黑，正是给国内外阶级敌人提供污蔑"无产阶级专政毁灭文化"的炮弹。

我们还应该进一步指出，批判继承优秀的文化遗产不仅与坚持无产阶级专政不矛盾，而且对社会主义建设的胜利和无产阶级专政的巩固本身还具有重要的意义。列宁尖锐地指出："仅靠摧毁资本主义，还不能饱肚子。必须取得资本主义遗留下来的全部文化，用它来建设社会主义。"③他还说："没有资本主义文化的遗产，我们建不成社会

---

① 《马克思恩格斯论艺术》第二卷，第162页。
② 《论住宅问题》，《马克思恩格斯选集》第二卷，第479页。
③ 《苏维埃政权的成就和困难》，《列宁全集》第二十九卷，第50页。

主义。"①再就在意识形态领域里对资产阶级思想进行斗争而言，谁都知道，仅仅宣布某种旧思想体系是错误的、非法的，并不能摧毁这种体系，同样，用干脆置之不理和禁止流传的办法也消除不了某种旧意识形态。在思想文化领域的斗争中，不能靠行政手段和简单的结论，而必须靠锐利的马克思主义的思想武器进行科学分析和深刻批判。只有这种"批判的武器"才能真正体现无产阶级在意识形态领域里的强大力量，才能在这个领域里坚持社会主义革命。而要对过去时代遗留下来的大量旧意识形态作分析批判，除了最重要的要有无产阶级的立场、马列主义的世界观外，没有必需的历史知识和对旧意识形态本身的深刻了解也是不行的。鲁迅先生说得好："菲薄古书者，惟读过古书者最有力，这是的确的。因为他洞知弊病，能'以子之矛攻子之盾'。"②我们怎么能想象如果马克思、恩格斯、列宁不是站在人类文化的高峰上，掌握了当时科学文化的最高成就，能对理论上形形色色的敌人进行那样深刻的批判？人类历史上的文化遗产对于马克思主义者共产党人来说，是用来进行斗争的工具和武器。在战斗的《反杜林论》中，我们可以看到恩格斯的丰富的古典文学知识是如何使他对杜林的批判更为生色：在《暴力论》一节中，恩格斯引用了著名的小说《鲁滨逊漂流记》，通过分析小说主人公与他的奴隶礼拜五的关系，深刻说明不是暴力产生私有财产，而是私有财产产生暴力的原理，批判了杜林的反动的暴力论；在《经济的自然规律·地租》一节中，恩格斯又引用了法国17世纪喜剧家莫里哀剧本中的台词对杜林进行了绝妙的讽刺。这些文学典故到了无产阶级革命家手里，就成了一发发射向敌人的子弹。但"四人帮"却假借无产阶级的名义，反对继承文化遗产，这实际上就是缴无产阶级的械，使无产阶级在和掌握了文化的资产阶级作斗争时丧失知识的武器，使无产阶级在面临艰巨的社会

---

① 《俄共（布）第八次代表大会》，《列宁全集》第二十九卷，第131页。
② 《古书与白话》，《鲁迅全集》第三卷，第154页。

主义建设任务时失去知识的工具,这正暴露出"四人帮"的文化专制主义专无产阶级的政的实质,即资产阶级专政的实质。

在人类历史上,每一个社会的文化发展除受经济基础的决定外,都是在继承了前人所遗留下来的思想资料的基础上进行的。历史上每一个处于上升时期的社会和阶级,在文化遗产面前往往都具有一种敢于继承、善于从其中吸取对自己有益的部分的自信。鲁迅先生就曾指出:"汉唐虽然也有边患,但魄力究竟雄大……凡取用外来事物的时候,就如将彼俘来一样,自由驱使,绝不介怀。"①无产阶级是政治上、思想上最强大的阶级,无产阶级专政是人类历史上最具有广大人民群众基础、最有生命力的专政。无产阶级有彻底的唯物论作为自己的精神武器,它是无所畏惧的,它有能力对历史上一切意识形态加以审查,从无产阶级的革命需要出发,批判继承其精华,用来为无产阶级服务。这种革命的态度充分表现了无产阶级在政治上、思想上的强大、有力。一切没落腐朽的阶级则相反,它们对优秀的文化遗产往往表现出恐惧的心理,也正如鲁迅先生所说:"一到衰弊陵夷之际,神经可就衰弱过敏了,每遇外国东西,便觉得仿佛彼来俘我一样,推拒、惶恐、退缩、逃避,抖成一团。"他还说:"无论从那里来的,只要是食物,壮健者大抵就无需思索,承认是吃的东西。惟有衰病的,却总常想到害胃,伤身,特有许多禁条,许多避忌;……这一类人物总要日见其衰弱的,因为他终日战战兢兢,自己先已失了活气了。"②鲁迅先生讲出了历史的规律。在欧洲中世纪,衰弱的封建统治阶级不正是把科学真理的传播、古希腊罗马"异教"文化的流传视为灾难吗?他们把科学文化变成宗教神学的奴婢,甚至采取了焚烧图书馆、销毁古代文物书籍、成批迫害古代文学研究者的反动措施,造成了历史上有名的中世纪的黑暗与蒙昧。在著名的现实主义小说《红与黑》

---

① 《看镜有感》,《鲁迅全集》第一卷,第301页。
② 同上。

里，也可以看到，法国19世纪那个摇摇欲坠、日夜担心革命的波旁王朝不是也依靠天主教会在思想文化方面进行严密的特务统治？小说中有一个细节就深刻表现了这一点：主人公于连第一次受聘任家庭教师的时候，为了使贵族东家以为他在思想上是循规蹈矩的，就竭力表白自己从来不读古代罗马"那些无神派诗人的作品"。而在现代资产阶级发展到腐朽垂死的帝国主义阶段，不是又出现了疯狂敌视一切进步文化传统，甚至焚禁海涅作品的希特勒法西斯专政吗？"四人帮"和这些腐朽的阶级如出一辙，对优秀的文化遗产立下了种种禁条、避忌，这正说明了"四人帮"和历史上那些反动派是一丘之貉，充分暴露了"四人帮"那种"自己先已失了活气"、濒于灭亡的状态。

三、是取其精华、去其糟粕、"古为今用"，还是取其糟粕、去其精华、"古为帮用"

"四人帮"是反革命实用主义者。他们今天从这个需要这样讲，明天又从那个需要改变腔调，那样讲。江青一时这样宣称，"那些封建的、资产阶级的东西，都不能为中国革命服务"，一时又那样鼓吹，"外国的、封建时代的东西，不是不要了，而是要拿过来，化成我们自己的东西"。腔调虽然不一，手法却是相同，那就是以形而上学的手法把过去时代文化的精华与糟粕混为一谈，一时故作激烈摆出虚无主义的面孔，一时又全盘接受，要与剥削阶级同化。如果再结合他们对文化遗产中精华与糟粕两部分截然不同的态度，对他们变幻不定的嘴脸加以分析，就可以很容易看出，他们所谓的"不能为中国革命服务"是针对历史上起过进步作用的优秀文化遗产，而他们的"拿过来化成我们的东西"指的正是封建主义和资本主义文化的糟粕。因此，是取其精华、去其糟粕、"古为今用"，还是取其糟粕、去其精华、"古为帮用"，就成了马克思主义与"四人帮"在文化遗产问题上斗争的又一焦点。

历史上的进步的文化遗产遭到"四人帮"的敌视是很自然的，这些文化遗产属于当时时代潮流的进步方面，与反动腐朽的"四人帮"当然格格不入。无产阶级重视这些优秀文化遗产也是必然的，因为在无产阶级革命斗争中，在社会主义建设事业中，这些文化遗产仍然具有积极的作用。那么，究竟它们有一些什么积极作用呢？总起来说，它们具有教育启发作用、思想认识作用和艺术借鉴作用。

关于教育启发作用

无产阶级革命以实现人类共产主义社会为目标而与历史上任何其他阶级的革命有本质的不同，但无产阶级在与庞大的根深蒂固的旧生产方式和旧政治制度作艰巨斗争时，需要从历史上吸取有益的经验教训，借鉴当时先进阶级的斗争的精神和斗争的智慧。"不管资产阶级社会怎样缺少英雄气概，它的诞生却是需要英雄行为、自我牺牲、恐怖、内战和民族战斗的"①，因此，过去时代文化遗产所表现的先进阶级在变革过时的社会制度时的斗争精神，对今天无产阶级就仍然有启发作用。资产阶级的那一批向旧思想、旧制度冲锋陷阵的战士在今天看来仍不失为可敬的历史人物。哥白尼甘冒被封建教会焚身的危险坚持科学的真理，加尔文提出了"当时资产阶级中最勇敢的人的要求"②，伏尔泰长期逃避反动政府的追捕而战斗不息，狄德罗"为了'对真理和正义的热诚'……而献出了整个生命"③，卢梭坚决不与封建统治阶级同流合污，甚至在国王面前也故意表示不敬，他们作品中那种向反动阶级不屈不挠的斗争精神，在无产阶级的革命斗争中难道不能起积极有益的作用吗？列宁在论述无产阶级反对宗教的革命斗争

---

① 《路易·波拿巴的雾月十八日》，《马克思恩格斯选集》第一卷，第604页。
② 《社会主义从空想到科学的发展》，《马克思恩格斯选集》第三卷，第391页。
③ 《路德维希·费尔巴哈和德国古典哲学的终结》，《马克思恩格斯选集》第四卷，第228页。

时,就引证了恩格斯的话,"要把18世纪末叶战斗的无神论的文献翻译出来,广泛地传播到人民中去",还指出,"不敢同18世纪(资产阶级还是革命阶级的时期)的资产阶级代表人物结成联盟,就无异是背叛马克思主义和唯物主义"①,这就充分肯定了优秀文化遗产对无产阶级斗争的积极意义。而且,从无产阶级战士的精神成长来说,资产阶级时代的英雄行为也不是不能起到积极的影响,小说《钢铁是怎样炼成的》中主人公、革命者保尔·柯察金不是就深受英国资产阶级作家伏尼契的小说《牛虻》中主人公那种不妥协的斗争精神的影响吗?特别是在资本主义社会矛盾明朗化、深刻化以后,从资产阶级营垒中出现了一些受无产阶级思想影响的革命民主主义者,他们的作品对无产阶级就更有具体的教育作用,如海涅的《织工歌》尖锐地、大义凛然地反对私有制社会,深刻表现了无产阶级的战斗意志,车尔尼雪夫斯基的长篇小说《怎么办?》塑造了拉赫美托夫这个真正的革命者的形象,被列宁称为"能教育人、引导人、鼓舞人"的"真正的文学"。

还有斗争的经验和智慧。虽然以往历史上任何一次革命都没有无产阶级革命这样丰富深刻,但阶级斗争的规律往往有些相似,因此,过去时代文化中所总结的关于阶级斗争的经验和智慧仍值得无产阶级批判地继承和学习。我们知道,毛泽东同志就经常从古代文化遗产中引用一些有益的典故,加以改造,赋予新的内容,用来为革命斗争服务,如:在《将革命进行到底》中引用了古希腊寓言《农夫和蛇》的故事,说明不要怜惜蛇一样的恶人;在《实践论》中引用了《后汉书·班超传》中"不入虎穴,焉得虎子"的典故,说明亲自参加变革现实的实践的重要性;其他如"兼听则明,偏信则暗""有则改之,无则加勉""实事求是""惩前毖后"等等,这些古代的格言,在注入新的内容之后,对我们仍然很有教益。至于文化遗产中所总结的生产斗争的经验和智慧,由于并不明显地表现出剥削阶级狭隘的阶级内

---

① 《论战斗唯物主义的意义》,《列宁选集》第四卷,第605、607页。

容，对我们更有直接的启发作用。

关于认识作用

　　文化作为知识与思想材料，是人类对自然、对社会的认识和经验的总结，虽然历史上的剥削阶级世界观有局限性，当时科学也只发展到一定的程度，但毕竟在长期的实践中积累了大量的知识，这些知识都是靠文化典籍流传下来。后人的知识、经验都是在前人积累的基础上继续发展的，因此，过去时代的文化遗产对于无产阶级仍然具有巨大的认识价值。马克思、恩格斯对于他们以前科学文化的成就都非常重视，高度评价了那些思想家的作品在认识客观世界方面所具有的意义，马克思在《资本论》第一卷第二版正文中就这样谦虚地说："我要公开承认我是这位大思想家（指黑格尔）的学生。"马克思、恩格斯正是批判继承了欧洲整个历史科学、经济科学和哲学科学的最高成就，并加以改造和发展而创建了马克思主义科学认识世界并改造世界的崭新的学说。毛泽东同志在批判继承文化遗产中有认识价值的珍品用来为革命事业服务方面，也树立了光辉的典范。毛泽东同志作品中"星星之火，可以燎原""流水不腐，户枢不蠹""物以类聚"等这些成语都是取自我国古代著名的文化典籍。文化遗产中这一部分之所以能为无产阶级所用，就是因为它们对客观的事物的状态、本质和规律有如实的、准确的概括，符合其本来的实际，有助于人们的认识。

　　文化遗产中的文学艺术作品在认识作用方面，更有其特殊性。文学艺术和科学理论不同，它是以形象来反映客观世界的，这就使得文学艺术能够以具体的形象再现和复制现实生活，这对于不同时代、不同国度的读者，就更有宝贵的认识价值。古代希腊离我们已经非常遥远，但荷马的史诗却使我们能够具体看到当时古代社会的面貌，包括生产的情况、家庭关系、部族和国家的政治生活、战争以及人们的生活习惯。封建社会虽然已经过去，但《红楼梦》却能把封建社会那种黑暗腐朽的图景重现在我们的眼前。我们知道，马克思、恩格斯在他们的历史研究中非常重视当时的文学艺术作品中的形象描绘，把它们当作了解过去时代社会的重要依据。他们的著作凡涉及古代社会的，都大量地引证了当时的文艺作品，如马克思在《摩尔根〈古代社会〉一书摘要》中，通过荷马的史诗阐明古代社会生产力的情况、交易的性质、权力机构的状况以及分配制度，在《资本论》中又通过莎士比亚剧本中的台词阐释金钱在当时的罪恶作用。恩格斯在《家庭、私有制和国家的起源》中从希腊作家埃斯库罗斯的悲剧研究"父权制战胜母权制"的过程，在《德国农民战争》中从薄伽丘的故事说明中世纪市民是如何通过城市异教来反对封建教会，等等。这些范例都充分说明了真实地反映了社会现实的文学艺术作品在认识论上的价值。特别到了19世纪，现实主义文学思潮盛行，作家们都自觉地要求自己真实地描写现实并总结出了一整套描写现实的现实主义创作方法，因而批判现实主义的文学艺术在再现自己的社会和时代方面达到了更高的成就，更具有了高度的认识价值。马克思称赞那批英国的现实主义者说："他们那明白晓畅和令人感动的描写，向世界揭示了政治的和社会的真理，比起政治家、政论家和道德家合起来所作的还多"[①]；恩格斯对法国伟大的批判现实主义作家巴尔扎克也曾经这样评论："他汇集了法国社会的全部历史，我从这里，甚至在经济细节方面（如革命以后动产和不动产的重新分配）所学到的东西，也要比从当时所有职业的历史学家、经济学家和统计学家那里学到的全部东西还要多"[②]；同样，列宁也高度地肯定了托尔斯泰作品的认识意义——是"19世纪最后三十几年俄国实际生活所处的矛盾条件的表现"，是"无与伦比的俄国生活的图画"。

优秀文化遗产的这种认识价值不仅使读者对过去的时代、社会情

[①] 《马克思恩格斯论艺术》第二卷，第402页。
[②] 《恩格斯致玛·哈克奈斯》，《马克思恩格斯选集》第四卷，第463页。

况有具体的了解,而且还具有更深刻的意义。我们知道,虽然作家选择什么题材和怎样加以表现都要受他的阶级的世界观的影响,但是,作家的世界观本身往往存在矛盾,进步的一面总会在写作中发生积极的作用,同时作家的思想、观点毕竟是要蕴藏在形象描绘之中,而形象描绘又必须服从艺术表现真实的规律,因此,"如果我们看到的是一位真正伟大的艺术家,那么他就一定会在自己的作品中至少反映出革命的某些本质的方面"[①]。马克思、恩格斯、列宁所肯定的那些真实描绘了自己时代的作家,就是属于这种情况。正因为这些作家自觉地用现实主义的创作方法深刻认识并表现了自己的时代的面貌,所以在一定程度上就得以反映出现实生活的某些本质的方面,从而显示出现实生活的发展趋向,于是这样的作品客观上就成为了对历史唯物论的一种印证。我们读了《红楼梦》就能更具体地理解腐朽的封建社会必然灭亡的命运,而巴尔扎克深刻描写了资本主义关系的《人间喜剧》,也有助于打破资本主义秩序永世长存的神话。只要对这些作品中的阶级局限性有正确的分析批判,它们所能起的上述认识作用就不仅不会导致对今天的读者的社会主义思想意识的冲击,而且有助于丰富和深化读者对人类社会的历史唯物主义的认识。

过去时代进步的文化遗产在思想认识方面对我们今天既然具有这样深刻的意义,因而在对这些文化遗产的阶级局限性进行必要的、科学的批判的前提下,充分利用和发挥它们的有益作用,这就是继承遗产问题的核心。当然,我们应该看到历史上的文化遗产作为私有制度下产生的观念形态的东西,与今天社会主义经济基础,与社会主义、共产主义道德思想体系,都有矛盾的一面,具有一定的消极作用,因此,充分利用、发挥文化遗产的有益作用,必须和加强对文化遗产的分析批判紧密结合起来,也只有通过科学的分析批判,只有从无产阶级革命事业的需要出发对文化遗产加以取舍,才能充分利用文化遗

[①] 《列夫·托尔斯泰是俄国革命的镜子》,《列宁选集》第二卷,第369页。

产的积极作用。反动、腐朽的"四人帮"抹杀文化遗产的积极有用的一面,是因为他们无视历史发展的必然规律和社会前进的方向,他们既不需要也不可能利用进步文化中的精华,他们对进步文化遗产的否定、排斥正是由他们的阶级本性决定的。

关于艺术借鉴作用

优秀的文学艺术遗产是过去时代的人们根据当时的现实生活内容进行艺术创作的结果。这些遗产之所以经过时间的考验流传下来,除了进步的思想内容外,也是因为它们具有比较优美的艺术性而得到不同时代读者的欣赏和爱好。这种比较优美的艺术性就在于它符合了艺术表现现实的规律,而这种规律往往对于不同时代和社会都是共同的,这就形成了艺术形式的历史继承性。因此,在历史上,后人的文艺创作总要继承前人的艺术经验。对无产阶级来说也是如此,无产阶级也要向历史上优秀的文艺作品借鉴那些艺术地表现现实生活的有益经验,毛泽东同志这样指出:"有这个借鉴和没有这个借鉴是不同的,这里有文野之分,粗细之分,高低之分,快慢之分。所以我们决不可拒绝继承和借鉴古人和外国人,哪怕是封建阶级和资产阶级的东西。"[1]马克思、恩格斯也早就艺术借鉴的问题作过具体的教导:他们在论及应该如何创作革命悲剧的时候,就提出了"莎士比亚化"的问题,即应该学习莎士比亚那种善于使自己的思想倾向从场面和情节中自然而然地流露出来的艺术、使情节生动丰富的艺术;在论及如何描写"革命派的领导人"的时候,又提倡要"用伦勃朗的强烈色彩""栩栩如生地描绘出来"[2];在对描写工人生活的小说《城市姑娘》提出意见时,又指出要学习巴尔扎克那种现实主义创作的方法,即"除

---

[1]《在延安文艺座谈会上的讲话》,《毛泽东选集》第三卷,第817页。
[2]《〈新莱茵报·政治经济评论〉第四期上发表的书评》,《马克思恩格斯全集》第七卷,第313页。

细节的真实外,还要真实地再现典型环境中的典型人物"[1];等等。

在艺术借鉴问题上,同样存在着马克思主义与"四人帮"的原则斗争。江青提出了一个反马克思主义的论点——"内容不可继承,形式可以继承",既用搅浑水的手法把优秀文化和反动腐朽文化的不同的思想内容、不同的艺术性加以混淆,又以形而上学的观点把作品的内容与形式机械地割裂开来。在马克思主义看来,形式问题、艺术性问题和思想内容是密切不可分的,形式虽有相对的独立性,但对一部作品是否肯定、是否继承,主要还是要根据其思想内容。"内容愈反动的作品而又愈带艺术性,就愈能毒害人民,就愈应该排斥"[2],革命导师是坚持这一原则态度的。虽然法国反动浪漫主义作家夏多布里昂是一个"美妙的文学家",他的文体显示了"巧妙的艺术"[3],但马克思对他的这种艺术性作了深刻的批判,指出他的作品中"虚伪的深刻、谄媚的夸张、感情的卖俏、杂色的光彩、语言的修饰、戏剧式的表演、壮丽的形态",是虚荣心的典型表现,"是一种诳言的混合物"[4]。

那么"四人帮"为什么要在遗产问题上提出这样一个口号呢?目的不外有二:其一,借口"内容不能继承",把历史上有进步思想内容的文学艺术遗产一概否定;其二,借口"形式可以继承",把那些内容反动但具有某种艺术性的作品置于"继承"之列。而且,处于没落时期的一切剥削阶级的反动文艺的共同特点,就在于以某种艺术性、以形式上的花样翻新来掩盖反动空虚的内容,20世纪资产阶级文艺中就有不少这类货色。因此,江青这个口号的实质就是在否定进步的文化遗产的同时,为一切反动的形式主义的文艺,包括现代资产阶级文艺中的糟粕大开绿灯。取其糟粕、去其精华、"古为帮用",这就是他们在文化遗产问题上的反动方针。

---

[1] 《恩格斯致玛·哈克奈斯》,《马克思恩格斯选集》第四卷,第462页。
[2] 《在延安文艺座谈会上的讲话》,《毛泽东选集》第三卷,第826页。
[3] 《马克思恩格斯通信集》第二卷,第69页。
[4] 同上书,第四卷,第471页。

四、斗争的实质

"四人帮"在文化遗产问题上的反马克思主义的态度,是为他们反革命修正主义政治路线、为他们篡党夺权的罪恶目的服务的。他们是马克思主义的敌人,所以在文化遗产问题上故作激烈,伪装革命,以此贬低马克思主义,把矛头指向革命导师,他们是无产阶级专政的敌人,所以反对批判继承、"古为今用"、"洋为中用"的原则,破坏社会主义文化建设和在意识形态领域里对资产阶级的斗争;他们是人民的敌人,"不愿工农在政治上抬头,也不愿工农在文化上抬头"[①],所以大搞文化专制主义、愚民政策;他们是地主、资产阶级的代表,是人类的渣滓,所以大肆宣扬封资修最反动糜烂的文化,妄图以剥削阶级的精神面貌改造无产阶级;他们是反革命阴谋家,所以任意歪曲历史,借古讽今,把矛头指向党。

这就是"四人帮"在文化遗产问题上反马克思主义态度的阶级根由和反动实质。

1977 年 9 月

---

① 《新民主主义论》,《毛泽东选集》第二卷,第 664 页。

论 18 世纪启蒙文学

——兼批"四人帮"在文化遗产问题上的谬论

半个多世纪以前,列宁在《论战斗唯物主义的意义》一文中,写了这样一段话:"恩格斯早就嘱咐过现代无产阶级的领导者,要把 18 世纪末叶战斗的无神论的文献译出来,广泛地传播到人民中去。我们惭愧的是,直到今天还没有做这件事(这是证明在革命时期夺取政权要比正确地运用这个政权容易得多的许多例子之一)。"

革命导师所说的"18 世纪末叶战斗的无神论的文献",主要就是指法国资产阶级革命前为行将来到的社会变革作了舆论准备、启迪了人们头脑的启蒙思想家的论著。这些思想家的名字,如孟德斯鸠、伏尔泰、狄德罗、卢梭都是人们所熟知的,他们在人类思想史上占有重要的地位,产生过深远的影响,他们的理论活动与文学活动紧密结合在一起,人们统称之为启蒙文学,它在人类文学史上也构成了光辉的一章。与人类历史上很多有价值的文化遗产比较起来,革命导师对 18 世纪启蒙作家的这笔遗产特别重视,他们在自己的论著中多次对这些思想家作了高度的评价,其推崇赞美之程度是不多见的。恩格斯在《反杜林论》中曾称赞这些作家都是"伟大人物","本身都是非常革命的",在《路德维希·费尔巴哈》中曾肯定狄德罗"毕生都为'真理和正义'服务";马克思在给恩格斯的信里,认为狄德罗的《拉摩的侄儿》是"不可模仿的作品",恩格斯也把这部作品和卢梭的《论人类不平等的起源》同称为"辩证法的杰作";列宁也曾多次高度评价了这些杰出的作家。上面所引的《论战斗唯物主义的意义》中的那段话，不仅传达了恩格斯的嘱咐，而且，对我们来说，其本身就是珍贵的遗言，它给我们在意识形态领域里规定了一项有意义的任务——研究和继承这一份遗产。

用革命导师的遗言来衡量，我们在继承这份遗产方面还做得很不够，仅仅只是开始。但是，这一个开端却遭到了"四人帮"的文化专制主义极其残暴的破坏，他们出于篡党夺权、搞愚民政策的反革命需要，在大规模摧残文化、彻底否定一切优秀文化遗产的时候，对启蒙思想家进行了大张旗鼓的声讨。他们与马克思、恩格斯、列宁对启蒙思想家的评价针锋相对，给这些作家加上种种罪名，还把"鼓吹资产阶级文艺就是复辟资本主义"的帽子，扣在肯定过这一份优秀文化遗产的革命同志的头上，甚至含沙射影，把矛头指向高度评价过启蒙运动的革命导师。"四人帮"盗用无产阶级的名义，用革命的词句来掩盖他们反历史主义的诡辩和形而上学的方法，"巧言令色"、蛊惑人心，一时颇能把人们的思想搅乱。为了把"四人帮"颠倒了的是非颠倒过来，加深对革命导师遗言的理解，完成革命导师交给我们的任务，必须还启蒙文学以本来的历史面目，阐明它的历史条件、历史内容和历史作用，必须戳穿"四人帮"在启蒙文学评价问题上使用的卑劣手法，揭露它反马克思主义的丑恶嘴脸。

一

启蒙思潮产生于 18 世纪的法国。它是法国资产阶级民主主义革命历史任务的产物。

法国当时是一个黑暗的封建专制主义国家，阶级矛盾极为尖锐。占人口百分之一的王室和特权阶级，即贵族与教会，以封建专制主义的暴力，占有了全国土地的绝大部分，对农民进行极为残酷的压榨。

农民负担着沉重的地租剥削和名目繁多的赋税,他们甚至在低矮的农舍多开一个窗户也要缴纳门窗税,税吏在农民门口发现一根鸡毛就可以任意增加税额。农民生活在赤贫之中,对赋税的恐惧使他们毫无生产积极性。英国著名经济学家亚当·斯密1764年在法国旅行后这样说:"农民用最简陋的劳动工具进行耕作,以表示自己很穷,无力偿付任何赋税。"封建生产关系的束缚和自然灾害的破坏,使得农业生产陷于巨大的危机。封建统治阶级也日薄西山、气息奄奄,从17世纪下半期、路易十四时代起,全国各地的大贵族就纷纷扔下地产而任其荒芜,迁居凡尔赛,成为宫廷贵族,过着奢侈糜烂的生活,外省中小贵族由于家产微薄、子孙繁衍,也日益破落。封建统治阶级的财源日益枯竭,路易十四连续不断的大规模对外战争和宫廷贵族的穷奢极欲,又使封建统治阶级进一步残酷地压榨农民。民不聊生,起义暴动此起彼伏,从根本上动摇了封建统治的基础。国家的财政濒于破产,政局极为不稳,封建君主专制经过路易十四时期的全盛,到了18世纪下半期已经面临着全面的没落和崩溃。

早在16世纪就已经萌芽的资本主义生产关系,到18世纪又有了进一步的发展,手工业工场广泛存在,分工日益细密,工商业集中的城市和规模较大的工业生产也开始出现。资产阶级的力量大为加强。17世纪的包税人、高利贷者到18世纪发展成金融家,他们不仅从国王那里买得征收间接税的权利,还掌握着关税,主管盐、烟草等商品的专卖。工商资产阶级的经济实力也渐趋雄厚。整个资产阶级已经成为了国内最有经济实力的阶级,他们"利用工商业从封建主的口袋里攫取金钱并通过期票使他们的地产化为泡影"①。其中大资产阶级势力更大,国王有时也要向他们借钱,甚至把国家财政问题委托给他们。但是,资本主义生产仍在很多方面受到封建生产关系、行会制度、地方割据、关税壁垒的妨碍和束缚,资产阶级的地位与贵族特权阶级远

---

① 《道德化的批判与批判化的道德》,《马克思恩格斯选集》第一卷,第172页。

不能相比,两者之间存在着尖锐的矛盾。这种矛盾的性质和它的发展,正像马克思、恩格斯所指出的:"资产阶级赖以形成的生产资料和交换手段,是在封建社会里造成的。在这些生产资料和交换手段发展的一定阶段上,封建社会的生产和交换在其中进行的关系,封建的农业和工业组织,一句话,封建的所有制关系,就不再适应已经发展的生产力了。这种关系已经在阻碍生产而不是促进生产了。它变成了束缚生产的桎梏。它必须被打破,而且果然被打破了。"[①]法国18世纪阶级矛盾发展的进程就是这样的。封建生产关系的陈旧过时、封建统治阶级的腐朽,新的资本主义方式的发展、新兴资产阶级力量的加强,决定了一次深刻的社会变革的历史必然性,决定了18世纪末资产阶级革命的必然发生。

法国的封建制度经过几百年的发展,形成了国王、封建主的世俗政权与教会的教权相结合的统治,具有一整套维护和强化封建统治的上层建筑和意识形态,君主专制、贵族的世袭特权、严格的等级制度、反动教会、天主教的蒙昧主义、君权神授的封建政法观念、宗教狂热和宗教迫害等等,沉重地压在广大人民的头上,并且以极大的威慑力量统治着人们的思想。要打破阻碍历史前进的封建桎梏,就必须摧毁这种封建的思想体系,破坏全部封建的上层建筑的神圣不可侵犯性。正是在这一历史任务面前,启蒙思潮应运而生。它以革命的姿态出现在18世纪,它揭示了封建专制社会已经腐朽不堪,暴露了其黑暗和深刻的矛盾,批判了全部封建上层建筑和封建意识形态的荒谬、不合理,控诉了封建统治阶级、反动教会的残暴与罪恶。对于这一思潮的思想家们的革命批判精神,恩格斯曾经作过这样著名的论述:"在法国为行将到来的革命启发过人们头脑的那些伟大人物,本身都是非常革命的。他们不承认任何外界的权威,不管这种权威是什么样的。宗教、自然观、社会、国家制度,一切都受到了最无情的批判;

---

① 《共产党宣言》,《马克思恩格斯选集》第一卷,第256页。

一切都必须在理性的法庭面前为自己的存在作辩护或者放弃存在的权利……以往的一切社会形式和国家形式、一切传统观念，都被当作不合理的东西扔到垃圾堆里去了。"①

18世纪的启蒙运动反封建的战斗精神，是随着阶级斗争的发展而不断发展的。它可以分为两个阶段，50年代以前是第一阶段，50年代以后至1789年是第二阶段。第一阶段是封建专制制度由极盛而衰、开始走向没落、封建社会积贫积弱的时期。法国的封建君主专制在路易十四在位期间达到全盛，路易十四晚年对外的穷兵黩武、对内的宗教迫害以及宫廷的奢侈浪费，使得国库空虚、民不聊生，1715年他的去世标志着封建专制制度全盛时期的结束。路易十五正式掌权以前，摄政王为了稳定政局、解决财政困难，作了点滴的改良，但积重难返，改良失败。1723年路易十五亲政后，完全沉溺在荒淫之中，他可耻的名言是"我去后哪管它洪水滔天"，再加上一系列对外战争，封建国家更进一步走向崩溃。这一时期，早在世纪之初，出现了启蒙思潮的两个先行者，贝尔与封德纳尔，他们用怀疑论的语言对当时严密统治人们思想的宗教世界观提出了质疑，向封建思想提出了异议，同时进行了唯物主义科学知识的宣传，最先透露了新的时代精神。18世纪20年代，孟德斯鸠作为最早的一个启蒙思想家登上了历史舞台，他于1721年出版的《波斯人信札》引起了巨大的轰动，是启蒙文学的先声。这部作品清楚地反映了封建法国从路易十四绝对君主专制的盛极一时到暴露出千疮百孔这一过程中政治经济形势的每况愈下，它以讽刺的笔法表现了封建社会的一派腐朽——统治阶级卖官鬻爵，裙带成风，上流社会奢侈享乐，宗教生活异常黑暗，精神文化也空虚无聊——呈现出18世纪上期法国贵族社会全面腐败的面貌。这部作品作为启蒙文学的"第一只燕子"的特别意义在于：它宣告了君主专制的极盛已经一去不复返，它第一次用毫不含糊的语言指出，

---

① 《反杜林论·引论》，《马克思恩格斯选集》第三卷，第56~57页。

路易十四留下来的封建专制的法国已经是一个"百病丛生的身体",政治经济已经病入膏肓,任何"治疗工作""实际仅仅使法国肿胀而已",无情地预告了那个制度面临着不可避免的破落,从而首先打破了关于这种制度永世长存的传统观念。这出现在不可一世的"太阳王"路易十四逝世后不久,是非常具有革命意义的。孟德斯鸠也是著名的政治理论著作《论法的精神》的作者,他在这部作品里,阐释了一整套为资本主义在法国的发展开辟道路、为资产阶级登上历史舞台服务的政治、法律理论,他与封建的宗教观念针锋相对,从人道主义的观点强调了法权问题是人类内部的问题,不受上帝干预,这就把上帝从政法理论的领域驱逐了出去,从根本上否定了把绝对君主制加以神圣化的"君权神授"这一类封建宗教政法观念。他直接批判了绝对君主政治,指出在这种政体下恐怖与横暴当道,并提出这样的问题:"它如此违反人性,以致不能不使人感到奇怪,人们如何会服从它。"他还根据资产阶级的需要,提出了后来成为了资产阶级国家建制的理论基础的著名的三权分立说,在资产阶级夺取政权尚不成熟的历史条件下,表达了资产阶级要与封建贵族平等的理论和要求,这在封建君主专制的时代,简直就是胆大妄为了。

  前期启蒙运动的另一个重要的代表伏尔泰,大致与孟德斯鸠同时出现于历史舞台,而其活动一直继续到18世纪末期。伏尔泰在哲学、历史、史诗、悲剧、小说等方面进行了大量的创作,在这些作品里,他宣传唯物主义哲学和信仰自由,反对封建专制暴政,特别是反动教会的宗教迫害。伏尔泰是封建社会、封建阶级最辛辣的讽刺者,他杰出的哲理小说无情地揭露了统治阶级的凶残、上流社会的腐朽、教会的残酷、宗教的虚伪。他让小说的主人公查第格和老实人在现实生活中不断碰到飞来的横祸,表现出封建专制制度下政治黑暗、人情险恶,人人在其中不得自由、不得安宁的社会气氛,证明那个世界的极不合理,有力地批判了那种维护现存秩序的理论学说,他还预言了那个黑暗世界的毁灭,诅咒封建贵族"这批蛀虫在大毁灭中送命"①。伏尔泰的历史功绩在于,他通过嬉笑怒骂的手法,彻底撕下了王公贵族、君主制、宗教、教会这些被视为神圣事物身上的外衣,暴露出其丑恶不堪的面目。在他笔下,以门第出身自豪的贵族阶级已经没有任何可取的东西,只是一堆无用的废物,教会人物没有一个不伪善可憎、荒淫无耻,国王也将会没落到乞讨的地步。伏尔泰不仅是封建社会无情的批判者,而且也是封建专制政权激烈的反对派。他后期定居在法国边境的菲尔奈以逃避政府的追捕,他与欧洲各国各阶层的人士保持频繁的通信联系,宣传启蒙思想。当时,整个法国和欧洲,不时流传着一些化名或匿名的文章和小册子,猛烈抨击专制政府和反动教会,它们都来自菲尔奈,出自伏尔泰的手笔。特别在反动教会制造的18世纪最有名的冤案卡拉案件中,伏尔泰对统治阶级的宗教迫害和司法黑暗进行了愤怒的控诉,在整个欧洲激起了抗议的怒潮。伏尔泰因此赢得了广泛的尊敬,被当时法国和欧洲的进步人士视为精神领袖。

18世纪50年代以后,封建专制制度更迅速地全面崩溃,国政腐败,宫廷生活穷奢极欲,财政危机更为严重,国家面临破产,不止一次企图挽救封建统治的改良都以失败而告终,资产阶级的力量又有了进一步的发展。在这种历史条件下,启蒙运动进入了第二阶段,在反封建的战斗性上、在彻底的民主主义的程度上,较第一阶段都大为加强。1750年,卢梭发表了他第一篇重要论文,次年,狄德罗、达朗贝公布了《百科全书》的预告,标志着第二阶段的开始。狄德罗与卢梭是启蒙运动第二阶段最伟大的代表。

狄德罗是杰出的唯物论者、无神论者,他对宗教世界观、对神学谬说的批判,比孟德斯鸠、伏尔泰来得更彻底、更深刻,他以战斗的唯物主义的论著否定了上帝的存在,揭示了宗教的虚妄和对人的精神奴役,从根本上对以宗教世界观为基础的全部封建的意识形态以毁灭

---

① 伏尔泰:《如此世界》。

性的打击。他以毕生的精力百折不挠地主持了《百科全书》的编纂，对科学、技术、文化、艺术发展的成果进行了全面的总结，对唯物主义世界观和资产阶级的政治平等、宗教信仰自由等观念进行了大规模的宣传，彻底清算了贵族阶级的从宗教迷信、法权观念一直到文学艺术所有的意识形态，其目的正如狄德罗所说，"是要改变人们普遍的思想"，"启蒙"一词的含义即由此而来。以"百科全书"的出版为中心，形成了法国启蒙运动的高潮，以狄德罗为核心，组成了囊括了当时所有先进思想家和知识分子的声势壮观的"百科全书"派，在反封建的意识形态斗争中，留下了不可磨灭的功绩。狄德罗不仅作为思想家，而且作为文学家，也表现了杰出的反封建的意义，他的小说《修女》控诉了宗教生活对人性的摧残，《拉摩的侄儿》以出色的辩证法挖掘了封建社会的深刻矛盾，《定命论者雅克和他的主人》则广泛地暴露了封建社会的黑暗，对宗教宿命论作了绝妙的讥讽。

卢梭是封建社会愤慨的抗议者，激进的启蒙思想家，他在杰出的理论著作中全面而有力地抨击了所有封建主义的上层建筑、意识形态，表现了惊世骇俗的反封建思想。他的第一篇论文《论科学与艺术》一开始就表现了一种敢于反对"人人尊敬的一切事物"的战斗精神和傲视传统观念的叛逆态度，彻底否定了一切封建主义的文明，揭露了它"把花冠缀在束缚着人们的枷锁之上"。辩证法的杰作《论人类不平等的起源》深刻论述了人类不平等的起源在于私有财产的出现，而专制暴政则是人类不平等的顶点，他以"戳穿一些人的卑劣的谎言"为己任，批判了从"贵族世袭"到"天赋王权"的种种封建法权理论，指出它们的暴力压迫的本质，并提出了以暴力推翻暴政的革命思想。他在《社会契约论》中针对封建制度的压迫和束缚，第一次宣告了"人生而自由"的资产阶级的自由观，提出了"自由""平等"的资产阶级的政治口号和资产阶级民主共和的政治方案，为当时社会发展的进程、为推翻封建专制指明了具体的道路和前景。卢梭的小说《新爱洛绮丝》《爱弥儿》和著名的自传《忏悔录》都贯穿着强烈的反封建主义的精神。《新爱洛绮丝》通过一对青年的爱情悲剧暴露封建等级制度、门第观念的不合理,以感人的篇章和悲剧的力量激起读者的民主意识和对封建社会的憎恨,作者通过人物之口这样质问:"凡是在贵族阶级显赫不可一世的国家,除了专制的暴力和对人民的压迫以外,还有什么?"《爱弥儿》通过儿童教育问题,也表现了鲜明的反统治阶级、反宗教的思想,因此,出版后遭到了封建政府下令焚烧的命运。他的自传《忏悔录》更是充满了对封建统治的愤慨,通过他一生的经历暴露出封建社会的黑暗和恶浊以及这个社会"弱肉强食""强权即公理"的残酷现实,控诉它对人的侮辱、损害和腐蚀,抒写出他的愤怒与不平,他那种维护自己作为一个平民知识分子的人权、尊严和个性自由的精神,也完全是和封建专制的暴虐和迫害对立的,而当统治阶级企图拉拢和收买他的时候,他又表现出了不同流合污的高尚气节,宫廷演出他的歌舞剧《乡村卜师》,邀他出席,他故意不修边幅以示怠慢,国王要亲自"赐给"他年金,他为了洁身不染,"以后敢于讲人格独立、主张公道的话"①而不去接受。

启蒙思想家所共同具有的战斗的反封建精神,使他们成了时代最勇敢的人物,他们为社会进步事业而斗争曾付出了很大的代价。伏尔泰因为与封建统治阶级的矛盾而两次被捕,狄德罗因为宣传无神论而坐过牢,卢梭对封建社会充满愤慨的论著使他长期受到封建政府的残酷迫害以致几乎精神失常,但他们都具有不屈不挠的精神,在他们的坚持下,启蒙思潮在不断发展中以愈来愈强劲的力量冲击着封建社会的上层建筑,为当时的社会向前发展开辟道路。这些启蒙作家是资产阶级革命的开路先锋,他们的学说、理论和著作,在1789年资产阶级革命中化为了物质的力量。德穆兰、丹东、罗伯斯庇尔、圣鞠斯特这些革命的活动家,在国民公会的讲坛上经常引证启蒙思想家的名

---

① 卢梭:《忏悔录》。

言来为政治斗争服务;人们在剧场里上演伏尔泰的悲剧来宣传共和主义的政治;"人民之友"马拉在街头宣读卢梭的《论人类不平等的起源》来激起民主主义的感情。大革命时期所有重要的文献无不响应着18世纪的启蒙思潮的声音,著名的《人权宣言》就重复了卢梭关于自由是天赋人权的思想。整个资产阶级大革命是以启蒙思想为其思想旗帜的,而这一次革命又具有巨大的世界历史意义,"以至整个19世纪,即给予全人类以文明和文化的世纪,都是在法国革命的标志下度过的"①。

正因为启蒙思潮在当时的社会阶级斗争中产生了伟大的进步作用,推动了历史的前进,所以,很自然遭到了封建统治者、卫道者和形形色色反动派的反对,反映在那个时代的文学里,几乎一切反面人物都以攻击启蒙思想为其共同的思想特征。在博马舍的戏剧中,有个封建专制家长在违反人性的欲望得不到满足时,就迁怒于启蒙思潮的盛行,他大骂百科全书、思想自由、信教自由都是"各式各样胡说八道的东西",指责产生了启蒙思潮的那个时代是"野蛮的时代"②;在雨果的小说中,一个在资产阶级革命高潮中煽起了反革命叛乱的匪首、屠杀平民的刽子手,对启蒙思想家也恨之入骨,他咬牙切齿地咒骂,"真愿意把这些糟蹋纸张的家伙扑灭掉"③。从司汤达的著名长篇小说《红与黑》里也可以看到,即使是在大革命过去已经30年之后,保皇党人的沙龙里对伏尔泰和卢梭还充满敌意。实际上,早从革命高潮刚一过去,贵族复辟势力的思想代表就纷纷出来向18世纪的启蒙思潮进攻,德·迈斯特·波纳尔、夏多布里昂几乎把他们所有的才能和精力都用来歪曲、毁谤这一创造了历史业绩的思潮,企图通过否定启蒙思想来否定它所开辟和代表的历史进程,妄想使历史倒退到

---

① 《关于用自由平等口号欺骗人民》,《列宁选集》第三卷,第851页。
② 博马舍:《塞维勒的理发师》。
③ 雨果:《九三年》。

黑暗、野蛮、蒙昧的封建专制时代，这就是 19 世纪初到 30 年代泛滥一时的反动的教权主义思潮。但在启蒙思想照耀下前进了的法国历史不会再走回头路，封建复辟势力的逆潮流而动，最后只遭到了可耻的失败。"四人帮"继承了历史上夏多布里昂之流的未竟事业，对一个进步思潮大加讨伐，正暴露了他们堕入了多么可耻的泥坑。

二

启蒙思潮不仅在历史上留下了不可磨灭的反封建的功绩，而且作为资产阶级革命时期的意识形态，它也没有完全限于本阶级的狭隘利益，而反映了人民群众的某些愿望，对劳动人民表示了真切的同情，对正在发展起来的资本主义剥削方式进行了一定的批判。

这是具体的社会历史条件所决定的。就 18 世纪法国的资产阶级的成分来说，一小部分是拥有雄厚资本的金融家、银行家，绝大部分是工商资产阶级。由于当时大工业生产只是极个别的现象，大量存在的是手工业作坊，资本主义生产方式的不发达决定了资产者与无产者的对立不充分，大量手工工场的主人和经营商业的中小资产者，往往自己都参加一部分劳动，而且，他们本身都是从中世纪的市民中分化出来，有的甚至就是从农村富裕的小生产者发展而来，因此，他们与城乡劳动群众之间的区分远不能和 19 世纪劳资之间的鸿沟相比，他们的物质生活条件并不高出一般人民群众许多，这就使他们与人民群众的联系比较密切，在思想情感上也比较能够接近。另一方面，从封建社会里各阶级的地位来说，特权阶级只包括贵族与教会，他们不纳赋税，享有各种世袭的权利，占有优越的社会地位，而非特权阶级，即第三等级则包括农民、资产者、手工业者等特权阶级以外的所有阶级，他们承担着沉重的赋税和各种封建义务，在社会地位方面，他们也低于贵族和教会一等。其中的资产阶级虽然拥有一部分经济实力，但在封建专制制度下,他们经营的事业受到种种封建束缚,自己的人身和财产安全有时也没有保障,狄德罗的小说里就写了那么一个糕饼铺老板,他的妻子被大贵族的总管霸占,自己又被总管加以政治陷害,几乎家破人亡。即使是大资产者,他们的社会地位也并不高,他们的出身和门第往往为贵族所不齿,甚至有时也要受到侮辱与损害。伏尔泰虽然很富有,但他和一个贵族发生了冲突,不仅被贵族的仆人辱打了一顿,在上流社会传为笑谈,而且还被政府逮捕投入了监狱。资产阶级的这种社会地位和处境使它对封建制度的压迫有与人民群众相通的思想感情。更重要的是,在推翻封建统治、砸烂封建枷锁这一点上,资产阶级与劳动人民群众的利益和愿望是一致的,而资产阶级为了能够取得资产阶级革命的胜利果实,就必须照顾到下层人民群众的要求,"使革命远远地超出这一目的"①,所有这些原因决定了18世纪的法国资产阶级在革命的准备和发动的过程中,一直与人民群众结成了紧密的反封建的统一战线。马克思、恩格斯曾经指出:"每一个企图代替旧统治阶级的地位的新阶级,为了达到自己的目的就不得不把自己的利益说成是社会全体成员的共同利益,抽象地讲,就是赋予自己的思想以普遍性的形式,把它们描绘成唯一合理的、有普遍意义的思想。进行革命的阶级,仅就它对抗另一个阶级这一点来说,从一开始就不是作为一个阶级,而是作为全社会的代表出现的;它俨然以社会全体群众的姿态反对唯一的统治阶级。它之所以能这样做,是因为它的利益在开始时的确同其余一切非统治阶级的共同利益还有更多的联系,在当时存在的那些关系的压力下还来不及发展为特殊阶级的特殊利益。"②18世纪法国资产阶级正是如此。

这种历史的特点决定了启蒙作家对待人民群众的态度。以全人类的名义、以人民的名义来谴责封建社会和统治阶级,这几乎是启蒙思

---

① 《社会主义从空想到科学的发展》,《马克思恩格斯选集》第三卷,第392页。
② 《费尔巴哈》,《马克思恩格斯选集》第一卷,第53~54页。

想家共同的特点。狄德罗通过指出"人民都是暴君压迫下的奴隶"①这一现实来表现封建专制的残暴。卢梭也从"专制暴力对人民的压迫"②来彻底否定贵族阶级的存在价值,他在《论人类不平等的起源》和《社会契约论》中,完全以人民的代言人的身份出现,指出"人民设立封建领主是为着保护自己的自由",但这些封建领主后来成了人民的压迫者,因而人民有权"用暴力来驱逐他,推翻他"③;他还在历史上第一次提出了全民民主的思想,认为国家只应该是全体社会成员共同约定的产物,因而也就规定了广大人民群众参加政治生活的不可剥夺的权利。虽然孟德斯鸠和伏尔泰由于出现在18世纪上半期革命危机尚未成熟的时期,而他们又都是富裕的资产者,整个思想比狄德罗、卢梭保守一些,因而在对人民群众的问题上也不及后来两位思想家进步,但他们也往往是以人民的处境作为尺度来进行批判的。孟德斯鸠在《波斯人信札》中,就为大多数人的贫困鸣不平,他对在"专制政权之下","君主廷臣以及个别人士占有全部财富,同时其他所有的人却全都呻吟在极度贫困中"这样的现实表示了不满,发出了"天老爷,为了一个人的幸福,要浪费多少人力物力"的不平之声,对人民寄予了同情。伏尔泰也在哲理小说中,以人民的名义指责封建统治者发动的一连串对外战争致使生灵涂炭、田园荒芜。

比起18世纪以前的文学,启蒙作家对劳动人民在封建专制下政治经济的悲惨处境,有直接得多、深刻得多的描写,而且,这些描写都是明确用来揭露一种制度、一种政权的不合理的。伏尔泰的哲理小说不止一次写了普通人民如何受到统治阶级残酷的宗教迫害,甚至死于火刑,对中世纪以来法国人民在反动教会统治下宗教信仰不得自由、人人自危的悲惨处境,表示了强烈的愤慨。他在《老实人》中

---

① 狄德罗:《定命论者雅克和他的主人》。
② 卢梭:《新爱洛绮丝》。
③ 卢梭:《论人类不平等的起源》。

还叙述了1757年一个乡下人因伤了路易十五而被凌迟处死的案件，他通过人物之口作出这一有名的控诉——"啊，这些野兽，一个整天唱歌跳舞的国家，竟有这样惨无人道的事！这简直是猴子耍弄老虎的地方"，表现了他面对封建专制的强权维护普通人民的人权的战斗激情。资产阶级民主主义革命的中心问题是土地问题，是把农民从封建束缚下解放出来的问题。启蒙作家中更深刻者，如狄德罗、卢梭敏锐地意识到这个问题的重要性，在自己的作品中有目的地揭示了18世纪最触目惊心的社会矛盾，即劳动人民，特别是农民在沉重封建剥削下的挣扎。在狄德罗的小说《定命论者雅克和他的主人》里，可以听到一对农民夫妇在黑夜里悲叹："年成不好，粮食贵得骇人……债权人贪婪狠心令人胆战心惊"；可以看到一个老乡在路上呼天抢地："我再也养不活我的儿女了"；还有一个贵族家里的女仆坐在道旁哭诉："我这一个月完了，在这个月里谁来养活我可怜的孩子们呢？"狄德罗更为深刻之处在于，他把劳动人民这种悲惨的生活非常明确地归咎于封建贵族阶级的压榨，在小说里揭露了一个贵族太太喂一条狗的食品"足够作两三个穷人的粮食"。卢梭在他的自传里也叙述了这样一件事：他有一次旅行到乡下，饥渴难忍，想到农家去买一点吃喝的东西，但农民不敢拿出自己收藏的食物，因为害怕被税吏发现又任意增收赋税。启蒙作家通过这些画面，对劳动人民的不幸生活表示了深刻的同情，对封建剥削的残酷提出了抗议，使人们注意到这个重要的社会问题，把它提上了即将来到的资产阶级革命的议事日程。

特别值得注意的是卢梭，他对劳动人民不仅仅是哀其不幸，而且，他还是劳动人民真诚的赞赏者，对他们的优秀品质进行了热情的歌颂。在卢梭的作品里，经常出现各种对比，劳动人民与统治阶级的对比，"自然人"与"文明人"的对比，劳动人民优秀的品质与上流社会的文明的对比；他在揭露统治阶级、贵族士绅的虚伪、腐朽、残忍、罪恶的本质时，总是用劳动人民、"自然人"的淳朴、敦厚、健康去加以对照，表现劳动者、"自然人"高于上等人、文明人。他在《论科学与艺术》中明确地这样说："只有在庄稼人的粗布衣服下面，才能发现有力的身躯，而在廷臣的锦绣衣袍之下，是不可能发现的。装饰与德行格格不入，因为德行才是灵魂的力量。"他在论教育的《爱弥儿》一书中，把教育视为一种改造人的必要手段，认为穷人因为接近自然，"没有进行教育的必要"，而富人则相反，因其阶级偏见背离自然，故必须进行教育。他有意安排主人公爱弥儿为一个贵族少年，而他对爱弥儿所进行的最重要的一部分教育就是劳动的教育。他让这个少年"和质朴淳厚的农民接触"，和他们一道参加体力劳动，疲倦了就休息在耕耘了的松软的土地上，还培养他"自食其力"，不仅会务农，而且成为一个职业的木匠。在这里，淳朴的劳动者几乎就成为了启蒙作家心目中理想的人的形象。正因为如此，卢梭在《新爱洛绮丝》中，对华莱山区劳动人民的纯朴的思想品质和风俗习惯作了动人的描述，在《忏悔录》里以深深的感情怀念了他居住在阿尔卑斯山麓的夏默特村时，如何参加田园劳动，在葡萄熟了的时候与农民一起分享收获的愉快，在文学史上留下了清新动人的篇章。

狄德罗则更多从社会政治的意义来挖掘同样的主题。他在《定命论者雅克和他的主人》中作了一个颇有寓意的构思：主人公雅克是一个出身于农民的仆人，身上还有一股乡土的气息，他精力充沛、聪明机智、性格开朗、精神乐观，而他的主人贵族老爷则整天死气沉沉、糊里糊涂、无所事事，他是一个废物，离开雅克就寸步难行，"他的生命就是在吸鼻烟、看时间和向雅克提问题中消磨过去的"。狄德罗通过两个人物的关系表现了这样的寓意：平民的雅克不论在精神上还是在能力上都高于贵族老爷，在现实生活中起作用的是雅克而不是他的主人。特别有意义的是，雅克还不止一次和主人争平等地位，有一次，雅克向主人作了一番颇有哲理意味的谈话，论证主人离不开雅克，而雅克却可以没有主人，并且最后得出结论：雅克应该领导自己的主人。这一个情节虽是以荒诞的寓意的形式表现出来,但作者以此预示着,死气沉沉、已经丧失任何生命力的贵族老爷阶级是没有前途的,而被它统治的平民将成为生活的主人。雅克显然是最早的一个穿着仆人衣装的第三等级人物的象征,他将是胜利者,他已经在生活中举足轻重了。这是一个具有革命意味的主题,表现了启蒙作家对生活中正在发生的重大变化的敏感和历史的预见。随着资产阶级革命的日益临近,这样一个其政治社会意义尚未充分展开的题材,到了启蒙思想家的继承者博马舍的戏剧里,又进一步发展成仆人战胜主人、一个第三等级的代表完全制伏了一个贵族阶级的代表的主题,在戏剧舞台上给即将爆发的资产阶级革命奏起了胜利的序曲。

  启蒙思想家对正在发展起来的资本主义关系的批判,虽然在其思想体系中所占的比重不大,但也相当尖锐。伏尔泰作为一个拥有百万家财的商业资产者,在他的论著里的确表现了维护私有财产的思想,但他在《如此世界》里,以否定的态度把资产阶级包税人对国家的剥削作为黑暗的社会现象写出来;他在《老实人》里,通过一个黑人奴隶之口,揭露了资本主义殖民剥削的残酷与野蛮,这个黑人控诉他的老板"每年给我们两条蓝布短裤,算是全部衣着。我们在糖厂里给磨子碾去一个手指,他们就砍掉我们的手,要是想逃,就割下一条腿"。卢梭在他的自传里,也回忆了他小时候在店铺里当学徒时老板对他的虐待。

  狄德罗对资产阶级的认识则更深刻。他是法国文学史上较早揭露了资产阶级家庭关系冷酷的作家之一,他在《修女》中表现了资产阶级家庭的财产关系。主人公苏姗是一个富有的资产者家庭的私生女,她的父母为了使两个大女儿得到财产继承权,决定牺牲苏姗一辈子,把她打发到像地狱一样可怕的修道院,她不能忍受那种非人的生活,起诉要求还俗,她的两个姐姐为了防止她分享财产,宁愿她起诉遭到失败,让修道院把她置于死地。从这里正可以看到马克思、恩格斯所深刻揭示的社会现象:"资产阶级撕下了罩在家庭关系上的温情脉脉的面纱,把这种关系变成了纯粹的金钱关系。"① 狄德罗还是最早对资产阶级个性作了深刻分析批判的作家。其在《拉摩的侄儿》里描写了一个资产阶级文人的形象,他有出色的艺术才能和相当深刻的思想见解,但穷困潦倒,经常在大人先生家充当食客;他是极端的个人主义者,宣称"如果我没有份,即令最完美的世界也毫不足取";他为了达到个人的卑劣目的而不顾廉耻,他的人生观是彻底的享乐主义,又具有虚无主义的色彩,心目中没有任何神圣的事物,甚至不承认对朋友的义务、对儿女的责任、对妻子的爱情,更不用谈祖国与社会。他自己也非常自觉地认识到了自己生活的肮脏,骂自己是"不识羞耻的""极端的无赖";他有时也表现出一点"理性""诚实"和"尊严",但所有这些又不妨碍他继续自觉地"采取蠕虫的方式"过着卑污的生活。狄德罗把这一复杂的性格放在当时已经发展起来的资本主义关系的背景上,表现出它是这一关系的产物,尖锐地指出了这种关系的不合理与残酷——"黄金就是一切",富人都是"强盗",人们"像狼一样贪婪""像虎一样残忍"地"互相吞噬",揭示了这种关系带来了腐败的社会风气——"黑白颠倒",正义不能伸张、德行一钱不值。正是在这样的社会环境里,拉摩的侄儿形成了他的资产阶级个性,他发问道:"难道不是由于我偶尔表露了理性和诚实,所以弄到今天晚上没有吃晚饭的去处吗?"他的结论是:"和我同胞的习俗一致","去做最蛮横无耻的流氓"。他把那些富人视为强盗,所以就下决心去做"行劫"强盗的"强盗";他认为那个社会里人对人是狼,是窃贼,所以也以狼的方式、窃贼的方式处世行事。狄德罗就是这样出色地表现了资产阶级个性形成的社会原因和它复杂的矛盾,对资本主义性质的关系作出了深刻的批判。因此,这部作品深得革命导师的喜爱,马克思于1869年4月寄这本书给恩格斯的时候,就给了它高

---

① 《共产党宣言》,《马克思恩格斯选集》第一卷,第254页。

度的评价,并相信它将给自己的战友"新的喜悦"[①]。

启蒙思想家之所以能敏锐地看出新产生的资本主义关系的矛盾并进行了批判,原因当然不在于他们是超人的天才。一个重要的原因是他们的社会生活经历:卢梭早年就尝过穷困生活的滋味,亲身受过资本主义的剥削;狄德罗也是一个自食其力的脑力劳动者。他们的这种社会地位使他们绝不会以18世纪的包税人、店铺老板的眼光来看待世界。启蒙思想家对资本主义关系进行批判的另一个更为重要的原因则是,18世纪的资产阶级还没有从第三等级中完全独立出来,正如马克思所指出的,它的阶级利益"还没有来得及发展为特殊阶级的特殊利益",因此,这个阶级的思想家为完成历史的使命,把一切都召唤到理性的审判台前加以审判的时候,新发展起来的资本主义关系也就未能例外,这种关系既然并不符合这些思想家用来否定封建关系的理性原则,自然也就受到了他们的批判,而且,资本主义关系虽然在当时尚未成为人民群众的对立面,但它作为一种剥削制度毕竟与劳动人民存在着一定的矛盾,在这个问题上,人民的愿望在一定程度上的被照顾,就表现为启蒙思想体系也包括了一部分对资本主义关系的批判。这是启蒙思潮作为资产阶级在革命阶段的产物的一个重要的特点,也是这一思潮伟大的所在,也正因为如此,到了19世纪资本主义秩序建立以后,启蒙思想为一些作家所继承和掌握,就成了对资本主义现实进行批判的一种尺度。

除了以上这些意义以外,从文学艺术的发展来说,启蒙运动还有一大功劳,那就是对文艺理论作出了可贵的贡献。这些启蒙思想家没有例外,都写过精辟的文章,阐述自己的文艺主张和创作思想,特别是狄德罗,他在美学、戏剧和绘画方面的理论更是特别深刻,在批评史上占重要地位。启蒙思想家在文艺问题上的意见虽然并不完全一致,但他们同属一个思想运动,基本上有着共同的美学纲领。第一,

---

① 《马克思恩格斯论艺术》第二卷,第207页。

是对内容轻佻、风格矫饰的贵族文艺的否定和谴责，其中包括无病呻吟的爱情诗，专写才子佳人的沙龙小说，纤巧浮华的洛可可艺术和布歇等画家发散色情气味的油画创作。卢梭痛斥这些文艺伤风败俗，狄德罗批评它们空洞虚伪。这是启蒙作家在文艺领域里进行的反贵族阶级的思想斗争。第二，是对17世纪形而上学美学思想的扬弃。17世纪的古典主义根据君主专制和等级制度的规范，把美的标准加以绝对化，宣称存在着永恒的美的理想，这种旨在把符合宫廷需要的艺术趣味置于君临一切的地位的理论，遭到了启蒙作家的批判。狄德罗从根本上否定了"绝对美"，提出了"美在关系"说，即美的标准依存于不同的民族、社会、时代、阶层、职业等条件，并批评了古典主义的清规戒律和矫揉造作。激进的卢梭对古典主义更是采取轻弃的态度，即使是深受古典主义束缚的伏尔泰，也认为随着民族、风俗、社会、时代的不同，艺术的标准也应该有所改变。总的说来，启蒙思想家打破了对古典主义美学的迷信，为建立资产阶级的文艺标准开辟了道路。第三，建立了资产阶级现实主义以"自然"为文艺的模仿对象的基本原则。在对"自然"的解释上，启蒙作家与上世纪的古典主义者划清了界限，后者所谓的"自然"必须以符合封建文明的规范为条件，启蒙作家所主张的"自然"，却是不受这种规范束缚的现实生活本身。伏尔泰认为支配艺术的是生活，狄德罗更是全面地、系统地建立了一整套真实模仿自然、进行典型化的现实主义理论，为扩大文艺的表现范围提供了理论。启蒙作家们实践了自己的主张，因此，他们的作品所接触的社会面比过去广泛，所提出的问题也都是社会现实中的重要课题。狄德罗的小说除了这个优点外，更注意现实主义的细节描写，为19世纪批判现实主义提供了先例。第四，是对文学艺术的教育作用的强调和重视。在对文艺是否有积极的思想教育意义的问题上，孟德斯鸠、伏尔泰、狄德罗都给予了肯定的回答，强调文艺应该成为"道德学校"，作家应该提供有益的教训。卢梭虽然在激烈指责阶级社会中统治阶级腐朽的文化时，以偏激的态度否定了文学艺术对社会风俗、人类道德有良好的作用，但他这个观点的实质仍是对教育作用的重视，他努力提倡有益的、健康的、全民性的节庆娱乐活动，并且在他的自传里告诉人们，他之所以从事写作，就是要与当时传统的社会偏见决裂，伸张正义。这种以消除蒙昧、启迪人们思想为己任的态度，是启蒙作家所共有的，基于这种自觉的意识，他们的作品紧密结合社会现实，宣传新思想，为巨大的社会变革作了舆论的准备。总起来说，启蒙思想家的文艺理论表现了一种对"过去"的革命的批判的精神，同时也显示出一种开创"未来"的气魄，这种理论最后归结为一点：为当时的社会历史进程服务。这正是它最大的历史价值。

三

启蒙运动清算了中世纪的遗物，开辟了一个新的历史时代。从人类思想文化的发展过程来说，它无疑是一个高峰。高峰是客观的存在，不取决于人们愿意不愿意承认。高峰，只不过是历史发展中的一个内容丰富的大观，一个巨大的标志，一个从远处就可以看到的高耸的里程碑。人类思想文化的高峰是历史的产物，是历史发展的必然性所决定的，当然具有历史的局限性。承认启蒙运动是一个高峰，绝不意味着认为它没有局限性，而启蒙思潮虽然具有局限性，但从其历史内容和历史作用来说，也绝不意味着不能被称为人类思想发展的一个高峰。那么启蒙思潮具有什么局限性？又应该如何看待它的局限性呢？

启蒙思潮以全人类的名义提出自己一整套理论体系，并且竭力表现出这一理论体系是完全符合全人类的"理性"和"利益"的。然而，正如恩格斯所指出的，这个"理性"，"实际上不过是正好在那时发展成为资产者的中等市民的理想化的悟性而已"，而启蒙思想家所向往的理想王国"不过是资产阶级理想化的王国"①。在这里,"全人类"的利益实际上就是当时以全体被统治阶级的代表自命的资产阶级的利益。当然,启蒙运动中作家的情况各不相同,特别是前期的孟德斯鸠和伏尔泰代表了资产阶级上层的利益,阶级局限性更为显明。从世界观来说,这个思潮虽然表现为强有力的唯物主义和战斗的无神论,但孟德斯鸠和伏尔泰还没有完全达到这一高度,而且,唯物主义和无神论最杰出的代表狄德罗也只是机械唯物主义者。启蒙思想家的历史观、社会观则基本上是唯心主义的,他们认为理想可以改造社会,孟德斯鸠的《波斯人信札》中穴居人的理想社会和伏尔泰的《老实人》中的黄金国就是靠抽象的道德来实现和维持的;而在现实政治生活中,他们也就把希望寄托在具有理性的"开明君主"身上,孟德斯鸠只限于提出君主立宪的政治主张,伏尔泰和狄德罗虽然亲身吃过封建专制的苦头,但总未能摆脱对"哲学家国王"的幻想。这大大地削弱了他们对封建统治阶级的批判,孟德斯鸠往往是采取进谏和开导的态度,企图说服封建统治者放弃专制政体而实现与资产阶级的联合统治,伏尔泰在他辛辣的讽刺和尖锐的揭露后面,往往也对最高的封建统治者留有余地。他在《如此世界》里,也肯定了那个充满了罪恶的世界幸亏有"贤明的君主",而尚属可取。他在《查第格》中就描写了主人公成为一个开明的君主,使得国家"说不尽的繁荣富庶,盛极一时",而在《天真汉》里则把种种黑暗现象和最高封建统治者割裂开来,仅仅归之于国王手下人的为非作歹。启蒙思想家作为剥削阶级的思想家,对劳动人民也有歧视的一面,这在伏尔泰身上表现得比较突出,他把劳动人民视为对富人财产的一种威胁,因而公开主张予以防范。启蒙思潮直接继承了文艺复兴时期的人文主义思想,其理论核心是资产阶级人性论。这些作家以人性论来观察和表现社会现象,必然就掩盖了它们的阶级本质。伏尔泰的《天真汉》愤慨地叙述了一

---

① 《社会主义从空想到科学的发展》,《马克思恩格斯选集》第三卷,第407页。

个淫恶的朝臣害死了一个纯洁的少女的故事,最后又表现这个"并非天生的恶人"如何良心发现而"后悔了";狄德罗的《修女》描写了反动教会人物的狰狞面目,但又从人性论的现实去加以解释。而当启蒙思想用资产阶级"人性"论来进行批判时,他们也就宣扬了一整套资产阶级的世界观。这在卢梭身上特别明显。这位作家为了用"人性"和宗教的"神道"对立,竭力推崇人的自然要求,同时往往把某些资产阶级特性当作正当的"人性"加以肯定;他把感性视为个人行动的动力,把理智视为个人衡量一切、评判一切的标准,肯定自我的活动的独立自主性,以反对宗教对人的精神奴役,但同时又把个人一切低劣的冲动和趣味美化为符合"人性"的动因;他提倡个性自由,反对宗教戒条和封建道德的束缚,同时又把这些思想推向极端,宣扬以个人为中心、以个人的意志和兴趣为出发点的个人主义人生态度。总之,启蒙思想家在表现反封建、反宗教的积极意义的时候,又暴露了资产阶级思想作为剥削阶级意识形态的本质。

在马克思主义看来,指出启蒙思潮这些局限性,只不过是一种彻底的唯物主义的态度而已,其目的不是为了抛弃这份可贵的遗产,而是为了更好地继承,即按毛泽东同志所说的去其糟粕,取其精华。而且就是对启蒙思潮的局限性也应该用科学的态度从当时历史的条件出发,实事求是地加以说明。但"四人帮"与这种马克思主义唯物主义的态度完全相反,他们出于反革命文化专制主义的需要,抓住启蒙文学的局限性,罗织罪状,无限上纲,企图把启蒙文学这一进步的文化遗产一棍子打死。今天,我们必须对启蒙思潮这种具有阶级局限性的资产阶级意识形态作历史主义的说明,批判"四人帮"的反历史主义的谬论,肃清其反动的流毒。

第一,必须把启蒙思潮放在历史的发展中,放在具体的历史条件下加以说明。应该看到,启蒙思潮是当时社会历史发展必然的产物,它在当时的条件下是符合社会历史发展需要的,因而在当时也就是最有效、最进步的。18世纪的历史条件不可能产生另一种比启蒙思潮更有效、更完美、更没有局限性的思潮,事实上也没有产生。正是它而不是其他思潮推动了历史前进。当时虽然也出现了比启蒙思潮更为高昂的空想社会主义的思想,但它并不能实际地解决社会向前发展的问题,因而毕竟不过是空想而已。而且,启蒙思潮的局限性是由当时的历史条件所决定的。比如,在18世纪上半期资产阶级革命条件尚未成熟的时期,孟德斯鸠只可能提出君主立宪制的主张;在18世纪下半期,面临着资产阶级革命的任务,卢梭也只可能提出在当时是最进步的资产阶级民主共和的政治方案,而不可能提出社会主义共和国的方案,而在封建桎梏极为沉重,资本主义的自由发展成为历史迫切要求的时代,启蒙思想家也只能提出资产阶级个性解放的要求,而不可能提出社会主义集体主义的思想。这本来不是什么复杂的理论问题,只是最普通的历史常识。然而,即使是普通常识,"四人帮"往往也悍然不顾。他们在启蒙运动问题上的一个卑劣手法,就是把这一运动和它的历史割裂开来,他们绝口不提当时的历史背景,当时社会要冲破旧生产关系、向前发展的历史要求,这样就把评判启蒙思潮的历史根据完全抛弃了。基本的历史事实既被抹杀,反动主观随意性就得以肆虐逞凶,"四人帮"就轻而易举把启蒙运动的巨大意义一笔勾销了。什么"文化高峰""进步思潮"?都是一批侏儒!不仅如此,他们还进一步虚构了一个历史背景,似乎当时存在着社会主义的革命任务和无产阶级的革命运动,而启蒙思想家居然在这革命运动面前宣传资产阶级的自由、平等、博爱,那岂不就是"对无产阶级和劳动人民的欺骗"!有人居然承认这批欺骗无产阶级的侏儒是文化高峰,那简直就是"拜倒",就是"鼓吹资本主义复辟",就是十恶不赦的"反革命"!这里,"四人帮"的主观唯心主义与反历史主义,就成了政治上的棍棒了!

第二,必须把启蒙作家当作作家来要求,马克思在《路易·波拿巴的雾月十八日》中深刻指出:"不应该认为,所有的民主派代表人物都是小店主或小厂主的崇拜者。按照他们所受的教育和个人地位来说,他们可能和小店主相隔天壤。使他们成为小资产者代表人物的是下面这样一种情况:他们的思想不能越出小资产阶级者的生活所越不出的界限,因此他们在理论上所得出的任务和作出的决定,也就是他们的物质利益和社会地位在实际生活上引导他们得出的任务和作出的决定。一般说来,一个阶级的政治代表和著作方面的代表同他们所代表的阶级间的关系,都是如此。"启蒙思想家的情况也不例外,因而,不能以为他们就是18世纪的包税人、大商人、店铺老板或这些资产者的崇拜者。虽然孟德斯鸠是一个地主兼工商业者,把自己领地上种的葡萄酿成酒运销国外,伏尔泰也在投机倒把的生意中积攒了巨额财产,卢梭还偷过别人的东西,身上有过污点,但这些都不足以作为评判他们历史地位的根据。他们如果不是作为思想家在历史上起过重要作用的话,那么他们作为剥削制度下活动着的个人以及他们的缺陷与恶德,就像当时任何一个资产者或小店主一样,是不值得后人一顾的。他们之所以具有历史意义,就是因为他们的思想体系成为了一种重要的历史现象,反映了当时历史条件下的阶级矛盾和要求,这样他们思想体系的内容和功过才成为了研究的课题。因此,对他们的评判当然就应该以他们的思想体系为对象和内容。这本来也只是常识问题。然而"四人帮"对启蒙思想家却完全撇开了他们的思想体系以及这种体系的意义,而来"彻底批判"这些"剥削者""吃人的丑恶嘴脸",这就把思想史的研究变成了纯粹的流氓式的谩骂了。

第三,必须从启蒙思想家完整的思想体系去进行评判。凡是重要的思潮、杰出的思想家甚至重要的作品,其内容总是非常丰富的、非常复杂的,特别因为过去时代的作家、思想家的世界观内部往往存在着矛盾,而且在不同的时期,思想也有发展和变化。就以伏尔泰而言,他因早年第一个悲剧上演成功后获得了虚荣,曾产生了迎合贵族和宫廷的思想，这就和他后期定居在菲尔奈时反封建专制的战斗思想有很大的不同。即使是同一个问题，例如自然观问题、宗教问题，他的论述往往也有尖锐的矛盾，这种情况在其他启蒙思想家的作品中也常可见到，因此对这些思想家要进行科学的评判，就必须根据他们完整的思想体系，把他们个别的思想和思想体系区分开来，这本来也是最基本的科学的态度。当然，科学的态度"四人帮"是半点也不会有的，他们惯用的手法是断章取义、歪曲篡改，攻其一点，不及其余。这种手法同样也用到了启蒙思想家的头上。他们不仅抓住片言只语来给启蒙思潮定罪，甚至不顾白纸黑字把启蒙思想家批判封建统治阶级骄奢淫逸的言论肆意加以篡改，作为思想家"不择手段地追逐资本，巩固资产阶级专政的所有权"的罪证。

在华国锋同志为首的党中央领导下，随着揭批"四人帮"的伟大斗争的深入发展，文化艺术繁荣发展的春天正在来到。展望光明的前程，革命人民信心百倍，豪情满怀。无产阶级不是从过去，而是从未来吸取自己的诗情，中国的无产阶级遵循马克思主义、毛泽东思想的道路，在不很遥远的将来，定将创造出人类文化发展史上前所未有的高峰，不论在思想内容和表现形式上都比历史上的一切文化都更为深刻、更为伟大、更为丰富的高峰。毫无疑问，无产阶级在创造这种文化的时候，不仅要继承和发扬从《国际歌》到鲁迅这一光辉伟大的无产阶级革命文化传统，而且也必须批判继承过去时代优秀的文化遗产，这些遗产必将给我们提供有益的借鉴和经验，尤其是过去的阶级在上升时期、革命时期所创造的生气勃勃的文化更能给我们以可贵的启发，这就是我们今天为什么要重温革命导师关于启蒙思潮的遗言，为什么要进一步批判"四人帮"在这个问题上背叛革命导师的原因。

1977 年 12 月

19世纪批判现实主义的历史地位与"四人帮"文化专制主义的破产

从19世纪上半叶开始,在建立了资本主义秩序的欧洲国家,产生了一种文学潮流,它以资产阶级人道主义、人性论为思想标准,以真实描写现实生活为创作原则,对自己的时代、社会进行了揭露和批判,这就是我们经常所说的批判现实主义。它是19世纪最重大的具有世界范围的文学现象,很多国家都产生过这种倾向的作家,他们以自己的批判力量和艺术技巧创作出不少优秀的作品。批判现实主义文学,构成了资产阶级时代文学的主体,即使是在整个人类文学艺术遗产中,它也占据了一个重要的地位。今天,我们所接触的过去时代的文学作品,其中有大量都属于批判现实主义。因此,如何对待这种文学,是批判继承文学遗产中的一个重要问题,在社会主义文化建设中,有着现实的意义。

批判现实主义文学从一出现,无产阶级革命导师就密切加以注意,并且对其中的优秀作家、作品作出了科学的、高度的评价,马克思论"现代英国的一派出色的小说家"、恩格斯论巴尔扎克、列宁论托尔斯泰,都是著名的范例。革命导师的论述不仅对批判现实主义的历史地位做了最确切的说明,而且也提供了以历史唯物主义原则评介古典文学遗产的光辉典范,是我们在批判继承文学遗产工作中的重要准绳。然而,反革命"四人帮"出于篡党夺权阴谋的需要,大搞反革命文化专制主义的时候,却借批判现实主义问题疯狂把矛头指向革命导师，什么承认批判现实主义的历史地位，就是"拜倒在资产阶级文学的脚下"啦，什么肯定优秀的资产阶级文学就是"鼓吹资本主义复辟"啦，等等。他们把革命导师所肯定和所喜爱的批判现实主义文学作品全都禁闭起来，不许阅读，不许出版，扣上种种罪名，企图从人类的文化中一脚踢出去。他们有时也侈谈一点外国文学，但或者是鼓吹腐朽、反动的作品，为他们的反革命政治需要服务；或者是为了给自己的不学无术遮遮羞，给他们的反动文化专制主义装点一下门面；或者是为了把优秀的文学遗产加以歪曲，最后达到否定的目的。因此，为了捍卫马克思主义历史唯物主义的原则，在社会主义文化建设中正确贯彻批判继承的方针，我们应该把被"四人帮"颠倒了的是非再颠倒过来，把被"四人帮"搅乱了的问题加以澄清，以马列主义的原则阐明批判现实主义的历史意义和它在社会主义文化建设中的作用。

文学是社会意识形态，每一种文学思潮、流派都是当时经济基础、社会生活、历史条件的产物。但文学作为上层建筑，对于经济基础并不是消极、无能为力的，它对于经济基础有积极的反作用。某种文学思潮、流派是在什么社会历史条件下产生的，它具有什么阶级性质，在当时的历史条件下又起了什么作用，这就是它的历史地位的具体内容。一种文学思潮、流派的历史地位是客观存在的，不取决于人们的承认或不承认。批判现实主义也是如此。对于我们来说，虽然这种文学思潮是资本主义时代的产物，是资产阶级的社会意识形态，但我们还是应该根据马列主义历史唯物主义的原则，从当时的历史条件和它在社会阶级斗争中的作用，科学地确定这种文学的历史地位。列宁说得好："无产阶级敌视一切资产阶级和资产阶级制度的一切表现，但是这种敌视并没有解除它应对资产阶级人士在历史上的进步和反动加以区别的责任。"①

批判现实主义产生于19世纪30年代的法国、英国，四五十年代

---

① 《旅顺口的陷落》，《列宁全集》第八卷，第34页。

后迅速发展到欧洲各国,成为当时资产阶级文学的主潮。这是一个阶级矛盾、阶级斗争极为错综复杂的时期。旧的矛盾还没有消失,资产阶级与封建贵族阶级的斗争仍在进行;新的矛盾又已经日益尖锐,无产阶级反对资本主义制度的斗争方兴未艾。随着时间的推移,前一个矛盾逐渐退居到第二位,而后一个矛盾则上升到第一位。恩格斯曾经这样指出:"从1830年起,在这两个国家里,工人阶级即无产阶级,已被承认是为争夺统治而斗争的第三个战士……这三大阶级的斗争和它们的利益冲突是现代历史的动力,至少是这两个最先进国家的现代历史的动力。"①批判现实主义就是在这新的历史条件下,在三大阶级复杂的矛盾斗争中产生的。这就决定了它本身复杂的性质,也正是在这种历史条件下,批判现实主义在不同的阶段、不同的国度和不同的方面发挥了进步的历史作用。

一、批判现实主义反封建的历史作用

批判现实主义作为资本主义上升和发展时期的文学,一开始就带有反封建的色彩,在资产阶级与封建阶级的斗争中发挥了应有的作用。

我们知道,法国资产阶级革命虽然在18世纪末就取得了所有资产阶级革命中最为彻底的胜利,但这并不是最后的胜利,贵族阶级以欧洲封建君主国为后盾,一直在进行夺回政治统治权的斗争。1814年,拿破仑失败,波旁王室在沙皇俄国哥萨克骑兵的护送下重返巴黎,建立复辟王朝,就是历史的一次严重的曲折和倒退。雨果曾经把它称为"反革命的胜利""向1789年7月14日进行的打击"。这年,"当'科西嘉怪物'最后被牢牢地禁闭起来之后,大大小小的帝王们立刻在维也纳开了一次大会,以便分配赃物和奖金,并商讨能把革命

---

① 《路德维希·费尔巴哈和德国古典哲学的终结》,《马克思恩格斯选集》第四卷,第246页。

前的形势恢复到什么程度。民族被买进和卖出,被分割和合并,只要完全符合统治者的利益和愿望就行"。①这就是以沙皇亚历山大一世、普鲁士国王腓特烈·威廉三世、奥地利宰相梅特涅为核心的神圣同盟的反动秩序。欧洲一片黑暗。法国被神圣同盟的联军长期占领。革命期间流亡国外的贵族纷纷还乡,反攻倒算。反动教会势力猖獗。极端保皇党不以君主立宪政体为满足,企图恢复革命前的君主专制政体和贵族土地所有制。1789年资产阶级革命的成果岌岌可危。就是在法国这种历史条件下,产生了第一个杰出的批判现实主义作家司汤达。他是以反封建、反复辟的积极战士的姿态出现的。

司汤达本人的命运是与大革命、拿破仑紧密联系在一起的。拿破仑的失败、波旁王朝的复辟使他在巴黎再也待不下去而不得不旅居意大利。在那里,他是意大利反对神圣同盟的民族解放运动的朋友。因此,在1821年意大利烧炭党人起义失败后,他又被迫离开意大利回到了法国。他早期的文学活动一开始就有强烈的反封建、反复辟的性质。他是反对伪古典主义的浪漫主义文学运动的参加者,这次运动按照当时参加者的说法,"不过是文学上的自由主义而已"②。他在这次运动中,独立地、最早地提出了实际上是批判现实主义的主张:"文学就是社会的表现","19世纪的文学将以它对人类准确而热烈的描绘与过去一切时代的文学区别开来"③,文学应该"表现人民的习惯和信仰的现实状况"④,等等。并且他在散文、小说里以极大的尖锐性和鲜明性,把矛头指向了黑暗的复辟时代,实践了他自己曾提出的"作家必须同战士一样勇敢"⑤的口号。虽然他这些主张都有资产阶级的局限性,但都是针对封建色彩浓厚的伪古典主义文学而发,在当

---

① 《德国状况》,《马克思恩格斯全集》第二卷,第641页。
② 雨果:《〈欧那尼〉序》。
③ 司汤达:《意大利绘画史》。
④ 司汤达:《拉辛与莎士比亚》。
⑤ 同上。

时有进步的意义。他1817年发表的旅行游记《罗马·那不勒斯·佛罗伦萨》是一部出色的社会政治见闻录,在对1814年后欧洲资产阶级革命低潮时期的社会面貌的真实描写中,表现了鲜明的批判倾向,充满了作者对封建复辟、历史倒退的强烈愤慨。他的第一部小说《阿尔芒斯》直接针对波旁王朝1825年颁布的赔偿革命时期流亡国外的贵族10亿法郎的反动法案,"讽刺由于命运投胎的偶然性而生在被人羡慕的环境中的那些人"[①],揭露贵族阶级"是一个最缺乏生命的阶级"。而到复辟王朝末期,贵族阶级进一步反动、阶级斗争日益尖锐激化的时候,司汤达又写作了长篇小说《红与黑》,通过出色的栩栩如生的描绘,深刻地反映了复辟时期黑暗的社会现实,"小说是一面镜子"这一批判现实主义的名言就是出自这个长篇小说。在这里,他表现了对这一时期社会阶级关系深刻的理解,对政治历史事件透彻的洞察,并且把反动贵族阶级的倒行逆施、反动教会的横行猖獗揭露得淋漓尽致。他以现实生活中与查理十世有关的一桩政治阴谋为蓝本,写出了小说中著名的第51章至53章极端保皇党的黑会,对当时反动的政治人物作了明显的影射,揭示了复辟逆流的反动本质。批判现实主义文学正是由于《红与黑》而第一次显示了它的实绩。司汤达这些作品在当时两个阶级斗争中的战斗作用是毋庸置疑的,他对整个复辟时期作了全面的清算,特别是表现了垂死阶级复辟愿望和复辟行动的疯狂。这是他的历史功绩。而在当时,这一点大大刺痛了神圣同盟的君主们,因此,他一直被复辟时期的警宪当局视为一个"不信宗教、主张革命、反对统一和一切合法政府"的"极端危险"[②]的人。直到七月革命以后,当法国政府任命司汤达为驻外领事的时候,奥地利宰相梅特涅就因为他是《罗马·那不勒斯·佛罗伦萨》和《红与黑》的作者而拒绝接受。

---

① 司汤达:《〈阿尔芒斯〉序》。
② 司汤达:《自我崇拜回忆录》。

论遗产及其他

　　七月革命推翻了波旁王朝,建立了金融资产阶级的统治,封建阶级与资产阶级争夺政治统治权的斗争告一阶段,但是斗争仍然存在。一方面是再一次被打败了的贵族阶级没有力量组织又一次复辟,就转而进行文字斗争,用过时的观点对资本主义的进步和发展进行攻击,"其中半是挽歌,半是谤文;半是过去的回音,半是未来的恫吓"[①]。另一方面是资产阶级为巩固自己的胜利,为消除贵族阶级在意识形态领域的影响而进行的再批判。在文学领域中,批判现实主义担负了批判的任务。在七月革命前后出现的批判现实主义作家,不论其创作的主要倾向是什么,都无不具有这方面的内容。梅里美的《查理九世时代轶事》以中世纪法国著名的宗教大屠杀圣巴托罗缪之夜惨案为题材,揭露了封建专制和贵族阶级的凶残,他的《雅克团》更是直接写中世纪著名的农民起义,批判了贵族阶级的压榨以及与外国侵略者的勾结,对劳动人民的反抗斗争寄予了同情。司汤达则仍继续对复辟时代进行批判,他在《巴马修道院》里,描绘出复辟时期封建统治的一幅绝妙的讽刺性的图画。即使是19世纪50年代开始写作的福楼拜,也在著名的小说《包法利夫人》中,对贵族的教育和文学给妇女造成的恶果作了批判。至于这个流派中最伟大的代表人物巴尔扎克,虽然他自己宣布"在两种永恒的真理的照耀之下写作,那就是宗教和君主政体"[②],但正如恩格斯所指出的,"他在《人间喜剧》里给我们提供了一部法国'社会'特别是巴黎'上流社会'的卓越的现实主义历史,他用编年史的方式几乎逐年地把上升的资产阶级在1816年至1848年这一时期对贵族社会日甚一日的冲击描写出来,这一贵族社会在1815年以后又重整旗鼓,尽力重新恢复旧日法国生活方式的标准。他描写了这个在他看来是模范社会的最后残余怎样在庸俗的、满身铜臭的暴发户的逼攻之下逐渐灭亡,或者被这一暴发户所腐

---

① 《共产党宣言》,《马克思恩格斯选集》第一卷,第274页。
② 巴尔扎克:《〈人间喜剧〉前言》。

化；……他的伟大的作品是对上流社会必然崩溃的一曲无尽的挽歌；他的全部同情都在注定要灭亡的那个阶级方面。但是，尽管如此，当他让他所深切同情的那些贵族男女行动的时候，他的嘲笑是空前尖刻的，他的讽刺是空前辛辣的……他看到了他心爱的贵族们灭亡的必然性，从而把他们描写成不配有更好命运的人"①。恩格斯的论述指出了巴尔扎克对贵族阶级揭露的两个特点，即表现了他们作为过时的阶级必然灭亡的命运和他们应该得到这种命运的腐朽、虚弱的实际状况。巴尔扎克正是通过这两方面的形象描绘，从根本上否定了这个阶级继续存在下去的权利，这是完全符合历史发展方向的。因此，有的批评家曾经作过这样的比喻："巴尔扎克的确是法国文学中的拿破仑，因为他在文学中消灭了封建观念，正像那位伟大的军人在政治中彻底消灭了封建制度一样。"②

同样，英国的批判现实主义文学也对贵族阶级进行了批判与揭露，也具有反封建的意义，只不过历史条件的不同，决定了这种批判与揭露的内容有所不同而已。英国的资产阶级革命早于法国，但远不及法国彻底，革命的结果只是建立了君主立宪政体。马克思在1855年指出，从17世纪末英国资产阶级革命"到现在，一直保持着血统特权和金钱特权之间的立宪均势"。贵族阶级仍享受不少特权，在政权机构中拥有很大的势力，外交、军事部门一贯被贵族集团所把持，国会中的代表大部分是贵族及其代理人，政府体现了金融寡头与土地贵族的联合统治，奉行着符合贵族阶级利益的反动政策。随着18世纪末产业革命后工业的发展，上层建筑这种不适应的情况已经日益突出，与工业资产阶级的矛盾日益尖锐：原来的选举法保留了贵族的特权，而新兴工业区的代表不可能进入国会；1815年通过的谷物法禁止粮食进口，促使粮价高涨，保护了土地贵族的利益，而造成工业劳动

---

① 《恩格斯致玛·哈克奈斯》，《马克思恩格斯选集》第四卷，第462~463页。
② 福克斯：《小说与人民》。

力的昂贵,使工业的发展受到阻碍。因此在19世纪上半叶,以废除谷物法和争取国会改革为中心的民主改革运动发展为全国性的规模,斗争反映了工业资产阶级与土地贵族、金融寡头的矛盾,其实质就是日益发展的资本主义生产要求改变不适应的上层建筑。在这个时期出现的英国批判现实主义作家就适应了这一历史要求,对资产阶级革命不彻底所遗留下来的后果、封建性的残余进行了批判。狄更斯、萨克雷都强烈反对贵族在权力机构中所占有的地位和贵族势力在政府各部门的裙带作风。狄更斯对贵族在其中占重要地位的议会法院从来没有敬意,他对"可鄙的贵族占了一切职位"①因而使行政、立法机关腐败无能极为反感,在不止一部小说中形象地描绘了官僚机构的腐败和阴暗。在《荒凉山庄》著名的开头一章中,那弥漫着整个伦敦的黑雾,就是法院所造成的阴影的象征;在《小杜立特》里,完全控制在贵族家族手里、凡事拖拉、毫无效率、因循守旧的"拖事部",就是整个政府机构一幅讽刺性的写照。在这里,作者对贵族阶级带来的那种陈腐的作风的批判,正反映了资本主义迅速发展下资产阶级对讲求实效的需要。狄更斯还特别着重揭露了作为政治寡头、官职垄断者的贵族家族,通过漫画式的描写,对一切以血统和家族为转移的封建的裙带关系进行了辛辣的讽刺。萨克雷则更多地从世态方面揭露贵族势力的丑恶,他早期作品中一个常见的主题,就是对贵族仍以门第为骄傲的势利眼的讽刺,他把贵族称为"卑鄙的东西"②,他们为了解决"架子大,钱包小"的矛盾,或者利用自己的门第去娶资产阶级的阔寡妇,或者招摇撞骗,因而与骗子流氓很难区别。他成熟时期的现实主义小说,又通过塑造一些生动真实的人物形象,揭露了享受着尊贵地位的大贵族是怎样过着腐朽、糜烂的生活,乡间小贵族是如何"趣味、感情、好尚没有一样不是卑鄙龌龊",表现出这个阶级寄生的没落的状

---

① 狄更斯:《1855年10月27日致福斯特的信》。
② 萨克雷:《势利眼集》。

况。这些揭露和讽刺，都是为当时发展着的工业资产阶级服务的。

在俄国，19世纪批判现实主义的反封建性则更为突出。俄国远比西欧各国落后，当英法两国的农奴制开始解体的时候，俄国的农奴制仍在继续发展；当18世纪法国产生资产阶级启蒙思潮的时候，俄国却在"开明专制"的幌子下加强封建的君主专制；19世纪上半叶，西欧等国资本主义迅速发展，而俄国却仍然是一个野蛮、黑暗的农奴制国家。由于资本主义因素在封建制度内部不断扩大，农奴制的危机日益加深，农奴不断起义，俄国才于1861年实行了农奴主自上而下的改良，废除了农奴制，此后才从封建生产方式过渡到资本主义生产方式，资本主义经济才逐渐占统治地位。即使如此，大量的封建残余被保留了下来，彻底肃清这一残余，仍是需要解决的一个任务。总之，社会发展的进程与封建主义的矛盾是19世纪俄国的一个基本矛盾，在这个矛盾的基础上，产生了自由化的贵族知识分子"十二月党人"的改良主义和反映了彻底的资产阶级民主主义要求的革命民主主义思潮。19世纪俄国批判现实主义文学，就是与这一反对封建专制和农奴制、宣扬革命民主主义思想的巨大的思潮密切不可分的，这一思潮的批评家别林斯基、杜勃罗留波夫、车尔尼雪夫斯基为批判现实主义文学奠定了理论基础。对残酷的专制主义的批判，对黑暗、野蛮的农奴制的揭露，几乎是整个19世纪俄国批判现实主义文学最重要、最突出的主题。我们可以在果戈理、冈察洛夫、奥斯特洛夫斯基、谢德林、屠格涅夫、陀思妥耶夫斯基、托尔斯泰、契诃夫这些作家的作品中看到这种批判的精神。有的"将俄罗斯的全部丑恶集成一堆来加以嘲笑"；有的"用无情的精确性和真实性"塑造出农奴制的产物——怠惰、寄生的典型人物；有的充满了愤慨描写了小人物在专制主义下的悲惨与不幸；有的对暴君、官僚机器、贵族阶级进行了辛辣的讽刺；有的真实地再现了那个专制时代黑暗的社会图景，噩梦般的现实生活和令人压抑的气氛；有的表达了"对国家、对警察和官方办的教会的那种强烈的、激愤的而且常常是尖锐无情的抗议","原始的农民民主的情绪",农民群众"由于几世纪以来农奴制的压迫,官僚的横暴和劫掠,以及教会的伪善、欺骗和诡诈"而发出的"极大的愤怒和仇恨"[①]。

资本主义关系是从封建社会内部产生的,资产阶级在上升时期对封建阶级而言是革命者。作为阶级的意识形态,资产阶级文学的第一个职能就是反封建。文艺复兴时期的文学与启蒙运动的文学在当时的历史条件下,就显示了反封建的激情和锐气。到了19世纪,虽然在英国和法国,资产阶级已经基本上战胜了它的敌人,剩下的问题只是如何保持和巩固自己的胜利,以及如何使资产阶级民主主义的胜利发展到更彻底、更完全的程度,但资产阶级反封建残余的进步意义仍然应该加以肯定。我们知道,1848年,马克思、恩格斯在《共产党宣言》中就曾指出,共产党人应该支持欧洲那些为完成民主主义任务而努力的资产阶级政党,并且应该"同它一起去反对君主专制、封建土地所有制和小市民的反动性"。这就充分说明,资产阶级民主主义的反封建的斗争仍然是当时社会向前发展所应继续解决的任务。在这个历史背景下,批判现实主义再一次证明过时的封建阶级没有任何再存在的理由,揭露了它不甘心于自己灭亡而力图维护自己的特权地位,有力地为资产阶级向封建阶级争夺统治权的斗争服务,促进和巩固了资本主义对封建主义的最后胜利。这是批判现实主义文学不容忽视的一个历史作用。然而"四人帮"却无视客观的历史事实,对批判现实主义所产生的这一历史背景绝口不谈,把这种文学反封建的历史作用一笔抹杀,这种有意地违反历史事实,不仅暴露了他们惊人的反科学的态度,也说明了他们否定有进步意义的优秀文学遗产是完全别有用心的。

---

① 《列夫·托尔斯泰》,《列宁全集》第十六卷,第322页。

二、批判现实主义对资本主义社会的揭露批判

批判现实主义文学通过对自己的时代、社会和阶级的描绘，揭露和批判了资本主义制度，在当时有助于打破对现存秩序传统的幻想。这是批判现实主义最为重要的历史作用，也是它在思想内容上最主要的特色。

19世纪上半叶，资本主义秩序在欧洲一些国家相继建立后，不论它较之旧的封建制度如何进步，但绝不是革命前那些为资产阶级的胜利而大声疾呼的启蒙思想家所预言的那样合理。这时的社会现实，正像恩格斯所指出的："富有和贫穷的对立并没有……解决，反而……更加尖锐化了；工业在资本主义基础上的迅速发展，使劳动群众的贫穷和困苦成了社会的生存条件。犯罪的次数一年比一年增加……以前只是暗中偷着干的资产阶级罪恶却更加猖獗了。商业日益变成欺诈。革命的箴言'博爱'在竞争的诡计和嫉妒中获得了实现。贿赂代替了暴力压迫，金钱代替了刀剑，成为社会权力的第一杠杆。初夜权从封建领主手中转到资产阶级工厂主的手中。卖淫增加到了前所未闻的程度。婚姻本身和以前一样仍然是法律承认的卖淫的形式，是卖淫的官方的外衣，并且还以不胜枚举的通奸作为补充。总之，和启蒙学者的华美约言比起来，由'理性的胜利'建立起来的社会制度和政治制度竟是一幅令人极度失望的讽刺画。"[1]我们从19世纪批判现实主义文学中正可以看到恩格斯所指出的这一社会现实的真实生动的图景。

巴尔扎克曾经声明，他要在自己规模宏大的《人间喜剧》里，充当"法国社会的书记"，为自己的时代开出"恶习的清单"[2]；狄更斯把自己反映社会矛盾的小说取名为《艰难时世》；萨克雷把自己所描写的世界称为《名利场》，这都反映了批判现实主义作家力图真实

---

[1] 《反杜林论》，《马克思恩格斯选集》第三卷，第297～298页。
[2] 巴尔扎克：《〈人间喜剧〉前言》。

地表现自己时代社会的黑暗与罪恶。在这种自觉的努力下,他们得以对那个社会作出了符合真实情况的描绘,使读者看到一幅阴暗的资本主义社会现实的画面:在这里,"银行成为了国家的元首,资产阶级代替了圣日耳曼区"[1],暴发户是"无人知晓的国王,命运的主宰","所谓一切法兰西人都在法律之前平等只是写在大宪章前头的一句谎话"[2],贫富对立,新的统治阶级过着骄奢淫逸、腐朽不堪的生活,"没有一个讽刺作家,能写尽金银珠宝底下的丑恶"[3];社会的下层充满了苦难和不幸,"贫穷使男子潦倒,饥饿使妇女堕落,黑暗使儿童羸弱"[4];政府机构中一幕幕营私舞弊、贿赂敲诈的丑剧,政治就是"从老百姓那里偷"[5],整个社会充满了"像瘟疫一样的铜臭气氛"[6],遍地都是欺诈和罪恶,弱肉强食,"你吞我,我吞你,像一个瓶里的许多蜘蛛"[7]。批判现实主义文学就是这样尖锐地揭示了新建的资本主义社会仍然是一个极不合理的、充满了罪恶的社会。19世纪后半叶,作家龚古尔在他著名的日记中对巴尔扎克有这样的评语:"只有他从高处看到法兰西从1789年以来的瓦解……他看出了1789年的纲领中的谎言,这个纲领用大个的钱币代替了伟大的名字,把公爵变成银行家,如此而已。"这个评语对整个批判现实主义文学同样也是适合的,因为这种文学对自己的时代和社会的揭露正有力地宣告了资产阶级"理性国家"的破产。

特别值得肯定的是,批判现实主义文学的揭露、批判还抓住了资本主义社会的特征:金钱的罪恶作用和卑劣的金钱拜物教。黄金能够

---

[1] 司汤达:《吕西安·娄万》。
[2] 巴尔扎克:《驴皮记》。
[3] 巴尔扎克:《高老头》。
[4] 雨果:《〈悲惨世界〉序》。
[5] 司汤达:《吕西安·娄万》。
[6] 司汤达:《红与黑》。
[7] 巴尔扎克:《高老头》。

颠倒黑白,19世纪以前的作家虽然已经写过,但19世纪批判现实主义作家才把金钱的这种罪恶作用揭露得更为深刻:它与阶级的贪婪结合在一起,并且作为了阶级统治的一种手段。批判现实主义作家不仅讽刺了资本主义社会中金钱拜物教的丑恶世态和"黄金是世界的人要顶礼膜拜的唯一力量"①这一资产阶级的教义,而且通过各种人物故事,揭露了"金钱控制法律,控制政治,控制风俗,到了前所未有的程度"②。在这里,政府是"富人之间制定的对付穷人的保险契约"③;选举完全是有钱的大资产者操纵的,"部长们想叫谁发财就发财,但是谁决定这些部长的人选呢?还不是吕西安·娄万这些银行家吗?""内阁不能拆毁交易所,交易所却能拆毁内阁"④;法律"替有钱人辩护,把有心肝的人送上断头台"⑤,监牢专为贫苦者而设,有钱人霸占了他人的权利可以逍遥法外⑥,为饥饿的孩子偷了一块面包的工人却在监狱里待了19年⑦,并终生受到法律的迫害;整个社会生活就是"一部由金钱开动的机器"⑧,连新闻报纸、文学艺术也都商品化了,"诗章堕在泥浆之中"⑨。批判现实主义批判的锋芒遍及了资本主义上层建筑的各个方面,它揭示了整个这一上层建筑堂皇的外表下一切取决于罪恶的金钱、取决于金钱的人格化身资产阶级这一真相,从而把社会黑暗的根源、资产阶级统治的实质暴露在读者的面前。

  批判现实主义文学对自己时代社会和阶级的揭露之所以较为深刻,还在于它触及了基本的经济关系、残酷的资本主义剥削。我们在

---

① 巴尔扎克:《幻灭》。
② 巴尔扎克:《欧也妮·葛朗台》。
③ 同上。
④ 司汤达:《吕西安·娄万》。
⑤ 巴尔扎克:《高老头》。
⑥ 巴尔扎克:《夏倍上校》。
⑦ 雨果:《悲惨世界》。
⑧ 巴尔扎克:《高利贷者》。
⑨ 巴尔扎克:《幻灭》。

《包法利夫人》中可以看到，在有名的农览会那一章，银行家王朝的官员是如何花言巧语掩盖农村中的资本主义剥削——他代表金融家的政府给一个可怜的女工颁发一枚奖章，奖励她"在一家田庄连续服务54年"，然而这一枚奖章和那个女工被压榨干了的形象，正把资本主义剥削的残酷本质深刻地暴露了出来，并揭露了资产阶级政府正是这个剥削的支持者、促进者。在巴尔扎克的《农民》中，我们也可以看到高利贷剥削的狰狞面目，一个小农终年辛勤劳动，最后还不够偿还高利贷债务的利息，必须把女儿在工厂挣的工资搭进去，还要为资本家服无偿的劳役。在狄更斯和盖斯凯尔夫人的作品中，也反映了资本主义的剥削方式。马克思曾经指出，19世纪批判现实主义作家"向世界揭示了政治的和社会的真理，比起政治家、政论家和道德家合起来所作的还多"①。恩格斯也说："我从这里，甚至在经济细节方面（如革命以后动产和不动产的重新分配）所学到的东西，也要比从当时所有职业的历史学家、经济学家和统计学家那里学到的全部东西还要多。"②革命导师所说的"政治和社会的真理"以及"经济细节"，主要就是指资本主义制度的政治统治和经济剥削而言，正因为批判现实主义文学在这方面有一些深刻的揭示，所以它就成功地暴露了资产阶级统治的罪恶实质和"理性国家"破产的真实根源。

　　批判现实主义文学对本阶级的揭露是相当尖锐的。它通过塑造哥贝赛克、葛朗台老头、银行家纽沁根、商人勒乐、大资产者董贝、金融家老吕西安·娄万这一系列人物，表现了资产阶级的丑恶、腐朽、冷酷、贪婪、狠毒，特别是这个阶级从不餍足地占有金钱财富的无穷的欲望。它以人性的名义批判这个阶级的这种欲望已发展到偏执的程度，以至窒息了人类一切正常的感情，批判了资产者为了唯利是图的目的，不择任何手段干尽伤天害理的勾当。批判现实主义小说经

---

① 《马克思恩格斯论艺术》第二卷，第402页。
② 《恩格斯致玛·哈克奈斯》，《马克思恩格斯选集》第四卷，第463页。

常以家庭悲剧为故事题材,擅长从家庭这一本来亲密的关系中表现这个阶级的成员为争夺金钱财富而进行的酷烈的争斗。在《欧也妮·葛朗台》中,葛朗台老头觊觎着自己妻子的遗产,唯恐被自己的女儿继承;在《高老头》中,两个女儿同时盘剥自己的父亲,彼此展开了勾心斗角,最后高老头被挤干后死去,女儿们理也不理;在《夏倍上校》中,妻子为了霸占丈夫的财产而企图把他置于死地;在狄更斯的《马丁·朱述尔维特》中,儿子为了早些继承父亲的产业,竟想趁父亲有病时把他毒死;在《荒凉山庄》中,几个可能得到遗产的人,有的几乎精神失常,有的耽误了自己的一生;在其他的小说里,奥立佛、大卫·考柏菲尔之所以受了一些罪,经历了人间的辛酸,也是因为有人图谋与他们有关的财产而加害于他们的缘故。马克思、恩格斯深刻指出:"资产阶级……使人和人之间除了赤裸裸的利害关系,除了冷酷无情的'现金交易',就再也没有任何别的联系了。……资产阶级撕下了罩在家庭关系上的温情脉脉的面纱,把这种关系变成了纯粹的金钱关系。"①批判现实主义文学正是表现了这样一幅令人触目惊心的形象图景。

列宁在论托尔斯泰时这样说过,"列夫·托尔斯泰在自己的作品里能以提出这么多重大的问题,能以达到这样大的艺术力量,使他的作品在世界文学中占了一个第一流的位子"②,批判现实主义文学正是以巨大的艺术力量提出了一些重大的问题,而这些问题又集中为19世纪一个最根本性的问题,即资本主义社会是否合理,是否具有永世长存的价值。对此,批判现实主义文学的形象描绘给予了否定的答案,这就是这种文学在世界文化遗产中占"第一流位子"的原因所在。特别应该指出的是,批判现实主义文学在进行揭露批判的时候,正是资本主义上升和发展的时期,"自然力的征服,机器的采用,化

---

① 《共产党宣言》,《马克思恩格斯选集》第一卷,第253~254页。
② 《列夫·托尔斯泰》,《列宁全集》第十六卷,第321页。

学在工业和农业中的应用,轮船的行驶,铁路的通行,电报的使用,整个整个大陆的开垦,河川的通航,仿佛用法术从地下呼唤出来的大量人口",资产阶级正在完成"完全不同于民族大迁移和十字军东征的远征"①,这个阶级正是一派乐观情绪。大肆宣扬"夜晚安眠,忽闻警钟齐鸣,惊骇而起的时期已经一去不复返了;邪说横行,擅敢颠覆社稷的时期,已经一去不复返了"②。资本主义秩序似乎要永世长存下去。然而批判现实主义文学却通过真实描写资本主义社会现实的关系,暴露出它惊人的矛盾与黑暗,这在当时客观上便有助于"打破关于这些关系的流行的传统幻想,动摇资产阶级世界的乐观主义,不可避免地引起对于现存事物的永世长存的怀疑"③。

从历史发展来看,批判现实主义文学对资本主义的揭露和批判,在1848年以前和以后两个不同的历史阶段是有所不同的。19世纪上半叶,资本主义秩序比较稳固,批判现实主义作家是敢于触及资本主义社会的要害的,并不害怕自己的揭露会引起人们对现存秩序永久性的怀疑,而1848年以后,资产阶级的掘墓人无产阶级已经登上历史舞台,特别是1870年以后,资本主义秩序更遭到了现实的威胁,这一时期的批判现实主义文学对现实的揭露和批判就有了衰退。左拉的揭露性的作品里缺乏深刻的批判,莫泊桑满足于陈列资本主义社会的丑恶而缺少愤慨,都德的揭露则流于微温。批判现实主义开始有了自己的末流自然主义。不过,资产阶级的腐朽没落在这一时期批判现实主义的文学中仍有具体的反映。我们最早可以在福楼拜的《情感教育》中看到资本主义社会的腐朽的环境,如何产生出意志瘫痪、耽于幻想、几成废物的青年,而左拉的《金钱》《萌芽》《劳动》《娜娜》,莫泊桑的《漂亮朋友》,罗曼·罗兰的《约翰·克利斯朵夫》等著名

---

① 《共产党宣言》,《马克思恩格斯选集》第一卷,第254~256页。
② 福楼拜:《包法利夫人》。
③ 《恩格斯致敏·考茨基》,《马克思恩格斯选集》第四卷,第454页。

小说，对资产阶级的剥削压榨、投机倒把、操纵国计民生、为谋取利润发动战争以及道德精神的极端堕落，也有具体的揭露。在这一历史时期，批判现实主义文学中还出现了不止一部著名的表现资产阶级没落的长篇作品，英国高尔斯华绥的《福尔赛世家》、德国托马斯·曼的《布登勃洛克一家》、法国杜·伽尔的《蒂波一家》以不同国度共同的资产阶级走向衰颓和没落的题材，反映了资产阶级必然灭亡的历史命运。

不论历史发展的情况如何，批判现实主义文学终究不失为对资本主义社会的一种针砭，正因为如此，这种文学往往被当时的资产阶级当权派所敌视。萨克雷的《名利场》问世后，就有人指出这部作品是"对现有秩序的宣战"①；《玛丽·巴顿》出版后有人攻击它"对体面人和有地产的人抱有成见"，"有伤风化"②；《包法利夫人》也曾遭遇被起诉，在拿破仑三世统治的时期，帝国政府的一个部长在公开的演说中就这样声称："如果艺术……信从现实主义的新派理论，那么，艺术就临近它的灭亡了。"资产阶级当权派对批判现实主义文学的敌视，正从反面说明了它在当时历史条件下的进步作用，也正因为批判现实主义文学在当时能起到这样的进步作用，马克思、恩格斯才给予了高度的重视。"四人帮"对批判现实主义的批判揭露的价值却一概否定，他们不仅根本不承认这种批判和揭露，而且把它们完全称为"对资本主义的维护"，还把对这种文学揭露批判价值的肯定诬蔑为"胡说"和"欺人之谈"。然而只要看一看被他们所否定的这种文学的客观历史实际，便不难发现"四人帮"在历史事实面前露骨的主观唯心主义和他们通过否定批判现实主义文学把矛头指向革命导师的科学论断的罪恶用心了。

批判现实主义文学还有一个值得注意的方面，即对劳动人民悲惨

---

① 戈登·雷:《忧患的锻炼》。
② 爱丽丝·恰德维克:《盖斯凯尔夫人传》。

生活的描写。19世纪上半叶的工业化造成了资产阶级的大发横财和无产阶级的贫困化,资本主义雇佣劳动制对无产阶级、劳动人民进行残酷剥削的恶果日益严重,在大城市工人聚集的贫民区,呈现一片充满了贫困、疾病、死亡的悲惨情景,成为当时资本主义社会灾难的一个最集中的表现。以真实描写现实为己任的批判现实主义作家,几乎都在自己的作品里反映了这一黑暗的社会现实。巴尔扎克在不止一部作品的背景里描写了工人的悲惨生活。在《金眼女郎》中,30万巴黎工人每天像动物一样从事繁重的劳动,他们"支出的力量远远超出自己的体力",不仅他们自己,而且他们的妻子儿女也都被拴在机器上,把全部的精力消耗光。在《交际花盛衰记》中,一个贫穷女织工不得不把自己年幼的小女孩"送到纺织厂里听凭现代工业滥用她的体力"。在《法西诺·加奈》里,一对工人夫妇从事繁重的劳动,好容易才勉强养活了自己的孩子。浪漫主义作家雨果在自己具有批判现实主义倾向的小说《克洛德·格》和《悲惨世界》中,则充满了义愤描写了普通工人的悲惨命运,失业和饥饿逼迫他们偷窃,而一次小小的偷窃就致使他们一辈子被法律追捕。左拉也在《萌芽》《劳动》等作品里表现了19世纪下半叶法国工人阶级的生活状况,他不仅描写了工人的生活环境和日常生活中贫困、悲惨的细节,而且表现出长期繁重的劳动和半饥饿的生活如何摧残了他们的形体。英国的批判现实主义作家也有不少工人题材的作品,狄更斯的《艰难时世》、盖斯凯尔夫人的《玛丽·巴顿》《南方与北方》是其中最为著名的。这些小说都以真实的描写再现了在工人聚集的贫民区和他们居住的潮湿的地下室里一幕幕贫病交加、啼饥号寒的悲剧。批判现实主义作家在资产阶级所认为的"美文学"中,把这些触目惊心的社会灾难,工人生活中种种使资产阶级要掩鼻而过的惨状,无情地摆在全社会的面前,表现出了一定的社会正义感和现实主义的勇气。

恩格斯在谈到19世纪无产阶级的苦难时曾指出:"工人阶级处境

悲惨的原因不应该到个别的缺陷去找,而应该到资本主义制度本身去寻找。"批判现实主义文学与资产阶级正统派所散布的工人阶级苦难的原因在于这个阶级的"怠惰""愚昧"的滥调有所不同,在怀着同情表现他们悲惨生活的时候,也在一定程度上赞美了他们的优秀品质和无穷的创造力。雨果在他的作品里多次告诉读者,他的工人主人公都"出身很好""本性善良""爱好劳动""为人正直",只是资本主义社会的现实使他们当了小偷。左拉笔下的工人形象不仅是他同情与怜悯的对象,而且往往具有一些为腐朽的资产阶级世界观不可能有的健康的、正常的情操、感情。巴尔扎克也把他所衷心赞美的下层人物,如《无神论者做弥撒》中舍己为人的挑水夫布尔查、《夏倍上校》中富有同情心的劳动者凡尼奥,和冷酷的利己主义的资产阶级作强烈的对照。这个现实主义作家还看到了无产阶级劳动人民的聪明才智,他曾在《金眼女郎》中以赞美的口气,历数工人用自己的智慧和劳动,创造出的种种奇迹,生产出的各种美妙的艺术品,他还指出"他们中间有美德的奇迹……有不知名的拿破仑",并且认为他们生来本可以成为"优秀的人"。虽然批判现实主义作家与无产阶级在思想感情上有很大的距离,但他们之中有些作家在自己作品的形象描绘中却做到了这样一点,即指出了无产阶级、劳动人民以其善良、纯朴的本性和所担负的社会劳动,是不应该受到如此悲惨的命运,因此他们经常是带着愤慨来描写劳动人民的不幸。更值得注意的是,他们有的作品还把资本主义的剥削和压迫表现为下层人民不幸的根源。在巴尔扎克的《海滨惨剧》中,那个贫穷的渔夫过着几乎和原始人相近的生活,他不能到附近的盐场去做工,因为那里的劳动繁重,"他顶不了三个月就得死去";在《悲惨世界》里,可怜的女工芳汀被包工任意压低了工资之后,才不得不去当妓女。狄更斯、盖斯凯尔夫人也形象地揭示了资本主义使工人沦为奴隶、沦为机器的部件。狄更斯指出,工人在资本家眼里不是人,而只是"人手"或"多少匹马的马力",他的小说中的一个工人愤慨地说道:"那些纺织厂是多么兴隆发达,而他们总是逼着我们趋向于一个遥远的目标——死亡。"①《玛丽·巴顿》中,一个老工人也愤愤不平地提出这样的质问:"他们把我们的血汗脂膏搜刮得一干二净,积起偌大的家财,盖起偌大住宅,我们许多许多人都在挨饿受饥。你们说这里没有什么毛病吗?"虽然批判现实主义作家不可能对资本主义雇佣劳动制的本质有深刻的认识,但是,这些形象描绘却表现了无产阶级处境悲惨,正是资本主义社会所造成的这一客观真理。

批判现实主义对无产阶级、劳动人民悲惨处境的真实描绘,是它以前的文学中所没有的。虽然它还很不充分,但毕竟不失为关于无产阶级生活状况的较早的思想材料,而且,它的这种描写带有明显的倾向和同情,这在当时是有进步意义的。然而,"四人帮"对此都一笔否定,甚至不顾基本的事实,给批判现实主义文学扣上"暴露劳动人民"的帽子,为实现反革命文化专制主义的目的而到了不择手段的地步。

三、批判现实主义的思想基础与阶级局限性

从批判现实主义文学以上的历史作用可以看出,这种文学属于人类历史上进步文化之列,其历史地位是不应否定的。从历史和阶级斗争的发展来看,资产阶级的意识形态与生俱有的一个优点就是反封建。因此,批判现实主义在资产阶级民主主义革命任务未彻底完成的条件下,具有反封建的意义是很容易理解的,但批判现实主义文学作为资本主义社会的上层建筑、作为资产阶级的社会意识形态,怎么在本阶级刚刚取得统治权不久、新的制度刚刚建立不久的时候,就采取了批判揭露的态度呢,而当本阶级的掘墓人无产阶级一出现在历史舞台上的时候,又对它寄予了同情呢?"四人帮"正是利用了这样一个

---

① 狄更斯:《艰难时世》。

表面的矛盾把批判现实主义文学一棍子打死，照他们的说法，批判现实主义既然是资产阶级的意识形态，那就肯定是歌颂资本主义社会和资产阶级的，那就肯定是暴露无产阶级的。然而，历史毕竟是历史，它并不符合"四人帮"主观唯心主义的模式。对于批判现实主义文学作为社会意识形态与资本主义社会经济基础，与本阶级又适应又不适应这一历史现象，必须用马克思主义历史唯物论正确地加以说明。

马克思、恩格斯曾经指出，在一个阶级的内部往往存在着"这一阶级的积极的、有概括能力的思想家"和"该阶级的积极成员"之间的分裂，"这种分裂甚至可以发展成为这两部分人之间的某种程度上的对立和敌视"①。批判现实主义作家与资产阶级当权派、正统派的关系就是如此。

批判现实主义作家与本阶级的"积极成员"之间之所以存在着某种程度的分裂和对立，第一个重要原因就在于他们在现实生活中的政治、经济、社会地位不同于资产阶级当权派。以英法两国的批判现实主义作家而言，他们大都属于中小资产阶级阶层，他们的经济地位是不稳固的，他们的生活往往没有保障，经常在困窘之中。我们知道，巴尔扎克一生为债务所苦；司汤达写作《红与黑》之前在巴黎过着清贫的生活，"每天只能吃一顿正餐"②；左拉早年长期受到贫困的威胁，"进当铺的次数比进饭馆的次数来得多"③；狄更斯12岁就开始做工，从事过种种低贱的职业。他们从事写作往往是为了谋生，即使是成名之后，在那个铜臭的社会里也有自己的辛酸，萨克雷就曾这样说过："一个作家的地位还比不上药剂师、酒商之类的体面人。"④批判现实主义作家这种社会地位，一方面使他们和下层人民比较接近，了解下层的痛苦和人民的思想感情，也比较能接受劳动人民的思想影响，从

---

① 《费尔巴哈》，《马克思恩格斯选集》第一卷，第52页。
② 司汤达：《自我崇拜回忆录》。
③ 莫泊桑：《爱弥尔·左拉研究》。
④ 萨克雷：《巴黎札记》。

而在作品中表现出民主主义的倾向。另一方面,使他们比较能站在非当局者的立场上,冷眼看待统治阶级和与之有关的政治、法律制度以及社会习俗,而他们在生活中找不到自己的地位这种处境,更使他们对那些在生活中占据尊贵地位的本阶级的"积极成员"、当权者,充满了妒羡之中而又夹杂着愤慨的复杂感情,他们在对自己的幻想中,自视为正义的愤慨的代表,并且往往在作品中塑造了与他们的处境和精神状态相应的人物形象,对社会现实不满并进行某种个人追求和反抗的青年,巴尔扎克笔下的拉斯蒂涅、司汤达的于连、罗曼·罗兰的约翰·克利斯朵夫、勃朗特的简·爱就是这种人物。批判现实主义作家或把这种人物当作自己作品中的正面形象,或把自己某些思想情感赋予他们,这样,他们的作品往往就对统治阶级表现了某种愤慨,对自己的时代和社会显示出批判的特色。

批判现实主义作家与本阶级的"积极成员"之间之所以存在着某种程度的分裂和对立,第二个重要原因在于他们继承了文艺复兴时期人文主义思想,特别是18世纪的启蒙思想,并以它们为批判标准,用来衡量自己的时代、社会和阶级。不论是文艺复兴时期的人文主义思潮,还是18世纪的启蒙思潮,都是资产阶级人道主义思想体系的一部分。人文主义思潮反对封建的宗教世界观,以人道取代神道,颂扬人的理性、人的独立自主、人的尊严、人的自由发展,18世纪启蒙思潮继承了人文主义思想并在资产阶级面临夺权斗争的历史条件下将它加以发展,进一步反对封建政治制度,主张"天赋人权",宣扬"自由""平等""博爱"。这就是启蒙思想家的"理性"内容,他们"把理性当作一切现存事物的唯一的裁判者。他们要求建立理性的国家、理性的社会,要求无情地铲除一切和永恒理性相矛盾的东西"[①]。19世纪较早期的批判现实主义作家基本上是革命后的第一、二代,资产阶级革命时期的理想和英雄行为对他们之中一些人还记忆犹新,他

---

① 《社会主义从空想到科学的发展》,《马克思恩格斯选集》第三卷,第407页。

们都是在启蒙思想的熏陶影响下成长起来的,他们继承了自己前辈的资产阶级人道主义思想体系,他们的世界观没有超出那些启蒙思想家的范围。但是,资产阶级革命以后建立的资产阶级世界"绝不是绝对合乎理性的"①,因此,作为启蒙学者的信徒的批判现实主义作家就遇到了理想与现实的矛盾,他们带着理性的世界观观察现实生活,对现实便产生了种种不满。从资产阶级人道主义的自由观出发,他们对资本主义社会中人变成了金钱的附庸、人的自然本性在金钱的作用下歪曲变质产生了不满,他们特别对金钱代替了封建的血统和门第,成为一切事物的杠杆,因而人的自由发展事实上已不可能表示强烈反感,经常在自己的作品里表现一些才情出众的青年与势利的资本主义社会的矛盾;从资产阶级人道主义的平等观出发,他们对资本主义秩序下的财富、地位的不平等、社会不正义表示自己的愤慨;从资产阶级人道主义的博爱观出发,他们对资本主义社会中人与人之间的冷酷的关系产生不满,并对生活中那些被侮辱与被损害者表示怜悯,因此,可怜的小人物常常是他们作品描写的对象,也正是从这种资产阶级人道主义思想出发,他们对无产阶级劳动人民的悲惨生活给予了某种同情。

启蒙学者的论述在 18 世纪是"华美的约言",而到 19 世纪"很快就变成了一句纯粹是自作多情的空话"②,但是当批判现实主义作家用它来衡量现实生活的时候,它就不失为一种批判的尺度了,而且,正像"18 世纪启蒙者……写作的时候……完全真诚地相信共同的繁荣昌盛"③一样,批判现实主义作家对于他们自己所信奉的思想原则也是深信不疑的,他们还像自己的那些精神向导以全民代表的姿态出现一样,也以全人类"正常人性"的名义,对资本主义社会进行揭露和批判,这就使他们的作品有时具有一种激情的力量,并且披上了一层

---

① 《社会主义从空想到科学的发展》,《马克思恩格斯选集》第三卷,第407页。
② 《〈英国工人阶级状况〉1892年德文第二版序言》,《马克思恩格斯选集》第四卷,第277页。
③ 《我们究竟拒绝什么遗产?》,《列宁选集》第一卷,第128页。

社会正义与超阶级的外衣。

这两方面的原因,使批判现实主义作家与资产阶级当权派完全有所区别,对此,马克思主义就是要作一分为二的具体分析。然而"四人帮"却把批判现实主义作家与资产阶级当权派混同在一起,把批判现实主义作家的批评标准和资产阶级御用思想家的理论混在一起,一视同仁,一棍子打死,这种故作激烈正暴露出"四人帮"在理论上与马克思主义一分为二原则完全背道而驰,暴露出他们合二而一的真面目。

在充分肯定批判现实主义文学的历史地位的同时,我们还必须充分认识它的阶级本质、历史局限。批判现实主义文学是在私有制基础上产生的,它终归是剥削阶级的意识形态,具有严重的阶级局限性。它的阶级局限性主要就在于它的思想基础是资产阶级人道主义思想体系,这种思想既决定了批判现实主义文学的批判与揭露,也决定了它对自己经济基础的符合与维护。批判现实主义文学与本阶级基础又适应又不适应、又维护又批判的关系,其根源就在这里。

资本主义以新剥削制度取代旧的剥削制度,资产阶级人道主义思想就是为这种取代服务的。这种思想体系以私有制的剥削为当然的前提,它所要求的自由、平等、博爱,只是资产阶级和个人发展的自由,资产阶级在自由竞争中的权利均等、资产阶级内部的友爱和为资产阶级利益服务的阶级调和。它的核心是资产阶级个人主义。它把个人提高到超乎一切社会关系之上,反对任何对个人的束缚,肯定个体的人的一切感情、欲望和要求。批判现实主义以资产阶级人道主义为思想基础,同样地也就表现出以上的思想特征。

批判现实主义文学几乎毫无例外,都宣扬了以个性解放、个性自由为中心的资产阶级个人主义。这些作家不论是批判封建关系还是资本主义社会,往往都不是因为它们作为剥削制度对劳动人民进行了残酷的剥削、压迫,在这些作家看来,这种制度是天经地义、永世长存的,对于私有制的不合理,他们从未有过任何怀疑。因此,劳动人民受剥削、受压迫的现实在批判现实主义作家的作品里，描写得是远不充分的。他们当然不希望资本主义社会的崩溃，甚至他们还担心将来的无产阶级革命会意味着"工业文明的末日"，担心"将来资产阶级被砍掉的人头，将比封建贵族的人头更多"[1]。他们对资本主义社会的批判、揭发往往是从它对个性的压抑、束缚和摧残这个角度出发，由此表现出来的则是某些"优秀的个人"与社会的矛盾：或则是有才能的青年受到重视门第出身的上流社会的排挤、打击，如《红与黑》的于连；或则是优秀的个人如何被社会白白浪费，如《当代英雄》中的毕乔林、《欧根·奥涅金》中的主人公；或则是追求个性自由的人物如何与社会习俗、偏见发生激烈的冲突，如《嘉尔曼》与《安娜·卡列尼娜》的女主人公。作家以巨大的同情强调了这些人物在生活中得不到自由发展的"不幸"和悲剧意义，以作品的全部形象力量竭力证明他们追求自由、谋取发展的合理性，抗议阻碍他们的种种社会因素。这样，这些作家在对自己的时代、社会进行批判的同时，又归根结底有力地宣扬了资产阶级个人主义。这正是自由竞争的资本主义社会所需要的。这是批判现实主义文学作为阶级意识形态适应和维护其本阶级的经济基础的一个重要方面。

批判现实主义作家以资产阶级人道主义的唯心史观看待人类社会，因而不可能对阶级的本质和社会时代的规律有正确的认识，他们往往以人性论的观点来表现人的阶级性和人与人的社会关系，他们揭露贵族和资产阶级的恶德不是从他们的剥削者的生活中去找阶级根源，而是归之于人性的偏执，甚至把上流社会中的人欲横流解释为"全部人类感情都在他们的皮囊底栗动"[2]，因而往往就削弱了对贵族资产阶级揭露的力量。批判现实主义作家对人类社会阶级斗争规律是缺乏认识的，他们没有看到在人与人的关系中起决定作用的是阶级

---

[1] 巴尔扎克：《医院与人民》。
[2] 巴尔扎克：《〈人间喜剧〉前言》。

利害与阶级斗争，他们把人性的"恶"当作人与人之间矛盾的根由，而又把抽象的"爱"当作解决一切矛盾的万能钥匙，不幸者得到幸福，穷困的人得到财富，秉性凶悍的强盗悔悟自新，所有这些无不是在主人公的"爱"的力量的作用下完成的。最典型的一例就是狄更斯的小说《尼古拉·尼古尔贝》，主人公贫困、失业、走投无路，但最后在街上碰上了一对广施博爱的资本家兄弟，命运就发生了奇迹般的变化。批判现实主义作家的这些描写掩盖了资本主义社会的真实的阶级关系，并且给作品带来了虚伪的乐观主义色彩。也正因为批判现实主义不理解资本主义社会的阶级斗争规律，他们面对着黑暗、丑恶的现实，往往看不清出路和前途，果戈理在《死魂灵》中对农奴制的俄国社会现实作了深刻无情的揭露，但在小说的最后却提出了这样的问题："俄国呵，你奔到哪里去，给一个回答吧！"批判现实主义作家虽然也写出一些反抗的人物，甚至赋予他们杰出的才能、坚强的意志、不平凡的人格力量，让他们与社会的不合理作斗争，但现实却又使他们不能不让自己的英雄或则失败，如司汤达的于连和易卜生的斯托克芒，或则退隐，如罗曼·罗兰的约翰·克利斯朵夫，或则与上流社会同流，如巴尔扎克的拉斯蒂涅。批判现实主义作家笔下的这些人物最后大致相同的悲剧性的结局，正表现了他们自己思想上的共同点：承认资本主义现实的不可抗拒，由个人英雄主义而至悲观主义和宿命论。

批判现实主义文学的局限性还特别表现在对无产阶级和劳动人民的态度上。批判现实主义作家虽然也表现某些劳动人民的高贵品质，但总是把它们当作一种抽象人性，并且在对它们的赞许中表现了一种居高临下的态度，同时，他们往往又从抽象人性出发，对劳动人民加以歪曲。巴尔扎克在《农民》里，有意渲染了农民"道德堕落""残忍"，左拉在他的小说里，往往从生理性和动物性去描写工人。批判现实主义作家虽然对劳动人民寄予某种同情，但是从不承认劳动人民在政治上应该当家作主的权利,巴尔扎克把"贫民阶级"视为"一个未成年者",认为"终归应当受人保护",还要求"一些严峻的法律来抑止无知的大众"①。司汤达也表示不喜欢民主的政治制度,说"如果要我和人民在一起生活的话,这对我将是痛苦无穷的"②。特别是在1848年以后,面对着无产阶级斗争的发展,批判现实主义作家开始不适应了,与无产阶级革命运动完全格格不入,他们用资产阶级世界观来看待无产阶级劳动人民的反抗,总不免在自己的作品里加以歪曲。福楼拜在《情感教育》中将1848年的工人起义中群众表现为暴虐的群氓;《玛丽·巴顿》中一个有反抗性的工人约翰·巴顿被写成阴沉暴戾的形象,后来吸上了鸦片,并对自己杀死资本家表示忏悔;在《艰难时世》中,工人领袖被描写成夸夸其谈的职业政客;在《萌芽》中,国际工人联合会的组织者也被作者用讽刺的笔法描写成脱离劳动、穿着漂亮衣服的二流子式的人物。

批判现实主义作家的资产阶级本质决定了他们是不赞成推翻资本主义社会的暴力行为的。巴尔扎克认为对劳动人民的"犯上""应该予以无情的镇压"③;左拉也常把无产者的反抗表现得像野兽一样狂暴。他们往往通过自己的作品进行阶级调和的说教,在日益尖锐的阶级矛盾面前,力图提出改良主义的药方。这些作家们在批判现实的时候,是高度忠实的,但他们在开药方的时候,却完全陷入了历史唯心主义的幻想。巴尔扎克在《乡村教士》中写一个有钱的阔太太和银行家、工程师联合起来,在一个穷乡僻壤兴修水利、改善山地,给贫苦农民创造出一个人间乐园,她这一善行甚至也感化了一个杀人越货的强盗,他最后变成了驯良的农民。左拉在《劳动》中描写了主人公用资本家捐助的资金组织了一个大企业,在这里,劳动者的利益得到充

---

① 巴尔扎克:《乡村医生》。
② 司汤达:《亨利·布吕拉尔的一生》。
③ 巴尔扎克:《农民》。

分照顾,资产者与无产者和睦共处、友爱合作。批判现实主义作品这种乌托邦的描写,完全是资产阶级人道主义博爱观的一种表现,这种描写在当时两大阶级对抗的斗争中势必散布不切实际的幻想,对战斗的无产阶级、劳动人民当然会产生消极的作用,从这里,正可以看到以资产阶级人道主义为思想基础的批判现实主义文学,作为阶级意识形态适应和维护本阶级的经济基础的又一方面。而一旦无产阶级与资产阶级的斗争发展到最尖锐的时候,批判现实主义的阶级局限就更加明显。1870年,在无产阶级打破资产阶级的国家机器,建立自己的政权巴黎公社的时候,有的批判现实主义作家就进行了攻击和污蔑,在阶级斗争的紧要时刻,暴露出自己维护资本主义统治的面目。

虽然批判现实主义强调真实地描写现实,制作出不少生动的现实生活的图景,但是,这些描绘都是通过作家头脑加工的结果,在对现实的反映上也有阶级局限性,它们没有揭示出资本主义社会阶级斗争的规律,没有正确地表现劳动人民、无产阶级作为历史的主人以及他们的斗争,更不可能预示出现实发展的方向,而且,这些图景还渗透了作家的资产阶级世界观,往往流露出资产阶级的庸俗趣味。

四、批判现实主义问题上斗争的实质

毛泽东同志指出,对于一切外国的、古代的文化,必须"把它分解为精华与糟粕两部分,然后排泄其糟粕,吸收其精华"[①]。我们充分认识批判现实主义的进步历史作用和它的阶级局限,正是为了区分其"精华与糟粕",为了更好地继承这份遗产,像毛泽东同志所要求的那样"批判地继承"。愈是需要继承的,就愈是要用马克思主义观点进行科学的分析,因此,对于批判现实主义的资产阶级局限性必须进行认真的批判。但是,这种批判最后是为了继承,而

---

① 《新民主主义论》,《毛泽东选集》第二卷,第667页。

不是为了抛弃。

"四人帮"与此相反,他们一把抓住批判现实主义的局限性,以此作为借口宣布予以禁闭,不许接触,不许继承,这完全是一种反马克思主义的态度。毛泽东同志明确指出,"对于中国和外国过去时代所遗留下来的丰富的文学艺术遗产和优良的文学艺术传统,我们是要继承的"[1],这里,不仅包括劳动人民创造的文学艺术,而且,当然也包括批判现实主义这样的具有阶级局限性的文学艺术。毛泽东同志从来没有因为过去时代的历史遗产有阶级局限性而予以抛弃,而是提出要以历史唯物主义的态度去对待,"要从历史条件加以说明,使人理解,不可以苛求于前人"[2],并且强调,"对每一问题要根据详细的材料加以具体的分析,然后引出理论性的结论来。这个责任是担在我们的身上"[3]。我们知道,在俄国革命的年代,当沙皇政府官方的和合法的报刊把自己视为托尔斯泰的当然继承者,纷纷攀附这个极有声望的名字,根据自己的利益和需要对托尔斯泰作品中某些部分加以利用和宣扬的时候,列宁就没有因为托尔斯泰的严重局限性而摒弃他,相反,明确地指出,"俄国无产阶级要接受这份遗产,要研究这份遗产"[4],并阐述了对俄国无产阶级斗争的意义。

"四人帮"否定批判现实主义文学,还打着"与传统观念彻底决裂""在上层建筑领域里实行无产阶级专政"的旗号。照他们的说法,批判现实主义既然是资产阶级意识形态,在社会主义时代当然就完全没有积极作用了,与无产阶级专政是矛盾的,"鼓吹"这种文学,就是"鼓吹资本主义复辟",因此,对它必须"彻底批判"。

马克思主义对资产阶级以至一切剥削阶级意识形态的斗争性,与"四人帮"的假革命、故作激烈是完全不同的。马克思、恩格斯曾经

---

[1] 《在延安文艺座谈会上的讲话》,《毛泽东选集》第三卷,第812页。
[2] 《纪念孙中山先生》,《毛泽东选集》第五卷,第312页。
[3] 《整顿党的作风》,《毛泽东选集》第三卷,第772页。
[4] 《列夫·托尔斯泰》,《列宁全集》第十六卷,第325页。

指出，共产主义革命"在自己的发展进程中要同传统的观念实行最彻底的决裂"①，这是我们在意识形态领域里的最高准则，革命导师这里所说的"传统观念"，是指传统的所有制，即剥削制度所派生的剥削阶级思想体系和阶级偏见，而不是指那些反映了自然规律和社会发展规律的经验和思想。批判现实主义的思想基础资产阶级人道主义思想体系，是我们要加以分析批判的传统观念，但是，批判现实主义文学中某些具体的思想内容，显然并不属于此列。马克思就称赞过"巴尔扎克曾对各色各样的贪婪作了透彻的研究"②，欣赏他作品中"值得玩味的讽刺"③；列宁也特别喜欢车尔尼雪夫斯基在作品中说过的一句话，即"革命斗争，不是涅瓦大街的人行道"，并且经常加以引用。特别是因为批判现实主义以真实生动的形象反映生活，其中的形象描绘虽然渗透了作家的世界观，但作为现实生活的再现，又能为不同的读者从不同的角度加以不同的理解，这种现实主义的形象描绘当然更不能和阶级思想体系、阶级偏见等同起来而把它划入彻底决裂之列。列宁曾经尖锐地批判了托尔斯泰的世界观和学说，指出他"狂信地鼓吹'不用暴力抵抗邪恶'""鼓吹世界上最卑鄙龌龊的东西之一，即宗教"，但同时肯定了这位作家"创作了无与伦比的俄国生活的图画"，是"俄国革命的镜子"④。而且，彻底决裂并不是简单的抛弃，靠行政手段禁止其流传也不能解决问题，而必须用马克思主义加以鉴别和批判，战斗的马克思主义的批判武器才是无产阶级加强对一切剥削阶级思想意识斗争的有力保证。对于批判现实主义，我们就是应该通过科学的分析和认真的批判，去其糟粕，取其精华，以达到"古为今用""洋为中用"的目的。

---

① 《共产党宣言》，《马克思恩格斯选集》第一卷，第272页。
② 《资本论》第一卷，《马克思恩格斯全集》第二十三卷，第646页。
③ 《马克思1867年2月25日给恩格斯的信》，《马克思恩格斯全集》第三十一卷，第280页。
④ 《列夫·托尔斯泰是俄国革命的镜子》，《列宁选集》第二卷，第369页。

"四人帮"用形而上学的手法,把批判现实主义与无产阶级专政对立起来而加以否定,同样也十分荒谬。无产阶级专政是人类历史上最先进、最合理的阶级专政,无产阶级是政治上、思想上最强大的阶级,是历史上一切进步文化遗产最好的评判者、继承者、捍卫者。革命导师在这方面就是光辉的榜样。批判地继承批判现实主义文学不仅与坚持无产阶级专政不矛盾,而且对巩固无产阶级专政、发展社会主义文化还有积极的作用。

首先,忠实再现了自己时代的批判现实主义文学在今天仍然是帮助我们认识资本主义社会黑暗丑恶的思想材料。比较起来,我们对19世纪资本主义社会的了解比过去其他时代为多,其中一个重要原因,就是要归功于批判现实主义丰富而生动的描绘。批判现实主义的认识价值不仅在于表现了当时生活的具体风貌,而更重要的是提供了不少政治和经济的细节,是说明资产阶级的发展和没落的文献,可以用来印证马克思主义关于资本主义社会的一些论述,有助于今天的读者对人类社会的历史唯物主义的认识之丰富与深化。其次,批判现实主义文学中某些作品还揭示了不少"政治和社会的真理",对我们今天也不失某种教育意义。还有的作品表现了资产阶级时代真正英雄的形象,对无产阶级读者也不无良好的思想影响,列宁就曾把车尔尼雪夫斯基塑造了拉赫美托夫这个真正革命者形象的《怎么办?》称为"能教育人、引导人、鼓舞人"的"真正的文学",季米特洛夫也说过,"这部作品使我受到深刻的革命教育"。此外,批判现实主义文学在艺术上是过去时代文学的一个高峰,它继承和发展了前人的艺术经验,以巨大的艺术力量,表现自己时代生活的内容,特别是在栩栩如生的描绘和真实再现典型环境中的典型人物方面,达到了高度的水平,积累了丰富的经验,在今天对无产阶级社会主义文艺仍有艺术借鉴的价值。因此,只要根据批判继承的原则,以马克思主义的立场观点和方法对批判现实主义文学进行科学的分析和批判,去其糟粕,取其精华,"洋为中用""古为今用",这种文学在社会主义时代是完全可以发挥它的积极作用的。列宁正是看到批判现实主义文学对无产阶级的意义和价值,所以早在革命前就指出,"群众在推翻了地主和资本家的压迫而为自己建立了人的生活条件的时候"[①],批判现实主义大师的作品仍将是他们"永远珍视和阅读"的艺术作品。

对于批判现实主义历史地位和现实意义的评价,是马克思主义革命导师早就解决了的,"四人帮"跳出来加以否定当然不仅仅是为了否定这种文学,这不过是他们疯狂反对马克思主义、推行反革命文化专制主义、大搞愚民政策的一种手段,而这种反革命文化专制主义又是他们篡党夺权阴谋的一个组成部分。

然而,在历史上起过进步作用的批判现实主义并没有因为"四人帮"的反对而丧失其历史地位,它将长久地受到无产阶级、劳动人民的珍视,逆时代潮流而动、祸国殃民的"四人帮"却得到了被扫进历史垃圾堆的应有下场,这是历史对他们的无情嘲笑。

1977 年 11 月

---

① 《列夫·托尔斯泰》,《列宁全集》第十六卷,第321页。

西方现当代资产阶级文学评价的几个问题

一、问题的提出

相当长时期以来,现当代资产阶级文学对我们来说,似乎是一个陌生的、可怕的领域,在一般人看来,它在政治上是反动的,在思想内容上是颓废的,在表现方法上是违反艺术创造规律的,甚至根本谈不上有什么艺术性。对于现当代文学中继承了19世纪批判现实主义传统的那一部分,虽然我们也给予某种肯定,但总有这样或那样的保留,常要指出它"较19世纪批判现实主义是一种蜕化","在新的历史条件下其进步作用愈来愈小",等等。至于现当代资产阶级文学的其他部分,即我们通常所说的现代派文学,则完全被否定,不能公开出版,图书馆里也很难找到,大学讲坛上更是从不讲授。

这种情况是如何形成的?

首先,是"四人帮"文化专制主义的结果。"四人帮"的"彻底批判""彻底扫荡"在文化上造成了一片荒芜,既然历史上那些早已有定评的优秀文学遗产都遭到了他们的"扫荡",当然就不会有现当代资产阶级文学的存身之地;既然他们已经把矛头指向了马列主义经典作家关于外国优秀文学遗产的科学论述,当然更不容许人们对现当代资产阶级文学进行实事求是的分析和评价。"文化大革命"前姚文元对法国19世纪下半期作曲家德彪西(1862~1918)大打棍子就开了一个恶劣的先例。德彪西是一个印象派作曲家,他的印象派的手法对于音乐技巧的创新是有一定意义的,而这位作曲家仅仅因为是"资产阶级的""反现实主义的"而被姚文元一棍子打死,甚至连那些肯定过德彪西的同志也不能幸免,他们对德彪西的实事求是的评论,在"文化大革命"中竟成了他们的一条罪状。

除了"四人帮"的反革命文化专制主义,对我们来说,还有认识上和理解上的原因,其中最主要的是接受了日丹诺夫的影响。日丹诺夫于1934年在第一次全苏作家代表大会上的讲演中这样说:"由于资本主义制度的衰颓与腐朽而产生的资产阶级文学的衰颓与腐朽,这就是现在资产阶级文化与资产阶级文学状况的特色和特点。资产阶级文学曾经反映资产阶级制度战胜封建主义并能创造出资本主义繁荣时期的伟大作品,但这样的时代是一去不复返了。现在,无论题材和才能,无论作者和主人公,都是普遍地在堕落……沉湎于神秘主义和僧侣主义,迷醉于色情文学和春宫画片,这就是资产阶级文化衰颓和腐朽的特征。资产阶级文学家把自己的笔出卖给资本家和资产阶级政府,它的著名人物,现在是盗贼、侦探、娼妓和流氓。"日丹诺夫的这篇演讲在解放初期就已经翻译介绍到我国,其中关于现代资产阶级文学的上述论断,实际上成为了我们外国文学研究工作的一个指导思想,日丹诺夫的基本论点和基本语言,一直得到广泛的引用。

日丹诺夫的这段话体现了当时苏联文艺政策的一个方面。那时,苏联处于资本主义的包围之中,与整个资本主义世界是敌对的,因此,对资本主义文化采取这样一种警戒、排斥、否定的态度是可以理解的。问题在于我们今天的情况完全不同了。根据毛泽东同志关于三个世界划分的理论,我们在国际上要组织反帝、反殖、反霸的统一战线,我们并不是和所有资本主义国家都处于敌对状态。在反霸斗争,特别是反对社会帝国主义的霸权的斗争中,我们和第二世界的资本主义国家就需有所联合;在实现四个现代化的过程中,我们还要学习和引进资本主义国家的先进技术；即使是对追求霸权的帝国主义国家，我们也应该"知己知彼"。而现当代资产阶级文学正是我们了解和认识资本主义国家社会现实的重要途径。因此，按照日丹诺夫那种态度，对现当代资产阶级文学一概加以否定、排斥，与我们国家在世界事务中的地位和作用是不相称的，对我国四个现代化这个中心任务也是不利的。

而且，在文化上闭关自守、坐井观天，实际上也行不通。马克思、恩格斯在《共产党宣言》中讲过这样一段话："各民族的精神产品成了公共的财产。民族的片面性和局限性日益成为不可能，于是由许多种民族和地方的文学形成了一种世界的文学。"马克思、恩格斯所总结的是19世纪上半期的情况，那时，由于自由资本主义的发展，各个地区、各个国家之间封建性的闭关自守、互相隔绝的状态完全被打破，各民族的文化交流日益频繁，在文学艺术方面的互相影响更加直接、深远，以至在当时欧洲的范围内，出现了共同的文艺思潮、共同的文学表现方式和共同的文学主题。19世纪上半期的情况尚且如此，到了20世纪的今天，随着统一的世界市场的进一步扩大，交通工具、通信工具的不断改进，新闻出版物的迅速传播，世界各个国度的人们在地理上、空间上的距离已经缩小到微不足道的地步，马克思、恩格斯所指出的那种"世界文学"形成的趋势就更为明显了。在这样的世界环境中，要闭关自守、盲目排斥外部世界的一切事物，是违反世界历史的潮流的一种虚弱的、对自己缺乏信心的表现。"四人帮"违反毛泽东同志"外为中用"的原则，排斥一切外来的东西，正是因为害怕自己腐朽的封建法西斯的躯体，一遇到外部的空气就会化为乌有。

真正的马克思主义者、彻底的唯物主义者是无所畏惧的。今天，全国人民在华国锋同志为首的党中央领导下正开始新的长征，充满了前所未有的信心和勇气。革命的无产阶级敢于宣布自己是"拿来主义"者。为了适应四个现代化的要求，我们必须善于对一切来自资本主义世界的东西进行科学的分析，吸取对我们有用的部分。在这样的前提下，我们有必要研究分析日丹诺夫的论断，对现当代资产阶级文学重新加以评价。

二、用一分为二的方法，看待和分析现当代资产阶级文学的状况

日丹诺夫把现当代资产阶级文学说成一片反动、腐朽，在理论上找了一个根据，就是把列宁关于帝国主义的论断搬用在文学问题上。他的逻辑似乎是这样的：既然帝国主义阶段是腐朽、没落、垂死的，那么，这个时期的资产阶级文学就必然是反动、腐朽、没落的。用日丹诺夫的话来说，就是"由于资本主义制度的衰颓与腐朽而产生的资产阶级文学的衰颓与腐朽"。

能不能这样简单地、机械地搬用革命导师的科学论断呢？我认为，这样搬用是形而上学的。首先，它不符合马克思主义关于物质生产与艺术生产不平衡的规律。马克思在《〈政治经济学批判〉导言》中说过："关于艺术，谁都知道，它的某些繁荣时代并不是与社会一般发展相适应的。"文学史上很多事实都说明了这点。谁都知道，19世纪俄国批判现实主义文学并不是产生于一个欣欣向荣的时代，而是产生于反动、黑暗的农奴制的社会阶段，我国历史上以杜甫、白居易为代表的中晚唐诗歌的繁荣，也是出现在开元天宝盛世之后，社会转入动荡衰败的时期。这是从社会发展的趋势来说。即使是在历史舞台上已经出现了两个对抗的阶级、革命危机日益严重的时期，从没落阶级里也不是不能产生出杰出的作家、优秀的作品，托尔斯泰就是一个例子。何况，对列宁的论断，也应该结合今天资本主义世界的实际情况加以实事求是的理解。列宁在《帝国主义是资本主义的最高阶段》一书中科学地总结了19世纪末至20世纪初资本主义发展的新阶段，论述了帝国主义阶段的特点，指出了资本主义制度必然灭亡的历史规

律，在理论和实践上都具有伟大的意义。但是，正如马克思不能在自由资本主义时代就预见帝国主义阶段某些特殊规律一样，列宁在20世纪初也不可能预计出20世纪后期资本主义世界的某些具体情况，列宁所指出的"帝国主义是垂死的资本主义"，就不能理解为资本主义制度的死亡是指日可待的。从历史发展规律来看，资本主义制度一定会被社会主义制度所代替，人类一定会实现共产主义社会，这个社会主义取代资本主义的过程，马克思主义经典作家称之为过渡时期，并指出它是一个相当长的历史阶段。因此，"垂死"只应理解为一种必然的历史趋势。既然社会主义逐步战胜和取代资本主义是一个相当长的历史过程，那么，在这过程中资本主义在某个时候还有某种回旋的余地，就不足为怪。显然，我们不能简单地去理解列宁的论断，并把这种简单化的理解再进一步用在文化问题上。而且，把现当代资产阶级文学都看成"反动""腐朽""颓废"，也不符合列宁的两种文化的论述。既然如列宁所论述的，在俄国革命前反动农奴制统治的时代，有两种性质完全不同的文化，那么在20世纪的资本主义条件下，为什么只能有一种"反动腐朽"的文化呢？虽然列宁是讲由于俄国无产阶级与地主、资产阶级的对抗，才产生了民主主义、社会主义的文化与"地主、神甫、资产阶级的文化"，但他的论述体现了马克思主义一分为二的方法，这种方法对分析现当代资产阶级文学也是完全适用的，正因为资产阶级内部存在复杂的矛盾，资产阶级文学就必然具有不同的成分和倾向。用这种一分为二的方法来分析，现当代资产阶级文学中的确有不少反动、腐朽、颓废的作家和作品，但绝不能说都是反动腐朽的。让我们从事实而不是从概念出发来加以说明。

（一）从作家的社会活动、政治表现来看

在现当代资产阶级文学中，具有进步倾向、从事过进步的政治社会活动、表现了社会正义感的作家是相当多的。不用说像罗曼·罗

兰、托马斯·曼、萧伯纳这样一批资产阶级民主主义传统的继承者；即使是那些我们过去所否定的资产阶级现代派文学的作家，其中也有不少人是进步事业的赞助者、参与者，在政治上颇有可取之处。现代派诗歌最早的代表人物波德莱尔，过去在我们眼里是一个要不得的"恶魔诗人"，其实他是1848年革命的参加者。这次革命虽然是资产阶级民主主义性质的，但发动者和主力军是巴黎的无产阶级，在这次革命高潮的几天中，波德莱尔参加了起义的行列，战斗在巴黎的街垒上。早期现代派诗歌巴那斯派的领袖人物勒孔特·德·李勒，也参加过1848年的革命，他还是空想社会主义的信仰者，组织过傅立叶主义的法朗吉，为此，他和自己的资产阶级家庭决裂了。19世纪后期著名的象征派诗人魏尔伦、兰波，都同情过巴黎公社。第一次世界大战期间兴起的达达主义、20年代的超现实主义这一文学流派的作家如苏波、艾吕雅以及阿拉贡，在当时都带有左的倾向，后来还参加了共产党。法国当代资产阶级文学的重要代表人物马尔罗，苏联的评论认为"他把自己作为作家的职业用来作无原则和冒险主义的政治投机。在经过不止一次向左翼分子挤眉弄眼之后……终于在法国的反动阵营里安身立命了"，这一带有明显偏见的评论对我们也很有影响，妨碍了我们对马尔罗作出实事求是的评价，其实这位作家的政治方面是应该得到我们肯定的。20世纪20年代他到过中国，同情中国革命，赞成过国共合作。大革命失败后他回到法国，在30年代反法西斯的斗争中，和当时的法国共产党站在同一条战线上，在"世界反法西斯委员会"和"世界反犹太迫害同盟"中发挥了很重要的作用。1936年，他参加了西班牙革命政府反对法西斯势力的战争，第二次世界大战中又从事地下斗争反抗纳粹占领，战后是戴高乐派的重要人物，支持阿尔及利亚的反殖民主义斗争，对中国态度友好。这样一个作家怎么能说是"在法国的反动阵营里安身立命"呢？同样，法国著名的存在主义作家萨特，过去在有的评论中，也被称为"反动倾向的作家"。但我们知道,萨特在1952年为抗议美国侵朝战争而参加了共产党;阿尔及利亚战争期间,他反对法国的殖民主义政策;上世纪60年代,他又反对美国在越南进行战争;70年代,他支持两家革命的小报《人民事业报》与《解放报》。对这位作家这些政治表现,为什么我们不能给予充分的肯定?再如荒诞派戏剧作家,其中有的人也并非我们所想象的"反动分子"。这个流派的代表人物贝克特曾经也是一位反纳粹的斗士,1939年,第二次世界大战爆发时,他正在爱尔兰,闻讯以后就赶回巴黎投入地下斗争;这个流派的另一个作家阿达莫夫也是反法西斯的,而且他还是一个有名的左倾的作家,1960年,他以巴黎公社的题材写出了剧本《1871年春》,因此,资产阶级评论甚至认为他"转向了共产主义"。

总之,在现当代资产阶级文学的发展过程中,并不是都充斥着形形色色的反动作家,事实上像美国的庞德、意大利的邓南遮、英国的奥威尔这类曾为法西斯服务的作家或反共作家毕竟还是少数,大多数作家往往是在某一时期、某个问题上表现了违抗资产阶级统治集团、反动社会势力的政治态度,在不同程度上具有进步的倾向,对于资本主义社会的统治阶级来说,他们虽然并不是可怕的革命者,但的确是可厌的"异己分子"。那么,为什么在现当代资产阶级文学中会出现这样一大批统治阶级的"异己分子"呢?

(二)从作家在资本主义社会中的社会阶级地位来看

所以出现上述情况,是因为在资产阶级文学这个领域里,中小资产阶级知识分子占着绝对的优势。只要略作一些考察,我们就会发现,现当代资产阶级文学的作家来自资产阶级上层的为数极少,绝大多数都出身于中小资产阶级阶层,还有一部分来自社会下层。例如:奥地利荒诞小说家卡夫卡,父亲是杂货店老板,自己是公司小职员;美国南方作家福克纳,父亲是大车店老板,自己当过锅炉工、邮电所职员；著名的美国作家斯坦贝克，本人做过水泥工；著名的英国小说家劳伦斯，出身矿工家庭，本人当过工人；战后德国作家格拉斯，是一个杂货店老板的儿子，从事过种种体力劳动；美国著名剧作家奥尼尔，父亲是演员，本人当过海员，后来又成为演员；美国另一个著名的戏剧家阿瑟·米勒，在汽车库当过职员，后来靠自己的储蓄上了大学；还有一个美国剧作家威廉斯，父亲是商品推销员，本人在鞋店里当过职员；英国剧作家约翰·奥斯本，父亲是开酒吧间的，本人读完书就当记者。再以法国一个国家的作家队伍的成分为例，据我们统计，在将近180个现当代知名作家中，出身于社会上层的不到10人，其他一般都出身于自由职业者、职员或下层劳动者家庭，而从他们本身的经历来看，也都是自食其力的脑力劳动者或体力劳动者，其中以从事编辑、新闻记者、教师、职员、工程师、医生等职业的占大多数，还有相当一部分是没有稳定职业、靠写稿为生的文艺青年，也有一小部分来自社会底层的人物。由此可见，在资本主义世界中，从事文学创作的基本上是中小资产阶级知识分子，文学这个领域实际上都是由他们占据的。从他们的生活条件来说，他们要为生计而奔波，而要谋求出路和发展，更必须努力奋斗；从他们的社会地位来说，他们站在与垄断资产阶级、现行资产阶级政府完全不同的立场上，他们对垄断资产阶级、现行资产阶级政府格格不入、冷眼旁观；而从他们的知识水平和教养来说，他们是不同时代、不同思潮的承继者、负荷者，具备着比资产阶级的一般成员远为深广的眼光来发现现实生活中的矛盾。因此，他们就不可能完全按照反动资产阶级、垄断集团、资产阶级国家机器的意志和要求去进行创作。当然，从这支队伍里必然会出现垄断资产阶级和统治集团的代言人，因为，"阶级的思想家"本人不一定就是"小店主"，但是，毕竟有这样多中小资产阶级的成员涌入文学这个领域，就不可避免地要影响文学的面貌，这些作家就必然把他们所属的这个阶层的愿望、要求、兴趣、观点、意志带到文学中来。这样，怎么能说帝国主义的反动腐朽必然决定资产阶级文学的反动腐朽，而且整个资产阶级文学都是反动腐朽呢？

也许有人会提出，这些作家虽然是中小资产阶级，但他们在垄断资产阶级控制和主宰的那个社会里，不可能保持自己的独立，特别是对垄断资本的独立。过去，我们也经常是用这个论点从根本上对现当代资产阶级作家彻底加以否定的。

然而，事实并非完全如此。这里，我们需要考察一下作家在阶级社会中社会地位的变化。

在封建社会，作家对封建统治阶级的确是处于一种依附的状态。中世纪的行吟诗人从一个城堡走到另一个城堡，接受主人的施舍和款待；作为报答，他们歌唱的大多是封建领主的武功业绩，因此，虽然这些流浪的歌者大都出身于劳动人民，但他们留下来的作品却不外是对封建领主、帝王将相的美化和歌颂。在王权鼎盛的时代，例如法国17世纪古典主义时期，作家对封建统治者的依附也很明显，他们的创作必须符合绝对王权的文学规范。高乃依的《勒·熙德》虽然获得了巨大的成功，但他受到官方的批评后，就改变了自己的创作倾向，完全按照路易十四的文艺路线进行写作；即使是在外省流浪了12年，广泛地接近了人民，在作品里表现了鲜明的人民性的莫里哀，也从不忘记使自己的剧本服从路易十四的政治需要，他的《伪君子》和《吝啬鬼》就完全符合这个绝对君主的宗教政策与对高利贷的政策。为什么作家对王权的依附到了这样的程度？最基本的原因就是，王权定期赐给作家奖金或年俸，作家在别无其他收入或其他收入甚少的条件下，就必须靠王权的赐予维持自己的生活。到了18世纪，情况有了改变，虽然王权仍根据自己的政治需要发给作家年俸，同时一些作家也仍接受某些贵族的接济和施舍，但稿费的出现和提高使作家有了自食其力的可能，从而在经济上逐渐摆脱了对封建统治阶级的依附。从卢梭的《忏悔录》中可以看到，这位作家就曾拒绝过国王的年金，为了"以后敢于讲人格独立、主张公道的话"。到19世纪以后，文学创作更成为了一种自由职业，作家可以完全以写作为生，于是，作家作为独立的个体劳动者的相对的独立性大为增加了，他如何对待社会政治问题、如何进行写作，在某种程度上可以取决于他个人的意愿或独立思考，而不一定屈从于政府的命令、统治集团的意志。那么，这种相对的独立性是怎样产生的？它产生于价值规律。在资本主义社会里，一个作家能不能站立住，首先取决于广大读者是否喜爱他的作品，读者面也不像过去时代那样只包括贵族阶级或资产阶级的有闲者，而扩大到了广大的中下阶层，甚至超出本国的国界。既然有这样多的读者对一个作家作出自己的判断，作家就无须顾虑自己的命运完全决定于某个资产者或政府机构的某个长官；而一个成功的、有声望的作家既然有广大的读者作为他的后盾，他往往就能以社会正义的代表自居，向现行政府、反动集团进行某种对抗。我们在上面所列举的一些资产阶级作家的政治表现就说明了这点。他们甚至以个人的力量来对抗整个国家机器或庞大的社会势力，这正标志着他们对于资本主义社会统治阶级、现存秩序的相对的独立性。

而且，文学创作一旦成了一种自由职业，也就出现了某些职业的道德和标准，如作家应"忠于作家的良心"、应"热爱真理""捍卫自由"、应"追求创作个性"、在艺术上"不断进行创新"等等，这些道德标准虽然都有资产阶级的局限性，但在某些条件下，也有助于作家不与自己所憎恶、所反对的政府、集团、制度、秩序同流合污而维持自己独立的人格。资产阶级作家如果以这些道德标准要求自己，有时也确能表现出不同凡俗的情操和可贵的人格力量，例如，1964年瑞典皇家学院宣布该年的文学奖金授予萨特时，萨特却予以拒绝，并表示"谢绝一切来自官方的荣誉"。谁都知道，在西方世界，诺贝尔奖金不仅意味着文学上的最高尊荣，而且本身就是一笔数目庞大的美元，如果作家不是具有高度的道德意识的话，是不可能鼓起勇气而加以拒绝的。

正因为现当代资产阶级作家大多数属于中小资产阶级,处于和垄断资产阶级、反动统治势力有矛盾的社会地位,所以,我们不仅可以看到他们有不少与统治阶级、现存秩序对立的政治表现,而且还可以看到他们在自己的作品中,相当普遍地表现了对资本主义现实的不满、讽刺、揭露和批判,对某些重大的社会问题进行了严肃的探索和思考。对此,我们还可以作进一步的说明。

(三)从现当代资产阶级文学的实际情况来看

过去有一种理解,认为资产阶级文学从19世纪下半期就普遍开始堕落,特别到了十月革命以后,更发展到"穷途末路",几乎再也没有什么有价值的东西了。这种理解并不正确。应该看到,十月革命开辟了人类的新纪元,给社会主义的文学提供了广泛发展的天地,但是,这绝不能说,资产阶级作家再也创造不出有意义的作品了,资产阶级文学中再也没有值得肯定的部分了;在社会主义革命的时代,无产阶级负有批判资产阶级意识形态的历史任务,但这个历史任务本身要求无产阶级以广阔的政治胸怀、历史唯物主义的远见卓识对其中起过进步作用的、具有积极意义的部分作出科学的评价。如果我们是这样去做了,那么就不难发现,现当代资产阶级文学发展的过程,远远不是像日丹诺夫所描绘的那样一片黑暗反动。当然应该看到,在20世纪资本主义社会的条件下,思想内容庸俗腐朽、政治倾向消极反动、艺术性低劣的出版物,其数量是很大的,但这些东西毕竟经不起人民在历史发展过程中的检验,它们像蜉蝣一样朝生暮死,很快就被时间所淘汰,因此,在现当代资产阶级文学发展的过程中,已经入史和可能入史的作家、作品,其中大部分在思想上和艺术上总有一定的价值,构成了现当代资产阶级文学的进步的主流。

第一次世界大战的爆发在资产阶级知识分子中引起极大的震动,

使他们对帝国主义的矛盾和本质有了新的认识，他们思想的觉醒和反抗意识的抬头集中表现在对帝国主义战争的否定，于是，在本世纪的资产阶级文学中一开始就出现了一股强大的反战思潮，产生了一批值得肯定的反战作家和作品。早在1914年，罗曼·罗兰的《超乎混战之上》就体现了资产阶级知识分子的这种思想倾向，不久，著名的反战代表作就相继问世：法国作家巴比塞的《火线》（1916）、杜阿梅尔的《烈士传》（1917）和《文明》（1918）、德国作家茨威格的《格里沙中尉案件》（1927）、雷恩的《战争》（1928）、雷马克的《西线无战事》（1929）等。这些作品由于揭露了帝国主义战争的残酷和对和平生活的破坏、表现了人们普遍对战争的厌弃而在当时受到广大读者的热烈欢迎，在这些作家中，还有的人，如巴比塞，更由此出发脱离了资产阶级知识阶层的营垒，走上了进步的革命的道路。同样，后来参加了共产党的德国作家贝歇尔、沃尔夫，原来也都是在第一次世界大战后，由于十月革命的影响，由资产阶级文学流派的成员而成为革命者的。

在同一时期，19世纪末就已经写出著名作品的一批资产阶级作家，仍显示出创作的活力。英国有萧伯纳、高尔斯华绥，另外还有威尔士；法国有罗曼·罗兰、杜·伽尔；德国有亨利希·曼、托马斯·曼，以及黑尔曼·黑塞等。他们基本上都是批判现实主义作家，思想上则是资产阶级人道主义者。新的时代给他们提出了新的问题。他们的民主主义倾向使他们能够接受十月革命的某些影响，因而在政治上对十月革命一般都抱同情的态度，而在创作上，则继续从资产阶级民主主义、人道主义的立场出发，对资本主义社会的现实有所揭露和批判，如高尔斯华绥的第二个三部曲《现代喜剧》（1924～1928）、威尔士的《兰帕岛上的勃莱茨华先生》（1928）、托马斯·曼的《魔山》（1924）、黑尔曼·黑塞的《德米昂》（1919）和《草原狼》（1927）。这些作家的作品在思想上无疑都属于进步的潮流，其中比较优秀的,如萧伯纳揭露资产阶级政治生活的剧本《苹果车》、杜·伽尔描写资产阶级家史的《蒂波一家》,充分说明了资产阶级批判现实主义的传统,在十月革命以后的新时代的条件下,并没有失去强旺的生命力和出色的进步性。而像罗曼·罗兰这样的作家由于接受了十月革命的影响,思想达到了新的高度,更创作出了具有重要社会意义的长篇小说《欣悦的灵魂》。

从20世纪20年代末到30年代初,法西斯势力在欧洲日益猖獗,希特勒上台、西班牙内战、迫在眉睫的第二次世界大战、资产阶级民主主义所面临的危险,所有这些使资产阶级知识分子纷纷左倾,参加了反对法西斯主义的行列,与共产党结成了广泛的反法西斯统一战线,而这一时期的资产阶级文学也以反法西斯的性质为其主要特征。一些原来属于批判现实主义的作家在新的斗争条件下又有了新的进步和新的成就,罗曼·罗兰发表了《向过去告别》,进一步靠近革命和社会主义,他完成了《欣悦的灵魂》,让主人公由个人主义走到了集体主义,与群众结合参加了反法西斯斗争,他在剧本《罗伯斯庇尔》(1935)中歌颂资产阶级革命的理想,在一系列政论中揭露反动法西斯势力的罪恶本质;托马斯·曼、亨利希·曼也由于政治上的原因在自己的祖国受到了纳粹的迫害,不得不流亡国外,在历史题材的小说里,对法西斯进行了讽喻。另一些资产阶级作家面临着新的斗争形势,在创作上也有了明显的转变。西班牙诗人阿尔贝蒂由超现实主义转到反法西斯主义,用诗歌参加了20世纪30年代西班牙人民的斗争,另一个现代派抒情诗人洛尔迦的作品也有了鲜明的进步的政治色彩,他还参加了革命的文艺工作,最后牺牲在法西斯的屠刀之下。法国的超现实主义诗人艾吕雅以参加西班牙战争为起点,开始了他诗歌创作的新方向,歌唱西班牙人民的斗争,抒写反法西斯斗争的必胜信念。资产阶级作家的代表人物马尔罗不仅在反法西斯的社会政治斗争中、在西班牙前线的战斗岗位上发挥了重要的作用,而且在文学作品里表现了十分进步的思想内容，其小说《怀恨的年月》描写了一个反法西斯的共产党员的坚贞不屈，另一部小说《希望》取材于西班牙内战，歌颂了西班牙人民的斗争，并称这次革命为人类的希望。在英国，有整整一批资产阶级作家转向革命，创造了声势浩大的反法西斯的进步的文学，诗人麦克迪儿米德、奥登、C. D. 路易斯、康福德，小说家吉本斯、克洛宁、依舍伍德，都写出了政治倾向、思想内容比较好的作品，讽刺和揭露法西斯势力，歌颂当时的社会主义国家苏联，描写资本主义社会中的阶级矛盾和阶级斗争，他们几乎都走上了西班牙战场，有的还贡献了自己的生命，如康福德；还有些人在20世纪30年代参加了共产党，虽然后来又都脱党，但这批资产阶级作家在文学史上所构成的"粉红色的十年"，毕竟说明了他们曾经一度相当进步。

第二次世界大战期间，西方资产阶级作家不少人都参加了对法西斯的战争，被占领国家的作家则参加了抵抗运动，虽然为法西斯势力效劳的作家并不乏其人，但大多数资产阶级作家都被世界性的反纳粹法西斯的斗争所吸引，包括原来思想保守、不问政治的作家，也参加了斗争的行列。他们在斗争岁月里创作出来的作品，充满了高尚的爱国主义情操和坚强的抗暴精神，如像法国作家维尔高的《海的沉默》（1944）通过一个很平凡的故事表现了法国人民深沉的民族感情和面对着侵略者的不可动摇的坚贞，而萨特的《苍蝇》则在浪漫主义的神话形象中，充满了对自由的向往和反抗暴虐的精神力量。

第二次世界大战使资本主义国家，特别是欧洲各国受到严重的创伤，战后，这些国家经历了由逐步恢复到高速发展而后又出现了停滞、徘徊的过程。战后30年来，先进科学技术的发展、社会生产的扩大和增长、物质生活的提高，给资本主义社会带来了某种繁荣，然而，在繁荣的外表下，仍然存在着深刻的矛盾和严重的危机。战后当代资产阶级文学有一部分正是由于反映和揭露了这些矛盾，而具有不可否认的价值,应该得到我们的肯定,如意大利的新现实主义文学。从战后到50年代初期的新现实主义,主要以第二次世界大战期间反法西斯的抵抗运动为题材,从历史的斗争中汲取自己的灵感。这些作品反映了法西斯统治时期黑暗的社会现实,描写了人民的武装斗争,是抵抗运动的直接产物。20世纪50年代初期以后的新现实主义则从战后意大利社会现实中取材,作品往往以公务员、城市下层居民等小人物为主人公,通过对他们悲惨的生活、不幸的遭遇的描写,真实地反映了社会生活的某些方面,表现了作者的资产阶级人道主义的批判精神,对资本主义社会有所揭露和讽刺。我们所熟悉的意大利电影《偷自行车的人》《她在黑暗中》《警察与强盗》《罗马十一点钟》,都是属于这个文学流派的作品。它们在资本主义社会条件下的进步意义难道不是显而易见的吗?

又如,英国的"愤怒的青年"文学。顾名思义,"愤怒"是这种文学的特点,它出现在20世纪50年代的英国,主人公往往是出身低微的青年,受过高等教育,但怀才不遇,找不到理想的出路,因而感到苦闷,他们对统治阶级、上流社会既羡慕又不满,由不满而产生愤怒,而愤怒的形式则是玩世不恭、愤世嫉俗。奥斯本的《愤怒的回顾》、艾米斯的《幸运的吉姆》、勃莱恩的《往上爬》,以及西利托的《长跑运动员的孤独》就是这种文学的代表作。当然,这种文学具有阶级的局限性,它的"愤怒"也完全是个人主义性质的,一旦作家本人的地位有了提高,"愤怒"本身也就完全消解,但这类文学毕竟表现了小资产阶级知识分子对现实的不满,并且由此反映了战后50年代英国的现实生活和社会矛盾,因而理所当然应得到我们的肯定。

再如,整个欧洲范围里的资产阶级现实主义文学。在德国,杰出的代表是伯尔,他在他主要的作品《默不作声》(1953)、《无主之家》(1954)、《九点半钟的台球》(1958)、《丧失了名誉的卡塔琳娜·勃鲁姆》里,不仅以鲜明的反法西斯的民主主义的倾向,揭露了法西斯残余势力的复活,而且以出色的现实主义的艺术力量,揭示了战后资本主义社会的矛盾,他让人们在西德"经济奇迹"的表象下看到小人物的喘息和挣扎,在高度文明化的社会图景中,看到正直清白的无辜者的悲剧。作者对那个是非颠倒的社会、代表那个社会制度的上流人物是充满反感的,他十分有意识地以暴露的笔锋去进行描写,因而使他的作品具有了深刻的批判力量。在英国,有知名的作家格林与斯诺。格林虽然是一个天主教作家,但他非常自觉地追求重大的社会政治的题材,他的长篇小说《沉静的美国人》(1956)、《我们的人在哈瓦那》(1958)都触及当代世界政治生活中尖锐的问题,前者以越南战争为背景,后者写的是在古巴发生的故事,作者的现实主义的描写突破了他天主教世界观的局限,表现了对殖民主义的否定、对资本主义国家腐败的军事机构的讽刺。斯诺曾被誉为"20世纪的巴尔扎克",他大量的小说广泛地描写了贵族、中小资产阶级、知识分子的生活,提出了知识分子的社会地位、政治对社会生活的影响、老一代与年轻一代的矛盾和冲突、爱情与幸福的意义等问题。他虽然是"盛名之下,其实难副",但他在进行现实主义的描写的时候,毕竟制作出了真实的社会生活的图景。在意大利,有莫拉维亚。战后受和平民主运动的影响,他在四五十年代创作的作品对法西斯势力和资本主义社会现实进行了揭露和讽刺;他60年代的作品则比较集中地表现上层资产阶级颓废腐朽的生活。虽然莫拉维亚的作品有自然主义描写的缺点,但仍不失为资产阶级堕落空虚的精神状态的真实写照。在法国,也出现了较好的资产阶级现实主义的文学作品,菲利普·艾里亚的三部连续的长篇小说《布萨戴尔一家》就是一例,它描写了法国一个资产阶级家族从18世纪末资产阶级革命时期发家致富直到当代的发展过程,并表现了民主主义的思想。

以上这些情况,当然不能概括现当代资产阶级文学中所有有价值的部分,这些情况只是作为例证说明现当代资产阶级文学中存在着进步与反动的斗争，因而对它的基本状况必须用一分为二的方法加以区分。不仅对整个现当代资产阶级文学应该如此，即使是对某一个作家、某一部作品也必须坚持这种科学的态度。我们知道，现当代资产阶级作家的世界观都是很复杂的，存在着积极与消极、进步与反动的尖锐矛盾，同样，他们的经历和道路往往也很曲折，在各个阶段所面临的矛盾又错综复杂，因此，他们在不同的时期、不同的问题上的政治表现和思想认识往往很不一致，这就要求我们必须进行具体的分析和研究工作。就以法国现代资产阶级作家弗朗索瓦·莫里亚克为例，他一方面具有明显的消极性、落后性，连资产阶级评论家也认为他的一个重要的特点就是"捍卫对天主教的信仰"，并指出"他的政治观是毫不掩饰的反动的"，但另一方面，他在西班牙战争期间，支持过西班牙革命政府，在第二次世界大战期间，也参加过抵抗运动。更值得注意的是，他的一些小说对资产阶级具有一种无情揭露的力量。《麻风病者的吻》写一个丑恶异常的资产阶级青年，靠金钱娶了一个妻子，临死前又靠遗产强迫妻子守节，葬送一个少女的一生；《蛇腹结》的主人公是一个资产阶级守财奴，他恶毒的心思被作者比喻为毒蛇的纽结，他甚至企图以在精神上摧残自己的妻子为乐事；《戴莱斯·戴斯吉鲁》也描写了有产者家庭中仇敌似的关系，这种仇视甚至以置对方于死地为目的。莫里亚克把资产阶级的家庭关系暴露得如此彻底，如此阴森可怕、鲜血淋淋，这正是他作为一个作家值得肯定的地方，因此，对于这样一个作家，就必须实事求是地一分为二，既不能攻其一点、全盘否定，也不能不加批判、全盘肯定。同样，对于以上所列举的现当代资产阶级文学中有价值的部分，也应该在肯定其价值的时候，批判其消极、有害的成分，只有这样，才能对现当代资产阶级文学的基本状况有一个科学的、符合实际的估计。

三、如何看待现当代资产阶级文学的思想基础

在评价现当代资产阶级文学时，有一个重要的实质性的问题需要加以解决，就是如何看待现当代资产阶级文学的思想基础。过去人们全面否定现当代资产阶级文学，主要就是否认它还具有进步的、积极的思想基础，具体的论点不外有两个：一是现当代资产阶级文学是以20世纪帝国主义阶段形形色色反动的政治、经济、哲学、心理学、文学理论为思想基础的，它已经与过去资产阶级上升时期的民主主义传统、人道主义思想决裂，它的堕落首先表现在思想内容的堕落；二是现当代资产阶级文学虽然也有一部分继承了资产阶级民主主义和人道主义思想传统，但问题在于资产阶级民主主义和人道主义在20世纪十月革命开辟了人类新纪元的历史条件下，已经完全丧失了它的进步性，对于无产阶级和劳动人民来说，它已经是反动资产阶级手里的一把软刀子，因此，表现了这种思想的资产阶级文学更具有危险性。

针对过去这两种流行的论点，我们有必要在这里考察一下现当代资产阶级文学的思想基础问题。

从19世纪下半期开始，在意识形态领域内，资产阶级各种各样的思潮纷至沓来、花样翻新。在哲学方面，有实证主义、唯意志主义、新康德主义、新黑格尔主义、"生命哲学"、直觉主义、实用主义、存在主义等；在心理学方面，弗洛伊德主义极为流行；在经济学方面，19世纪末产生的费边主义、本世纪的"民主社会主义"、"福利国家"论、战后的"人民资本主义"都曾风靡一时；在政治方面，则产生了臭名昭著的法西斯主义。这些思潮中虽然有的有助于对某一学科或某一方面的具体问题深入研究的发展，但绝大部分已经失去了资产阶级在创业时期所具有的唯物主义精神而在唯心主义的泥坑里愈陷愈深，有的思潮在客观上自觉或不自觉适应了20世纪条件下资产阶级的要求，有的则是帝国主义罪恶本质赤裸裸的表现，如法西斯主

义的"种族优生"论、"地理政治"论,已经为最反动的垄断资产阶级势力服务。现当代资产阶级文学作为处于资产阶级社会上层建筑最顶端的意识形态,当然不可能不受哲学、政治学、经济学、社会学等方面思潮的影响,如果就整个现当代资产阶级文学来说,其思想基础的确非常复杂,一般说来,以叔本华的"意志主义",尼采的"超人哲学",柏格森的"生命哲学",克罗齐的"直觉主义",弗洛伊德的"潜意识学说",以及克尔恺郭尔、海德格尔等人的"存在主义"影响为大,不仅现当代资产阶级文学中那些政治上极为反动的作家(如法西斯作家邓南遮、孟戴朗、杜文格尔等),思想上悲观颓废、宣扬极端个人主义、自我中心主义的作家(如普鲁斯特、纪德等),是以叔本华、尼采、柏格森的哲学为其创作的思想基础,而且即使是一些思想倾向较好的作家,也接受了现代资产阶级思潮的消极影响,在罗曼·罗兰的作品里,可以看到尼采哲学的痕迹,萧伯纳的思想中则有不少费边主义的成分,至于弗洛伊德主义,更是相当普遍地为资产阶级作家所运用。因此,我们在评价现当代资产阶级文学的时候,必须正视资产阶级形形色色反动、消极的思潮对于这种文学的影响,看到资产阶级文学中由这些思潮所必然带来的反动、消极、落后的部分,并进行必要的批判。

但是,根据上述情况,是否可以说现当代资产阶级文学全部都是以20世纪反动、消极的资产阶级思潮为思想基础,已经完全与资产阶级上升时期的民主主义传统、人道主义传统决裂,因而全都是蜕化、堕落、反动、腐朽的呢?事实并不如此。当然,对罗曼·罗兰、托马斯·曼、萧伯纳这一类作家是比较容易理解的,过去人们也承认这些作家继承了资产阶级上升时期的思想传统并给予了某种程度的肯定,问题在于对现当代派作家创作的思想基础如何看,是否现当代派作家的作品中思想内容都没有积极可取的?都与进步的思想传统无关?

让我们以现当代资产阶级文学中三个重要的代表作家卡夫卡、萨特与贝克特为例作一些分析。

卡夫卡（1883～1924）在20世纪20年代以前几乎就写出了他全部的作品，而后疾病就结束了他相当短暂的一生。他的作品并不多，但是为什么他为数不多又充满了不可知的神秘主义色彩和荒诞内容的作品，竟成为了现当代资产阶级文学中最重要的现象之一，而他自己也因此成为了现代派文学的一个代表？如果他的作品不具有深刻的思想内容足以引起广大读者的思考、回味和共鸣，而仅仅以情节的荒诞和形式的新奇，难道能达到这样的成就？显然，那是不可能的。

卡夫卡为现当代文学提供的一块重要基石是《变形记》，这篇篇幅不长的小说在现当代文学中带来了几乎可以说是无穷的意味。小说的主人公——小职员格里高尔某天清晨醒来的时候，发现自己变成了一只甲虫，他并没有因此而离开人类的世界，他继续与家人过着日常的生活，按他原来的社会身份观察、思考和感受与他有关的一切，整篇小说就是他变成了一只甲虫后肉体上的感觉与他原来作为一个社会人所具有的思想情感的交织，只不过随着故事的进展，他才逐渐开始滋生了虫子的某些习性，如喜爱吃腐烂的食物和在墙壁上乱爬等。人们过去责怪这篇小说"荒唐""病态"，但实际上它写的是资本主义社会中小人物的悲剧，这个格里高尔比写小人物的悲剧的名篇——果戈理的《外套》中的那个小公务员更为悲惨，他可怜到了这样的程度，甚至在生活里只是一只甲虫。这只"虫子"的精神状态是什么呢？他唯恐老板把他辞退，便竭力讨好自己的上司，他凡事谦卑退缩、委曲求全，忍受着种种虐待和损害，这是一个被社会抛弃、在家庭里再也找不到地位的小职员的形象。小说有力地表现出这样一个事实：在那样一个社会，当格里高尔失去了他"挣钱"的职能的时候，他的存在本身就与无情的生存法则处于一种尖锐的矛盾中，他既不为社会所容，也不为家庭所容，而成了遭人厌恶的处理品，甚至自己最亲近的父母也以抛弃他为最大的解放。在这里，人的价值已经完全消失，格里高尔形体上的变异，只是作家用来象征这种价值的消失而已。马克思早就指出资本主义社会条件下的异化，我们也常讲资本主义社会中"非人的生活"，而卡夫卡就是第一个表现了这种异化、"非人"化的作家，他用足以在读者想象中留下最强烈、最可怕的效果的形象，表现了人的异化的悲剧，人不成其为人而成为了虫子的悲剧。他在这篇小说里所达到的揭露力量和批判力量，无疑是令人震惊的。

《审判》是卡夫卡另一部具有深刻思想性的作品，内容也是描写资本主义社会中普通人的悲剧。银行职员K一天早晨突然发现自己无缘无故被宣布逮捕了，奇特的是，他只是得到逮捕的通知，并没有真正入狱，甚至他的日常生活也没有受到影响，但这个飞来的虚幻的案件却像一个无形的幽灵笼罩着他，使他再也解脱不了，最后，这个本来就不存在的冤案结束，K被处死刑，他临死的时候感到自己"像一条狗"。这是一个小人物卷进庞大的法律机器活活被绞死的悲剧，它本身就带有一种可怕的象征的意味。在这里，法律制度被作者描写成一种神秘的、令人恐惧的存在，它外表似乎很宽和、很通情达理，它并没有使人受皮肉之苦，甚至也不打乱人的正常生活秩序，然而，它却像一种邪恶的、暴虐的力量主宰着人的命运，它的每一个部件严格、准确、似乎相当合理地运转着，却构成了一个可怕得像绞肉机一样的整体。在这部小说里，卡夫卡揭露的自觉性和揭露的矛头都是极为明确的，他通过主人公K竭力要摆脱冥冥法网的过程，对法律机器的各个环节都进行了讽刺性的描述，整个法院龌龊异常，常人进去就会头晕呕吐，但法院人员却"久而不闻其臭"，倒是一走出法院接触了新鲜空气反而会头晕呕吐；所谓辩护的程序不过为了骗人，辩护律师完全是用空话来进行搪塞；教堂则起另外的作用，神甫用动听的说教，劝诫受害者驯服地接受不可避免的结局。所有这些就像可怕的罗网使无辜者无法逃脱，最后得到悲惨的下场。通过这样的描写，卡夫卡把资本主义社会中庞大的国家法律机器那种邪恶的、残害的本质表现得相当深刻,并对那些在这庞大的、邪恶的机器面前无能为力、徒然挣扎的小人物,表示了深切的人道主义的同情。

他另一部长篇小说《城堡》则突出地表现了普通人在资本主义世界中的虚幻感和无能为力。主人公也是某一个K,他来到城堡所辖的一个村庄,受到城堡差役的留难,他谎称是城堡所聘的土地测量员,奇怪的是,城堡也确认曾有此事,并派来两个据说是K用过的助手。于是K动身前往城堡,虽然方向和途径都很明确,但他怎么也走不到城堡。他设法和城堡取得联系,同样也达不到目的;他又设法和城堡的某一个官员直接打交道,又被告知这是他的妄想;他再设法向城堡通电话,即使取得了电话联系也只是一种幻觉;他还竭力通过与城堡间接有关的人和事发生联系以达到目的,也都一一失败。这部小说没有写完,根据卡夫卡原来的构思,最后K临死之前,城堡来了通知,宣布K永远不得进入城堡。整个故事很明显地构成了这样一个富有象征性的意象:人陷在一个不可知的荒诞的世界,这个世界的事物是混乱的、虚幻的,而人在这世界里的一切努力都徒劳无益,永远达不到预期的目的,甚至连最简单的目的也达不到。卡夫卡正是通过这样的人的极端无能为力的悲剧,力图显示出这个世界的荒诞和不合理,这就是卡夫卡对资本主义社会的批判。特别值得注意的是,"城堡"在小说里不仅具有某种邪恶的、对人具有敌意的象征意味,而且它还被描写为相当具体的统治机构,在这里,文牍泛滥成灾,在各个办公室川流不息,官员们随着文牍的流转而忙碌不停;城堡的电话虽然很多,但对外联系和对外通信极为混乱,官员毫不负责,而且,他们还在城堡管辖内的村子里作威作福,甚至占有农家妇女。卡夫卡的这些描写直接影射了奥匈帝国的官僚机构,更加强了长篇小说揭露批判的力量。

以上作品中的形象描写充分表明,在对待不合理的资本主义社会的态度上,卡夫卡同样具有历史上那些优秀的批判现实主义作家所具有的进步性,他完全属于进步潮流的传统,他在20世纪的条件下,通过独特的观察和感受,在资本主义现实中甚至发现了过去某些作家所未能发现的更为深刻的矛盾,而这又是与他个人的社会地位与经历有关的:

卡夫卡的一生是一个卑微的小职员承受着多方面社会压力的一生,他短暂的生涯分别在奥匈帝国统治下的布拉格和维也纳度过。作为一个犹太血统的人,奥匈帝国的统治使他感到压抑,在布拉格,他不属于捷克民族的大家庭,在奥地利的维也纳,他又是一个来自捷克的异域者,不论在哪里,他为求生存和温饱而不得不兢兢业业忠于雇员的职守。总之,整个的时代社会环境对他来说都是异己的、陌生的、带有压力的,甚至他在家庭生活中也是一个不幸者,在自己父亲强悍的个性和暴君式的权威前,他始终怀着一种畏缩的感情。这样的社会阶级地位使他很容易站在传统的资产阶级人道主义的立场上,对生活中那些受损害的弱者抱同情的态度。据他的好友麦克斯·勃洛德的回忆,卡夫卡大学毕业后在一家半官方保险公司里当职员期间专管对工人工伤事故的赔偿业务,他"看到工人由于缺乏安全设备而受残害,他的社会良心深感不安",并为工人"谦卑""总是到保险公司来求情"而愤愤不平,他为了要解决资本主义社会中阶级压迫和阶级剥削的不合理的现实,堂·吉诃德式地拟出了一个社会改革的方案,其中一条原则是"经济活动领域要凭个人良心和对人的信任",在他所设计的社会团体里,劳动不是为了积累财富,而只为保证大家的生活需要,因此,雇主和被雇者之间的关系应该是互相信任。卡夫卡这个方案当然是十足的小资产阶级的幻想,不过从这里也可以看出,他主观上是为被剥削、受压迫的劳动群众着想的,他是怀着一种主张社会正义的感情来对待资本主义社会中最基本的阶级矛盾的。虽然卡夫卡并没有把他这一部分思想表现在自己的作品里,也没有直接触及现代资本主义社会中劳资的矛盾,但他的资产阶级人道主义的思想使他在作品里对现实采取了批判的态度，而他那始终承受着社会环境压力的身世，则又使他对整个社会与人的对立、社会对人的逼迫具有一种特别纤细、特别锐利的敏感，因而在作品里表现出了庞大的、可怕的资本主义社会机构，对渺小的、无能为力的人的敌意和残害，表现了人在那个不合理的现实中极端无能为力，卑贱到了那样可怜的程度——简直变成了一只虫子！我们从卡夫卡那些荒诞得像噩梦一般的描绘中，难道不可以听到作者深沉的、痛苦的人道主义的悲叹？

再以萨特为例。不论从理论上、创作上和社会活动来看，萨特都继承了过去时代资产阶级进步的思想传统。萨特是西方世界影响极大的存在主义作家，他的文学作品基本上都是用来表述存在主义的思想和理论。那么，存在主义这一广泛流行于整个西方世界的哲学思潮，究竟属于什么性质呢？是否可以说它"是垄断资本主义的反动性和腐朽性在意识形态上的反映"，"是日暮途穷的资产阶级垂死挣扎的心理的一种表现"？我们知道，存在主义并不像法西斯主义那样曾经一度是垄断资产阶级的官方理论，它产生于第一次世界大战以后资本主义经济危机阶段，盛行于第二次世界大战资本主义世界受到了重创而尚未恢复的战后时期，特别在中小资产阶级知识分子阶层中受到热烈欢迎，这正说明了这一思潮反映了这一类知识分子的精神状态和思想要求。存在主义哲学思想本身比较复杂，当然具有资产阶级的局限性，而且存在主义作家在政治倾向上也有不同，对整个存在主义思潮和流派作科学的评价和分析批判不是本文的任务，但我们至少可以指出，在萨特的存在主义理论中也并不是没有积极可取的成分，如"存在先于本质"论、"自由选择"论，它强调了个体的自由创造性、主观能动性，这就大大优越于命定论、宿命论；它把人的存在归结为这种自主的选择和创造，这充实了人类的存在的积极内容，大大优越于那种怠惰寄生的哲学和依靠神仙皇帝的消极处世态度，它把自主的选择和创造作为决定人的本质的条件，也有助于人为获得优秀的本质而作出主观的努力，不失为人生道路上一种可取的动力。如果用我们比较熟悉的概念来加以说明，也就是资产阶级人道主义的个性自由论、个性解放论的一种新的形式。事实上，萨特从来没有标榜自己标新立异到了把传统思想完全加以抛弃的程度，他明确地宣称过"存在主义是一种人道主义"，并且把这个命题作为了他著名小册子的标题。在解释自己的哲学与人道主义的关系时，他讲了这样一段著名的话："人道主义还有另一种意义，它的基本意思是这样的：人经常超越自己，当人把自己投出来并把自己消融于外界的时候，他就创造了自己作为人的存在。另一方面，人正是在追求某些超越的目的时，才得以存在着；人正在超越的时候，他就处于这种超越的中心。除了人类的宇宙，即人类主观性的宇宙外，别无其他宇宙，我们所谓的存在主义的人道主义，就是这种超越和这种主观的结合，当然，这种超越并非指上帝的神通而是指人为的结果，这种主观则是指人不局限于自己而把自己体现在人类宇宙之中。"应该说，从萨特这段话里，是闻不出反动阶级"日暮途穷""垂死挣扎"的颓废没落的气味的，倒是相反，它颇不乏一种积极的、进取的精神，我们知道，资产阶级上升时期的思想家不少人都赞颂过人的力量、人的创造性、人的开拓精神，人是世界的主人。18世纪一位启蒙作家这样满怀热情地写道："凭着他的智慧，许多动物被驯服了；凭着他的劳动，沼泽被踏平，江河被防治，险滩急流被消灭，森林被开发，荒原被耕作；凭着他的思考，时间被计算出来了，空间被测量出来了，天体运行被识破了……凭着他的由科学产生出的技术，海洋被横渡，高山被跨越，各地人民之间的距离缩短了，一个新大陆被发现，千千万万孤立的陆地都置于他的掌握之中；总之，今天大地的全部面目都打上了人力的印记……大自然之所以能够全面发展，之所以能够逐步达到我们今天所看到的这样完善，这样辉煌，都完全是借助于我们的双手。"我们从萨特对于存在主义的解释中，难道不能听到资产阶级上升时期思想家这类论述的某种余音？当然，我们也应该看到，照萨特的存在主义哲学看来，世界是荒诞的，人是孤独的、痛苦的，人生是悲剧性的，这种观点的确反映了中小资产阶级的苦闷彷徨、悲观失望，但不也反映了这个阶层对于资本主义现实一种批判性的认识？

也许有人会说，萨特所说的"自由选择"、通过自由选择来创造自己的本质，也可以为罪恶的为所欲为提供理论根据，岂不会成为一种恶的哲学、狼的哲学？萨特的"自由选择"并不是没有善恶之分的，也更不是对恶的自由选择的纵容和辩护，我们只需要看一看他著名的小说《艾罗斯特拉特》就够了。这篇小说写的是一个恶人的自我选择：他极端蔑视人类，疯狂仇恨人类，他写了102封信分寄给有名望的作家，指责他们"爱人们""血液里有人道主义"，宣称自己是"一个不爱人类的人"，并且要上街用他手枪中仅有的6颗子弹杀"半打人"，他果然这样做了，最后逃到厕所里被人群捉住。这是萨特典型的哲理小说，他把小说题名为《艾罗斯特拉特》具有深刻的含义。艾罗斯特拉特是古希腊埃菲斯城的一个无赖，他为了要使自己的名字留传后世得以不朽，就放火焚烧了世界七大奇迹之一的狄安娜神殿。这一罪恶的行径激起了城邦居民的愤怒，他们颁布法令，严禁任何人提起艾罗斯特拉特这个名字以制止其流传。后来，"艾罗斯特拉特"一词就成为了以无赖的行为使自己出名的人的同义语。萨特以这个名字称呼他小说中的主人公，正表现了他对于那种以反人道主义来标榜自己的恶棍的否定，表现了他对恶的自由选择的否定，因此，在萨特的哲学里，自由选择是包含着善恶是非的标准的。

萨特在第二次世界大战后不久曾经发表了一篇有名的论文《争取倾向性文学》，主张作家应该与自己的时代紧密结合，这是存在主义"倾向性文学"的宣言，也成了萨特的创作纲领。从萨特整个创作来看，他的确没有回避自己时代生活中的矛盾，他的作品触及了现实生活中的某些重大问题，其中有相当一部分都具有进步的思想内容。在小说《墙》里，萨特带着明显的倾向性描写了西班牙战争期间反革命的白色恐怖，揭露法西斯军队如何像"疯子"一样"逮捕所有和他们想法不同的人"，特别揭露他们对政治犯那种惨无人道的精神折磨；在剧本《苍蝇》里，他通过希腊神话的故事，塑造了不向强权和暴虐屈膝投降的英雄形象，在当时法西斯德国占领法国的条件下，歌颂了自由的、坚贞的品格，表现了作者的斗争精神；在另一个剧本《毕恭毕敬的妓女》里，他站在伸张社会正义的立场上，揭露了资本主义国家的种族歧视、种族迫害以及统治阶级的腐败和冷酷。他还有一些作品，虽然并没有进步的政治思想内容，但却有着对现实生活独特的观察、对资本主义社会批判性的描绘、对那个社会中人的精神状态深刻的写照，他著名的小说《厌恶》就是这样的作品。这部小说是萨特阐明他的存在主义哲学观点的代表作，他通过主人公的思考和感受表现了对资本主义现实的认识，他在小说里突出了人物对现实的"陌生感"，特别是"厌恶感"，正是为了让读者深切地感受到个人与资本主义现实的对立和矛盾。

萨特进步的思想倾向不仅表现在创作中，而且更鲜明地表现在他长期以来的社会政治活动中，他参加反法西斯斗争、反对殖民主义政策和侵略战争、支持国内的民主运动和左派活动、对马克思主义理论采取认真的研究的态度，这些都构成了他进步的历史，并使他成为了法国文学史上从伏尔泰、雨果、左拉到罗曼·罗兰、法朗士这一民主主义传统的继承者。伏尔泰为18世纪最大的冤案卡拉事件的昭雪向封建统治、反动教会作了勇敢的斗争；雨果始终与拿破仑三世的独裁不妥协；左拉为德莱弗斯冤案而与整个资产阶级国家机器对抗；罗曼·罗兰和法朗士则把自己的斗争汇入社会主义的时代潮流。他们既是优秀的作家又是热情洋溢的社会斗士，萨特也是这样一位作家。如果公正地对他加以评论，应该说他在20世纪的条件下，达到了资产阶级民主主义、人道主义的最高度。他曾经这样说明过自己的历程：

"1952年我加入共产党……是为了要抗议美国的韩战政策，抗议法国政府对帝国主义行为的屈从，最主要还是为了抗议法国当局对国内示威行动的压制……1970年，由于政府压制《人民事业报》，使我党不得不挺身出来面对这项挑战，结果我发觉我所做的比我所想象的还多得多。革命运动总是有要求的，有的要求你能接受，有的你不能，但不管怎样，你总是卷在这股巨流之中向前推进。"那么，他"能接受"的是什么呢？"不能接受"的又是什么呢？我们可以说凡是资产阶级民主主义范围以内的，他都接受了，而超出资产阶级民主主义范围的，他则不能接受，如1956年匈牙利事件后，他就宣布退党。对一个资产阶级作家来说，这是不奇怪的。但不管怎样，萨特毕竟还是随着时代而不断进步的，用他自己的话来说，就是"卷在这股巨流之中向前推进"，在资本主义社会条件下，一个作家能够做到这样，是很难能可贵的，应该得到我们的肯定。

最后，以荒诞派戏剧为例。

荒诞派戏剧中那些对现实和对人的荒诞的写照意味着什么？这种戏剧既无完整的集中的故事，又无合乎情理、合乎逻辑的情节，在这里，生活形象是支离破碎的，现实生活的图景是荒诞不经的。为什么荒诞派戏剧家要这样进行描写呢？他们想表现一些什么思想呢？他们要表现整个世界都是荒诞的，世界是"非理性的"、是没有正常的规律和秩序的。在尤涅斯库的《秃头歌女》中，时钟敲了一点半之后，又敲29下，意味着现实生活存在的一种基本形式时序的混乱和颠倒；在贝克特的《等待戈多》中，同一个孩子在第一幕中给两个流浪汉报了信，而在第二幕时则又自称对此一无所知，因而第一幕来报信的究竟是谁就难以解释了，于是，事实本身的确切性就成了问题。他们还要表现人类的状况和处境也是荒诞的，人的生活是空虚的、毫无意义的。在贝克特的《快乐的日子》里，一个老妇已经半截入土，第一幕中她在舞台上准备梳洗和打扮自己的习惯动作，在第二幕中再次重复，而她已经几乎全部入土了；在这位作家另一个剧本《哑剧》里，人从母体出来后，生命的内容不外穿衣、吃饭、祈祷。在荒诞戏剧中，人与人之间的关系也是隔膜的，甚至是虚妄的、不可知的。《秃头歌女》中有一对男女，在交谈中发现原是同住在一条街、一幢楼、一间房的夫妻，但究竟是不是夫妻，后来又因和另一个细节发生矛盾而成了问题；在尤涅斯库的《椅子》中，人物之间的关系也一团混乱，人物本身的社会身份是不确定的，历史经历也虚幻不可捉摸。在荒诞派戏剧里，人也是没有价值的，人物形象往往是肮脏的、丑陋的、低级动物式的或者白痴式的，他们往往重复一些毫无意义的动作，咕噜一些语无伦次的胡言乱语，甚至只发出一些动物式的声响。他们低贱不堪，已经成为了无用的废物，在贝克特的《最后一局》中，两个人物已经进入垃圾箱，不时从箱里伸出头来寻找食物。在荒诞派作家的笔下，20世纪的物质文明也并没有给人带来幸福，人不是世界的主人，人并没有主宰物，而是物压迫人，使人丧失了活动的天地和空间。在《椅子》中，满台都是椅子，两个主人公在椅子的空隙中艰难地走着。在尤涅斯库另一个剧本《新房客》中，成堆的用具和陈设使房客自己只剩下很小的活动场所。总之，荒诞派戏剧家在他们的作品里所表现的就是人已经不成为人，人的生活已经不成为人的生活。观众从他们的作品里所能看出的，就是这样一个悲剧性的结论。

荒诞派戏剧所表现出来的人的形象，显然和传统的人文主义、人道主义思想很不一样。在资产阶级上升时期人文主义的作品里，人是神，是世界的主宰，是"万物的灵长，宇宙的精华"，而在这里，人却成了垃圾箱的废物，成了"虫子"，成了白痴，成了低级动物式的东西。那么，荒诞派戏剧中的这种图景究竟有什么思想意义呢？是建立在什么思想基础上呢？是不是违反资产阶级上升时期的人道主义思想传统？是不是表现了20世纪垄断资产阶级反动、堕落、疯狂的思想？而要搞清楚这一系列问题，首先就必须搞清楚这些作家在绘制人类生活的荒诞图景的时候，究竟是对它采取肯定态度还是否定态度？是认为这种荒诞的状态正常合理还是认为它不正常不合理？是企图维护这种状况还是期望有所改变？

贝克特的《等待戈多》是一把宝贵的钥匙，可以打开解决这一系列问题的道路。

《等待戈多》是一部轰动了整个西方文坛的荒诞派戏剧代表作，它自从1953年在巴黎上演以来，一直受到经久不衰的热烈欢迎。《等待戈多》的剧情很简单：两个流浪汉在一条荒凉的路上等待一个名叫戈多的人，第一天他们没有等到，第二天仍然没有等到。这两个流浪汉空等了两天的故事竟引起了广大观众无穷的回味和不同国度的批评家各式各样的分析。戈多是什么人？莫衷一是。有的说是象征"上帝"，有的说是戴高乐，贝克特自己也不说明戈多究竟何所指，他说："我要是知道，早就在戏里说出来了。"虽然不能肯定戈多是谁，但有一点是可以肯定的，戈多是一个救星，是一个希望。流浪汉弗拉季米尔这样说，"他要是来了，咱们就得救了"，要是不来呢，"咱们明天就上吊"。这个未出场的戈多在剧本中重要到了这样的程度，他决定着两个流浪汉的命运，而整个剧本写的就是这两个流浪汉在等待着得救。

这两个等待着的人是什么样的形象呢？是两个老瘪三，他们衣衫褴褛、肮脏、精疲力竭、无能为力，爱斯特拉冈一上场就想脱掉自己的靴子，但总脱不下来，他吐出了全剧的第一句台词"毫无办法"，似乎定下了全剧悲观的基调。他们身上也看不出人的价值，而只显出低劣、懵懂的本能，实际上，这就是两个非人化的人，两个"虫子"似的人，两个典型的荒诞派戏剧式人物，甚至可以说，就是荒诞派戏剧中那些不成为人的人物的代表，而他们在等待着得救！

值得注意的是，贝克特特别着意表现这两个人物身上的悲剧性，把他们描写成痛苦的形象：弗拉季米尔在和同伴斗嘴的一句台词中这样说:"好像只有你一个人受痛苦,我就不是人?我倒是想听听你要是受了我那样的痛苦,将会说些什么。"在这里,"人"与"痛苦"这两个概念紧密联系在一起,作家明确地表述了"人"当然是在"受痛苦"这一思想,而且如另一个流浪汉爱斯特拉冈所说的那样,"真是极大的痛苦"。那么,这是什么样的痛苦呢?等待的痛苦。弗拉季米尔说:"希望迟迟不来,苦死了等的人。"就是这个流浪汉,这个有时讲话像白痴一样的流浪汉,发出了几乎像呼救一样的声音:"戈多,你能不能回答我一声,哪怕是偶尔一次。""哪怕是偶尔一次"这句话是何等的绝望而凄切!原来在荒诞派戏剧那荒唐可笑的图景后面,竟有着如此严肃的悲剧深度。丧失了人的价值的人,在一种痛苦的状态中等待得救,这就是《等待戈多》给予观众的启示。

从这样的形象图景中,我们就不难看出作者创作这个剧本的思想基础了。既然他描写了两个丧失了人的价值的人在等待得救,他显然对人的非人化、人的丧失价值是感到不满的,是为此感到痛苦的;既然他对人的非人化感到痛苦,可见他心目中是有一个对于人的标准、对于人的理想,而只有当他具有人本主义、人道主义的思想时,他才能在作品中表现人的非人化,才能表现非人化的人的形象;既然他在作品中对人的非人化、人的丧失价值持否定的态度,可见他是希望人类得救、希望人恢复人的价值,而不希望人类如他所描写的那样不像人而像"虫子"。因此,作家如果对人类的命运没有一种非常严肃、非常深沉的思考,如果不具有高度的人道主义的思想感情,是写不出像《等待戈多》这样的作品的。正因为这部作品是以对人类深刻的同情和对人类的善良的愿望为其思想基础,所以,它长期以来受到广大观众的热烈欢迎绝非偶然,而且,看来它也将在20世纪文学史上享有不可磨灭的地位。

从以上几个重要作家的情况不难看出,资产阶级上升时期的人道主义传统,在20世纪资产阶级现当代文学中并没有中断,它得到了一些优秀的进步作家的继承和发扬。正因为他们的作品是以资产阶级人道主义为思想基础，所以显示出了可贵的价值。不过，这里存在一个问题，即资产阶级人道主义在20世纪究竟还有没有进步性？还有多少进步性？如果像过去那样，认为19世纪下半期以后，特别是十月革命以后，资产阶级人道主义完全丧失了进步性而成为了反动、有害的东西，那么，即使是现当代资产阶级文学中继承了这一传统的作家也必须加以否定，当然其他的部分就更不在话下，因此，要解决对现当代资产阶级文学的评价问题，就有必要对20世纪条件下的资产阶级人道主义思想体系进行科学的评价。

　　资产阶级人道主义是资产阶级上升时期的产物，当时的资产阶级是以全人类代表的姿态提出这一思想体系来与反动的封建阶级思想对抗的。它是反封建的口号，是维系反封建力量精神团结的纽带，是鼓舞反封建斗争的旗帜。既然是在这种历史条件和阶级需要下产生的，它就明显地带有一种理想的性质，一种华美约言的性质。资本主义秩序确立后，这种理想与约言成了泡影和空话，这并不是思想体系本身的过错，而在于资本主义制度是不可能符合这一思想体系的。但这里也暴露了资产阶级人道主义思想体系的阶级局限。它的阶级局限性并不是说它直接表现了资产阶级的凶残本性、劣根性，而在于它的虚伪性，也就是说，它在资本主义社会里只是一种实现不了的空洞的诺言，因而也不妨说是骗人的谎话。虽然如此，既然资产阶级人道主义具有一种理想的性质，当作家以这种理想来观察资本主义现实时，就会发现一些尖锐的矛盾，就会产生不满，这样，资产阶级人道主义在掌握了它的作家那里，就成为了批评的标准和尺度。19世纪批判现实主义作家和积极浪漫主义作家就是这样的。到了20世纪，也不例外。因为在20世纪，资本主义现实和资本主义上升时期的理想之间的差距愈来愈大，社会危机愈来愈尖锐、严重，所以，当作家以资产阶级人道主义的世界观观察现实时，也就更尖锐地发现了问题，他们眼中的问题甚至尖锐到了令人震惊的程度：人已经丧失了人的价值，人成了物的奴隶，人已经无能为力，人已经不再成其为人以至变成了"虫子"。他们把这种令人震惊的认识用给人以噩梦般效果的艺术形式表现出来，因而达到了高度的悲剧性，这正显示了他们所掌握的人道主义的揭露和批判的力量。而资产阶级人道主义的这种揭露和批判的力量，只要资本主义制度还存在一天，它也就不会是过时的，也就不会丧失其进步的意义。

应该指出，我们过去对资产阶级人道主义的批判是过头了。其实那样做并没有好处。为什么要把一个对资本主义的批评尺度搞得那么臭呢？资产阶级人道主义的阶级局限性当然需要加以分析批判，当然也不应该用资产阶级人道主义取代科学的社会主义思想，这里并不存在什么问题。这里的问题只是对于这种在资本主义社会仍具有进步意义、有助于揭露和批判资本主义社会现实的思想标准，我们是否应该加以必要的肯定，而过去那样的全盘否定是否符合科学的精神。当我们对那些以资产阶级人道主义为思想基础的作品的批判揭露力量有了一些认识的时候，我们应该承认，对资产阶级人道主义重新进行科学的评价，仍是我们当前的一项任务。

四、坚持历史唯物主义，掌握正确的批评标准，对现当代资产阶级文学进行科学的评价

进行文学评论必须有批评标准，而批评标准中，"总是以政治标准放在第一位，以艺术标准放在第二位的"。对于现当代资产阶级文学当然也是如此，问题在于如何掌握正确的政治标准和艺术标准。在这方面，有一些由于"四人帮"的流毒而形成的禁律看来必须突破，如"凡是修正主义者肯定过的作家作品就不能肯定"啦，"凡是在'文化大革命'中曾经受过批评的作家作品也不能肯定"啦，"凡是

不能盖棺论定、可能晚节不好的作家也不宜肯定"啦，等等。在"四人帮"文化专制主义时期，这一类"左"得出奇的、貌似革命的禁律戒条泛滥成灾，它们使得我们在国际反霸统一战线的文学方面把自己孤立起来，它们使得人们处于一种对外界事物愚昧无知的状态，它们对"四人帮"的愚民政策起了助纣为虐的作用。

这些禁律戒条完全违反马列主义、毛泽东思想。凡是修正主义者肯定的我们都要否定吗？这是典型的形而上学的态度。在1908年，托尔斯泰80寿辰的时候，俄国一切官方的、合法的报刊对这位伟大的作家纷纷加以赞扬，以便为自己的政治利益服务，列宁并没有因此就否定托尔斯泰，没有用否定托尔斯泰的办法来和敌人"划清界限"，而是对这位作家作出了高度的评价，阐明了他对无产阶级的意义。列宁这种马克思主义的科学的态度是我们学习的榜样，我们正是需要批判那种为了标榜"和敌人对着干""和敌人划清界限"而在文艺批评上不实事求是、不进行科学分析的简单化的、形而上学的态度。无产阶级文艺批评的革命性，是建立在实事求是科学的态度上的，而不是靠假革命的词句、靠忌讳、靠四平八稳来显示的。

所谓"晚节不好"是一根棍子，"怕晚节不好"则是一个借口。任何一个作家，作为一个社会的人，经历总是多方面的，发展不可能是直线的，没有曲折的，因此，应该全面评价、具体分析，不应该攻其一点、全盘否定。如果一个作家有过一段进步的历史起过积极的作用，同时也有过一段消极甚至反动历史，那么为什么只看后者而抹杀前者呢？即使这段反动的历史说明了他晚节不好，那么凭什么理由以这一"晚节"来概括其整个的历史，来否定某一些应该肯定的东西？不用说作家，就以历史上起过伟大作用的人物来说，其晚节并不一定就是其成就的顶点，因而"晚节不好"论实际上是一种主观主义的为我所需，完全违反实事求是一分为二原则的观点。既然一个资产阶级作家写出了优秀的、值得肯定的作品，就理应得到人们的承认，用一个不构成事实的假设"怕晚节不好"而不予承认，这难道不荒唐到了极点吗？

因此，要扩大我们的眼界，增加我们对外国现当代资产阶级文学的了解，按照鲁迅先生所指出的"拿来主义"、毛泽东同志所指出的"外为中用"去对待这类文学中的可取部分，就必须首先打破"四人帮"时期所设置的而今仍然流毒不浅的禁律，突破种种非马列主义的条条框框。那么，如何区分现当代资产阶级文学中的精华与糟粕、香花与毒草？进行区分的标准究竟是什么？

有一种意见认为，标准仍然应该是毛泽东同志所指出的六条标准。毛泽东同志在《关于正确处理人民内部矛盾的问题》中所提出的六条标准是这样的："（一）有利于团结全国各族人民，而不是分裂人民；（二）有利于社会主义改造和社会主义建设，而不是不利于社会主义改造和社会主义建设；（三）有利于巩固人民民主专政，而不是破坏或者削弱这个专政；（四）有利于巩固民主集中制，而不是破坏或者削弱这个制度；（五）有利于巩固共产党的领导，而不是摆脱或者削弱这种领导；（六）有利于社会主义的国际团结和全世界爱好和平人民的国际团结，而不是有损于这些团结。这六条标准中，最重要的是社会主义道路和党的领导两条。"显然，毛泽东同志这段论述是对我们国内政治生活的要求，是我们国家内部的政治准则，并不是国际生活的准则，并不是外交政策和对外联络的政策。我们可以而且应该按这些标准要求我们自己，但我们在道理上不应该、在事实上也不可能按这些标准去要求资本主义国家里的人和事。在资本主义社会进行创作的文艺家，所面对的是资本主义的现实，他们所反映的是资本主义现实中的矛盾，他们在作品中所回答的是资本主义现实中的问题，他们的作品首先要受到资本主义国家中人民的检验，因此，用我们国内政治生活的标准去要求他们，显然是反历史唯物主义的。

列宁在《列夫·托尔斯泰》一文中曾经这样说："列夫·托尔斯

泰在自己的作品里能以提出这么多重大的问题,能以达到这样大的艺术力量,使他的作品在世界文学中占了一个第一流的位子。"在这里,列宁之所以肯定托尔斯泰在世界文学中占有第一流的地位,就是根据他在自己的作品里"提出这么多重大问题"以及"达到这样大的艺术力量",这两条实际上体现了马列主义的文艺批评标准,也就是说,评论一个作家的创作是否有价值、是否值得肯定,应该看他能不能提出现实生活中重大的问题、能不能达到艺术的感染力。列宁的这两条标准,既提出了政治的要求也提出了艺术的要求,而且和任何把政治与艺术两者割裂开来,或只看政治性不看艺术性,或只强调艺术性而忽视政治性的形而上学的批评标准完全不同,把政治标准与艺术标准有机地结合在一起,才能符合文学艺术的特点、符合文学艺术创作的规律。当然,提出生活中重大的问题,应该包括是否站在进步的立场上,对待人民的态度如何,在当时当地是否有进步意义等重要的内容。如果用列宁的标准来进行评判,我认为卡夫卡、萨特、贝克特这些出色的现当代资产阶级作家的作品,在世界文学中无疑应占有第一流的位置。这是因为,他们在资本主义物质文明高度发展的条件下,能够透过某些繁荣的表象,提出了资产阶级精神危机这个巨大的问题,提出了资本主义世界中人已经不成其为人、人的生活不成其为人的生活这样重大的问题;而且,他们是以独特的、为前人所未有的艺术方式提出来的,也达到了这样大的艺术力量,足以给人以精神上的巨大震动。他们既然以艺术的形象向读者揭示了资本主义社会的生活,人与人之间的关系,物质文明的实质是多么荒诞、多么像噩梦一样,那当然就启示着读者应该对资本主义社会的现状加以改变。他们的作品能达到这样的效果对无产阶级革命不是也有积极的意义吗?他们理应得到我们高度的评价。

为了坚持历史唯物主义,掌握正确的批评标准,对现当代资产阶级文学进行科学的评价,还有两个问题需要我们着重加以讨论:一个问题是,应该从当时当地的历史社会条件出发,而不应该从我们的主观愿望出发;另一个问题是,应该把作家当作作家来要求,而不应该越出作家的职责去加以要求。

关于第一个问题,这本来是历史唯物主义的最基本的态度,是马克思主义科学的分析方法。现当代资产阶级作家是在资本主义社会条件下写作,他们的作品对现实的反映是否正确、是否具有积极的意义,都只能根据这些作家所处的社会历史条件去判断,而不应该根据我们自己的主观愿望去判断,否则,就不可能得出正确的结论。就尤涅斯库的《椅子》和贝克特的《等待戈多》而言,从我们的愿望来说,当然希望《椅子》中的那个演说家最后带来了"可以拯救世界"的福音,使得那个自称"受尽了苦难"的主人公和他称之为"正患着重病"的人类获得解救,但最后演说家却是又聋又哑,根本不可能传达任何信息,剧本的结尾是主人公的死亡和一片黑暗。如果从我们的主观愿望出发,我们就会完全否定这剧本,认为它表现了一种绝望的情绪,而这正是正在死亡的阶级的标志,而且我们还会指责它竟然否定了人类的福音,这岂不是把社会主义可以拯救人类这一福音也否定在内了?这岂不是把矛头指向了马列主义?同样,就我们的愿望来说,也希望《等待戈多》中最后戈多出了场,而且代表了社会主义,但是剧本的最后也是空虚和绝望。如果从我们的主观出发,我们也会责备作者为什么如西方有的批评家所指出的把"人类尴尬的处境"写得如此不堪,难道你贝克特没有看到人类之中还有代表着未来的无产阶级吗?没有看到世界上存在着社会主义国家吗?没有看到可以救人类的社会主义道路吗?应该说,我们这些愿望都是好的,最好是有更多的作家如我们所希望的那样表现出对共产主义的信仰,对人类走社会主义道路的信心,对革命无产阶级的伟大力量的正确认识,但我们毕竟不能把这些愿望当作一种批评标准去要求一切人,把资本主义社会的一切人都召唤到这个标准面前加以检验,达到这个标准的就肯定,达不到这个标准的就否定。如果尤涅斯库写出了演说家带来了社会主义的福音,贝克特写出了戈多代表了无产阶级,那么,这两个作家也就不是资产阶级作家,而是无产阶级作家了。可惜我们不能改变他们的阶级本质。这是他们作为资产阶级作家必然的局限,我们所能做的,只是面对现实,对他们作科学的、实事求是的分析,充分看到他们是生活在资本主义条件下,所写的是资本主义国家的现实,是对资本主义条件的感受,虽然没有写出光明和希望,但他们对资本主义现实的批判性却是显而易见的。而且,20世纪条件下发达的资本主义国家的社会主义革命的道路问题,对于马克思主义者来说,在理论上和实践上都是一个有待解决的课题,既然马克思主义者还没有完全解决,还没有提出具体的方案,而要求资产阶级作家做到这一点,岂不有些过分?

历史唯物主义是马克思主义的科学学说,是无产阶级高度的革命性和科学性的结合,它从不脱离具体的社会历史条件,并且从辩证和发展的观点看问题,它的基本原则完全适用于对现当代资产阶级文学的评价。在这个领域,只有运用历史唯物主义的方法,才能真正显示出无产阶级博大的政治胸怀、高瞻远瞩的卓越眼光和实事求是的科学态度。只要我们坚持历史唯物主义的原则,现当代资产阶级文学评价中的疑难问题,都是不难解决的。即使是颓废问题、两性关系描写问题也不例外。

现当代资产阶级文学中都有不同程度的颓废因素,而且还特别有颓废派文学。颓废派,在思想内容上都具有这样一些特点:蔑视传统,蔑视一切既定的规范,对一切都抱虚无主义的态度,标新立异到了违反正常生活的程度;个性的极端自由、极端放纵,甚至推崇本能和性生活的混乱;反理性主义、不可知论以及悲观主义;等等。颓废派的确有一些极不健康、消极有害的东西。但是,颓废派几乎都是不满资本主义社会现实的,他们对于那个社会大至制度法规和道德原则，小至生活习俗都持一种敌对的态度，而且，他们总是企图找出某种出路，进行某些探索，其结果，有的找到了正确的道路，不再成为颓废派，有的则始终颓废沉沦，最后不可救药。对于这样复杂的文学现象，我们应该如何评价呢？颓废派文学在我们社会主义国家里当然是不应该有的，因为我们有共产主义的理想，有社会主义道路。但是在资本主义国家产生颓废派却是很自然的，我们是否可以因为它不符合我们的道德标准而简单地用"腐朽""堕落"的评语骂完了事？这里，有一个坚持历史唯物主义态度的问题，我们应该看到，很多颓废派对资本主义现实是不满的，企图追求某种东西，只不过没有找到正确的道路而发生了种种消极的情况，如果我们把颓废派放在具体的历史背景上、从发展的观点来加以分析，充分估计到其中积极的可能性，力求把消极因素转化为积极因素，那么的确可以在他们不少人身上发现对资本主义社会的明显的反抗性和对资产阶级习俗强烈的厌弃：波德莱尔曾经这样发泄他对资本主义现实的不满，"当代所有的废物都使我感到可怕。你们的院士是可怕的，你们的自由党人是可怕的，美德是可怕的，邪恶是可怕的"；兰波在自己的诗里也把欧洲资产阶级社会比喻为"冰冷阴暗的池塘"，并渴望自己离开那里，像一只小船一样任情地漂荡在自由的海洋上。因此，每当社会发生革命的运动时，他们自然也就欣然表示了支持，至于后来的达达主义、超现实主义等颓废流派，他们的成员有不少都曾走上或一度走上革命的道路。"路漫漫其修远兮，吾将上下而求索"，既然道路是曲折漫长的，在"求索"的过程中，必然也会发生失足、沉沦、自戕、走入歧途等各种情况，我们应该按这些不同情况进行科学的分析批判，但那种郁愤的心境和求索的精神毕竟还是值得我们谅解和同情的。

两性关系描写问题。两性关系描写在现当代资产阶级文艺中是常见的现象，而且其中有大量的糟粕。法国电影《舞会的小提琴》中有这样一个片段，一个电影导演正在摄制一部反纳粹的影片，揭露希特勒对犹太人的迫害，引人入胜的手法使得本来对这次摄制不感兴趣的制片商开始感兴趣了，但他中途向导演提出了不满："怎么还没有性的场面？"导演不得不顺从制片商的要求，脱离故事情节的发展，凭空加进了一段性的场面。当然，电影中的那个导演加拍这个场面的情节完全是《舞会的小提琴》的导演故意安排的，他用这个办法对电影中的那个制片商和导演作了讽嘲，对文艺作品为了商业化的要求而不必要地加进性的场面表示了不满，但实际上他自己却又通过这个片段迎合了商业化的要求。《舞会的小提琴》的这一情节的确反映了当代资产阶级文艺普遍存在的一个问题，即往往离开主题思想、故事情节的要求而添加一些淫秽的描写，其中一部分原因固然是商业经，主要的原因则是作者本人资产阶级腐朽的人生观和低级趣味。对这一部分糟粕，我们应该唾弃。

但是，对现当代资产阶级文学中两性关系的描写也不能一概而论，都斥之为"淫秽下流""腐朽堕落"，而应该区分不同的情况。我们应该看到，在一些严肃的资产阶级作家的作品里，两性关系的描写往往服从于一定的主题思想的需要，并不是出于一种低级下流的趣味。他们有时是为进行揭露和批判，如像《望乡》为了表现被蹂躏的妇女的不幸，描写了妓院的情景，萨特在《厌恶》中对两性关系的描写，也是为了揭示资本主义社会中人与人的令人厌恶的关系；他们有时是为了表现人物的性格和精神状态，如像萨特《艾罗斯特拉特》中通过主人公捉弄妓女的情节，表现这个反面人物的冷酷和灭绝人性，勃莱恩在《往上爬》中通过女主人公那种倾注了全部的热情，甚至最后以生命为代价的性爱，表现了这个妇女在那个资产阶级冷漠的世界里的孤独和绝望；他们有时则是针对资产阶级上流社会的虚伪和假道德，而故意在作品里进行一些猥亵的男女关系的描写，其目的就是为了引起读者或观众的厌恶，如尤涅斯库在《椅子》中对老太太与不显形的雕刻家的描写。对于现当代资产阶级文学中的以上情况，我们就不能简单地痛斥为"淫秽""肮脏""下流"了事,而应该充分肯定作者之所以这样描写的主观动机和这些描写所显示的社会意义。此外,现当代资产阶级文学中还有一种情况,即作者往往企图通过两性关系的描写表现他本人的某些寓意和哲理。众所周知,西方评论家对于英国作家 D. H. 劳伦斯的长篇小说《查泰莱夫人的情人》就有这种分析,认为作者是通过小说的故事来表现资产阶级的萎缩和下层劳动阶层的生命力。当然,革命的无产阶级绝不欢迎作家采取这种方式来表现他们对无产阶级的倾向,而要和这种文学划清界限,并进行必要的批判,但这种批判就不应该是简单化的,而应该具有科学的分析和实事求是的精神。

  性爱是人类生活的一个重要方面。文学反映现实,文学作品中有性爱的描写是正常的、理所当然的,不值得大惊小怪,问题只是要看为什么写和如何写。过去之所以对此类描写容易产生大惊小怪,完全是"四人帮"封建禁欲主义流毒的结果。我们知道,姚文元早在"文化大革命"前就把《红与黑》打成了黄色小说,造成了恶劣的影响,以致文学作品中只要出现了爱情描写,就被认为是黄色的。须知,从古到今,禁欲主义都是十足虚伪的货色,鼓吹禁欲主义最不遗余力的,恰巧是最糜烂透顶的反动社会力量。中世纪那些淫邪的教会人物,不正是在用禁欲主义的戒条紧扣在"芸芸众生"头上的同时,过着腐化享乐的生活?"四人帮"也正是如此,他们一方面骄奢淫逸、极尽荒淫无耻之能事,另一方面却大力推行禁欲主义、文化专制主义,把一切有着正常的、健康的爱情描写的古典作品都当作了"黄书"。应该承认,现当代资产阶级文学中的两性关系的描写,比古典作品来得更普遍、更具体,因此,不破除"四人帮"的禁欲主义的戒条,对现当代资产阶级文学中这类描写就不可能有科学的、实事求是的分析和批判。

  第二个问题:应该把作家当作作家来要求,不应该要求作家在自己的作品里完成超乎作家职责的任务。

评判一个作家的主要依据应该是他的创作,看他的作品对现实生活反映得如何,站在什么立场上提出生活中的问题,达到了怎样的艺术力量以及在现实生活起什么作用,等等。但是,我们过去往往不是根据这些条件去评判作家,而是把他们当作一贯正确的政治家、革命家或者是一尘不染的道德家、圣人来加以要求。一贯正确的政治家、一尘不染的道德家在现实生活中是没有的,"一贯正确""一尘不染"这样的尺度是形而上学的尺度,不是历史唯物主义的标准。在这样一个尺度面前,不仅现当代资产阶级作家都不及格,就是历史上那些优秀的作家也达不到这样的高度。

这种批评方法是"四人帮"形而上学猖獗的结果,同时也与拉法格的影响有关。法国早期马克思主义者拉法格运用历史唯物主义在文艺方面曾经发表过一些深刻精辟的见解,但也写过像《雨果传说》这样偏激的文章。这篇文章在我国影响颇为广泛,它专门揭露雨果如何爱钱,如何不讲老实话,如何在政治上见风转舵、善于保护自己的利益,通过这些把雨果描绘成一个又卑劣又贪财又投机又虚伪的资产者。拉法格是在监狱里写成这篇文章的,他在作为一个革命者被囚禁的特殊情况下,把怒气发泄在雨果这样一个在资产阶级社会享有巨大声誉的资产阶级作家身上,是完全可以理解的。他当时不是一个成熟的马克思主义者,他在这里的批评方法不符合历史唯物主义的态度,不是根据雨果文学创作的整体去评判这位在历史上起过进步作用的作家,而完全是去挖掘雨果在私德方面的毛病,这不是评论作家的方法。"金无足赤,人无完人",在社会主义时代的革命队伍里尚且如此,雨果作为资产阶级社会中的一员,当然更不会那样纯净。但雨果之所以值得我们评论,就是因为他写出了受到广大人民欢迎的作品,并且这些作品在现实生活中起了进步的作用,因此,必须把他当作作家去加以评论,如果无视他的创作,只去批评他的私德,那么,他和历史上那么多碌碌无为、私德恶劣的资产阶级庸人有什么区别呢？难道那些资产阶级庸人一个个都值得我们去分析、评论、批判？只是为了最后达到这样的目的——指出他们都是具有种种恶德的资产阶级庸人，这样一个不言而喻的"结论"，又有什么价值呢？

对待现当代资产阶级作家也是同样的道理，如果只带着显微镜去观察那些作家"丑恶的灵魂""卑劣的道德品质"，而不去分析、评判他们的作品，肯定会离开历史唯物主义科学的文艺批评，而走上形而上学的道德化的批评的道路，而这种批评其实是无文艺批评的价值可言的。

对现当代资产阶级作家的要求应实事求是，对现当代资产阶级文学作品的要求也应实事求是。这是一个问题的两个方面。实事求是地要求作品，最重要的是应该根据文学艺术本身的特点、文学艺术的规律来提出要求，而不应该提出超出文艺本身的特点和规律的要求，也就是说，不应该要求作家在自己的作品里完成超乎作家职责的任务。我们知道，文艺反映现实与其他意识形态，如哲学、政治理论等反映现实的手段和特点是完全不同的。文艺作品总是通过个别的人物、社会现实的个别部分来显示一定的主题思想，而不像哲理那样对事物作比较全面的论证和说明，因此就不应要求文艺作品负担哲学、政治论文的任务。但是，在我们对现当代资产阶级文学作品的评论中，都往往自觉或不自觉地出现这种不实事求是的态度，如对美国长篇小说《根》和《第二十二条军规》的评价就是如此。

《根》是美国黑人作家阿历克斯·哈莱1976年出版的一部"事实小说"，叙述了作者本人母系六代祖先的遭遇，通过从18世纪到20世纪，一个黑人家族如何从非洲被贩卖到美洲，如何在奴隶主的暴力下被损害、被侮辱的血泪史，揭露了资本主义发展过程中的贩奴活动、蓄奴制和种族歧视的种种罪恶。毫无疑问，这是一部对我们很有认识价值的作品，它的进步倾向应该得到我们充分的肯定。然而，有一种意见却认为，这部作品没有写黑人的武装斗争，没有写无产阶级的力量，没有指出黑人解放的道路，因而不值得肯定。《第二十二条军规》是美国作家约瑟夫·赫勒在20世纪60年代初出版的一部长篇小说，以第二次世界大战期间驻扎在地中海一个小岛上的空军中队的生活为题材，揭露了美国军队腐败的内幕——高级军官与资本家勾结起来大发战争财，为了自己向上爬而驱使士兵卖命，在这里，军规条例把人紧紧束缚在战争机器上，使人感到随时都有危险，到处都是陷阱，而所有这一切，又是通过一个小人物的感受，以一种玩世不恭的笔调写出来的，以幽默的叙述表现出可怕的真实。这部作品不论在思想内容和艺术风格上都很有价值，资产阶级评论家也承认："《第二十二条军规》出色地表现愤怒的力量……它用正当而惊人的夸张手法表明了，什么东西是不值得为之而死的，即他人的贪欲和野心"，"《第二十二条军规》之所以成功，应归于60年代我们对许多最为神圣的规章制度（包括军队）所抱的广泛的反感"。对于这样一部受到了资本主义国家广大读者的重视和欢迎，其影响远远超出了美国的作品，我们本来应该给予较高的评价，但是，有的意见却认为，这部作品没有能触及垄断资本主义的反动本质，没有揭露整个资本主义制度的腐朽，没有揭露帝国主义国家称霸全球的野心，没有表现劳动人民的苦难，因而必须予以批判，等等。

　　对于这样两部作品所作的这种批评，不仅缺乏实事求是的精神和历史唯物主义的态度，而且显然超出了对文学艺术作品应有的要求。我们怎么能要求一部作品把所有社会学、政治经济学的理论都面面俱到地论及呢？这岂不是要求作家写政治教科书吗？岂不是要求作家全面提出社会革命的方案吗？这已经超出了文学艺术本身的任务，不用说资产阶级作家，即使是具有社会主义倾向的作家、无产阶级的作家，也是无法完成的。

五、如何看待现当代资产阶级文学的艺术特点

对现当代资产阶级文学的艺术性问题，也如同对思想问题一样，不能一概而论，也要一分为二，具体分析。

法国作家安德烈·莫洛亚有一篇很有趣的小说《大师的由来》，叙述一个画家本来具有严肃的创作态度，"看到什么画什么，尽量把内心的感受表现出来"，但他"靠苦功，靠真诚"却总得不到成功，有人给他出了个主意，要他标新立异，创建一个"意识分解画派"。譬喻说，画一个上校的肖像，根本不用画人物面部的真实形象，只需以天蓝和金黄色作底，上面打上五道标明上校军衔的粗杠；画一个工业家的肖像，只需画出工厂的烟囱和一个打在桌上的拳头。这位画家如法炮制，粗制滥造出一些把生活形象表现得支离破碎，使人根本无法看懂的画作，居然由此成名，成为了"艺术大师"。这篇小说是绝妙的讽刺作品，它反映了现代资产阶级文艺中一部分"创新"纯系胡来和严肃的作家对此的极端不满。

现当代资产阶级文学中也有不少这种情形，一些作家"自以为是一种新的文学体裁的创造者"，其实他们所做的是对艺术创作规律的破坏。在上世纪20年代，英国最早的"意识流"小说家陶罗赛·瑞恰生自称要创建一种"女性现实主义"，接着而来的伍尔夫同样也是以现实主义的批判者的姿态出现的，提倡写出人物的"变化多端、无人知晓、不受限制的精神"，"意识流"小说却把人物的印象、幻觉、回忆、想象以及现实生活的情景都汇在一起，这样一股混杂的"意识流"流泻在纸上，就成为了读者难以读懂的奇文，在这里，时间的次序是混乱的，空间的界限也是不存在的；20世纪50年代，法国的新小说派兴起的时候，也宣称要在小说领域里进行激烈的改革，然而，新小说派所谓的对"物"的忠实描写，也只不过是把眼前的、回忆中的、幻觉中的，以及想象中的对物的印象混杂在一起，与"意识流"

小说一样，破坏了艺术中物质存在的基本形式的空间与时间。其他如达达主义、超现实主义，它们诞生的时候，都莫不大喊大叫、标新立异，但它们在艺术上的主张毕竟经不起时间的检验，特别突出的是，形式主义的诗歌发展到极端，已经完全谈不上什么艺术性了，而成为了文字的游戏、字母的任意颠倒和组合。以上这些违反文艺特点与艺术规律的"创新"，在现当代资产阶级文学中是相当多的，它们或则无艺术价值可言，或则艺术价值甚少，往往也得不到资本主义国家广大读者的欢迎和喜爱，对我们来说，更没有什么艺术借鉴的意义。

以上并不是全部的情形。现当代资产阶级文学在艺术性上也有好的一面，甚至也有很可贵的艺术珍品。这首先是指继承了优秀的艺术传统的一部分文学而言，我们不仅能在罗曼·罗兰、杜·伽尔、高尔斯华绥、萧伯纳、托马斯·曼这些老一代的作家身上看到传统的现实主义的力量，而且还能够在莫洛亚、莫里亚克、海明威、标尔等一大批后来者的作品里，看到优秀的传统更呈现出新的生命力和新的面貌。就以中国读者所熟知的一些中短篇而言，莫里亚克的《脏猴》、莫洛亚的《大师的由来》、海明威的《老人与海》、标尔的《耍刀子的人》，不都是具有高度的艺术技巧而值得我们学习借鉴吗？特别值得我们重视的是，这些作家虽然同属现实主义传统，但他们的艺术个性各不相同，风格百花齐放。作家作为艺术创作者的最重要的价值，就在于独创性，就其充分利用了广阔的天地、施展出最大的艺术创造的主观能动性这点而言，这些作家应该得到我们高度的评价，的确是我们学习的对象。

困难还是在于对那一部分背离甚至反对现实主义传统的现代派文学的艺术性如何评价。现代派文学在艺术上最大的特点就在于反传统，他们往往以传统的现实主义为他们的对立面，公然以现实主义创作方法的反对者、革新者、修正者自居，他们提倡创新，不仅仅反对传统的方法，而且反对传统的文学形式，甚至力图突破某种文学类别本身的特点，因此就出现了现代派文艺的"反小说"的小说、"反戏剧"的戏剧，甚至这种"反"已经成为了一种时髦。

那么，应该如何看待现代派的创新，如何评价他们的非现实主义、反现实主义的创作方法呢？如前所述，现代派所进行的某些创新，其结果的确不妙，但是我们也应该实事求是地看到，这种创新的精神本身并非完全没有某种合理的因素。现代派关于创新的基本理论的出发点是：时代有了变化，工业技术获得了极大的进步，人的心理、思想方式以及习俗也有了很大的变化，对人的认识也有了发展，因此，文学的表现方法也必须改革，必须创新，"意识流"小说家伍尔夫在她关于文艺创作的纲领性的文章《论现代小说》、罗伯-葛利叶在新小说派的理论宣言《未来小说的道路》与《自然·人道主义·悲剧》里，就是从这个出发点起步的。这样一种观点的可取之处在于它不承认文艺创作方法是静止的、不变的，而是强调了它的发展变化的必要性和必然性。应该承认，这个理解是符合文学发展的规律的。在人类社会发展过程中，文学艺术的形式、风格、手法都是不断在变化的，历史上，从来没有一种创作方法是永恒的。法国 17 世纪古典主义在历史上曾经烜赫一时、君临一切，任何作家不得违抗，而且它随着绝对君主制的声威，远播于整个欧洲。曾经，太阳王路易十四还没有逝世，针对古典主义的修正和革新的精神就在有名的文学论争"古今之争"中抬头了，而后，这种创作方法又遭到了启蒙作家的批判，狄德罗就是反古典主义的清规戒律，而提出了完整的现实主义思想体系。到了 19 世纪上半期，封建阶级的残余力量在复辟贵族阶级的政治统治的同时，企图在文艺领域里坚持古典主义的旧法，是为伪古典主义，司汤达、雨果不正是以时代变了，文学也必须改变为理由而大张旗鼓地加以反对吗？他们明确地说，"从来没有感到有比 1780 年至 1823 年这一时期更为急骤、更为全面的变化，可是有人却企图把一种一成不变的文学强加给我们"，"既然我们从古老的社会形式中解放出来了，那么我们为什么不从古老的诗歌形式中解放出来？新的人民应该有新的艺术"。从19世纪20年代资产阶级自由主义思潮和反对伪古典主义的斗争中，产生了浪漫主义与现实主义两大流派。以现实主义文学而言，虽然它由来已久，但只是经过司汤达、巴尔扎克、福楼拜、狄更斯、托尔斯泰，才得到极大的丰富，作为一种艺术创作方法完善到了前所未有的水平，成为了一个高峰，于是就形成了一种现实主义至上论，只要是反现实主义的、非现实主义的，似乎就低人一等，这就是我们过去不承认现代派艺术的一个原因。但实际上，批判现实主义既然是历史发展的产物，难道在它之后，在历史发展过程中就产生不出可取的新的创作方法和新的文学流派？回答应该是否定的。我们也不能把批判现实主义的方法看得一成不变，更不能把批判现实主义当作绝对的、唯一的、永恒的尺度。从这个观点来看，现代派力图突破传统现实主义的意图本身是无可责难的。

社会历史的发展必然引起文学创作方法的发展。如果资产阶级作家是按照资产阶级文学的方式去进行探索和创新，他们是否可能得出新的创作方法或对旧的创作方法有所补充和发展？应该说是可能的。而且这种可能性也具有社会条件作为基础。如，20世纪资本主义社会矛盾的发展使得抱有资产阶级人道主义理想的知识分子感到了极尖锐的矛盾，以至眼中的世界成了一片荒诞，而他们为了最充分地表现这种荒诞的图景，又找到了一种荒诞不经的艺术形式和艺术风格，这种荒诞的表现方法无疑具有深刻的社会根由，并对现实主义方法是一种突破。又如，由于20世纪科学技术的迅速发展，对文学的表现方法也有着深刻的影响。过去有一种意见认为，创作方法的发展只能到社会的阶级根源中去找，如果论及科学对它的影响，那就是一种资产阶级的学术观点。这种意见显然是不符合实际的，巴尔扎克在《人间喜剧》的前言里，不是就承认了自然科学的发展对他创作思想的影响吗？他力图把社会表现为一个整体，把各种人物表现为一个有联系的世界，把人物性格与环境影响充分表现出来，就是受了唯物主义的自然科学观的影响。20世纪现代科学技术的发展对文学的表现方法的变化不可能没有作用，现当代文学中快速的节奏、电影式的蒙太奇手法就是一种明显的结果。特别应该指出的是，20世纪心理学科学的发展，在文学中提出了更深入、更忠实地进行心理活动描写的问题，在现代派作家看来，原来现实主义对人物心理的刻画已经是不充分了，特别是由作者出面来复述人物的心理活动这种方法更缺乏直接的真实性，于是，他们力图扩大和深化对人物内心世界的表现，并且在潜意识和人物心理活动复杂性的描写上，超出了原来的现实主义方法。

从文艺发展的规律来看，现代派文学要突破原有的创作方法，是理所应该的，从实际情况来看，他们也的确有些突破，那么，他们对原来现实主义的突破在艺术上是否具有一定价值和值得我们肯定？我认为用一分为二的观点来看，现代派的一部分创新是有艺术价值的，应该得到我们的承认。

其一，荒诞派戏剧的表现方法。这种荒诞的表现方法，其实就是一种对事物加以极端夸张的手法，人从垃圾箱里伸出头来像低级动物一样觅食，这完全不符合现实主义的细节真实，在尤涅斯库的《犀牛》中，整个小镇的人都一个个变成了犀牛，并以此为正常，以不变成犀牛为反常，这也不符合现实生活的真实。但前者却尖锐地揭示了人的价值的丧失，后者也形象地表现了恶习对人的控制以及人的理性的丧失。这种抓住了现实的某些本质，加以集中的、夸张的表现手法，不仅没有违反艺术创作的规律，而且，利用了艺术创作的特点，更足以造成深刻的印象，引起强烈的效果。这种手法可以有不同程度的运用，也可以与现实主义的手法结合起来。瑞士当代资产阶级作家杜伦马特的著名剧本《老妇还乡》就提供了一个范例，这里有符合逻辑的故事情节，有符合生活真实的台词、对话以及生活场景，然而，其中人与人的关系和故事的最后结局充满了荒诞的色彩，特别是作者明确地把老妇描写成一种代表了金钱力量的邪恶的象征,这种明确的揭露的意图,使剧本的主题思想接近了我们对资本主义社会现实的理解,从而使我们可以得到这样的启示:荒诞的手法与进步的主题思想结合起来,完全可以产生出优秀的作品。

其二,"意识流"手法的合理运用。人的心理活动是极为复杂的,事实上,在人的脑海里,的确经常出现回忆、想象、印象、联想夹杂交错的意识流,应该承认,19世纪批判现实主义文学的心理描写还没有充分表现出人的心理活动的复杂性,而浪漫主义文学则往往以作家本人的描述来代替对人物心理准确而真实的刻画。现代派提出了深入和扩大心理活动的问题,"意识流"小说家发现和开辟了对意识流、潜意识的表现领域,但他们违反了艺术创作的规律,否定了作家在描写中应对杂乱的潜意识加以分析、概括和选择,因而也就破坏了艺术中现实生活存在的基本形式,反倒使作品丧失了真实反映人的心理活动的功能。但如果既承认意识流、潜意识这一类心理活动,又在艺术的创作中,对杂乱的意识流、潜意识加以分析、区别、取舍,也就是说,对意识流的手法合理地加以运用,作家是能够扩大心理描写的领域并取得良好的结果的。

其三,象征主义对形象的强调。文学上的象征主义是随着柏格森的反理性主义而产生的,一般理解,它与新柏拉图主义关于宇宙的神秘观念相联系。象征主义诗歌陷入神秘主义当然是不可取的,但象征主义对形象的强调却不无道理,1886年象征主义流派在《费加罗报》上所发表的创作宣言中这样说:"象征主义的诗歌赋予观念以感性的外衣""一切具体的现象,仅仅作为感情的外象,用来代表与观念的联系"。这里"赋予观念以感性的外衣",以具体的形象来代表观念的联系,其实就是对形象思维的重视,就这一点来说,还是值得我们肯定的。我们应该承认,象征主义诗歌毕竟有一个优点,就是形象的丰富,而甚少抽象的观念和感情,兰波把自己对资本主义文明社会厌弃的自我形象化为一只自由漂泊的醉船，艾略特用荒原来象征第一次世界大战的欧洲资本主义社会，从其形象性来说，无疑是一种耐人寻味的艺术构思。

其四，表现主义形象化的表现手法。在表现主义的作品里，人物看不见的思想感情、抽象的人与人的关系，往往通过富有表现力的手法表现出来。人物遭到不幸，舞台就旋转，作者以此表现人物觉得天旋地转的精神状态；一个满腔愤怒的工人大汉，在街上故意去撞一个文弱的资产阶级小姐，而这个小姐居然纹丝不动，作者通过这种手法表现这种愤怒的无济于事。这些手法虽然不符合现实主义的细节真实，但难道不是比现实主义的手法更富有戏剧性的表现力吗？

以上举出这几个例子，只是为了说明现代派文学对于文学艺术的发展也作出了一定的贡献，因此，我们不能一概否定。在这里，我们并不是要论证现代派的艺术已经超过了批判现实主义的艺术而形成了一个新的高峰。现代派作家在努力进行创新，但他们的创新之中的确又存在着违反艺术创作规律的弊病。这就是现代派在艺术创作方面的基本情况。

现当代资产阶级文学是极为复杂的，糟粕与精华杂然并存，对这种文学进行全面的、深入的研究，是我们外国文学研究的一项急迫的任务。笔者有感于过去对现当代资产阶级文学评价有不合理之处，包括笔者自己过去所发表的意见也不够实事求是，觉得很有必要提出重新评价现当代资产阶级文学的问题。严格说来，本文只不过是提出问题而已，离问题的解决还很远。总的原则我们都是明确的，对现当代资产阶级文学，同样也应该按照毛泽东同志所指出的，取其精华，去其糟粕，外为中用，但进行具体的科学评价和分析批判，还有待我们大家的努力。

1978年10月初稿于北京
1979年1月修改于北京

《法国文学史》前言

法兰西民族是一个创造了灿烂文化的伟大民族,作为它光辉文化的一部分,法国文学以其丰富多彩而著称于世。

从9世纪开始,法国文学经历了1000多年的历史。这1000多年的历史是法国从漫长的封建社会进入资本主义社会,又从自由资本主义阶段发展到垄断资本主义阶段的过程。这一过程中,在法国出现了形态最完备、发展最充分的封建专制制度,也发生了最彻底的资产阶级革命,而后,这个国家又一度成为西欧无产阶级革命运动的中心。法国文学就是这一社会历史发展的产物,并且像一面清晰的镜子,形象而生动地反映了历史发展各个阶段的社会现实。正由于法国历史曾给予世界历史以重大的影响,法国文学作为这一完整而典型的历史过程的形象记录,也具有世界意义。

阶级社会的历史是阶级斗争的历史。法国文学作为社会的意识形态,本身就是社会阶级斗争的一部分,它的整个过程都表现了阶级的矛盾与冲突,充满了进步倾向与反动倾向的斗争。法兰西阶级斗争在世界历史中具有某些典型性,曾是马克思主义经典作家用来阐述历史唯物主义原理的典型范例,而法国文学作为反映历史、印证马克思主义历史唯物主义的思想材料,对于各国人民无疑也是非常宝贵的。

法国文学发展的过程中,在政治、经济、民族文化传统以及外来影响等因素错综复杂的作用下,曾出现过各种有代表性的思潮、运动和流派，如古典主义、启蒙文学、浪漫主义运动、批判现实主义、自然主义，以及19世纪后期各种资产阶级颓废的、形式主义的文艺思潮，等等，所有这些都曾给世界文学以巨大的、深刻的影响。在某种意义上，法国文学可以说是世界文学一系列重要思潮、流派的发源地，它对于了解世界的文化和文学的发展、总结文学艺术变化的规律，以及它与社会历史条件的关系，都是不可或缺的生动的材料。而且，在法国文学发展的各个阶段，都涌现出了一些享有世界声誉的作家，他们的作品在历史上起过不可磨灭的进步作用，今天还继续给我们以艺术的享受，其中有些显然还具有艺术范例的意义，是我们在创造和发展无产阶级新文化时可供借鉴的宝贵的文学遗产。

在我们看来，法国文学史的研究，是社会主义文化建设中、学术工作中、思想战线上一个重要的课题。按照毛泽东同志指出的"古为今用"、"洋为中用"、批判继承的方针，对法国文学的历史进行系统的介绍和总结，是文化工作领域里一项重要的任务。现在，我们只是在这方面进行一些初步的工作，在这部书里对法国文学的历史发展过程和其中比较重要的作家、作品作了扼要的评介和分析，以供从事文化、教育、外事工作的同志参考。我们的主观愿望是要努力以马列主义、毛泽东思想为指导，用历史唯物主义的观点，把思潮、流派、作家、作品放在阶级斗争的背景上加以考察和说明，根据"它们对人民的态度如何、在历史上有无进步意义"而分别给予不同的评介。但由于问题本身的复杂和著者水平的局限，缺点和错误是一定难免的，有待读者的批评指正。

1978 年 7 月

《伏尔泰哲理小说选》序言[①]

法国著名传记作家安德烈·莫洛亚在他的《伏尔泰传》中曾经这样说过:"17世纪是路易十四的世纪,18世纪是伏尔泰的世纪。"[②]这句话代表了不少资产阶级文学史家、批评家对伏尔泰的评价,它虽然不无夸张,但的确也反映了伏尔泰在当时影响之大。

在法国18世纪的启蒙运动中,就所起的作用和所占有的地位,伏尔泰无疑是一位领袖和导师。他是启蒙运动第一阶段的代表,登上历史舞台早于以狄德罗为首的百科全书派和激进的民主主义思想家卢梭,他活动的时间很长,经历了18世纪的四分之三;他以令人惊异的充沛精力在这个世纪的思想文化领域的各个方面,进行了卓有成效的活动,他是哲学家、历史学家、政论作者,他的文学创作,包括悲剧、喜剧、史诗、哲理诗、哲理小说都丰富多彩,18世纪末,由博马舍编辑出版的第一个伏尔泰全集就有七十卷之多,还不包括他卷帙浩繁的全部书信,他在当时享有巨大的声誉,被视为思想界的泰斗,整个欧洲都倾听他的声音。但在今天看来,他的地位与作用是历史条件造成的,并不是由于其思想最进步、体系最完整,他的思想反映了资产阶级上层的利益,他是启蒙运动中较为保守的一位代表。

[①] 原载外国古典文学名著丛书:《伏尔泰哲理小说选》。
[②] 安德烈·莫洛亚:《伏尔泰传》第2节。

一

伏尔泰本名弗朗索瓦·阿鲁埃，1694年生于巴黎一个富裕的资产阶级家庭。他的青年时期正当"太阳王"路易十四统治的晚期，法国封建君主专制由极盛而衰的时代。这个时代"金玉其表，败絮其中"，即将全面破落的面貌和征候，在伏尔泰著名的历史著作《路易十四时代》中曾有忠实的记载。一连串对外战争和凡尔赛宫廷惊人的奢侈使国库空虚；残酷的封建剥削和封建压迫使农业生产凋敝低迷，对新教徒的迫害使信奉新教的熟练工匠大量外流，给工商业带来了无可弥补的损失，这两方面的结果都更加加深了封建国家的财政危机，以致国债达到了25亿法郎的巨额；封建贵族阶级迅速走向没落，大贵族骄奢淫逸，中小贵族纷纷破产，以致潦倒不堪，社会生活极为黑暗，反动教会的猖獗、专制政体的淫威，造成了低压的政治气候，整个国家已经深感路易十四的统治成为了一副沉重的枷锁。伏尔泰的青少年时代就是在这样的社会环境中度过的。他在一个贵族学校里受教育，贵族子弟在校内享受的特权使他亲身体验到等级制度的不平，启蒙运动先行者皮埃尔·贝尔反对宗教狂热的著作对他思想的形成起了有益的影响。路易十四逝世时，他21岁，亲眼看见"巴黎人在热望自由的气氛里舒了一口气"[①]；路易十四葬礼那天，他在去圣特尼的路上，看到了沿途乡间小酒店里群众欢庆痛饮的情景，不禁对此产生深长的思索。

正是在旧的时代已经告终，新的时代将要来临的过渡时期，伏尔泰登上了历史舞台。他感觉到时代变化的征兆，一开始就以旧的阶级和旧的意识形态的讽刺者、批判者的姿态出现。中学毕业后，他在担任驻外使馆的秘书和法庭的书记期间，虽混迹于贵族纨绔子弟的圈子，但目无封建等级制，敢于与贵人分庭抗礼，针砭时弊，抨击前朝

---

① 安德烈·莫洛亚：《伏尔泰传》第3节。

政制，以锋利的谈吐和俏皮的警句闻名。由于言谈中对摄政王不敬，他被逐出京城，但他并未因此有所收敛，又在一首诗里讽刺了宫廷，于1717年被投进了巴士底狱。在狱中11个月，他写出了第一个悲剧《俄狄浦斯王》，这个剧本被认为是一部抨击宗教、影射摄政王荒淫无耻的作品，因而在巴黎上演时受到民众的热烈欢迎。自此，他享受了几年的虚荣，贵族和宫廷也捧他为"法兰西最优秀的诗人"，他利用自己的社会关系经营商业，为自己积攒了大笔财富，但在封建专制制度下，他的社会地位并没有保障，他和一个贵族发生了冲突，不仅自己受辱，而且还被政府投入监狱，后又被放逐国外。从自己痛苦的经验中，伏尔泰对专制政体的面目有了切身的体会。

1726年，他来到已经完成资产阶级革命的英国，像他这样一个来自专制国家的受损害者，自然向往资产阶级君主立宪制的英国，特别是对这里"人与人之间的等级依才德而定，大家都可有自由高尚的思想而不用忌讳顾虑"①更是赞赏备至。相传有这样一个故事：一天他在街上，群众因讨厌他的异国服装而叱逐他，他就高声向他们喊道："英国的好汉们，我不生为英国人不是已够可怜了吗？"他的话当场赢得了群众的喝彩欢呼。他在英国居住了三年，考察了政治制度和社会习俗，研究了英国唯物主义哲学和牛顿的物理学新成就，形成了君主立宪制的政治主张和唯物主义的哲学观点，他把自己的观感和心得写成《哲学通讯》一书，鼓吹政治改良、信仰自由和唯物主义。

1729年他回到法国后，创作了悲剧《布鲁特》和《查伊尔》，前者通过古罗马的题材表现了为反对专制而牺牲个人利益的理想精神，后者对宗教偏见提出了强烈的控诉，而在历史著作《查理十二史》中，伏尔泰则描写出一个封建君主穷兵黩武、侵略好战的反面形象。1734年，他的《哲学通讯》出版，立即被扣上"违反宗教、妨害淳良风俗、不敬权威"的罪名遭到查禁，巴黎最高法院下令逮捕伏尔泰。

---

① 安德烈·莫洛亚：《伏尔泰传》第5节。

他逃离巴黎,在偏僻的小城西雷其女友夏德莱夫人家里住了15年,在此期间,他进行了多方面的创作活动,其中有《恺撒之死》《穆罕默德》、长诗《奥尔良的少女》、历史著作《路易十四时代》,以及科学论著《牛顿哲学原理》等。这个时期,他又曾一度得到宫廷的信任,1746年被选为法兰西学院院士,后又被派往德国执行外交使命,被任命为法兰西史官,然而这一切不过是昙花一现,他又因得罪了路易十五不得不出走巴黎。

伏尔泰不断遭受专制政体的损害,但资产阶级的本性使他总是不能牢记教训。1750年,他又怀着对开明君主的幻想,接受了普鲁士国王腓特烈二世的邀请来到柏林。他被当作宫廷的点缀品加以利用后,又遭到了这个专制君主的侮辱。一连串的教训终于使他总结出了这样一条经验:"在这个地球上,哲学家要逃避恶狗的追捕,就要有两三个地洞。"他分别在洛桑、日内瓦,以及法国瑞士边境的菲尔奈购置住所,庆幸自己"终可幸免君主及其军队的搜索"[①]。

从此,伏尔泰进入他战斗的晚年,他继续写了不少重要的作品,他的著名哲理小说就是产生于这个时期,此外,还有哲理诗《里斯本的灾难》、历史著作《彼得大帝治下的俄罗斯史》《议会史》,以及哲学论著《哲学辞典》等。特别是从1760年后,他定居在菲尔奈这块官方难以追捕的地方,在从事写作的同时,又进行了政治社会的斗争。他与欧洲各国各阶层人士保持频繁的通信联系,从通信中以及从来到菲尔奈向他求教的各国人士那里,他了解了欧洲各国的政治社会动态,又通过写信或写文章宣传启蒙思想,制造进步的舆论。当时,整个法国和欧洲不时流传着一些化名或匿名的文章和小册子,猛烈地抨击反动教会的宗教迫害、专制政体的草菅人命等黑暗现象,它们都是来自菲尔奈,出自伏尔泰的手笔。反动政府不断焚毁这些小册子,但它们仍不断出现。伏尔泰这种抨击时事、制造进步舆论的活动

[①] 转引自安德烈·莫洛亚:《伏尔泰传》第12节。

产生了巨大的影响。1762年，反动教会制造了18世纪有名的宗教迫害冤案卡拉事件，伏尔泰对这个惨无人道的案件进行了有力的控诉，为蒙冤死去的卡拉及其受迫害的全家的昭雪而斗争，在整个欧洲赢得了崇高的声誉，菲尔奈成为了欧洲舆论的中心，进步人士尊称伏尔泰为"菲尔奈教长"。1778年，伏尔泰像一个"智识界的王者"凯旋，回到巴黎，并且在他的悲剧《伊兰纳》上演的时候，受到了观众的欢呼和加冕，达到了光荣的顶点。不久，他逝世于同年的5月，享年84岁。

如果说伏尔泰登上历史舞台是在路易十四时代告终的时候，那么他逝世则是在资产阶级革命将要来临之际，可以看出，他在思想文化领域里进行活动的几十年，正是法国封建君主专制由没落迅速走向崩溃的时期，在这个过程中，从摄政王的新法一直到路易十六时期杜尔果·内克的经济政策，统治阶级所有这些企图避免财政破产、挽救封建贵族阶级统治的改良主义措施都宣告失败，暴露出了封建社会已经病入膏肓。在这样一个历史时期里，伏尔泰作为新兴资产阶级的思想家提出了一系列重大的社会政治问题，对没落的封建社会进行了摧枯拉朽的揭露和批判，他虽然不及卢梭那样激进，没有狄德罗那样深刻，但是，他的确不失为封建社会、封建阶级最辛辣的讽刺者，他的历史功绩在于，通过嬉笑怒骂的手法，彻底撕下了王公贵族、君主专制、宗教、教会这些被视为神圣事物的外衣，暴露出其丑恶、反动的面目，而他这个伟大的历史功绩，在相当大的程度上是通过他的哲理小说完成的。

二

法国"七星丛书"所收集的伏尔泰的全部哲理小说共26篇。其中较早的几篇如《如此世界》《梅农》《小大人》《查第格》写成于他去柏林之前，在苏城曼纳公爵夫人家避风期间。其他的一些篇目，包括《老实人》《天真汉》《耶诺与高兰》《白与黑》，则都是写于他的晚年，主要是在菲尔奈的时候。我们知道，伏尔泰生前是以史诗诗人和悲剧诗人著称的，他把史诗和悲剧的创作视为最主要的文学工作，而把一些中短篇的哲理小说当作他的"小玩意""儿戏之作"，当他在曼纳公爵夫人的府上朗读最初几篇短小精悍、哲理洋溢、意味隽永的小说而受到欢迎、被听众要求付印时，他曾再三拒绝，认为不值得出版。然而，从19世纪上半叶以后直到今天，伏尔泰的悲剧和史诗早已没有多少人去读了，但他的哲理小说却经受了时间的考验，特别是他的《查第格》《老实人》《天真汉》，已经成为了18世纪启蒙文学最重要代表作的一部分而列入了世界文学名著的宝库，被广大的读者视为人类精神的杰作。

顾名思义，哲理小说的特点在于以阐明某种哲理为目的，而伏尔泰的哲理小说则是以宣传其启蒙思想为目的。在18世纪启蒙思想家中，伏尔泰不像后来的狄德罗和卢梭那样，为资产阶级革命所必需的思想理论体系的建设作出显著的贡献，提出了一系列正面的主张和方案，而是为廓清这一基地对封建的上层建筑、意识形态进行了扫荡和破坏，他以此为己任，在自己书信的末尾几乎都加上了缩写的"铲除卑鄙"的口号。他的哲理小说正是他这种战斗精神的最好体现，特别是因为这些小说写于他阅历已深、学识丰富、思想成熟的老年，其阐明哲理、嬉笑怒骂皆成文章的艺术已达炉火纯青的程度，成了伏尔泰得心应手的战斗武器。

作为这样一种思想武器，伏尔泰的哲理小说总是用来揭示18世纪法国封建社会的不合理。他的第一个重要的短篇《如此世界》虽然写的是一个神话故事，但却表现了伏尔泰自己对法国社会现实的观察和分析。小说中的柏塞波里斯城就是影射巴黎，小说所揭露出来的种种黑暗现象就是法国的现实：上流社会一片淫乱，文武官职公开标卖，教派斗争激烈，社会风气恶浊，舆论欺善怕恶，人与人尔虞我诈。他借人物之口这样评论："噢！竟有这样的风俗！噢！倒霉的城！不是黑暗到极点吗？"并且预言，"这样的社会是维持不下去的"。同样，中篇小说《查第格》的故事虽然伪托于古代，但也有着现实社会的影子。查第格婚后不久爱人就变心，甚至想把他的鼻子割下来给新情人治病的情节，是对法国上流社会腐败的男女关系的讽刺；查第格几次无辜被捕入狱、险些送命的经历，是暗指当时司法机构的草菅人命；小说中国王宠信淫邪放任的女人，把国事败坏得一团糟，是对国王路易十五耽于声色的影射。伏尔泰通过查第格主观上力求"明哲保身"，但灾祸总是不断降临头上的经历，企图表现出一个政治黑暗、人情险恶、人人都不得自由、不得安宁的社会现实，小说中这一社会图景正是伏尔泰所生活的法国君主专制社会的写照。在查第格那种"这个世界上的一切，连莫须有的东西在内都要害我"的感慨中，显然有着伏尔泰自己多次受到专制政体迫害、侮辱的痛苦经验。《查第格》通过虚构的故事，写出了作者在封建专制政体黑暗统治下的窒息感，这正是伏尔泰哲理小说的主要价值。

《如此世界》和《查第格》中揭示现存社会不合理的主题，到了《老实人》中又有了更进一步的深化。《老实人》是伏尔泰哲理小说中成就最高的一篇，它以"一切皆善"的学说为对立面，把原来的主题提升到了新的哲理的高度。"一切皆善"的说教来源于德国17世纪唯心主义哲学家莱布尼兹，他曾提出"上帝所创造的这一个世界是一切可能的世界中最好的"。这是一种维护现存秩序、为统治阶级服务的舆论。伏尔泰的这篇小说就是无情地嘲笑这一为神权和王权辩护的哲学。他在小说里安排了两个主要的人物：鼓吹这种哲学的邦葛罗斯与信奉这种哲学的老实人。小说通过这两个人物在现实生活中的经历，证明这个世界并不完善。邦葛罗斯口口声声"天下尽善尽美"，但现实狠狠嘲笑了他：他先是染上脏病烂掉半截鼻子，后又被宗教裁判所施加火刑，险被烧死。老实人也从现实中得到惨痛的教训：他与贵族小姐自由恋爱遭到了偏见极深的封建家长的打击和破坏；他在军队里因自由行动而遭到了毒打；在战场上，他看到两军互相屠杀、奸淫掠夺、惨无人道；在流浪中，他几乎没有碰见过好人，不是宗教狂热的信徒，就是干扒手勾当的神甫和敲诈勒索的法官；他的经历也是骇人听闻的，先是被误认为异教徒差一点被宗教裁判所活活烧死，后又在巴黎被骗子神甫等一伙几乎盘剥一空。他的爱人居内贡的遭遇也很悲惨，在战祸中全家被杀，自己被当作奴隶辗转贩卖。老实人和居内贡的其他同伴的经历也无一是幸福的。面对着这样的世界，老实人觉醒了，对那个可悲的哲学家叫道："得啦，得啦，我不再相信你的乐天主义了。"他最后作了这样的总结："地球上满目疮痍，到处都是灾难啊。"而这，也正是伏尔泰对自己的时代社会发出的感慨！

较之于《如此世界》和《查第格》，《老实人》具有更强的战斗性，它讽刺的笔锋横扫了整个欧洲，尖锐的批判触及了社会生活的各个方面，作者让他的主人公来到巴黎，通过他的见闻对法国的现实进行了直接的揭露。他指责"在这个荒唐的国家里，不论是政府、法院、教堂、舞台，凡是想象得到的矛盾都应有尽有"。他影射了1757年一个精神不健全的乡下人因伤了路易十五而被凌迟处死的案件。作品通过人物之口这样控诉道："啊，这些野兽，一个整天唱歌跳舞的国家有这样惨无人道的事！这简直是猴子耍弄老虎的地方！"所有这些，在嬉笑怒骂之中又有愤慨的抗议。

在批判揭露的针对性方面，《天真汉》比其他的哲理小说又更为直接，它既不是通过半神话式的故事，伪托于古代的异国，也不是通过影射和旁敲侧击，而是把故事安排在17世纪末路易十四的法国，对社会现实进行了直率的指责和批判。在这里，作者巧妙地通过一个在加拿大未开化的部族中长大的法国血统的青年的天真性格与法国社会现实的矛盾，表现了这个高度封建文明化的国度的荒诞。这个天真汉"想什么说什么，想做什么就做什么"的纯朴的思想习惯，竟然为周围的社会习俗、宗教偏见所不容,这就足以揭示这个社会的荒诞、不合理达到了令人难以置信的程度,而他按照这个社会的要求,以《圣经》为自己行为的准则,天真地按《圣经》行事时,却偏偏引起了惊世骇俗的后果,这就更有力地暴露了在封建专制社会生活中,实际上并不存在真正的道德标准与是非标准,暴露出是非的颠倒、表里的不一、理性的沦丧,以及"宗教德行"的虚妄、宗教狂热的荒谬,正如天真汉所说的:"我每天都发觉,那本书(指《圣经》)不叫人做的事,大家做了不知多少,叫人做的事,大家倒一件没做。"这里,问题并不在于天真汉对《圣经》特别认真,也不在于伏尔泰把《圣经》和宗教教义当作了至高的标准,而完全在于那个社会口头上的仁义道德与实际上的男盗女娼的惊人的矛盾。

  伏尔泰不仅在哲理小说中揭示了封建专制社会种种不合理的黑暗的现象,表现出这个社会的荒诞的图景,而且十分具体地把批判、揭露的矛头指向了腐朽的贵族阶级、反动教会和全部的封建国家机器,否定了它们存在的价值。他无情地嘲笑贵族的阶级偏见,用讽刺性的形象表现出这个阶级没有什么值得自傲,只是一堆荒淫可耻的废物。在《老实人》中,关于邦葛罗斯的脏病的"家谱"的那段叙述,就把贵族阶级中一片淫乱丑恶的关系揭露得淋漓尽致:原来邦葛罗斯的病是从侍女巴该德那里染上的,巴该德的病"是一个芳济会神甫送的,神甫的病得之于一个老伯爵夫人,老伯爵夫人得之于一个骑兵上尉,骑兵上尉得之于一个侯爵夫人,侯爵夫人得之于一个侍从,侍从得之于一个耶稣会神甫,耶稣会神甫当修士的时候直接得之于哥伦布的一个同伴"。伏尔泰的哲理小说还非常尖锐地揭露了封建专制官僚机构和反动教会的黑暗腐朽。在《天真汉》中,他通过主人公与圣伊弗的不幸故事,使这种揭露达到了悲剧性的效果——天真汉入狱后,他的叔父来到巴黎企图走教会的门路进行营救,然而却在教会官僚机构面前处处碰壁,在这里,人是无能为力的,奇冤无望得到平反,每一个门路的入口都被堵塞着,因为每一个教会当权派都忙于与贵族妇女寻欢作乐,完全沉浸在荒淫的生活里,无暇他顾。至于圣伊弗对天真汉的搭救,更是被摧残、被蹂躏的悲剧,她虽然走通了权势极大、"能善能恶"的朝臣的门路,然而是以贞操和生命为代价,最后在悲愤、痛苦中死去。通过这个少女的悲剧故事,伏尔泰对专制政体进行了有力的控诉,至此,世俗的和教会的官僚机构狰狞丑恶的面目,在他笔下完全暴露无遗。

在这两种反动、腐朽的统治机器中,伏尔泰对教会的揭露则更为集中、更为尖锐。他的哲理小说里的教会人物个个都是卑鄙无耻、荒淫腐朽之徒,教会本身就是为非作歹的特务组织。天真汉在去巴黎的路上仅仅因为碰见了几个新教徒,和他们一起抱怨了南特敕令取消以后宗教迫害所造成的不幸,就被教会特务告密,并无端被诬告为"图谋火烧修道院,绑架姑娘",一到巴黎就被捕入狱,而和他同牢房的一个修士也仅仅因为属于与耶稣会不同的教派,"认为教皇不过是个主教",就"不经过任何手续"被剥夺了自由。至于反动教会所进行的宗教迫害,伏尔泰在他主要的几篇哲理小说中都从不忘记加以揭露,并且把这种迫害描写得荒唐可笑、残酷可怕。特别典型的是《老实人》中主人公与邦葛罗斯险被宗教裁判所烧死的经历,他们遭此厄运只是因为与两个有异教徒之嫌的人"说了话","听的神气表示赞成"。同一篇小说里的另一个人物也因为与一个异教徒在一起洗了澡,"算是犯了大罪",所以被"打了一百板子,罚作苦役"。这些描写虽然伪托于从前的异国,但都是对法国反动教会宗教迫害的直接影射。伏尔泰本人也曾不止一次面临过这种迫害的威胁,路易十五的王后去世时,就曾遗命要惩罚伏尔泰的"不敬神明之罪";当他晚年最后从菲尔奈动身前往巴黎时,也曾顾虑"在那个城里有四万束木柴给我布置火刑场"[1]。他一生为争取宗教容忍而不断进行进步的舆论斗

---

[1] 转引自安德烈·莫洛亚:《伏尔泰传》第20节。

争，他在哲理小说中对反动教会宗教迫害的那些夸张的讽刺的描写后面，正是他强烈的愤怒和憎恨。

耐人寻味的是，伏尔泰在把封建阶级作为占据统治地位的庞然大物加以揭露批判的时候，还预言了它必然的没落和潦倒，在一种夸张的想象中狠狠地给予了无情的嘲笑。《老实人》第26章就有一段非常有趣的描写：老实人在一家小旅店里遇见了6个丢失了王位的国王，其中有的已经"囊无分文"，靠赊账过日子，时刻都有进监狱的危险。这种漫画式的描写虽然荒诞，但是从本质上反映了18世纪法国的君主专制政权已经面临破产和崩溃。至于那些封建贵族，伏尔泰在哲理小说中，对他们以门第自傲与他们日趋破落之间的矛盾也进行了辛辣的讽刺。所有这些，都表现了伏尔泰对现实生活中阶级状况深刻的观察、对历史发展趋势的卓越的预见。

作为资产阶级的思想家，伏尔泰适应了自己时代的要求，在哲理小说中集中地揭示了现存秩序的不合理，致力于打破封建社会中传统的幻想，引起人们对现存秩序永世长存的怀疑，无疑为向1789年发展着的历史进程制造了革命的舆论，他哲理小说中的揭露和批判所具有的重要意义也就在这里。特别可贵的是，这种揭露、批判并不限于封建阶级，也触及了思想家自己所属的那个阶级，《老实人》中一个黑人对老板控诉的那一段，就十分尖锐地揭露了资本主义剥削方式的残酷。伏尔泰能作出这样的描写，正反映了他作为先进阶级的思想家的特点。

三

伏尔泰是一个明显具有二重性的作家。他既是封建专制政体的反对派，又是欧洲君主的座上客；既是贵族阶级损辱的对象，又是他们尊奉的文化智识界的头面人物；既是一个勤奋的智力劳动者，又是一个从投机商业中牟取了巨额钱财的资产者。这种社会地位决定了他的思想的复杂性。这种复杂性鲜明地表现在他的哲理小说里，在这些作品里，强烈的反封建性往往与明显的保守性是那么尖锐地同时并存。一般说来，伏尔泰在对旧社会、旧事物进行揭露、批判的时候是强有力的，而一涉及正面的理想、变革的途径时，就暴露出他作为上层资产者的局限。

首先，伏尔泰缺乏彻底的反封建精神，他面对没落腐败的封建社会，并没有提出革命的、变革的要求，而表现出了巨大的软弱性和妥协性。在《如此世界》中，他虽然影射法国的现实，进行了尖锐的揭露，但与此同时，又在不合理的现实中去挖掘合理的因素。一方面把用来影射巴黎的柏塞波里斯城描写成一个堕落的、本来应该招致神怒而遭毁灭的城市，另一方面又描写这里有"贤明的君主"，有"连续不断辛苦了40年，难得有片刻安慰的大臣"，上流社会虽然腐化，但物质文明"精美动人"、人物"风雅可爱"，总之，"这许多卑鄙的和高尚的性格，这许多罪恶和德行……兼而有之"。因此，他让那个代表神去考察这城市的主人公作出这样的判断："即使不是一切皆善，一切都还过得去。"而在小说的最后，由神决定"让世界这般下去"。这些描写无疑大大地削弱了小说对封建专制社会的批判，而伏尔泰对是否应该毁灭不合理的旧世界这个问题给予了否定的答复，也正表明了他对现存秩序带有巨大的妥协性。

同样的妥协性的弱点也表现在《天真汉》中。在这篇小说里，伏尔泰以赞赏的笔调描写了天真汉的"纯朴的德性""自然的人情"，但他不像卢梭那样提出了"回到自然"的思想，而认为"纯朴的人"应该"文明化"，因此，他写了天真汉在监狱里学习了各种知识，发展成为一个有高度文化修养的人。而且，伏尔泰还把某些反封建的、启蒙的思想赋予这个人物，让他成为一个理性主义的人的标本。但与此同时，伏尔泰世界观中的缺陷也在天真汉的身上打下了烙印，使这个人物在一些重大的问题上，如对君主的看法、对宗教和教会的看法上，带有浓厚的保守色彩，他虽然身受专制政体的迫害，他的爱人也是这个罪恶制度的牺牲品，但小说的最后，"由于特·河伏大人的提拔，天真汉成为了一个优秀的军官，得到了正人君子的赞许"，也就是说，他被统治阶级笼络过去，成为了贵族上流社会的一员，而这个社会本来是与他纯朴的性格完全对立的。伏尔泰最后让贵族资产阶级的"文明社会"同化了主人公的天真，天真汉和现实社会的妥协，也正反映了伏尔泰思想上的妥协。

伏尔泰哲理小说中一再出现的妥协倾向，当然不是偶然的，这正是他作为上层资产阶级一员的保守性的必然表现。伏尔泰本人是一个拥有百万家财的富翁，虽然他在《查第格》中成功地写出了在封建专制政体下的窒息感和受迫害感，但这种感受毕竟只是资产阶级在封建统治下不得自由的体验，正像查第格这个"年少多金"的阔绰公子在那个社会里的痛苦，只是不能"快乐度日"的痛苦一样，伏尔泰在封建社会里所感受到的矛盾与18世纪劳动人民，甚至下层市民小资产阶级所受的剥削和压迫，也不能同日而语，这就是为什么他在自己的哲理小说中一再表现出软弱性、妥协性的原因。

那么，伏尔泰在与旧世界妥协的同时是否也有对世界的理想呢？理想是有的，他在《老实人》中就写了一段主人公游黄金国的故事，勾画出他的乌托邦理想国。在这里，地上的泥土石子就是黄金，根本没有人要，人们穿的是"金银铺绣的衣服"，吃的是"珍馐美馔"，住的房屋"仿佛欧洲的宫殿"，没有法院和监狱，"每个人都是自由的"，没有宗教狂热，但人们"从早到晚敬爱上帝"。这个理想国就是伏尔泰的社会政治理想的图解，它固然表现了伏尔泰对现存封建社会的不满，但却带有十足的唯心主义的性质和作者本人对富贵生活的趣味。既然伏尔泰看不到变革封建社会的具体途径，他对未来理想社会的构思就不可能有任何科学的基础，而只可能流于一种凭空的幻想了。

值得注意的是，伏尔泰的黄金国里也有"贤明的国王"，看来，他把这一点看作是黄金国之所以成为幸福国度的最根本的原因。在《查第格》里，为什么主人公会有种种不幸的经历？伏尔泰认为原因在于没有贤明的君主，对国家的管理不当。后来查第格当上了宰相，以哲学家的方式治理国家，允许言论、信仰自由，反对教派成见和宗教狂热，最后又当上国王，成为了一位贤君，"从此天下太平。说不尽的繁荣富庶，盛极一时。国内的政治以公平仁爱为本，百姓都感谢查第格"。伏尔泰通过这一番描写显然是企图说明，改变现实的最可靠的途径就是开明君主政治。从《查第格》到《老实人》，我们都可以看到伏尔泰始终没有摆脱这种历史唯心主义的幻想，即对开明君主的向往，并且一再把它作为解决现实矛盾的方案。这是伏尔泰阶级局限性的又一重要的表现，当然，这种对开明君主的幻想，不仅在伏尔泰身上存在，在 18 世纪其他的启蒙思想家，如孟德斯鸠、狄德罗、布封的身上也都存在，因而，也是一种历史局限性的表现，是资产阶级革命的历史条件尚未完全成熟所决定的，伏尔泰在自己的小说里一再表现了这种幻想，几乎可以说是必然的了。

不过，伏尔泰毕竟是一个吃了君主专制政体不少苦头的资产阶级思想家，他虽然怀着开明君主的幻想，但他在现实生活中却找不到这样的君主，相反，他所见识过的欧洲封建国君还一一使他受过损害和屈辱，那么，如何才能消除现实生活的不合理？如何才能建立比较合理的生活呢？也许是由于以上原因，他在自己的哲理小说里，似乎并没有把希望全都寄托在与黄金国同样渺茫不可求的开明君主的身上，而是进行了新的探索。他把自己探索的结论写在《老实人》的结局中。最后，老实人和他的同伴经历了现实生活的种种苦难，见识了满目疮痍的世界后，结成了一个小小的团体在一起生活，他们买下了一小块土地分工负责进行耕作，他们不时也探讨生活的意义，结果认为只有工作才能使人"免除三大害处：烦闷、纵欲、饥寒"，因此，得出了"种我们的园地要紧"这样的结论，并且把它当作了他们生活的信条。这个结尾可以说是伏尔泰哲理小说中最意味深长的片段，"种我们的园地要紧"这句话也具有某种箴言式的概括性，既是伏尔泰所提出的医治不合理的社会现实的方案，也是他所主张的人对生活应该采取的态度。作为医治不合理社会的方案，它显然比对开明君主的幻想来得脚踏实地；作为对待生活应采取的态度，它在当时统治阶级糜烂不堪、社会风气腐败恶浊的历史条件下，也表现了新兴资产阶级的进取精神。不妨说，它正是当时整个一代资产阶级进步人士、启蒙思想家那种实干的精神和努力工作的态度的某种富有诗意的概括。在这两个意义上，它具有一定的积极意义，不过，我们也应该看到，它作为应该如何对待那样一个不合理的世界的结论，毕竟又带有某种抽象的、笼统的性质，并且只不过达到了提倡埋头工作、独善其身的高度，在进步性之中又表现出了一种历史的、阶级的局限性。

四

在伏尔泰研究中，人们往往会提出这样一个问题：为什么伏尔泰以毕生精力从事的悲剧创作和史诗创作并没有结出后人所喜爱的硕果，倒是他漫不经心创作出来的，并从未加以重视的几篇哲理小说，居然成了18世纪启蒙文学中具有代表性的实绩而得到了后人的喜爱？

内容与形式的统一是完美的艺术品所必须具备的条件，是一部作品具有持久艺术生命力的根本保证。伏尔泰的悲剧和史诗作品之所以缺少这种生命力，原因在于内容与形式的矛盾，而他的哲理小说之所以具有这种生命力，就在于其内容与形式的和谐统一。作为一个18世纪的思想家，伏尔泰在自己的作品里总是企图宣传他的启蒙思想，然而，在史诗创作中，他按照17世纪古典主义的规范，对古代罗马的史诗进行了盲目的模仿，而在悲剧创作上，他也只是高乃依和拉辛的师法者，以追求古典主义的标准为其目的。这样一种对前人亦步亦趋的态度，只能使他等而次之。更主要的是，体现了17世纪绝对君主专制的政治标准和艺术标准的古典主义的艺术创作方法，到了18世纪已经陈旧过时，不再适于表现新的时代内容，因此，当伏尔泰继续拘泥于古典主义美学标准的时候，他那生气勃勃的启蒙思想内容就受到了旧的艺术形式的束缚和限制，形成了尖锐的矛盾。在伏尔泰的哲理小说创作中，情况就完全不同了，在这里，他没有模仿某种过时的、僵化的文学传统，而是根据其启蒙思想内容的需要，找到了适合的艺术形式，通过短小精悍的篇幅、灵活自如的叙述、滑稽的笔调，在半神话式的或传奇式的故事里注入哲理寓意，达到影射讽刺现实、宣传启蒙思想的目的，这就使他的哲理小说同时具有了高度的思想价值和艺术价值。

文学创作之高低，本来就有莎士比亚化与席勒化的区别，而以阐释哲理为目的的作品往往就更容易流于概念化和直接说教。伏尔泰的哲理小说在艺术上的可贵处首先在于避免了这种常见的通病。他既善于通过形象来表现哲理，也善于从生活形象中发掘哲理，因此，他在小说中极少有直接的说教，总是让形象本身向读者启示某种寓意。而且，还应该承认，小说中的某些哲理本来是很不容易找到适当的形象来加以表现的，而伏尔泰在这方面也做得颇为成功。如他在《如此世界》里要说明现实社会善恶并存的复合状况，就构思出这样的情节：主人公用最名贵的金属和最粗劣的泥土、石子混合起来，塑造一个小小的人像，去向神灵汇报，而他表现"让世界如此这般下去"这一妥协改良的思想，则是通过主人公向神灵的这样一段陈词："你是否因为这美丽的人像不是纯金打的或钻石雕的，就把它毁灭掉。"在这一段描写里，我们尽可以指出伏尔泰所要表现的思想内容的局限性，但不能不承认这里有着巧妙的艺术构思。像这一类丰富的想象、巧妙的构思，在伏尔泰的哲理小说里是不鲜见的，《老实人》中以邦葛罗斯可悲的经历对照出"一切尽善尽美"论的荒谬,《天真汉》中以主人公按《圣经》行事却偏偏与周围现实发生尖锐矛盾的故事揭示出宗教的虚伪和社会风俗的腐败,都是明显的例子。

要选择合适的形象表现哲理,最重要的是要求形象本身具有典型性、概括性。伏尔泰在哲理小说中成功地做到了这点,他所运用的形象一般都能准确地表现出事物的本质,他所描绘的人物都能体现18世纪社会阶级关系的真实。他写贵族、写教士都抓住了这类人物的本质特征,简短的几笔就能突出要害;他写专制政治的黑暗、天主教会的反动、残酷,都是通过典型的事例,足以给读者造成强烈的印象;而他写世态风俗,往往选用最有代表性的细节,略加描述,即烘托出整个的风气。因此,在他的哲理小说中,颇不乏艺术典型化的精彩片段,如《天真汉》中这样写天真汉的叔父在巴黎碰壁的情况:

> 院长去求见拉·希士神甫(国王的忏悔师,国内第一位贵人),拉·希士神甫正在招待杜·德隆小姐,对院长们一概不见。他到总主教门上,总主教正和美丽的特·来提几埃太太商量教会的公事。他赶到摩城主教的乡村别墅,这主教正和特·莫翁小姐审阅琪维太太的《神秘之爱》。

短短百来字,就把教会官场的腐朽和教会当权派的丑恶全都揭露了出来。

伏尔泰哲理小说中的形象描绘既具有优秀文学作品都具有的典型化的共性,也具有伏尔泰本身的特点,夸张滑稽,意味隽永。伏尔泰的描述有时近似漫画,他对细节的真实毫不在意,总是采取夸张的手法,把他描写的对象的某种特征加以夸大,虽然并不构成酷似现实的图景,但却突出对象的本质。由于他是以不合理的现实作为描写对象,因而他常常把那些不合理的东西夸张到了荒诞的地步,以荒诞的叙述来表现 18 世纪没落的封建专制社会的荒诞本质。这种荒诞图景的色彩不是阴森可怕、压抑低沉的，而是充满着作者的嬉笑、揶揄和嘲讽，形成一种滑稽的基调，一种明亮的色彩。似乎可以这样比喻，伏尔泰这一个在智力上不知超过他的同时代一般人多少倍的思想家，就像他有一篇哲理小说①中的那个奇大无比的巨人一样，以开阔的眼光、高超的智慧，看着那个小小地球上蝼蚁般的小人，带着嘲讽的微笑，指数着他们的不正义、纷争、偏见、腐败和恶习。正因为他是从很高的思想境界，以一眼就看透了的洞察力观察人和世情，得出了真知灼见、精辟见解。所以表现在他的哲理小说里，滑稽夸张之中又带着隽永的意味，因内而符外，这就形成了伏尔泰哲理小说独特的艺术风格。

伏尔泰的哲理小说显然深受《一千零一夜》的影响。在体裁样式、结构形式和叙事方法上，伏尔泰都从这一部东方的故事集里得到不少借鉴，他的哲理小说叙事流畅自如，简繁得当，传奇色彩很浓，颇能引人入胜。他显然还从拉伯雷那里吸取了营养，继承了这位 16 世纪人文主义作家那种开朗乐观的精神和冷嘲热讽、嬉笑怒骂的泼辣风格，只不过他不及拉伯雷那样气魄宏大、风格粗放，而多了一层 18 世纪那种精致的文明化的色泽。至于伏尔泰的哲理小说在语言艺术上的成就，既然 20 世纪有位优秀的法语作家曾经这样讲过——"因伏尔泰之功，法语才得以在 18 世纪中风靡全欧，才成为语言的光荣"②，那么我们也就无须再作其他的评价了。

1979 年 3 月

---

① 《小大人》。
② 安德烈·莫洛亚：《伏尔泰传》第 22 节。

"四人帮"的攀附与《红与黑》的意义

一、"四人帮"的攀附

在被"四人帮""彻底扫荡"的外国文学领域里,《红与黑》是少数"幸存者"之一。它在"四人帮"文化专制主义的低压气候下,居然"有幸"被"四人帮"所"肯定","四人帮"的大人先生们甚至还自己出面来"推荐"这部小说,称赞它是一部"政治小说",还赏给了几个对优秀古典遗产从来不轻易给的赞词,当然,不再提自己在若干年前使用"无产阶级的金棍子"把《红与黑》打成"色情小说"的事了,把这事远远抛在了脑后。

这倒的确引起了一个问题:《红与黑》究竟是一部什么样的作品?它得到了反革命"四人帮"的肯定,因而也自然引起了一些同志对它的警惕和疑虑。

然而,一个作家、一部作品所经历过的历史命运,往往有很复杂的情形,杰出的、优秀的作品固然经常是受到先进阶级和人民群众的喜爱和欢迎,但被反动、腐朽的社会阶级力量加以攀附和利用的事例也不鲜见。

例如,在1908年至1911年,俄国革命处于低潮时期,反革命的白色恐怖笼罩全国,绞架和监狱遍布各地,文艺领域里也泛滥着资产阶级反动、颓废的思潮,但是,在1908年托尔斯泰80寿辰的时候,这位表现了"对国家、对警察和官办的教会的那种强烈的、激愤的而且常常是尖锐无情的抗议"①的作家，却居然得到了统治阶级的赞美。当时俄国的合法报刊满版都是祝贺的文章、书信和简讯，"充满着伪善，简直令人作呕"，它们"昨天还奉命攻击托尔斯泰，今天又奉命在托尔斯泰身上寻找爱国主义，力求在欧洲面前遵守礼节"；与沙皇政府暗中勾结、鼓吹君主立宪，反对革命的地主资产阶级自由派也出来"攀附这个极有声望的名字"，"为了增加自己的政治资本"和"为了扮演全民反对派领袖的角色"②。

《红与黑》在"四人帮"那里受到的待遇，与这有些相仿。

我们注意到，"四人帮"出来"推荐"《红与黑》之日，正是他们大规模毁灭文化、实行文化专制主义、推行愚民政策已经积怨很深、声名狼藉之时，他们想把自己毁灭文化的丑恶形象多少掩饰一下，想给自己空空如也的口袋增加一点政治资本，于是，也出来"推荐"外国古典文学作品。正是在这种背景下，他们求助于《红与黑》。特别具有讽刺意味的是，《红与黑》这一部杰出的世界文学名著竟被"四人帮"和一些反动小说列在一起，这与其说是"推荐"，毋宁说是糟蹋和败坏。这个不伦不类的书单，正暴露了"四人帮"的不学无术、为装门面而附庸风雅的丑态，暴露了他们的政治用心和阶级趣味。他们大肆吹捧一些反动小说，正反映了他们反动的政治立场和阴暗的阶级心理。至于对《红与黑》，他们在攀附的同时，又竭力抹杀它进步的思想内容，歪曲它的社会政治意义，企图把它纳入他们唯心史观的思想模式，以便为"四人帮"的反动政治利益服务。

《红与黑》究竟具有什么进步的思想内容？它对革命的无产阶级究竟具有什么意义？从马克思主义的观点阐明这个问题，对于戳穿"四人帮"的攀附伎俩，对于正确地贯彻批判继承的原则，做好古典

---

① 《列夫·托尔斯泰》，《列宁全集》第十六卷，第322页。
② 《列夫·托尔斯泰是俄国革命的镜子》，《列宁选集》第二卷，第370页。

遗产的评介工作，都是很有必要的。

二、《红与黑》反映了自己时代哪些本质的方面

《红与黑》写于1828~1829年，于1830年七月革命以后第一次出版，原版小说的扉页上有一个副标题：《1830年纪事》。对此，司汤达作了这样的说明："作者所要描写的，正是路易十八和查理十世的政府所带给法国的社会风气。"①这部作品形象地描写了1815~1830年复辟王朝时期的阶级矛盾与阶级斗争，反映了法国资产阶级革命以后整个历史阶段中封建贵族复辟与资产阶级反复辟斗争中一些重大的问题，是文学史上一部优秀的作品。

列宁在论托尔斯泰时曾经说过："如果我们看到的是一位真正伟大的艺术家，那么他就一定会在自己的作品中至少反映出革命的某些本质的方面。"②《红与黑》所描写的这个时代究竟存在什么主要矛盾？它的描写反映了这个时代哪些本质的方面？

18世纪法国资产阶级革命推翻了波旁王朝几百年来的君主专制统治，把"君权神授"的国王送上了断头台，新建立的资产阶级国家剥夺了王室、大贵族和反动教会的土地所有权，以资本主义的土地所有制取代了封建主义的土地所有制，以资产阶级的"自由""平等"取代了贵族阶级的特权和专制。在这个过程中，反动贵族阶级不甘心退出历史舞台，进行了激烈的反抗，欧洲各国的封建君主也始终进行了干涉，因此，从斐扬党到吉伦特党再到雅各宾党政权的更迭，都是为了回答如何才能有效地粉碎国内外阶级敌人的反抗这个迫切的问题。法国大革命由于广大的人民群众在其中起了伟大的作用，而成为世界历史上最为彻底的一次资产阶级革命。法国大革命的成果，经过拿破

---

① 格吕福·帕珀拉（司汤达的化名）：《关于〈红与黑〉》。
② 《列夫·托尔斯泰是俄国革命的镜子》，《列宁选集》第二卷，第369页。

仑的资产阶级帝国，又得到了进一步发展和巩固。拿破仑帝国是为强化资产阶级专政以粉碎反革命复辟这一历史需要而出现的，它在整个资产阶级革命过程的复辟与反复辟斗争中起了巨大的历史作用，它在整个欧洲范围内与沙俄、奥地利、德意志等国封建君主进行的战争，实质上是关系到"50年后欧洲是共和制的欧洲还是哥萨克式的欧洲"两种制度的大搏斗。然而，由于资产阶级本性所决定的某些缺点和错误，还由于欧洲的封建力量一时占较大的优势，拿破仑帝国告终了。1815年，波旁王朝复辟，路易十八上台，建立了流亡贵族和大地主的反动政权。

复辟和反复辟的斗争始终在进行，谁战胜谁的问题还没有彻底解决，这是大革命后到复辟王朝几十年的历史时期的实质。这一斗争时张时弛地贯穿在整个复辟时期，发展到1830年七月革命的前夕，又呈现一触即发的形势。

正是在这样的历史背景和政治形势下，司汤达写作了小说《红与黑》。

司汤达在《红与黑》的卷首，引证了大革命时期资产阶级革命家丹东的名句，"真实，严酷的真实"，以此来说明作品的现实主义的性质。他正是以真实描写现实为己任，自觉地在小说里表现时代社会的风貌，使小说像一面镜子真实地反映出复辟时期是一个反动、黑暗的时期，对大革命和拿破仑帝国而言，是历史的倒退。

小说是在把复辟时期和拿破仑帝国进行对照的基础上来加以揭露的。小说标题的"红"，是指红色的军装，代表充满了赫赫功勋和英雄主义的资产阶级革命时期，特别是拿破仑帝国；"黑"是指教士的黑袍，代表教会恶势力猖獗的复辟时期。在复辟时期，流亡国外的贵族卷土重来，建立了反动的政治统治，他们贪污腐化、飞扬跋扈、鱼肉人民。小说通过对德·瑞那市长和拉摩尔侯爵的权势的描写，表现出了一幅反动贵族统治的缩影。那个贵族出身的市长利用自己的政治地位，巧取豪夺，不断扩充自己的财富，他为修建自己的大花园，甚至可以假借权势，使公共的河流改道。拉摩尔侯爵这个"法兰西的大臣"，贵族统治时期的种种黑暗在他的府第应有尽有：骄奢淫逸，营私舞弊，卖官鬻爵，投机倒把，结党营私，狼狈为奸。在这里出入的都是些"漂亮的坏蛋"和"戴勋章的恶棍"。这个反动的阶级在对人民进行残酷的压榨的基础上过着荒淫无耻的生活。第一卷第十八章《皇帝驾到维立叶尔》中，场面豪华，耗资巨大，仅仅在教堂里短短演说几分钟的仪式，就"已经费去了3800法郎"。在拉摩尔侯爵家大场面的舞会和讲究的晚宴上，有几十个穿着华美制服的仆人，整个晚上，每隔一分钟，就要送上一次冰制的点心。到了夜半，还有佐以香槟酒的晚餐。小说也绘制了复辟时期黑暗的社会生活的画面：教会大搞特务活动，无孔不入地严密监视普通人的日常生活，到处都是阴险的暗算和迫害。我们看到，于连偷藏了一个拿破仑的画像就经常胆战心惊，他在神学院时的信件受到严格的检查和扣留，他在去斯特拉斯堡的路上，一直受到了教会特务的跟踪，他和市长夫人的关系也被反动教会利用来达到卑鄙的目的。就是一部分资产阶级也不得安宁，在第二卷第一章中，一个拥有50万法郎的有产者，因为得罪了地方的教会势力而受到了没完没了的刁难，最后被排挤得无立身之地。复辟王朝统治下恶浊沉闷的社会风气，在小说里也有深刻的描写，"流氓依靠教会"，"虚伪妄诞发展到登峰造极"。作者告诉读者，"自从拿破仑失败以后"，资产阶级革命时期那些轰轰烈烈以及"一切类似风流的举止"严格地从外省的风俗里一律排斥了，取而代之的，是保守因袭、卑劣无耻的习气。在青年主人公于连的心目里，这是一个充满了"公开的贪污""卑鄙的虚荣"，到处是"社会的蟊贼""杀人不眨眼的刽子手"的时代，而他童年时拿破仑帝国给他留下的印象，都是一幅幅由与欧洲封建君主战胜归来的"穿着白袍头戴银盔"的"威武的骑兵"所构成的动人画面。在第二卷第一章中，一个人物在听到当时一些荒谬的社会现象时，这样说："假如你生长在拿破仑的时代，这一切你都不会遭受到的。"小说的作者通过这样的描写表现出贵族阶级的复辟就是历史的倒退。他站在批判的立场上，否定了复辟王朝存在的合理性，用形象的描绘向读者揭示出这个"一般人都感到苦闷"的社会必须加以变革。

马克思在论述法国大革命的时候说过："18世纪法国革命的大扫帚，把所有这些过去时代的垃圾都扫除干净，从而从社会基地上清除了那些妨碍建立现代国家大厦这个上层建筑的最后障碍。"[①]1815年波旁王朝的复辟之所以是历史的倒退，其根本原因就在于它是在资产阶级革命已经打扫干净的社会基地上，恢复了旧阶级的政治统治。但是，"革命愈深入，旧制度复辟也就会愈困难，而在复辟发生时所保留的成果也愈多"[②]，因而，在资产阶级革命改造过的社会基地与1815年上层建筑领域里的反革命复辟这两者之间，就有了深刻的不可调和的矛盾。波旁王朝和它代表的阶级力量硬要支撑下去的复辟王朝是早已失去社会基础的，这决定了它不可能巩固持久地存在下去，复辟时期的阶级斗争正显示出了这样一个根本特点。《红与黑》像一面镜子反映了这一深刻的矛盾，表现出由这一矛盾所规定的紧张的阶级关系。

从小说中可以看到，作为封建统治的一个重要支柱的等级制度，虽然由于王朝复辟而恢复了一部分，但由于资产阶级革命彻底改变了社会生产关系，在社会生活中，资本主义等价交换的法则已经占主导地位。市长先生尽管是个有权有势的贵族，但他在聘请于连当家庭教师上根本无法使用任何特权，而不得不按等价交换的原则办事，而一旦劳动力成了商品，价值规律就有不可抗拒的作用，就连于连的父亲

---

① 《法兰西内战》，《马克思恩格斯选集》第二卷，第372页。
② 《社会民主党在1905年至1907年第一次俄国革命中的〈土地纲领〉》，《列宁全集》第十三卷，第200页。

这个还没有脱离劳动的小业主,也很善于利用市长和瓦列诺对家庭教师这种劳动力的需求,向市长讨价还价,于连这个还未成年的小青年也常利用"口袋里装着别人的聘约"这种讹诈,在市长这个贵族权贵的面前抬高自己的身价。在这个社会里,金钱和资本取代了特权、门第而成为社会生活的杠杆,市长太太之所以受人尊敬主要不是因为她出身于名门贵族,而是因为她是一大笔遗产的继承者,她丈夫发现了她与于连有暧昧关系,就是看这笔遗产的面子才善罢甘休的。封建贵族虽然复辟了政治统治权和作为这一政权的支柱的教权,但在"一切东西,不论是不是商品,都可以变成货币,一切东西都可买卖"①的那种社会条件下,资本主义关系马上又侵入贵族阶级复辟了的这个领域。作者特别提醒读者注意的那个人物瓦列诺出身低微,却靠贪污起家,用钱先弄到贫民寄养所所长的差事,然后又发了大财,再用金钱的力量,爬到省长的地位,受封为男爵。同样,教会的职位再也不像封建时代那样,专向贵族家庭长子以下的诸子开放,成为他们特有的出路,而往往在金钱的魔力面前门户大开。于连的朋友、青年木柴商人福柯就向他保证说:"我会想法给你弄一个本城最阔气的教士的职位。"也正因为等价交换、劳动力作为商品、金钱作为社会生活的杠杆这些资本主义的土壤已经不可变更,不仅新的资产阶级暴发户不断产生,就是那些尽力重新恢复旧日法国生活方式标准的贵族阶级,或者"在庸俗的、满身铜臭的暴发户的逼攻之下逐渐灭亡","或者被这一暴发户所腐化"②,那个把"有利可图"当作他行事处世唯一原则的德·瑞那市长,除了从他讲起自己的家谱还可以看出他的贵族出身以外,已经完全是一个靠经营工业攫取财富的资产阶级了。还有那个世袭几代的大贵族、国王的亲信拉摩尔侯爵,也在巴黎市场上大搞投机买卖,大发其财。这两个贵族人物的

---

① 马克思:《资本论》。
② 《恩格斯致玛·哈克奈斯》,《马克思恩格斯选集》第四卷,第463页。

形象，反映了当时能掌握到金钱和资本的那一部分贵族阶级，在当时已成为历史必然性的资本主义法则下，已经开始了资产阶级化。

社会经济生活的变化，不会容许复辟了的旧制度长久维持下去。上层建筑意识形态领域里已经形成的资产阶级思潮，也不断地冲击着复辟的旧制度。资产阶级自由、平等的观念已经深入人心，在偏僻的外省，一个穷青年的手头也有卢梭那本宣扬个性自由、反对封建等级制度和君主专制的《忏悔录》，并且"全靠这宝来建筑自己的理想世界"。尽管复辟王朝统治了十几年，但还不能恢复等级特权思想的绝对统治地位。那位市长先生倒的确想要在自己家庭范围里维持严格的等级，对自己的妻子也进行这样的家教："要保持我们的地位和权威，所有在你家生活的人，只要他不是贵族，接受了工钱的都是你的奴仆。"但就是在这个家庭范围里，他这条原则也遭到强有力的挑战，于连受聘的第一个条件，就是要与主人同桌吃饭。当市长向他摆贵族老爷的臭架子时，他不止一次以激烈的言辞维护自己人格的独立，并且处处计较贵族主人是否以平等的态度对待自己。

对复辟王朝冲击更大的是社会上对资产阶级皇帝拿破仑的怀念。拿破仑时代是法国历史上资产阶级专政强化、资产阶级革命成果得到巩固的时代，拿破仑的垮台"在整个欧洲成了反动派对革命的胜利"，人民对此充满了一种愤慨的情绪。1815年路易十八返回巴黎时，首先碰到的就是这种愤慨，当过复辟王朝外交部长的极端保皇党人夏多布里昂，在他晚年的回忆录里对路易十八进入巴黎时的"欢迎"仪式的气氛曾经这样描述："我想人类的脸孔从没有过这样威逼和可怕的表情，这些遍布伤痕、征服过整个欧洲的掷弹兵，他的伍长都被清洗了，他们在拿破仑的被侵占的首都，被俄国、奥地利、普鲁士的军队监视着，被迫前来欢迎一个年老体衰、不合时代潮流的国王，他们一些人擦着额头，把装饰着羽毛的军帽拉下来遮住眼睛，不想目睹当前的情景，一些人撇下嘴角两边的肌肉，表现出可怕的轻蔑；一些人像老虎一样，在髭须下露出牙齿，当他们举枪的时候，动作非常粗暴，发出的声音简直令人战栗。"①这是一个极为典型的场景，几乎可以说是整个复辟时期一直蕴藏着风暴的社会情绪的象征性的缩影。

这种情绪就是对拿破仑的怀念、向往以及与此相关的对波旁王朝的不满。我们看到，在小说里，虽然统治阶级把对拿破仑的崇拜视为一种"大逆不道"，如果被人发现有这种问题，"名誉就要破产"，但于连在去巴黎的路上，就听见有人在公共马车里这样称赞拿破仑的时代："法兰西从来没有比他在位的13年里，受到各民族更高的崇敬了。"这一称赞的后面，正是对复辟王朝屈膝投降、成为欧洲神圣同盟君主的傀儡这一现实的不满。于连少年时碰到的第一个启蒙教师，也是拿破仑的热烈信徒，他经常向于连讲述拿破仑那些充满进取精神的征战故事，并且送给于连一部拿破仑记述自己生平的《圣爱伦岛回忆录》。拿破仑虽然在1821年就已经去世，但他的回忆录却成为了于连这一代青年人最珍爱的书籍，甚至是行动的指南。《红与黑》所塑造的复辟时期这种崇拜拿破仑的社会思潮的典型人物，就是于连。他第一次出场就是在偷看这部遭禁的回忆录，他还珍藏着拿破仑的画像，热烈企望着拿破仑式的资产阶级帝国能够再现，同时对复辟社会又充满了一种仇恨和叛逆的思想。在第一卷第十二章中，他有机会旅行到空无一人的山顶，他就把"会招致危险"的思想写成文章，下山的时候又悄悄把它烧掉。于连这一类青年希望社会变动，用于连的话来说，"法国有30万25岁的青年热烈地盼望战争"，而战争，在1789年以后的法国社会生活中，就意味着革命。

《红与黑》就是这样通过对社会矛盾的描写，从经济生活和意识形态两个方面揭示出资产阶级革命所造成的社会现实，客观上成为了贵族阶级的复辟既不能巩固，也不可能长久维持下去的条件。并且，

---

① 夏多布里昂：《墓外回忆录》第三卷。

在复辟王朝现有秩序的深刻危机的背景上，突出了1830年七月革命前的阶级斗争，把资产阶级与贵族阶级激烈的争夺表现得很深刻。

复辟时期，在野的反对派有主张君主立宪的自由党人和主张共和的共和派，以及拿破仑主义者，不论他们所主张的政治形式和所拥护的领袖有什么不同，他们纲领的实质都是要以资产阶级的统治取代贵族阶级的统治。这一斗争一直在进行。小说的第一卷就呈现出外省紧张的阶级斗争的气氛。一个巴黎的资产阶级自由党人，到外省来参观监狱、贫民寄养所和慈善机构，准备收集材料在自由党的报纸上加以揭露，这件事就使得统治者神经紧张了起来，他们马上把国家机器开动起来，该省的省长专派宪兵骑马跑了一整夜来通知地方当局以便进行阻挠，市长也赶忙布置不许参观。在第一卷第十七章中，围绕着维立叶尔市第一副市长的职位，也展开了两个阶级的争夺战，政府当局与教会支持一个"本地最虔诚的人物"出任，而一个很富有的工业家就出来和他竞争，但当地的贵族又想方设法挫败这个自由党人的目的，在那位贵族市长的眼里，"现在到处都是自由党人"，他面对副市长职位之争，发出了惊呼："在这个城市里，只有工业家才走红运。这些自由党人都变成了百万财主，他们如饥似渴地想夺取政权，他们懂得如何运用他们所有的武器。"即使是他那个很不关心政治的妻子，也知道"罗伯斯庇尔在人间重新出现是很可能的，一旦革命就可能造成恐怖的世界"。

小说第二卷的故事是在巴黎大贵族拉摩尔侯爵的府第展开的，这个权贵的客厅更是山雨欲来风满楼的整个政治形势的一幅缩影。对革命可能爆发的恐惧笼罩着这个地方，于连刚一到这里，就看出了贵族们神经衰弱到了这样地步，甚至怀疑"在每一段篱笆后面都有一位罗伯斯庇尔和他驾来的囚车"。来到这个客厅的，有搞阴谋的政客、有刺探消息的奸细、有给权贵当走狗的文人，他们紧张地谈论着贝朗瑞在写诗讽刺复辟王朝，虽遭到了政治迫害，却得到了人民的支持，还有雨果也上演了著名的反对专制王权的浪漫剧《欧那尼》，等等。在这种政治形势下，贵族们一方面沉醉在灯红酒绿的享乐生活中，一方面又满怀疑惧打量着每一个和他们不同阶级而精力充沛的青年，互相提醒说："要当心这个精力充沛的青年人，若是再有一次革命，他会把我们送上断头台去的。"怀着对革命恐惧的心理，不时设想自己的子侄将战死在殿前的情景。这些描写表现了大革命之后贵族阶级那种惊弓之鸟不得安宁的心理状态，同时也反映出当时紧张的阶级斗争形势和贵族阶级的统治地位在资产阶级有力的挑战下已经岌岌可危。这正是即将结束复辟王朝的七月革命前夜的"本质的方面"。

三、《红与黑》对当时的阶级斗争规律作了怎样的描写

"过了时的社会力量，虽然它存在的基础早已腐朽，可是，在名义上它还控制着权力的一切象征，它继续苟延残喘……正是这种社会力量在咽气以前还要作最后的挣扎，由防御转为进攻，不但不避开斗争，反而挑起斗争，并且企图从那种不但令人怀疑而且早已被历史所谴责的前提中作出最极端的结论来。"[①]复辟时期的法国贵族正是在预感到革命日益临近的时候进行垂死的挣扎。1824年路易十八去世，查理十世上台后更进一步的反动就是证明。查理十世原来是极端保皇党的头子，他不满足于做君主立宪制的国王，而企图全面复辟君主专制的旧秩序，上台后相继颁布了一系列反动的法案，并且在1829年重新又任命了极端保皇党人的反动内阁。这些反动措施的结果是引起了1830年的革命，导致了复辟王朝的垮台。

作者对这种阶级斗争的动向有深刻的洞察，他在小说第二卷中，用了整整四章的篇幅，写了极端保皇党的阴谋，以极大的针对性、尖锐性表现出当时政治形势下反动阶级的挣扎。这几章是作者以真实的

---

① 《反教会运动——海德公园的示威》，《马克思恩格斯全集》第十一卷，第363页。

政治事件为蓝本写出来的。根据担任过执政府总裁的巴斯杰的回忆录所述，1837年，保皇党人在日后成为查理十世的阿尔托瓦公爵的领导下，向奥地利、俄国等神圣同盟国家递送了秘密备忘录，要求外国军队对法国的军事占领延长下去以便对付革命危机，保护复辟王朝。次年，保皇党又策划阴谋，准备撤掉几个色彩温和的部长，并以几个特别仇恨宪章的保皇党取而代之。司汤达以这些政治事件为素材写出小说中的黑会阴谋，把它放在七月革命前夕的背景上，表现出尖锐的阶级斗争，成为高度典型地反映当时真实政治关系的篇章。

阴谋的主要组织者是拉摩尔侯爵，参加黑会阴谋的有内阁大臣、教会的主教、拿破仑的叛将、显赫的大贵族等。作者对这些人物的描写带有明显的影射，如其中的一个与会者，写的就是复辟王朝最后一任内阁总理、极端反动的汲利涅克公爵。这些家伙聚集在阴暗的角落里，面对那即将来到的革命，像疯狗一样狂吠，有的主张用暗杀手段铲除政敌，有的主张在巴黎进行大屠杀消除革命危机。他们虽然由于权力分配不均而内部矛盾重重、互相攻讦、彼此揭露贪污枉法的阴私，但总算得出一个共同的方案：首先，针对即将爆发的革命，策划让神圣同盟再一次对法国进行军事占领，以此来扑灭革命；然后，改组内阁，强化贵族阶级的统治，并取消宪章，扩大皇权；最后，要组织一支保皇的敢死队，作为皇权的可靠保证，而要组织这样一支武装力量，就必须依靠教会。为此，就要把被大革命剥夺了的教会的领地全部归还。这些家伙提出了上述反革命方案后，又打发人秘密送往国外，与一个"要人"磋商，以便得到国外反动派的援助。

这几章是全书的关键，把决定小说中所有那些现实生活的场景的政治缘由表现得再清楚不过。这几章不仅揭露了法国反动贵族阶级与欧洲封建君主的沆瀣一气、狼狈为奸，而且揭示了整个复辟时期阶级斗争的中心和焦点。斗争的中心是政权问题，焦点是所有制问题。

大革命前，法国封建阶级统治的政治形式是君主专制。"王权神授""王权无限",就是这种政治形式的原则。1789年革命前,路易十六就在巴黎法院这样宣布:"在行使至高无上的权力方面,只有上帝可以与国王匹比。"①在君主专制下,国王的意志就是法律,国王可以任意动用国家的巨额钱财,可以宣布对外战争、缔结和约以及任意处置臣民的人身和财产。大革命把这种反动、腐朽的统治形式送进了垃圾堆。1815年,波旁王朝复辟,"国王路易十八清楚地感到只能给法国安排一个自由化的制度,而企图对大革命所创建的事业有任何根本的更改,那就无异冒最大的危险丢掉自己的王冠"②,因此接受了美国式的君主立宪制。在权力的分配上,不是贵族阶级全部垄断,而不得不允许原来资产阶级帝国的官员保持他们原来的职务和等级,在法律上不得不承认个人的平等和自由。但是,极端保皇党在整个复辟时期无时无刻不企图恢复旧时代的君主专制。因此,扩大还是限制王权就成了当时政治斗争的一个重要内容。《红与黑》反映了这一斗争。小说中一个人物这样说:"英国的历史是我们的一面镜子,可以照见我们的将来。我们这里肯定会有一个想扩大特权的国王。"这正揭露了波旁王朝的统治者始终怀着复辟绝对君权的反动愿望。第二卷第二十五章就提到拉摩尔侯爵"向宫廷提出了一个很聪明的计划,在三年内取消宪章,而不至于出什么乱子"。这里所说的宪章就是指规定了君主立宪政体的1814年宪章,取消宪章也就意味着恢复君主专制。在那个阴谋黑会上,极端保皇党人明确提出来的政治纲领,就是要使高贵的法国将以祖先缔造的那个样子再现,就像路易十六在死前所看到的那样,而那位德·列瓦尔首相在会上则这样信誓旦旦:"我有一个使命。上天对我说,你或者上断头台,或者把法国君主制度重建起来,把议会削弱到路易十五统治时的情形,这个使命我一定要完成。"从这里可以看到查理十世的内阁总理汲利涅克所奉行的反动政

---

① 马莱:《十八世纪史》第6章。
② 拉维斯,郎波:《法国通史》第十卷。

策的影子,这些描写真实而典型地揭露出保皇党反革命复辟的狂热。

所有制问题上的斗争,在《红与黑》中也有深刻的反映。

法国大革命前,全国土地三分之一以上为只占人口不到百分之一的贵族和教会所占有,农民被束缚在土地上受着沉重的压榨。大革命时期,推翻了封建土地所有制,免除农民的封建负担,取消了他们对土地的依附,资产阶级国家没收了贵族和教会的全部土地,转卖给资产者和农民,于是,在农村中就出现了大量自由经营的个体农民,形成了以资本家从土地上榨取利润、利息和地租,而让土地耕作者自己随便怎样去挣自己的工资为特征的资本主义土地所有制。波旁王朝复辟首先是夺回了失去的政治统治权,但是不进一步复辟封建土地所有制,是没有基础的,因此,"复辟时期的活动家们并不讳言,如要回到美好的旧时代的政治,就应当恢复美好的旧的所有制,封建的所有制,道德的所有制。大家知道,不纳什一税,不服劳役,也就说不上对君主政体的忠诚"①。要恢复旧时代的所有制,首先就要对大革命后获得土地的大量小生产者进行剥夺,这样,是否承认大批小私有者的土地所有权和已经形成了的资本主义土地所有制,就成为所有制问题上斗争的焦点。1814年,波旁王朝颁布的宪章写明的日期是"我朝第十九年",也就是被保皇党尊为"路易十七"的路易十六之子去世的1795年算起,根本不承认大革命和拿破仑帝国的存在以及在此期间所发生的所有制的变化。紧接着,又颁布了《12月5日法令》,规定过去被国家没收而尚未转卖出去的贵族、教会的土地一律"物归原主"。此后,斗争一直没有停止,流亡贵族伙同教会不断制造土地被没收为"非法"的舆论,并对获得土地的农民进行反攻倒算、打击报复,包括利用政治权力对他们的土地进行巧取豪夺。到1825年,复辟王朝还颁布法令赔偿大革命时期被剥夺土地的贵族和教会10亿法郎的法令,其数额之巨,相当于被没收土地收益的19倍,而这一巨

---

① 《论波兰问题》,《马克思恩格斯选集》第一卷,第293页。

额赔款又以其他方式完全转嫁在资产阶级和小资产阶级身上,这就引起了各个阶级的反对。正如马克思所指出的:"纠合在神圣同盟周围的政府和封建主同资产阶级所领导的人民大众之间发生了纠纷。这种纷争在法国是隐藏在小块土地所有制和大土地所有制的对立后面。"[①]在《红与黑》中,拉摩尔侯爵这个革命时期流亡国外的大贵族,利用他在复辟王朝中的权势,夺取和兼并了大量小土地所有者的土地,又成了一个大地主。他的地产遍布在好几个省,这些地产数量庞大,甚至他不得不专门从银行雇请一个专人,"用复式账登记他土地上的全部收入和支出"。当他知道了于连与他女儿的私情时,他不得不赏给他们一块土地以造成他们有产者的地位,仅这一块土地的收入就有2万法郎之巨。同样,在夺取、兼并小块土地方面,教会也是一条饿狼,小说中那个法朗士—孔德省的代理主教、耶稣会特务组织的头子福力列就是一个代表。在第一卷第二十九章中,作者追述在故事发生前12年,也就是波旁王朝刚刚复辟的1815年,这个代理主教来到省城时,随身携带的只是一个小小的旅行袋,这是他全部的财产,然而,财富随着政治统治权而来,到了1827年,他"却成了本省数一数二的大地主"。他是这样贪婪,毫无顾忌地兼并,甚至触犯了政府大臣拉摩尔侯爵的领地,两人展开了激烈的兼并战。地产是这些大贵族和教会人物剥削收入的来源,从第二卷第一章彼拉神甫与于连的谈话中可以知道,仅仅一个教区的收入就"简直使人感到羞耻",他们正是在剥削农民的基础上建立起金碧辉煌的府第,但是,贵族阶级并不满足于这一点,在那次阴谋黑会上,他们还提出把林地全部归还给教会的口号,把这一点当作"组织一个法兰西的武装政党"的关键,而组织这样一支反革命武装势力,又是维护君主政治所必需的措施。这一系列描写颇为深刻地揭露了反动贵族阶级要利用掌握在手的复辟政权,进一步复辟旧的所有制以求本阶级的统治具有一个可靠基础的反动愿望。

---

① 马克思:《资本论》。

正是在这样的政治经济斗争的背景上,《红与黑》展开了于连的故事,写出他的追求和失败。马克思所指出的"小块土地所有制和大土地所有制的对立"正是于连的悲剧命运最深刻的经济根源。

四、《红与黑》中于连的悲剧命运说明了什么

于连出生于一个小私有者家庭,他的父亲在城郊开了一个锯木工场,没有雇佣工人,本人和家庭的成员就是劳动力。在资本主义机器工业还没有很大发展的复辟时期,这种从农民家庭手工业发展而来的手工工场还相当普遍,于连的父亲虽然已经是一个利欲熏心的小手工工场主,但还明显保留着农民小生产者的痕迹,因此,于连有时自认为是"乡下佬""农民的儿子",有时又把自己看作"工人的儿子"。于连这样的经济地位,在价值法则和商品交换占统治地位的资本主义条件下,是有可能通过发家致富上升到资产阶级的行列。但是,在复辟时期,极端保皇党人力图恢复旧的所有制,这样做,也就意味着首先剥夺大革命后获得了土地的小生产者,并把他们沦为没有人身自由的奴隶地位,这就决定了于连这种小资产阶级与复辟王朝之间的深刻矛盾,小说多次描写了于连对那个社会充满仇视,不是没有原因的。而由于"第一次革命把半农奴式的农民变成了自由的土地所有者之后,拿破仑巩固和调整了某些条件,保证农民能够自由无阻地利用他们刚得到的法国土地并满足其强烈的私有欲"[①],于连对拿破仑的崇拜也就有着自然而然的经济根由了。

于连崇拜拿破仑还有另一个原因,那就是以等价交换为原则的资产阶级权利,在拿破仑时期有最充分的体现,即平民出身的士兵只要立功于战场,就能提升为将军、元帅,普通的文职只要办事干练,就能当上高级官吏。于连自信有出众的才能和坚强的意志,如果生逢

---

① 《路易·波拿巴的雾月十八日》,《马克思恩格斯选集》第一卷,第695页。

拿破仑的时代，完全可以平步青云。然而，在复辟时期，他的理想完全成了泡影。封建贵族阶级企图用封建等级制的原则来堵塞非贵族阶级出身的青年的出路，以保证本阶级的后代在权力和利益的分配上保持垄断的地位。于连所向往的资产阶级法权被贵族阶级的等级制所取代，他一无门第，二无资本，要凭自由竞争、个人奋斗而上升到贵族阶级的行列中去是不可能的。剩下来还有一条路，那就是走教会的门路，披着圣职的外衣干一些卑鄙肮脏的特务活动，以此沿着教会的阶梯向上爬。尽管如此，整个社会毕竟是被贵族阶级复辟逆流所控制，他必须费极大的力量，克服种种阻碍才能闯进上流社会的圈子，而且，即使他闯进去了，也还有一个问题：那个社会是否会容许他立定脚跟。因此，小说中的于连始终带着一种沉重的压抑感和悲观情绪，他向上流社会跨出"第一步"，经过一个教堂的时候，眼中的一切都带上一种不祥的色彩。他凭着自己的才能和与上流社会妇女的关系，总算在市长家当上了家庭教师，受到了重视，但这一点本身就引起了上流社会的侧目而视。在第一卷第十八章中，他参加了一次欢迎国王驾到的仪仗队，出了一次小风头，他仅仅得到这点虚荣，就在当地引起了满城风雨，招致了上流社会的飞短流长，即使有市长夫人的庇护，也无法再在本地立足，最后不得不躲避到神学院去当学生，这是他追求中所遇到的第一个挫折。

在神学院，他从头开始。他忍受了教会统治下那种人间地狱般的生活，经过痛苦的"修炼"，总算得到了院长的赏识，被介绍到巴黎去当拉摩尔侯爵的私人秘书。他办事能干、忠心效劳，很快就得到赏识，他与侯爵的女儿玛蒂尔德暧昧关系的既成事实，使侯爵不得不给他一笔地产，还为他弄到一个贵族头衔。正当他在上流社会要开始飞黄腾达的时候，由教会特务一手策划的告密信揭发了他，使他向上爬的美梦毁于一旦，他一气之下，开枪射击了被教会逼迫写了那封告密信的市长夫人，最后被判处死刑。

于连的下场看起来是由一系列具体事件造成的，但偶然性之中有其必然性，他的经历充分反映了由贵族阶级占统治地位的上流社会，根本不容许一个平民青年挤进来，它必然要通过种种方式把这种人扔出去、毁灭掉。在法庭上，于连说过这样的话："我不向你们祈求任何恩惠，我一点也不存幻想，死亡正等待着我……即使我的罪没有这样大，我也会看到有许多人，并不会因为我年少而怜惜我，他们希望惩罚我，借此惩戒那些出身微贱，为贫穷所困厄，可是碰上运气，稍受教育，竟敢混迹于富贵人所谓的上等社会的青年。"作者告诉我们，这是于连"心里蕴藏了好久的话"，也是这个人物通过自己向上爬遇到种种障碍之后得出来的教训。他对那个社会从来都有一种妒恨和愤愤不平，他也深知那个社会对像他这种出身的青年的敌意，只要一有机会就要把这种人置于死地，因此，他丝毫不存得到宽大的幻想，并且公然在法庭上讲出了那段触怒统治阶级的话，对贵族阶级的复辟社会表示了个人主义绝望的反抗。于连的思想谈不上阶级论，但他最后认识到，自己这样的青年在复辟时代是没有前途的。小说通过于连的下场，从一个侧面反映出小资产阶级青年在贵族复辟制度下的必然命运。

于连所热烈崇拜的启蒙思想家卢梭说过"人生来是平等的"[1]，1789年革命后颁布的资产阶级《人权宣言》第六条也这样规定："在法律面前，所有的公民都是平等的，故他们都能平等地按其能力担任一切官职，公共职位和职务，除德行和才能上的差别外不得有其他差别。"资产阶级所宣布的这条原则，不过是"反映着商品生产关系的概念"[2]，其实质是要保证有足够的彼此竞争的自由劳动力，以适应资本主义关系的需要；而对小生产者来说，他们也希望通过自由出卖劳动力和等价交换，获得资产阶级的权利而上升到上流社会的行列，

---

[1] 卢梭：《社会契约论》第1章。
[2] 《无产阶级专政时代的经济和政治》，《列宁选集》第四卷，第93页。

因此，自然而然把这种抽象原则视为对自己自由发展、谋求出路的一种保证。大革命后，这种原则在拿破仑帝国时代，特别是在反对欧洲封建君主的战争中有了兑现，这对那些想改善自己社会地位的小私有者，当然具有莫大的吸引力。于连属于大革命后诞生的新一代人，关于这一代人的经历和处境，当时一个作家在一本著名的小说中这样描写："母亲们在战争的空隙之间怀了他们，他们在隆隆的战鼓声中成长……那时拿破仑君临整个欧洲，每一年法兰西向他提供30万青年，这是他为了驰骋整个世界而组成的卫队……这些青年当时呼吸的是晴朗天空下充满了光荣、响彻了兵刃声的空气，他们知道，他们生来就是要参加那些大搏斗，又深信缪拉是战无不胜、伤害不了的……但战争完了，恺撒也死了，他们看着大地、天空、街道、大路，所有这一切都显得很空虚，只有他们自己教区的钟声在远处回响……现在当他们谈到光荣的时候，人们就对他们说'去当教士吧'，当他们谈到大志的时候，人们就对他们说'去当教士吧'。"①这里所说的缪拉，就是那位鞋匠出身、由于战功卓绝而被拿破仑提拔为元帅的历史人物。想当缪拉而不可得，这正是大革命后新的一代在复辟时期面临着只有当教士的前途而感到的苦闷。小说《红与黑》通过于连写出了整个一代人的这种苦闷以及他们的愿望和要求，在第一卷第十七章中，他这样独白："啊，拿破仑真是天主派遣来帮助法兰西青年的人物，将来谁能代替他呢？没有他，这些贫穷困苦的人又怎么办呢？就是比我富足的人们又怎么办呢？无论我们怎样达观，那个致命的回忆将永远阻碍我们的幸福。""致命的回忆"，指的是拿破仑在滑铁卢的失败；"我们的幸福"，就是指通过自由竞争、个人奋斗而得到资产阶级的权利，而达到这样目的的最好机会，就是拿破仑式的战争。由此可见，于连这个人物身上对资产阶级的权利的向往与对封建等级制度的反感，正反映了这两种代表了不同时代的原则在整个一代小资产阶

---

① 缪塞：《一个世纪儿的忏悔》第1部第2章。

级青年身上所引起的矛盾和冲突。

"小生产是经常地、每日每时地、自发地和大批地产生着资本主义和资产阶级的。"①于连作为一个小私有者在资产阶级关系还处于上升阶段的历史时期,只可能以资产阶级的权利为其追求目的,在他身上,体现着自由竞争的原则和为达到这个目的而不择手段,虽然他有拿破仑那样"从事于一种伟大事业"的理想,但那条路被堵塞了,他也饥不择食地走上了他所鄙视的教会道路。他花了很大的力气把一部拉丁文《圣经》背诵得滚瓜烂熟,当作自己的敲门砖,他虽然思想上深受启蒙思想的影响,但却小心翼翼地把自己的真实思想掩饰起来而虚伪地装出一副教士的虔诚;他最喜爱的书是对复辟王朝最具有颠覆性的拿破仑的回忆录和卢梭宣传平等自由观念的《忏悔录》,但他却标榜自己和一切"无神论诗人的作品"完全绝缘。于连的虚伪,正是他作为一个小私有者为适应复辟时期的政治、道德的规范以达到自己向上爬的目的而采取的投机手段,这种如此贪求个人利益而不择手段,使他当了侯爵的私人秘书后,很快就走上了反动的道路。他并不是一个没有是非感的人,面对着贵族资产阶级家族的奢侈,也能想到穷人的受压榨和社会的不公平,因而感到愤慨。他对那个千方百计卖身求荣、想当上副市长的肖南先生和侯爵府中那些一心想捞点什么而无耻钻营的哈巴狗式的学士、院士、门客等人物也很鄙视,然而,他的愤慨只是小私有者对大私有者的愤慨,因而,他的正义感就很有限,只要一遇到官禄的引诱,便抛到九霄云外去了。他当上拉摩尔侯爵的秘书后,相当卖力,不久就得到这个权贵的赏识,拉摩尔侯爵给他弄到了一枚勋章,他就这样发誓了:"我当遵照给我勋章的政府的意旨而行动。"而当他开始爬上统治阶级的阶梯时,他完全自觉地有了同流合污的思想:"我也会干出一些不公正的事来。"从小私有者的捞一把出发,他走了反动的道路,并且在这道路上愈陷愈深。侯爵把

---

① 《共产主义运动中的"左派幼稚病"》,《列宁全集》第四卷,第181页。

他带到秘密黑会上,要他充当记录,他亲耳听到极端保皇党那些反动透顶的言论时,虽然感到和自己的政治信念截然相反,甚至听着的时候,还害怕自己的思想会中毒,但他仍然完成了侯爵交给他的任务,把秘密会议的记录传递给国外的反动派,又把国外反动派的指示带给极端保皇党人,充当了复辟阴谋的工具,表现出小私有者的那种"只要我能多捞一把,哪管他寸草不生"的思想[①]。具有讽刺意味的是,他为之服务的这个阴谋,正是和他小资产阶级的根本利益相敌对的,正是以消灭像他这样一大批在大革命后出现的小私有者并把他们重新沦为贵族阶级统治下的奴仆地位为目的。于连的行为反映了小私有者由于自私自利和目光短浅而陷入的极大盲目性。在小说第二卷第44章中,于连有一段著名的独白,他自比为蚂蚁窝里的一只蚂蚁,根本不能理解突然有一天毁坏了整个蚁窝的某一个庞然大物,他又自比为夏天"早上9点钟诞生,晚间5点钟死去的蜉蝣",根本不能理解"夜"这个字的意义。小说的这段描写深刻地刻画了小私有者对于自己在整个时代复辟与反复辟阶级斗争中的阶级命运的一种茫然,对把自己压得粉碎的阶级斗争规律的不理解。《红与黑》写出的不是一个具有革命意识的青年的反抗,而是一个小私有者在一个要毁灭小生产者的反动历史逆流中盲目追求个人利益的悲剧。

小说中对小资产阶级青年的典型塑造就这样与对复辟时代社会风貌的生动反映,对阶级斗争的真实描写交织在一起,成为了完整的艺术整体,成为了一部封建贵族复辟与资产阶级反复辟的形象历史。

司汤达之所以能写出这样一部经得起时间考验的政治小说并不是偶然的,是与他当时进步的世界观和政治立场分不开的。司汤达出身于资产阶级家庭,从小受18世纪启蒙思想的影响,憎恶封建专制制度。他在自传中曾叙述过,他10岁的时候就希望把国王路易十六

---

① 《苏维埃政权的当前任务》,《列宁选集》第三卷,第519页。

送上断头台,并且已经具有"完全彻底的共和思想"①。他青年时代是在拿破仑麾下度过的,他追随这个资产阶级皇帝在欧洲各国与封建君主战斗。拿破仑失败后,1817年,他在自己第一部著作的前面,加上了一篇对拿破仑的献词,其中写道:"公正的后代会痛悼滑铁卢的会战,因为从此自由思想倒退了一百年……后代会重新以公正的态度来考虑把您的名字凌驾在沙皇亚历山大之上,而您那些庸庸碌碌的敌人,只因为他们是您的敌人才有幸受到人们的注意。"②波旁王朝的复辟使司汤达深感厌恶,他后来在自己的回忆录里这样写道:"我对波旁王朝极端鄙视,在我看来它是发臭的烂泥。"③他怀着"根本不想重见被波旁王朝玷污了的巴黎和法国"④的情绪,于1814年到意大利,在那里,他同情和支持意大利烧炭党人反对封建复辟、争取民族解放的斗争,并写作了具有鲜明的反复辟政治内容的《罗马·那不勒斯·佛罗伦萨》。这部意大利政治见闻录大大触怒了神圣同盟的封建君主。1820年,意大利爆发了革命,但遭到奥地利的镇压,司汤达因为与革命人士有关而不得不于1821年离开了米兰。回到巴黎后,他对法国社会进行了深刻的观察,写出一系列抨击时事的政论。至此,司汤达的生活和写作始终与资产阶级革命过程中复辟和反复辟的斗争紧密相连,他在实际斗争中形成了对阶级斗争、政治关系的敏锐观察和反对封建复辟的进步的政治观点。在这个基础上,他写出杰出的政治小说《红与黑》。历来的资产阶级文学史家和修正主义文艺批评家,都喋喋不休谈论《红与黑》原来的素材是某一情杀案,企图把《红与黑》歪曲为爱情小说。但是,写这本小说的意图,司汤达在第二卷第22章中说得很清楚,他说:"若是你的人物不谈政治,那就不是1830年的法国人了,你的书也就不再是一面镜子。"把小说视为

---

① 司汤达:《亨利·布吕拉尔的一生》。
② 司汤达:《意大利绘画史》献词。
③ 司汤达:《自我崇拜回忆录》。
④ 同上。

时代社会的镜子,这是司汤达著名的文学观点,而在他看来,如何才能成为一面镜子呢?那就首先要表现出时代的政治。带着如此自觉描写政治的意图,司汤达才能在《红与黑》中把复辟时期的政治关系写得那样深刻。

司汤达是一个资产阶级作家,他有阶级的局限性。他的世界观的基本核心是资产阶级人道主义,对历史发展和阶级斗争的看法是唯心主义的。他反对卷土重来的贵族阶级的统治,也讽刺资产阶级自由党人,但对人民群众却抱轻视的态度;他反对封建等级制度,但把资本主义自由竞争的原则和资产阶级的权利当作好东西来宣扬;至于他关于爱情问题的观点,也表现了资产阶级思想的腐朽。所有这些在《红与黑》中都有表现。因此,在我们把这部小说当作一部阶级斗争的形象历史阅读的时候,必须警惕其中那些在今天无产阶级专政条件下有消极作用的资产阶级思想。

五、《红与黑》对我们的意义

从以上所述,我们有理由把《红与黑》称为历史上有进步意义的作品,把写出这样优秀作品的司汤达称为历史上进步的作家。"进步",这是人们常用的一条标准,其意思简而言之,就是符合历史前进的方向,就是符合社会发展的规律。历史上一切优秀的作家、作品莫不具备这一品格。司汤达之所以成为这样的杰出的作家,就是因为他在自己时代社会的两种制度、两个阶级的斗争中,站在符合历史前进方向的方面,他的代表作《红与黑》之所以深刻,就是因为它描写了历史上一个特定时期里决定历史向什么方向发展的重大的矛盾和斗争,描写了这一特定时期社会发展的必然规律和阶级斗争的必然规律,揭露了倒行逆施的社会阶级力量。它以这样生动的形象描绘使我们看到,在封建主义向资本主义发展的过程中,经济规律和政治斗争规律是如何实际上决定着社会的进程和人们的活动。如果我们从形象的描绘中要引申出某些本质的东西的话,那就是社会前进的规律是不可抗拒的,是任何强大的社会逆流和历史曲折所不能改变的。在革命的无产阶级看来,这是《红与黑》所显示的最重大的社会的思想的意义。

"四人帮"不承认这一意义。因为他们自己就是违反历史前进方向、违抗社会发展规律的腐朽的阶级力量的代表。他们在为了给自己的文化专制主义装点门面而攀附《红与黑》的时候,就只能使用歪曲的手段,他们不敢承认《红与黑》中所深刻反映的社会发展和阶级斗争的客观规律,把这些具体的历史内容和社会内容完全抽掉,而抽象宣扬这是一部"政治小说"。既然把历史发展中的两种制度斗争的具体内容阉割掉,在"四人帮"的眼里,就只剩下抽象的政治权术和手段了。"四人帮"称《红与黑》是"政治小说",着眼点就在于此,这正暴露了"四人帮"作为阴谋家、权术家看待问题的特点。

不仅如此,"四人帮"显然还企图利用《红与黑》中反封建复辟的政治倾向来为他们的"反复辟"的假革命口号壮声势。什么是复辟?复辟就是逆潮流而动,就是社会和历史的倒退,就是对一切符合社会发展需要的比较合理的事物的破坏,就是反动阶级的肆虐逞凶。在这些点上,"四人帮"与《红与黑》中所揭露的封建主义的复辟派,都是很相像的,只不过"四人帮"是打着"反复辟"旗号的复辟派而已,这表明了"四人帮"的阴险狡猾和卑劣无耻。他们在《红与黑》这本书上搞的名堂又正反映了他们的这一特点。

当俄国的反动派大肆攀附托尔斯泰这个极有声望的作家时,革命导师列宁代表革命的无产阶级发表了著名的文章《列夫·托尔斯泰是俄国革命的镜子》。列宁并没有因为统治阶级的攀附而把托尔斯泰一笔否定,并没有把这份优秀的文化遗产推到敌人的怀里,而是科学地分析了托尔斯泰的伟大和缺陷,阐明托尔斯泰对革命无产阶级的重要意义。革命导师为我们树立了一个光辉的典范。我们在《红与黑》的问题上，也应该学习列宁的精神，坚持批判继承的原则，取其精华，去其糟粕，古为今用，洋为中用。而当我们这样做的时候，难道不正能发现，从《红与黑》的形象描绘中所归纳出来的真理，对我们今天深入批判"四人帮"不是也有用处的吗？

1978 年 5 月

《雨果文学论文选》序言[①]

一

在文学史上,维克多·雨果(1802~1885)主要是诗人、小说家、剧作家,而不是专门的文艺理论批评家。但是,雨果作为19世纪法国浪漫主义运动的领袖人物,作为文学史上一位成就很高的浪漫主义作家,他的文学理论既是当时浪漫主义运动的重要文献,也是浪漫主义文艺思想的一个理论标本。今天对我们仍有思想材料的意义。

雨果作为诗人的创作活动开始得很早。以1822年的《短曲初集》为标志,他不到20岁便已作为一个引人注目的诗人出现于文坛了,而他在理论批评方面的活动,则正式开始于1819年,这正是法国文学史上浪漫主义文学运动形成的年代。

一般文学史都认为法国浪漫主义文学运动主要是发生在19世纪20年代至40年代这一时期。当然,也应该看到,早在19世纪初,新文学运动的倾向便已经显露出来了,人们不再只注视着本国的古典主义传统,而开始把眼光投射到国境之外去寻求新的东西。当时,斯达尔夫人便在她的论著里,介绍和赞扬了德国和北欧的富有浪漫主义的灵感和诗情的文学,拜伦、司各特、席勒、蒙佐里这些浪漫主义作家的作品也开始广泛地介绍到法国,并且受到很大的欢迎,这都说明

[①] 本文原为外国古典文艺理论名著丛书之《雨果文学论文选》的译者序。

了本国原来的古典主义文学不再能满足新时代新精神的要求，人们不得不去借鉴和借用外国的反映了相应的精神或有相似的精神表现的作品，正如司汤达所说的："古典主义是只能给当代人的祖先以愉快的文学，而浪漫主义则是能给予当代人以愉快的文学。"①虽然1789年资产阶级革命以后，新的时代就产生了对新文学的要求，但紧接革命之后是一连串动荡不安的日子，用拉法格的话来说，当时"政治危机和革命喧扰消磨了大家的精神，使人无暇顾及任何严肃的文学问题"②，即使已经出现了具有"日后浪漫派文学将要加以发展和夸大的一切优点与缺点的萌芽"③的风靡一时的两部作品——《阿达拉》与《勒内》，浪漫主义文学运动仍然还没有形成。直到19世纪20年代，才出现了成批的浪漫主义诗人和作品，才有了浪漫主义者的第一文社和第二文社，而发展到1830年，便有了著名的《欧那尼》的演出，标志了浪漫主义对伪古典主义的最后胜利。

在这发展过程中，1820年前后可以说是一个开端。在这时，短短两三年中相继出版了拉马丁、雨果、维尼等人的诗集，这些作家以共同具有的强烈的个人抒情色彩和浪漫的想象而形成了新的风格，对于其中的诗集，圣-佩韦当时赋予这样重要的意义："从此，在真正意义上的我们的诗歌才找到了自己的语言、自己的色彩和自己的音调。"④一系列新的文学刊物这时也相继创刊了：《文学保守者》在1819年，《文艺纪事》在1820年，《法兰西缪斯》在1823年，而浪漫主义者的第一文社也是在1823年成立的。新的流派在形成，新的文学运动在发展，保守的法兰西学士院领导人阿日在他1824年8月20日一篇演说里不得不承认："很多对古老原则怀着虔诚的尊敬而成长起来并受过无数古典杰作熏陶的人士，都对这一新派别的发展感到忧虑不

---

① 司汤达：《拉辛与莎士比亚》。
② 拉法格：《浪漫主义的根源》。
③ 同上。
④ 圣-佩韦：《今人肖像》第二卷。

安。"正是在文学领域的这样风起云涌的背景里,雨果开始了他的创作活动与批评活动。

1819年,雨果与他两个兄弟合办了刊物《文学保守者》,从这时起,他不仅写作了他最初的小说和以后收集在《短曲与民谣集》中的一些诗歌,而且,又撰写了不少文艺随笔、作家作品评论,其中较重要的有写于1824年之间的论司各特和拜伦的文章,后来,1834年,雨果把这些文章和他在1830年以后写的一些政治随感、历史评论编在一起,这便是《文学与哲学杂论集》。

在写《文学与哲学杂论集》中那些文艺批评文章的时候,雨果还没有摆脱他那具有保皇主义和天主教信仰的母亲在他少年时所给予他的影响,用他自己的话来说,那时他"是一个斯图亚特分子、詹姆士王党、封建骑士","爱旺岱甚于爱法兰西"①。因此,这些文章有的便不能不留下他早期的政治偏见和宗教思想的痕迹,如在《论伏尔泰》一文里,雨果对法国大革命和为这次革命作了舆论准备的18世纪启蒙运动都抱否定态度,对启蒙运动作家伏尔泰进行了苛刻的非难和偏激的指责。除此之外,雨果在写这些文章时,也还没有成为自觉的浪漫主义者,因此,在有的文章中,还企图以"调解者"的身份带着"明智的语言"出现在浪漫主义与伪古典主义两个对立的营垒之间。即使有这些缺陷和不足,还是可以从这些文集里看出作者浪漫主义的文学见解和主张。

在雨果的第一篇理论批评文章《论戏剧》中,已经有了他以后著名的文学序言和理论专著中某些论点的萌芽,如他强调戏剧应该有曲折的情节,应该表现非凡的人物——天使与巨人,并要具有激情等;而他对英国浪漫主义作家司各特与拜伦的评论,就更充分表现出他浪漫主义的文学趣味和美学原则了。《论司各特》与《论拜伦》是雨果带着激情写就的文章,字里行间充满着对这两位与他属于同一流派的

---

① 雨果:《〈秋叶集〉序》。

杰出作家的崇敬和喜爱。他极力赞扬司各特的历史小说，认为这些作品既表现了过去的历史时代，使这些时代带着自己原有的色彩和情调复活过来，又表现了"人类的心灵"，塑造出了鲜明的人物性格。雨果并不特别重视作品是否忠实于历史真实，而是重视司各特作品中所表现的"情趣"、色彩和想象，称赞"他的想象掌握和抚摸着人们的想象"，称赞他小说中奇妙的情节和构思，把他的作品视为一种典范。这不仅说明了司各特具有浓厚浪漫主义色彩的作品是如何投合雨果的爱好，而且表现出了雨果关于创作论的一系列浪漫主义的理想和原则。在《论拜伦》一文中，他把拜伦视为与法国浪漫主义者同一家族的成员，说拜伦的逝世是他们切身的不幸，因为他们与这个英国诗人已经"建立起了亲密的关系和情感的交流"，"像同胞兄弟，像两个经受过同样不幸的朋友"。虽然雨果在写这篇文章的时候还不承认自己的浪漫主义者的身份，但他实际上却是在代表着这一新流派在说话，虽然，他在《〈短曲与民谣集〉1824年序》中还说要充当新旧两派的调停人，但在这里，他实际上也在对保守的伪古典主义进行批判了。他嘲笑伪古典主义者像可笑的傻子罗兰，想要把过时的、死亡了的东西冒充有生命的东西。他说，旧时代的文学应该随同旧时代而隐退，新时代需要新的文学和流派，并且把拜伦所代表的浪漫主义流派视为当然的、合法的新文学流派，还通过拜伦的创作指出新文学、新流派具有幻想的魔力和自然的本色，以及善于表现理想、情感和自我并勇于参与社会斗争等特点。所有这些见解，都是浪漫主义的。因此，应该说，雨果早期的文艺理论，虽然有不成熟和自相矛盾之处，但和他后来的主要论著完全是一脉贯通的，从这些文章中，可看出他日后一系列完备的浪漫主义文学思想的某些端倪。

二

雨果在19世纪20年代至30年代有了重要的转变和发展，即他不再是保皇主义和天主教的信仰者了，而且他也由浪漫主义文学运动不自觉的参加者发展成为自觉的主将。这种转变主要是因为当青年雨果面临着思想发展的重要阶段时，正生活在20年代至30年代阶级矛盾激化的条件下。20年后，复辟王朝的执政者的反动倾向日益露骨，查理十世上台以后，便通过和实施了一系列反自由的、侵犯各阶级利益的反动法令，这不仅加深了复辟王朝与下层人民、与共和政派的矛盾。从20年代中期起，资产阶级自由主义思潮广泛流传，正如雨果在1831年所追忆的那样："在复辟时期的最后几年，19世纪的新精神渗透到了历史、诗歌、哲学等各个方面，使得一切改观，万象更新，只有戏剧是唯一的例外。"①雨果自己便是在这种条件下摆脱了他原来保守的政治立场，并对文艺问题有了更鲜明的思想。这些思想都表现在他一系列作品序言中。我们知道，从《短曲与民谣集》直到1840年的《光与影集》，是雨果创作上丰产的阶段，在这个阶段里，他写了为数很多的诗集，长、中篇小说，以及浪漫剧，而每当他出版一部诗集或一个剧本时，他几乎毫不例外地要写下一篇序言，阐明他的文学思想和创作意图，这种做法和他后期出版作品时是完全不同的，其原因也是在于当时的文学界的斗争。

自从20年代初浪漫主义文学流派兴起以后，新旧文学思想的斗争便愈加激烈、紧张，有时发展到短兵相接的地步，特别在戏剧方面更是如此。法国19世纪的伪古典主义者也是盘踞在这一个领域，他们模仿高乃依、拉辛，盲从"三一律"，认为戏剧中悲喜不能混淆，诗韵应该高雅、用词不可粗俗。浪漫主义者在20年代初还没有成功的作品可以和传统的规则相对抗，他们便推崇没有被这些清规戒律束

---

① 雨果：《〈玛丽蓉·德·洛尔墨〉序》。

缚的外国戏剧杰作——莎士比亚的作品。当 1827 年英国剧团来法国演出莎士比亚的名剧时,剧场中就发生了浪漫主义与古典主义第一次大规模的直接斗争,古典主义者大叫"打倒莎士比亚,他是威灵顿的随从",年轻的浪漫派也不示弱,"莎士比亚是天神,拉辛是顽皮小子"。当时的形势是双方对抗,各不相让。新兴浪漫主义文学每前进一步都遇到保守派的阻力,直到 1829 年,当第一个浪漫剧——大仲马的《亨利三世和他的宫廷》推开了长期为古典主义戏剧独占的法兰西剧院的大门而获得上演时,有 7 个伪古典主义作家还曾上书查理十世要求禁演。此外,文学上的斗争由于阶级矛盾的激化也具有了政治斗争的色彩,雨果的剧本《玛丽蓉·德·洛尔墨》在 1829 年就曾因"对当今皇上祖先不敬"的罪名而被禁演,他著名的剧本《欧那尼》的上演也遭到很多留难,这种情况正如雨果在给一个青年诗人的诗集所写的序文中所说的那样:"现在毁谤、辱骂、仇恨、嫉妒、阴险的陷害和卑劣的出卖正在某些人周围不停地酝酿聚集,这些人都正直诚实,然而却遭到不义的攻击,他们心地赤诚,只求带给国家一种自由,即艺术的自由或思想的自由,他们辛苦勤劳,安分地进行精神的劳作,但一方面却要遭到检查机构和警宪当局的阴谋暗算,另一方面往往更要忍受他们为之工作的思想界的忘恩负义的待遇。"①

在这种情势下,雨果所写的作品序言不仅是保卫自己作品的盾牌,而且是对伪古典主义的檄文,是对官方的书籍戏剧检查制度的投枪。在这些序言里,雨果代表浪漫派进行了争取文艺自由的斗争,这一斗争一方面是针对文学创作上的伪古典主义,另一方面是针对复辟王朝的文学专制制度,因为伪古典主义正是有着官方支持的政治背景的。从《〈短曲与民谣集〉1826 年序》起,雨果便作为新文学争取自由的战士而出现了。在这篇序言里,他反对古典主义在文学中人为地划定"这个界限,那个范围";他反对模仿,把模仿看作是伪古典主

---

① 雨果:《关于多瓦勒先生》。

义的本质；他主张文学创作自由，认为作家应该发挥独创性。而到了著名的《〈克伦威尔〉序》中，雨果的思想更加系统化了。由于这篇序言全面而有力地批判了古典主义，正面地阐述了浪漫主义的创作原则，因而一发表就被视为浪漫主义文学运动的宣言、浪漫派的旗帜。曾经参加过浪漫主义运动的泰奥菲勒·戈蒂耶后来回忆说："那真是奇妙的年代。《〈克伦威尔〉序》在我们眼里发出灿烂的光辉……它引起了一个类似文艺复兴的运动。"①

在这篇著名的序言里，雨果除了批判伪古典主义的戏剧和它所遵奉的三一律等清规戒律外，主要是提出文学创作的对照原则，这是贯穿全篇的理论线索，联系各部分的中心论点，而且也是雨果整个文艺思想的一个核心。雨果认为自然中的万物并不是符合人的意愿，都是美的，而是"丑就在美的旁边，畸形靠近着优美，粗俗藏在崇高的背后，恶与善并存，黑暗与光明相共"。在他看来，古典主义把这两个方面割裂开来，并舍弃了其一，即滑稽丑怪，因而是一个缺陷，而新的浪漫主义文学则是同时表现了这两个方面。不过，也应该看到，雨果最终所追求的还是崇高优美，而不是丑怪，他说："崇高与崇高很难产生对照，于是人们就需要对一切都休息一下，甚至对美也是如此。相反，滑稽丑怪却似乎是一段稍息的时间，一种比较的对象，一个出发点，从这里我们带着一种更新鲜、更敏锐的感觉朝着美而上升。鲵鱼衬托出水仙；地底的小神使天仙显得更美。"②可见，崇高优美是雨果的美学理想，是他所认定的艺术的目的，而对滑稽丑怪的描写，在他的艺术思想里，只是一种途径和手段。

雨果虽然主张自然中的美丑应该表现在艺术之中，但是，他又把艺术真实与自然真实严格加以区分，他强调诗人的主观在艺术创造中为了使人物和事物更完美、更富有诗意而起的能动作用。因而，雨

---

① 戈蒂耶：《浪漫主义史》。
② 雨果：《〈克伦威尔〉序》。

果所理解的艺术中的美丑是经过理想化和夸张了的,雨果在这一序言中所称赞的近代文艺中的滑稽丑怪,也都不是生活中所能有的,而是经过了极度夸张了的形象。雨果失于偏颇,把这个原则绝对化了,因此,在塑造人物的时候,只从这一个抽象的要求出发,力求在人物身上造成强烈的、尖锐的对照,这固然使艺术形象能产生鲜明的效果,但往往显得有些人工做作、不够自然,他的浪漫剧和前期小说中的人物几乎都是如此。虽然雨果的对照原则有其局限性,但在当时也是有一定的进步意义的。从17世纪以来,古典主义文学只表现帝王将相、崇高伟大的人物,而排斥生活中平凡粗俗的形象。雨果的对照原则主张"自然中的一切在艺术中都应有其地位",正体现了新兴浪漫主义文学要扩大表现范围的要求。

在《〈克伦威尔〉序》之后,浪漫主义运动有了很大的发展,虽然在1829年,雨果的《玛丽蓉·德·洛尔墨》因政治原因而遭禁演,但第二年年初,他著名的戏剧《欧那尼》的上演却获得极大的成功。这次著名的演出斗争,仅仅发生在七月革命前几个月,因而它不仅表现出浪漫主义与古典主义在文艺思想上的斗争,而且在山雨欲来风满楼的形势下,也突出了浪漫主义与古典主义之间的斗争实际所具有的社会政治意义。雨果作为这一文学运动的领导者,在《欧那尼》的序言中对此作了总结。他把浪漫主义文学运动的意义提升到政治的和社会的高度。他这样说:"如果从战斗性这一方面来考察,那么总起来讲,浪漫主义其真正的定义不过是文学上的自由主义而已。"在这篇序言里,雨果把向古典主义争取创作自由与向复辟王朝争取社会自由结合了起来,并且把自己视为这一斗争行列中当然的一员。在他看来,文学自由是政治自由的"新生女儿",浪漫主义运动是法国大革命的"一种后果",他说:"我们的父辈已经干出这样多的伟业,我们也都亲眼看见了,既然我们从古老的社会形式中解放出来了,那么我们为什么不从古老的诗歌形式中解放出来?新的人民应该有新的艺术。现代的法兰西，19世纪的法兰西……在赞赏着路易十四时代的文学和当时专制主义如此合拍的时候，一定会知道要有自己的、个人的、民族的文学。"这很清楚地说明了以雨果为代表的浪漫主义运动的阶级实质和社会背景。雨果这些话虽然并没有告诉我们浪漫主义在创作方法的确切含义，但是却能启发我们，19世纪法国浪漫派所显示出来的一些创作特点是可以而且也应该从1789年后的社会的根源去加以考察的。

浪漫主义与古典主义的斗争是以《欧那尼》的上演为最高潮，而在1830年以后，局势便平静多了，雨果在1830年后的作品序言也主要是对他的作品加以解释，由于这些序言密切结合了雨果本人的创作，因此，通过这些序言，我们可以更切实地了解到雨果关于创作论的思想。

什么是文学创作的基础或源泉呢？是现实生活还是主观心灵呢？对这个基本问题的看法将标志着是浪漫主义还是现实主义。雨果说是心灵。在《秋叶集》的序言里，他认为艺术创作是由人的主观精神、人的心灵所决定的，"人心是艺术的基础，就好像大地是自然的基础一样"。[1]那么，把现实和历史置于何地呢？现实和历史在他那里只是精神的物化，只是"配合着行动的情欲"[2]，戏剧便产生自这种情欲，而诗歌则产生自"配合着梦想的情欲"，也就是纯然的主观。在他看来，文学形式的区别仅在于对心灵描绘的程度不同而已，如小说，不过是"有时由于思想、有时由于心灵而超出舞台比例的戏剧"。既然把心灵提到这样高的地位，那么，凡在心灵中占有地位的，在诗歌中就应占有地位，雨果解释说，自己的诗就是"从那被生活的震撼所形成的内心裂缝里源源而出"[3]的，即使这些感情微不足道，对于宏伟

---

[1] 雨果：《〈秋叶集〉序》。
[2] 雨果：《〈光与影集〉序》。
[3] 雨果：《〈秋叶集〉序》。

的事物来说，只不过是一片轻飘飘的叶子，但也有权进入诗歌。①

虽然雨果认为人的每一响心声都可以成为诗歌，但是，他并不把人内心的崇高理想以及高尚伟大的情感与那些脆弱的柔情、一时的感伤、个人的追忆等情感等量齐观，置于诗歌中的同等地位，而是极力强调理想、伟大和美。在《玛丽·都铎》的序言里，他提出"伟大"这一美学标准，他说"伟大包括着美"，在舞台上，它是掌握群众的力量。他所谓的伟大，其实就是非凡的与理想的。正像他早年说过戏剧应表现巨人和天神一样，这时他更进一步指出，诗人应该把现实生活的事件"提升到历史事件的高度"，"应该从此时此地把一切事物放在将来的背景上，一方面缩小它们某些部分，另一方面则夸大它们某些部分"②，而他自己呢，"他要故意掩饰那些不光彩的例外，表现老年永远是伟大的以引起对老年的尊敬，表现妇女永远是软弱的以引起她们的同情，表现自从亚当与夏娃以来世界借以建立的两种伟大的感情，即父爱与母爱之中的一些崇高、神圣和美德的东西以引起对自然之爱的信仰。最后他还要处处指出人类的尊严，让大家看到不论人是如何绝望和堕落，上帝还是在他的深处埋下了火种，从天上吹来的一口灵气总能使它复燃，灰烬总不能把它埋葬，污泥总不能使它窒息——这就是灵魂"③。由此可见，雨果是根据一定的美学理想来进行创作的。对于现实主义作家来说，创作过程是作家从现实出发，对现实作加工概括的典型化的过程，而对雨果这样的浪漫主义作家，则是首先从自己的美学理想出发，按自己所希望和所愿望的那样对现实材料加以主观改造的理想化的过程，因此，雨果在他的序言里，也特别强调虚构和想象。

值得注意的是，雨果也提出了"真实"与"自然"的概念。当他

---

① 雨果：《〈心声集〉序》。
② 同上。
③ 雨果：《〈光与影集〉序》。

批判古典主义的形式主义和三一律中时间和地点的一致时，从来没有忘记"真实"与"自然"这两个武器，他责备古典主义是违反自然和真实的。在《玛丽·都铎》序里，他把"真实"与"伟大"并提，说是艺术创造的两大目的，并且表示，"伟大"与"真实"的结合，是他所认为的艺术中的"完美的境界"。"伟大"与"真实"的结合，按他的解释，便是"夸大事物的比例，但却保持事物的关系"，或者说"始终严守在自然之中，但有时也越规而出"。他还把作品的真实与思想教育意义联系起来，"真实包括着道德"。雨果关于"真实"与"自然"的言论在整个文艺思想中究竟占什么地位呢？是处于一种什么关系呢？我们应该看到，这些关于"真实"与"自然"的论述虽然在字面上无异于现实主义作家的言论，但是，如果考虑到雨果为这些论点所设的前提以及他在对创作过程中诸重要关键所设的条件，那么便不难见出它的本质和特点了。

雨果的世界观，从根本上来说，是唯心主义的。在作品序言中，他有时也把眼前的现实和过去的历史看作是精神的物化，这样便把自然和现实置于第二性的地位上。在艺术创作中，他虽然主张应表现"混杂在生活中的一切"，但在这一切之上，却要"某种伟大的东西在高高飞翔"[①]，也就是说，现实是以理想来驾驭和统率的。从具体创作过程来说，雨果认为生活中一切创作素材是要"经过艺术的魔棍作用"才能进入到艺术中来的，这魔棍的作用具体说来就是一些浪漫主义的创作手法，如："起用编年史家所节略的材料，调和他们剥除了的东西，发现他们所遗漏的并加以修理，用富有时代色彩的想象来充实他们的漏洞，把他们任其散乱的东西收集起来，把人类傀儡后面的神为的提线再接起来，给一切都穿上既有诗意而又自然的外衣，并且赋予它们以产生幻想的、真实和活力的生命。"[②] 而最为重要的，则

---

① 雨果：《〈玛丽·都铎〉序》。
② 雨果：《〈安日洛〉序》《〈留克莱斯·波日雅〉序》。

是按照作家主观的观念和他所认定的原则出发去进行创作，而不是从现实生活的本质和面貌出发去进行创作。正如雨果自己的序言所说明的那样，他往往是根据观念去创造人物的，如根据父爱的观念去创造父爱的形象，根据母爱的观念去创造母爱的形象[1]，甚至塑造各种各样反面人物也仅仅为了表现一种绝对精神，在他看来，各种反面人物所体现的精神是同一的，只"根据时间和地点的不同而变换形状，但本质仍然不变；在威克斯是间谍，在土耳其是太监，在巴黎则是专事诽谤中伤的文人"。[2]因此，总起来讲，"真实"与"自然"在雨果的文艺思想中不是占主要的地位，它们并不是雨果从事创作时所依据和遵循的主要原则，这虽然可以看出雨果与现实主义者的不同，但也显示出他文艺思想的复杂，与完全无视现实的彻底唯心的反动浪漫主义者有差异。正因为如此，雨果早期不成熟的小说和戏剧中，有色彩过于浓厚、夸张而不真实的人物，但却没有神秘、不可理解的形象，而到了后期，当他在小说创作上更为成熟时，他所写出的《悲惨世界》就出现了更高的境界：有细节的真实和栩栩如生的描绘，有对社会广阔的反映和着力的刻画，而其中又贯穿着作家鲜明的强烈的情感，回荡着一种非凡的气势，人物的身上闪耀着一种不寻常的色泽，使人感到，好像是现实的，但又不是现实的，的确达到了雨果自己所说的，"真实之中有伟大，伟大之中有真实"。[3]

三

1843年《城堡里的伯爵》上演失败后，雨果便暂时搁下了他的创作而从事政治活动。这一段创作上沉寂而政治上活跃的时期约有10

---

[1] 雨果：《〈安日洛〉序》《〈留克莱斯·波日雅〉序》。
[2] 雨果：《〈安日洛〉序》。
[3] 雨果：《〈玛丽·都铎〉序》。

年之久。雨果在19世纪40年代的政治态度是右倾的，直到1848年革命，他才最终确定共和主义的政治态度，而1851年拿破仑三世政变更加使雨果激进起来。雨果勇敢地抗议这次政治暴行，并参加了共和党人的起义，起义失败后，便不得不流亡国外。他的流亡生活共达19年之久。在流亡期间，雨果除了通过自己的笔继续向拿破仑三世作政治斗争以外，主要便是从事创作和论著。在这一阶段里，他写出了像《惩罚集》《历代传说》这样一些著名的诗集和像《悲惨世界》这样的杰出的小说，并且还写出了一本理论专著《莎士比亚论》，这本专著完成于1863年年底，出版于1864年。

　　法国浪漫派以及雨果对莎士比亚的态度是颇有意思的。早在法国之前，德国和英国都发生了浪漫主义文学运动，出现了歌德、席勒、拜伦、雪莱这样一些著名的杰出浪漫主义作家。然而在法国浪漫主义运动中，这些异国的兄弟却没有一个像几世纪以前的莎士比亚那样得到浪漫派以及雨果这样的热烈赞扬和高度推崇。1827年，英国剧团来法国上演莎士比亚戏剧，便对浪漫派发生了深刻的影响，他们为这次演出而狂热。后来大仲马回忆说，当时莎士比亚戏剧在他面前开拓出来的境界，对他来说，"像是天上的伊甸园对于亚当一样的新鲜和令人愉快"①，他还说，"……我开始认识了戏剧的世界里一切都导源于莎士比亚，就像现实世界里一切都导源于太阳；没有人能与他匹敌，因为他像高乃依一样富有戏剧性，像莫里哀那样富有喜剧性，新奇如同卡尔德龙，深思有如歌德，热情磅礴就像是席勒……"②。这些意见，我们在雨果当时的言论中也是可以听到的。它们可说是代表了整个浪漫派的态度。当时，浪漫主义作家不仅称赞莎士比亚，而且都力图模仿他，雨果的浪漫剧几乎全是企图模仿莎士比亚的风格的产物。雨果和浪漫派重视与推崇莎士比亚，当然不是偶然的，这一方面是因

---

① 大仲马：《回忆录》。
② 同上。

为，莎士比亚的成就高，足以和法国 17 世纪古典主义戏剧匹对的，首推莎士比亚。而且，莎士比亚的剧作不仅与古典主义的清规戒律绝缘，而且丰富多彩，从创作方法的意义上说还充满了浪漫主义的因素和色彩。另一方面则是因为，雨果和浪漫派不仅在创作上需要范例，而且在理论上也需要依据。雨果在自己的作品序言里，就往往援引莎士比亚，或则解释自己的创作意图，或则来阐明自己的理论主张。于是，这些论述就不可能不表现出雨果本人浓厚的主观成分，在有的地方，莎士比亚甚至成了雨果所宣扬的文学原则的体现者。因此可以说，雨果对莎士比亚一贯的言论，与其说是对这位作家的一种切实的评论，不如说是他自己在理论上借题发挥。

从《莎士比亚论》全书来看，雨果显然也是想要通过评论莎士比亚这样一位伟大的作家来阐明他所认为重要的某些文艺问题。当然，从《莎士比亚论》中，肯定可以看出雨果在对文学创作一些浪漫主义的见解和美学趣味，如他称赞莎士比亚"把整个自然都斟在自己的酒杯里"，表现了自然中的全部对照，称赞他探索了人类的灵魂，称赞他是位画家，称赞他富有想象，能根据"上帝的逻辑"而虚构出种种"图案"，甚至说"莎士比亚首先是一种想象"。所有这些，都表现了雨果一贯提倡对照、提倡抒写心灵、推崇想象和虚构，以及讲究作品的情趣等创作思想。但是，这些还不是雨果在《莎士比亚论》中着重阐述的问题，他所着重阐述的，是两个比较根本的文艺问题，即文艺的本质和文艺的社会作用与职责。当然我们不能期望雨果对这两个问题会有完全正确的科学的解答，我们只能把他视为过去时代中一个有历史局限的作家，在这个前提下，从他的意见中吸取一些可供参考的东西。

雨果在他著作的第一部分就提出了"艺术与科学"的命题，企图首先阐明文学艺术的本质。在那里，他首先考察文学艺术作为精神现象之一所具有的一般的"精神秩序"，他说："诗歌就像科学一样，有一个抽象的根源,科学由此产生金、木、水、火、土的杰作,即机器、船只、机车、飞艇,诗歌由此产生有血有肉的杰作,如《伊利亚特》《颂歌》《西班牙民歌集》《麦克佩斯》。"那么,这一共同的抽象的根源在什么地方呢?雨果认为在"自然"中,"大自然,还有人类,被提升到二次方,就产生艺术",并且还说,艺术也像科学一样不能离开自然中的"数目",如诗韵就是"数目"的表现。雨果的数目之说,既抽象,而且也不科学,的确显示出他某些思想缺乏严密和明晰。不过,他显然还是企图说明艺术有其自然的根源,而且,雨果所说的"提升到二次方"是值得注意的,与他以前所说"在艺术魔棍的作用下"的意思相近,都是指对现实的艺术加工而言。在谈到了艺术与科学的共同点之后,雨果进一步论述了两者的不同,也就是艺术的特殊性。正像他没有正确地解答上一个问题一样,他也没有道出这个问题的本质。他认为艺术与科学的不同,就在于科学是发展的,在这个领域里,后来者一定居上;而艺术则是运行的,在这个领域里,一个作家或一部作品一旦达到了"美",成为杰出的,那么在他或它所涉及的范围里,在他或它之所以杰出之处,后人是无法超过的,用雨果的话来说,就是"艺术的美,正在于它无从更臻完美","一个诗人不可能使另一个诗人被人遗忘,莎士比亚不在但丁之上,莫里哀也不在阿里斯托芬之上……"。①因此,雨果一方面进一步说明崇高的东西都是平等的,另一方面也指出模仿的无出息,"第一位诗人……来到了顶峰。你跟随他攀登而上,达到同样的高度,但不可能更高,你就名叫但丁好了,但他名叫荷马",并且也指出艺术创作有广阔的空间,杰作不会排斥杰作,以此提倡"各种各样的创造"。按雨果的意见,既然艺术美的高低不以时代的发展为转移,不依靠任何未来可能有的完善化,不依靠语言的任何变化,那么决定艺术美完善与否的因素究竟是什么呢?雨果说是心灵,"心灵的不同,灵智的差异,这才

---

① 雨果:《莎士比亚论·艺术与科学》。

是原因","灵智的竞争就是美的生命"。于是,照他看来,要创造杰出的作品,要达到艺术的顶峰,就应该像"每个伟大的艺术家都按照自己的意象铸造艺术"那样,去进行大胆的创造。总之,要达到过去的天才所达到的艺术成就,"那就要和他们不一样"[1],这便是雨果的结论。由此可见,雨果对于以上问题的探索,主要是为了替他原来强调心灵、提倡独创性的文艺思想寻求更根本的说明和根据。

在《莎士比亚论》中,雨果所特别加以阐释的主要思想,是文学的社会作用和诗人的社会职责。其中理论性的几卷,都接触到这个问题,可以说,这是《莎士比亚论》中的理论核心部分。在最初的章节中,他一开始便提出书籍可以哺育人类、改造人类,"书籍是……改造灵魂的工具。它对人类之所以必需,就在于它是滋补光明的养料"。当然,这个意见有可取的成分,然而,雨果出于他历史唯心主义的观点,却把这种作用夸大到不恰当的地位,他甚至天真地以为,只要社会上有更多的人能够阅读书籍,那么书籍影响的范围更加扩大,就能改造社会,因此,他认为普及文化的义务教育是改造社会的关键,而在雨果心目中,文化教育改造社会的巨大作用又主要是以文学艺术的美感教育作用来体现的,或者说,他以为文学艺术的教育作用是最为巨大的,"诗人的作品中所始终保持着的美,使得他们居于这一教育事业的顶巅"[2]。雨果的"美为真服务"的原则便是由此出发提出来的。雨果反对"为艺术而艺术"的口号,在《美为真服务》一卷中,他着力论证了文学艺术并不因为服务于人生、服务于社会的进步事业而有损其美与崇高,"美并不因为服务于广大人群的自由和改革而降低了自己"[3],他提出实用与崇高的统一、实用与美的统一、善与美的统一,"实用不仅不会排斥崇高,而且使它更加崇高""绝不

---

[1] 雨果:《莎士比亚论·艺术与科学》。
[2] 同上。
[3] 雨果:《莎士比亚论·美为真服务》。

会因为善而失去任何美",并且还指出,诗歌之所以美,就在于"具有感化的力量"。

"美为真服务"是雨果积极浪漫主义文艺思想的最高概括,它具有较丰富的具体内容。它主要是具体地表现在诗人应负有崇高的社会职责这一思想上。诗人的职责是什么呢?总起来说,就是"成为有用的""服务于人生"。那些"遨游太空的天才",认为天才不应脱离自己的时代与社会,指出过去的天才都是因服务于自己的时代而伟大的,指出为社会的正义与进步事业服务是天才的法则,而凡不为人类进步事业服务的,便不可能成为天才。那么,如何为社会进步事业服务呢?诗人具体的社会职责是什么呢?雨果提出了两个方面。第一方面是要和社会不合理、不正义的事物作坚决的斗争。雨果指出,他那个时代离光明、幸福的社会还很远,因此他反对诗人为艺术而艺术的态度,认为诗人应该执行战斗的任务,"赞成善而反对恶,表现公众的愤怒,使暴君受辱,使坏蛋绝望,使不自由的人解放,使灵魂前进而排斥黑暗……"。他对歌德向不合理事物妥协的庸俗的一面作了严肃的批判,把这说成是诗人应该记取的教训。应该看到,雨果在理论上所表现出来的这种积极的革命精神,是与他自己的生活、斗争分不开的。自从1851年以后,雨果进入思想成熟的阶段,成为了一个先进的民主主义的作家。在流亡期间,他仍不懈地向拿破仑三世作坚决的斗争,通过写作把诗人的职责和斗士的职责结合了起来,在杰出的政治诗集《惩罚集》中,揭露拿破仑三世的专制政权给民族带来的损害,给社会造成的黑暗,给人民带来的痛苦,而且,还抨击当时欧洲各国的专制和奴役,传播民主、自由、平等的思想,号召人民起义。特别是在1859年,拿破仑三世大赦时,雨果拒绝回到法国去,表现了对恶势力坚决不妥协的革命精神。也正是以这种精神,他在《莎士比亚论》之前两年写成了暴露社会黑暗、同情劳苦人民的杰作《悲惨世界》。由此可见,雨果在《莎士比亚论》中所提出的诗人应该反对恶势力的思想，不仅是他在理论上的主张，而且也是他自己所身体力行的信条和原则。

关于诗人的社会职责，雨果所提出的第二个方面是宣扬理想、教育人民。不论在《莎士比亚论》中还是在他以前的言论里，雨果对这方面是格外重视的，这实际上是他认为的诗人与艺术家的首要职责。他认为，社会要获得进步，既需要进行破坏的"力量"，也需要专门建设的"才智"，而在他看来，艺术家的工作主要就在于建设。建设什么呢？雨果说要建设人民，也就是说，要培养他所理想的一代人民，一代有理想的人民。雨果对于理想是特别重视的，他认为理想是人得以区别于动物的地方，而当时人的缺点正是重视物质甚于重视理想，"由此便产生种种堕落"①，因此，他提出这样的主张："要在人类的灵魂中再燃起理想。"到哪里去取得理想呢？他回答说："诗人、哲学家、思想家都是带着理想的孢子囊。"他特别强调诗歌对传播理想的重要性，"诗是从理想中分泌出来的"，"诗是从英雄主义中产生的"，认为"这是诗人为什么是人民的启蒙导师的原因"②。当然，雨果规定诗人的任务首先在于宣扬理想，这是应该肯定的，但从以上所说的这个论点的提出和论证的线索来看，却也能看出雨果社会观和历史观方面的缺陷。他不是从根本的社会性质和社会制度去理解时代的罪恶和社会的堕落，而是到人心中去寻找根由，因此，也就把人心的改善和文化教育的普及视为改造社会的手段和途径："请把从伊索到莫里哀的所有的才子、从柏拉图到牛顿的所有的智者和从亚里士多德到伏尔泰的所有的学者都倾倒出来吧！这样，你便能医治好时弊，一劳永逸地缔造人类精神的健康。"③同样，在他著名的小说《悲惨世界》里，他虽然暴露了社会的黑暗，描写了劳苦人民的悲惨生活，但

---

① 雨果：《莎士比亚论·有才智的人与群众》。
② 同上。
③ 同上。

是同时表现了爱的精神和高尚的道德可以改造旧社会的思想，这都是雨果的历史唯心主义的表现。不过，我们也应该看到，雨果在《莎士比亚论》中谈到在人民中宣扬理想时，是充满了对人民的热情的。一方面，他把人民看作是教育的对象；另一方面，他也说人民"有一颗伟大的心灵""有高度的道德感"、有各种美好的感情，"能够深刻地接受理想""对文学有细致的感受""狂热地投身于美……让自己得到陶冶"[①]，这些话又表现出雨果的民主主义的倾向。而且，我们还应该看到，雨果在他的论著中号召诗人们所传播的理想，如争取自由、信奉真理、反对民族奴役等等，虽然是根源于他的资产阶级人道主义思想，具有本阶级的局限性，但在当时资本主义社会条件下，对于人们争取进步、反对不合理事物的斗争仍然是有一定的积极意义的。雨果从文艺理论上规定诗人应以表现这些理想为自己的创作目的，无疑也是一种积极有益的创作思想原则。这正是雨果的浪漫主义与夏多布里昂的浪漫主义不同之处，正是积极浪漫主义与消极浪漫主义的分野之一。

我们在前面说过，雨果的文艺理论论著，是法国19世纪浪漫主义文学运动的理论文献，有助于我们了解这一个运动和这一个流派。当然，浪漫主义作为一个文学流派虽然是18、19世纪的历史产物，而作为一种创作方法却不能不说是原来就已经存在着的，但是，浪漫主义创作方法的特点集中而典型地表现在浪漫主义流派之中，却又是毫无疑义的。雨果的文艺思想本身相当复杂，在局限性和缺点方面，除以上所指出的外，论证上尚有不严密、不连贯甚至不统一的地方，其中的论据有些也是不精确的。

---

① 雨果：《莎士比亚论·有才智的人与群众》。

《笑面人》前言[1]

雨果的《笑面人》并不是一部杰作,可是很吸引人。

它是一本相当典型的浪漫主义小说,具有浓厚的传奇色彩和引人入胜的故事情节。一开始,读者就被带到英国荒凉的海岸,为一个被拐骗犯扔下、受到死亡威胁的儿童担忧,从这里开始展开了主人公传奇的一生。这是英国资产阶级革命时期一个赞成共和制的贵族上议员的儿子,在复辟时期,被国王出卖给儿童贩子,遭到毁容之后,成了畸形的笑面人。他终于逃出了死亡的阴影,流落民间,靠卖艺为生。他成人后不久,由于极偶然的原因,被证实了作为贵族特权合法继承人的身份,宫廷的矛盾和阴谋又使他恢复了爵位,但他在上议院一席激昂慷慨的演说,马上又使他从权力的高峰重新跌进底层,小说最后以主人公的悲剧告终。

这里,的确显示了作者丰富的想象和善于把不平凡的事件编纂得颇为巧妙、令人眼花缭乱的才能,但如果这部长篇小说仅仅以曲折有致的情节和奇特的人物形象来引起读者的兴趣,那只不过是一本通俗小说而已。《笑面人》却大大高于这个水平,而具有相当丰富的社会历史内容。雨果十分有意识地在主人公的身上制造了矛盾的两重性:从血统上来说,他是贵族的后代;从经历上来说,他却是苦难的人民的儿子,国王把他推进火坑,他却从民间吸取了新鲜的血液,宫廷把

---

[1] 本文原载人民文学出版社出版的小说《笑面人》。

他当作工具推上权力的高峰，与人民的血肉关系却使他必然担负了人民赋予的使命，在巍峨殿堂中痛斥统治阶级，充当了老百姓的代言人。主人公这种传奇色彩十足的经历，实际上只不过是作者构设的一条方便线索，借以揭示尖锐的社会阶级矛盾和表现他的民主主义的思想主题。

小说以17世纪资产阶级革命后的英国为历史背景。这次革命并不彻底，于1688年建立了资产阶级和新贵族联合统治的君主立宪制政体，广大人民群众并没有从此得到真正的解放，而是在没有被彻底消灭的封建压迫剥削之上，又加上了资本主义的枷锁。雨果在这部小说里，力图表现出这一社会现实。他以深切的同情描绘了一幅人民群众悲剧生活的画面。在雨果的笔下，人民的不幸甚至达到这样严重的程度：到处都是失业，煤矿工人拿煤块填肚子，哄骗饥饿；渔人只能靠树皮草根充饥；贫穷的妇女冻死在雪地里，怀里还抱着婴儿……可贵的是，雨果把这一切归之于阶级的剥削，他在小说中指出，这部作品又可以叫作"幸福的人剥削不幸的人"，同时，他还通过形象的描写表现了王室、贵族的穷奢极欲的生活是如何"建筑在穷人的痛苦之上"，他让笑面人向统治阶级发出了这样愤怒的指责："你们知道什么人缴纳你们通过的税捐吗？在死亡边缘挣扎的人。……你们用加深穷人贫困的办法，增加有钱人的财富，拿劳动者的东西赏给游手好闲的人；拿衣不蔽体的人的东西赏给衣食无忧的人；拿穷人的东西赏给王子！"这一切使得这部奇特的故事具有了一种激愤的揭露、批判的力量。

雨果揭露、批判的锋芒集中在封建贵族身上。在他看来，产生了笑面人的悲剧的那个社会之所以那样黑暗，就是因为资产阶级革命之后仍然保留了国王和贵族阶级，他在小说里，特别从政治权利和财产关系两方面表现了英国贵族阶级在革命后仍拥有的特权地位，并对他们进行了无情的揭露：查理二世是"无赖"，詹姆士二世是"坏蛋"，贩卖儿童、摧残儿童形体这种伤天害理的勾当就是他们所默许和支持的；宫廷里充满了阴谋和诡诈，贵族人物有的是骄奢淫逸、腐化邪恶的典型，有的是脑满肠肥的废物，有的像"比狼更像狼"的野兽。与此同时，雨果又以自己惯用的对照法，描写了下层人物善良的品质、纯洁的心地，来衬托贵族人物的丑恶。雨果在前言里说明小说所写的是"贵族政治"，实际上他是把批判贵族阶级反动统治作为了自己小说的主要任务，他在小说里明确表示，贵族阶级已经完全过时，应该把它埋葬起来，而他的形象描绘正是为了说明这样一个结论。

写作《笑面人》时的雨果，已经是一个在政治上和文学上都有了丰富实践的老人。他经历了19世纪20年代反复辟王朝的自由主义思潮的高涨，参加了作为这一思潮一部分的反对伪古典主义的文学运动，成为了这一运动的领袖，以著名的剧本《欧那尼》和小说《巴黎圣母院》显示了浪漫主义文学的实绩；在1848年革命中，他对巴黎无产阶级的六月起义抱同情的态度，很快又成了拿破仑三世的反对派，在国民议会中充当了社会民主左派的主要人物；1851年拿破仑三世政变后，他被迫流亡国外，向拿破仑三世的独裁政权进行了坚决的斗争，并表示了"如果只剩下一个，我就是那最后的一人"的决不妥协、斗争到底的精神。正是在这种战斗的精神状态中，他写出了享有世界声誉的诗集《惩罚集》和长篇小说《悲惨世界》。《笑面人》开始写作于1866年，完成于1868年，是雨果19年流亡生活中最后一部长篇小说，可以理解为它作为雨果战斗生涯晚期的成果，仍然充沛着强烈的民主主义的激情。

不过，在法国，随着复辟王朝在七月革命中被推翻，从1830年以后，资产阶级在政治领域里反对封建贵族阶级的历史任务已经完成，到了雨果写作《笑面人》的19世纪60年代，新的矛盾，即现代社会两大阶级的矛盾早已成为现实生活中压倒一切的矛盾，《笑面人》出版两年后，就发生了伟大的巴黎公社运动，在这种历史条件下，雨果用一本过去时代异国题材的书来证明贵族政治的过时，只是一种历史的批判,的确与现实生活有所脱节,还停留在他自己二三十年代反封建的思想水平上。正像很多优秀作家常常难以避免的那样,雨果在《笑面人》里重复了他自己,没有在过去的基础上不断超越、继续提出现实生活中新的重大问题,并且,他过去在《欧那尼》《吕伊·布拉斯》《巴黎圣母院》中所表现的那种反封建的激情,他在《悲惨世界》中对下层人民的同情,到了《笑面人》里,开始有了一种抽象的性质,他借用笑面人之口进行的关于社会正义和人类未来的演说,也完全带有空泛的色彩。在艺术性上,他的描述总不免有浪漫主义式的浮夸,而对自己某些知识和见解加以炫耀、以夸夸其谈的议论来代替对人物的行动和心理作令人信服的描写与分析,也使小说缺乏像《悲惨世界》中那种雄浑的笔力。尽管如此,这部小说动人的故事情节和贯注其中的高昂的民主主义激情、强烈的社会正义感,仍能给读者很大的艺术感染,这就是它并非是雨果的杰作但仍很吸引人的原因。

《嘉尔曼》前言[①]

人们往往很容易只注意这篇小说的情节,其实作者写的是一种个性,一种激情。

小说的故事在现实生活中,只不过是一个混杂着罪恶的情杀案,女主人公嘉尔曼不属于文学史上那种闺阁淑女或高贵命妇的人物体系,她是社会和法律的"化外之民",身上还具有某些邪恶的特点。然而,复杂性却在于,梅里美赋予了这个形象以某种闪光的东西:她自觉地站在社会的对立面,对那个异己的"商人的国家"的道德规范表示公开的轻蔑,并以触犯它为乐事。她是一个社会的叛逆者,以"恶"的方式来反抗社会;她又是一个独立不羁性格的典型,不愿忍受社会的任何束缚。她身上突出的特点是热爱自由和忠于自己,这种精神使她在死亡的威胁面前始终不肯退让一步,终于为此付出了整个生命。这是嘉尔曼作为一个艺术形象最吸引人之处,也是她在精神上不同于很多爱情作品中女主人公的地方。

《嘉尔曼》打破了当时资产阶级文学中爱情故事的俗套,把一对情人的感情风暴描写得那么强烈可怕,以致双方都付出了生命的代价,在资产阶级人性论的爱情描写中别开生面。而在我们看来,它的价值却在于作者赋予了这个故事以较深刻的社会意义,通过男女主人公的爱情冲突表现了一定的社会矛盾。这一对情人本来属于两个对立

[①] 本文原载人民文学出版社文学小丛书《嘉尔曼》。

的营垒，两人之间一直存在着两种生活理想、两种生活态度、两种是非标准的矛盾，这种矛盾发展到不可调和的顶点就导致了他们的同归于尽。《嘉尔曼》的这一社会内容，使它不流于一般简单庸俗的情杀故事。

梅里美（1803~1870）是法国19世纪批判现实主义作家，出身于资产阶级知识分子家庭，自幼深受启蒙思想的影响，在波旁王朝复辟时期走上文学创作的道路后，写出了具有强烈反封建精神的剧本《雅克团》（1828）与小说《查理九世时代轶事》（1829）。他写《嘉尔曼》（1845）的时候，已经是银行家统治法国的七月王朝时代。他对资产阶级平庸生活的不满，使他逐渐形成了这样的创作个性：喜爱从较少受资本主义文明侵蚀、具有几分野性的人物身上，发掘某些不平凡的、动人的东西，以一种貌似冷静的态度和调侃幽默的笔调来加以肯定和赞赏。在这篇小说里，作者的同情显然是在嘉尔曼方面，他把这个粗犷放任的吉卜赛女人的强悍个性与苍白、虚伪的上流社会对照起来，把她的非法活动、惊世骇俗的生活态度与社会法律、传统观念对立起来，让她以勇敢的忠于自己的死来拒绝那个"循规蹈矩"的文明社会的召唤，从而对资产阶级的社会生活表示了最大的蔑视和否定。

梅里美毕竟只是一个资产阶级作家，在无产阶级与资产阶级的矛盾已经上升到首要地位的时代，他把自己的美学理想寄托在一个流浪行骗的女人身上，反映了他思想境界不高，社会视野不广。他在肯定嘉尔曼对资本主义文明的否定的时候，似乎超越于自己的阶级之上；但这个嘉尔曼完全是按资产阶级的唯我主义和个性自由的原则塑造出来的，这又表现了梅里美并没有跳出、也不可能跳出19世纪资产阶级的思想体系。

梅里美以优秀的中短篇小说家著称，《嘉尔曼》是他的代表作，它的艺术性达到了很高的成就。在精练的篇幅中，作者娓娓动听地叙述了一个在文学史上很富有特点的爱情悲剧故事，成功地描绘出一个在文学人物画廊中极为鲜明突出的人物形象，并且，其中还回荡着一种追求个性解放的激情，而在对事件、场景和人物的现实主义的描写之中，又透露出浪漫主义的色泽。这一作品在世界中短篇小说中，是脍炙人口的名篇，后来，法国作曲家比才又把它改编成歌剧，更以热烈的旋律和出色的乐章，扩大了它流传的范围，增添了它对读者的魅力。

1978 年 9 月

小中见大、高度精练的范例

——《最后的一课》译后

一篇短短的不到 3000 字的故事,在文学史上一直是脍炙人口的名篇,它曾给予不同时代、不同国度的读者以强烈的感染,深深得到他们的喜爱,原因在哪里?当我们读到法国 19 世纪现实主义作家都德的《最后的一课》这个短篇小说时,不禁这样提出问题。

这其中肯定有着某些东西,仍值得我们今天研究和借鉴。

当然,首先因为作品具有进步的思想内容,表现了爱国主义的精神。这种精神是容易为不同时代、不同国度的读者所理解的。故事以 1870 年普法战争为题材。这次战争虽然是从普鲁士国王与法国皇帝拿破仑三世争夺势力范围引起的,但战争的后期,普军入侵法国,对法国人民来说,战争就属于反侵略的性质。在祖国危急的关头,爱国主义热潮高涨。阿尔封斯·都德也应征入伍。在战前,他已经是一个知名的作家,他的长篇小说《小东西》和短篇小说集《磨坊文札》很受读者的欢迎。前者以他故乡的五光十色的日常生活为题材,在对法国南部普罗旺斯地方的自然景色和风土人情的散文诗般的描绘中,流露了作者深深的乡土之恋;后者是一部半自传体的小说,写他青年时任小学教师时的经历,在亲切自然的叙述中,表现出一个小资产阶级知识分子的生活和精神状态以及作者所特有的幽默感。现在,战争生活给予他新的创作源泉,人民反侵略的精神给予他强烈的感染,使他写出了《月曜日故事集》中一组著名的爱国主义的短篇。其中有的是揭露第二帝国军队的腐败、讽刺军事将领的卑劣无能,有的是颂扬普通人民热爱祖国的感情和反抗侵略的意志,在这里,他原来局限于日常生活的视野扩大到民族的范围,创作也上升到一个新的高度,而在这一组作品中,《最后的一课》是最为优秀的一篇。

普法战争是以法国的惨败告终的,战后,法国东部的阿尔萨斯与洛林两省被割让给普鲁士。《最后的一课》就是以这一历史事件为背景,表现阿尔萨斯省人民沦为异族奴隶的痛苦。这是一个重大的社会题材,一个短篇能不能容纳这样大的题材?在一个短篇里如何才能容纳这样大的题材,并要把它表现得深刻动人?

这需要艺术劳动的匠心。

在这里,作者充分利用了短篇小说的特点,运用了小中见大的艺术方法,他选择了日常生活的一个场景,即小学校里的一堂课来表现这一痛心的历史事件和人民悲痛的心情。巨大的、非常的历史事件都是由普通的、日常的生活进程积聚起来的,但是,也并不是任何一个日常生活的场景都能表现出某个巨大的事件,正如不是任何一颗露珠都能反映出太阳的光彩一样。这就需要选择,需要集中,需要典型化,需要作者对历史事件的本质有正确的认识并善于选择足以表现这一本质的日常生活场景。都德所选择的正是集中表现了这一巨大事件的生活片段——最后一堂法文课,以后学校里不许再教祖国的语言了,小孩从此要学异国统治者的语言了!作者的这一选择,使得普法战争悲剧性的结果通过最后的一课表现得再鲜明不过了!而小中见大又使这"小"的内容更为充实丰富,作者把社会意义巨大的主题浓缩在一件日常生活的事件里,从而就把一个小学里的这堂课提高到向祖国告别的仪式的高度,于是,这一日常生活的场景就显出了庄严的、非常的意义,这里的每一个普通的细节都具有了一种动人的力量,而不是可有可无的铺陈。

作品的主题非常鲜明,作者要表现的就是民族的悲痛和对侵略者的控诉，但对此一主题的表现却选用了一个巧妙的角度。作者并没有从严肃的民族感情写起，最后一课庄严而令人心碎的情景却是通过一个顽童的感受写出来的，他完全从一个儿童的精神世界出发，写出小主人公如何怕考问、如何想逃学的懵懂无知的状态，也正是在这种状态中，最后的一课给予他精神以极大的震动，并由此而开始觉醒，对祖国的语言依依不舍，对自己过去没有好好学习深为悔恨，对沦为奴隶的民族保住祖国语言的重要性有了认识，小主人公带有稚气的叙述中所流露出来的丧失祖国的沉重的悲痛，对读者更有至深的感动。同样，作者在作品里也并没有对外国占领者进行直接的指责，只是在少数几个地方写到普鲁士军队的操练和以后不许再学法文的命令，他让自己的倾向"从场面和情节中自然而然地流露出来"[①]，他通过对小学里师生和村子里老百姓的悲伤和痛苦的具体描写，使自己对侵略者的揭露和谴责更为深刻有力。

小说的人物形象不止一个，是用白描的手法勾画出来的，虽然着墨不多，但给人的印象十分深刻。作者不是对他们进行铺开的全面的描写，而是选择了他们在最后一课这动人的一刻的反应，突出了他们的精神状态，表现了法国人民深厚的爱国主义感情。作者也没有把这些人物描写得完美无缺、尽善尽美，而是把他们表现得像日常生活中的普通人一样，如哈墨尔先生，他对自己的教育工作也有不够尽责的地方，但是，面临着民族命运这样严肃的问题的时候，他们身上都激发起某种崇高的情操，这就使他们成为动人的正面艺术形象。都德是一个笔端饱含感情的作家，他往往以自己熟悉的普通人为描写对象，他总是以一种柔和的、略带幽默的眼光观察他们，并且以同情的态度加以描写，因而他的人物描绘能给读者以亲切之感，《最后的一课》也具有这一特色。

《最后的一课》作为短篇小说，是高度精练的范例，它以短小的

[①]《恩格斯致敏·考茨基》，《马克思恩格斯选集》第四卷，第454页。

篇幅表现了重大的主题和题材，描写出生动的人物形象，而所有这一切又是以平易的风格和朴素的语言表现出来的。这里凝结着作者的艺术劳动的可贵经验，对我们仍有启发和借鉴的用处，这就是我们今天再一次谈起它来的原因。

1977 年 12 月

拉法格的文学批评

保尔·拉法格，这位法国著名的马克思主义者、工人运动的重要领导人，在19世纪末科学社会主义理论的领域里进行了卓越的活动，他在哲学、宗教、政治、经济各方面都留下了有价值的论著，曾被列宁称为"马克思主义思想的最有天才、最渊博的传播者之一"[①]。他的文学批评仅是他全部理论活动的一小部分。虽然他的理论著作是早已为人所知，但他的文学批评论著却是在很久以后才受到重视。直到20世纪30年代初，才有苏联批评家哥芬塞菲尔第一次评价他是"杰出的马克思主义批评家"[②]。正是在苏联学者的启发下[③]，法国著名的马克思主义文艺批评家若望·弗莱维尔（Jean Fréville）进一步作了多方面的努力，收集了现存的拉法格全部文学理论遗产，于1936年编成《拉法格文学批评集》。

列宁在拉法格葬礼演说中曾经这样说："在拉法格身上结合着两个时代，一个是法国革命青年同法国工人为了共和制的理想进攻帝国的时代，一个是法国无产阶级在马克思主义者领导下进行反对整个资产阶级制度的坚定的斗争、迎接反对资产阶级而争取社会主义的最后

---

① 《代表俄国社会民主工党在保尔·拉法格和劳拉·拉法格的葬礼上发表的演说》，《列宁全集》第十七卷，第286页。

② 当时，苏联批评家哥芬塞菲尔的论文便是以此为题名。

③ 在上述论文的前面，这位苏联批评家写下了如下的题词："致若望·弗莱维尔，使他忆及法国曾产生一位马克思主义批评家，保尔·拉法格。"见《〈拉法格文学批评集〉导言》第2页，巴黎，国际社会出版社，1936年。

斗争的时代。"①拉法格生于1842年，在此以后不久，以1848年革命为序幕的法国无产阶级反对资产阶级的斗争时代便展开了，面对着这一斗争，青年拉法格并没有一开始就成为一个马克思主义者，而是信仰蒲鲁东和布朗基，前者是"小农和手工业者的社会主义者"②，后者则具有阴谋派精神，"认为少数坚决和组织严密的分子在顺利的条件下不仅能够夺得政权，而且能够用极果断坚决的措施来保持政权"③。直到1856年，他在伦敦遇见了马克思以后，才在这位导师的影响下抛弃了原来蒲鲁东主义小资产阶级的幻想，放弃了布朗基主义者的立场，成为一个热烈的马克思主义的信仰者，并参加了马克思所领导的国际无产阶级革命运动。

现存的拉法格的批评文章，都是作者在1885年至1896年这一阶段撰写的，这正是法国无产阶级革命运动日益发展的时期。在这时期中，法国第一个真正的工人政党于1879年马赛第三次工人代表大会之后成立了；马克思主义进一步在工人群众中传播，工人的政治斗争积极性日益增长，而到19世纪90年代，工人运动更进一步高涨，经常由和平示威和经济斗争发展为和资产阶级政府的直接冲突，并且社会主义者在议会选举中也获得巨大胜利。这便是列宁所说的"法国无产阶级在马克思主义者领导下进行反对整个资产阶级制度的坚定的斗争的时代"。拉法格不仅是这时期法国工人运动的实际领导人之一，而且也是马克思主义杰出的宣传者，他在理论宣传方面的活动对于这一时期的革命运动有着重要的意义。

文学批评是拉法格这一时期整个理论活动的一部分，它也是紧密地结合着他的革命斗争的。根据若望·弗莱维尔的介绍，我们知道，拉法格的全部文学批评文章，几乎毫无例外都是应革命的需要、思

---

① 《代表俄国社会民主工党在保尔·拉法格和劳拉·拉法格的葬礼上发表的演说》，《列宁全集》第十七卷，第286页。
② 《六月革命》，《马克思恩格斯全集》第五卷，第153页。
③ 《〈法兰西内战〉导言》，《马克思恩格斯选集》第二卷，第334页。

想斗争的需要而撰写的，都是拉法格所进行的革命思想斗争的组成部分。它们往往都体现着文学评论和政论的结合，表现了对文学领域中形形色色资产阶级思想意识的愤激的情绪，具有明确的党性和鲜明的战斗性，的确具备阶级斗争武器的品格。而更重要的是，这些批评论文，不仅是当时思想斗争的反映和记录，而且也是拉法格运用马克思主义原理对文学现象进行研究、分析的结果，是初期马克思主义者给我们的一份值得重视的理论批评遗产。今天，对这份遗产的意义和局限性加以分析、研究，这对我们当然是必要的，也是很有益处的。

一

拉法格关于他青年时期在伦敦所受到的马克思的教育，曾写过这样一段回忆："……有一天晚上……马克思以只有他所特有的那种丰富的旁征博引和见解，向我讲解了他那人类社会发展的辉煌的理论。就像在我眼前揭开了一层障幕一样：我有生第一次清楚地把握住了世界的历史的逻辑，并且能够把社会发展和思想发展表面上如此矛盾的现象归结出它们共同的物质的原因。"①拉法格所说的，正是马克思所如此概括的那著名的历史唯物主义的基本原理："物质生活的生产方式制约着整个社会生活、政治生活和精神生活的过程。"②这一段话，曾被拉法格作为卷首语引在他的重要著作《思想起源论》的前面，同样，这原理实际上也刻印在拉法格整个文学批评论著之中。

首先，值得肯定的是，拉法格在他的文学批评中杰出地运用了马克思主义关于社会意识决定于社会存在的基本原理。他把文学艺术看作是根源于现实并反映现实的意识形态。作为社会理论家，拉法格善于根据文学艺术与社会生活固有的关系，利用文学艺术的资料去研

---

① 拉法格：《回忆马克思》，第10页。
② 《〈政治经济学批判〉导言》，《马克思恩格斯选集》第二卷，第82页。

究社会问题，如他利用作为"人民灵魂的忠实、率真和自发的表现形式"的民歌去"回溯父权家庭的起源"[①]；而作为文学批评家，他又能杰出地掌握这一条原理去分析和研究纷纭复杂、五光十色的文学现象，剥除它们的外衣，见出其社会和阶级的根由，就如他对法国浪漫主义根源的杰出研究。论文《浪漫主义的根源》所考察的，是法国文学史上笼罩着迷茫之雾的问题之一。19 世纪开初的十年被认为是法国浪漫主义文学发轫的时期，因为在这时，不仅英国和德国的浪漫主义在法国发生了影响，浪漫主义的问题已被提出来加以讨论了，而且主要是出现了夏多布里昂两部"包含了日后浪漫派文学将要加以发展和夸张的、一切优点与缺点的萌芽"[②]的小说：《阿达拉》和《勒内》。这两部小说在当时风行一时，影响很大，奠定了夏多布里昂的"浪漫主义的先行者"的称号。关于这个作家对日后浪漫主义的影响，戈蒂耶曾说过这样有名的话："夏多布里昂在《基督教精华》中恢复了中世纪的教堂，在《拉兹》中，重新打开了大自然之门，而在《勒内》中，则创造了近代的忧郁。"[③]"近代的忧郁"，在法国文学史上又被称为"世纪病"，正是由夏多布里昂小说的主人公勒内而来，后来好些浪漫主义作家的作品都有同样的形象表现，于是这种"忧郁"就成为一种使资产阶级文学史家一直没有解释清楚的神秘的东西。只有拉法格第一次解决了这个问题，他对夏多布里昂和他作品中的人物作了精辟的阶级分析，不仅说明了勒内与反动浪漫主义者夏多布里昂的同一性[④]，也论证了勒内是一个社会力量的代表，是破落的、在革命中投机的贵族阶层的代表。而且，拉法格还分析了这个人物和当时具有普遍社会意义的心理特点的关系，指出勒内也反映了当时资产阶级的

---

① 《拉法格文学论文选》，第 12 页。
② 同上书，第 190 页。
③ 戈蒂耶（T. Gautier）：《浪漫主义史》，第 4 页，巴黎夏尔旁杰丛书，1905 年。
④ 在文学史上，勒内（René）一直被认为是夏多布里昂本人的写照。

某些心理，因而说"这是整整一世代人们的、充满诗意的自传"①。在文章中，作者对勒内这个人物"富有诗意"的情感的解剖是和他对当时社会阶级的心理的具体考察结合起来的，分析得细致，联系得巧妙，构成对人物作社会阶级分析的最精彩的篇章。以此为中心，拉法格还考察了"初期浪漫主义作品"和"欢迎这些作品的男男女女的情感和狂热"，他"追究那些男女在何种社会气氛中活动"，"解释他们为什么那样热烈地接受这些作品"②，从而为大革命之后、复辟时期之前这一历史时期内文学艺术与政治斗争、社会心理的复杂关系，勾画出明确而清晰的线条。

拉法格说："文学批评不再是枯燥乏味的舞文弄墨，不再是骂人或捧人、分发作文奖状或对于善……加以注释，而是关于历史唯物主义批评的一种研究。"③拉法格对法国大革命时期文学所作的批判研究，正是树立了这种批评原则的杰出范例。同样，他在考察民歌的时候，我们也看到这一原则的具体体现。对于民歌所反映的内容和它的艺术形式的特点，拉法格从不满足于作一般的解释，总是根究到这一朵花所生长的现实土壤中去：民歌为什么是纯朴的？民歌具体通过什么关系而与其他艺术形式，如音乐、舞蹈等紧密结合在一起？那些反映了人民不幸生活的民歌为什么会具有幽默、打闹的成分和喜剧性的表现形式？只有像拉法格那样对人民的生活作了那样深切具体的了解、对人民的精神状态有那样入微的体察，才能把这些问题解释得像他那样精辟和深刻！

拉法格不仅在文学批评中具体地运用了社会意识决定于社会存在的基本原理，而且在有的地方还根据这一原理作了具体的发挥。他批判资产阶级学者认为不同民族的民歌有雷同之处是由于各民族有着

---

① 《拉法格文学论文选》，第190页。
② 同上书，第189页。
③ 同上书，第189页。

"共同携带的精神行囊"的说法,他认为这种雷同也不是由于民族之间的"题材输入"所造成的,他说:"题材可以从国外输入,但是只有在题材和采用者的气质和习惯相适合时,它才会被接受、被利用。"①我们知道,后来普列汉诺夫也说过一段著名的、意思与此相似的话:"一个国家的文学对于另一个国家的文学的影响是和这个国家的社会关系的类似成正比例的。当这种类似等于零的时候,影响便完全不存在。"②两位批评家都表现了同样的思想:精神作品总是毫无例外地生长在自己的现实土壤上,外来的种子也必须通过本民族土壤的内应才能生根发芽。由此,当然也可以说,一切外来的精神形式之所以能在本土上生根,不过是因为这种精神形式有被借用以满足本土需要的可能。这不仅可以帮助我们理解不同民族的文学相互影响的实质和条件,而且也能进一步启发我们理解某一时代对于过去时代文学的继承也正是需要一定的内因。

由于拉法格遵循与运用了历史唯物主义的原则,这就决定了他的研究方法具有新的科学的性质:他不像某些思想家那样,"专门同思维的材料打交道;……不去研究任何其他的、比较远的、不以思维为转移的源泉"③,而是溯本穷源,直接深入到某一精神现象由以产生的社会现实,因此,社会研究是他文学批评的前提和条件。从他的批评论文中,我们可以看出,他对于有关论题的社会背景、历史情况、阶级心理作了多么渊博而精细的调查,如他在《浪漫主义的根源》中说,为了"使人了解资产阶级社会的政治、哲学、宗教、文学和艺术的演变",他"不得不探本穷源,手里拿着笔,去翻阅从共和3年到共和12年的出版物"。因此,他建立在详尽的调查研究上的论证,就特别确切、有力。而且丰富的材料和引证者生动的叙述还能传达一种

---

① 《拉法格文学论文选》,第11页。
② 普列汉诺夫:《论一元论历史观之发展》,第285页。
③ 《马克思恩格斯论艺术》第一卷,第154页。

具体的历史气氛,使理论批评文字具有了形象性的特点,形成批评家拉法格的风格的一个方面。

除了以上所述拉法格在文学批评中杰出地运用了社会意识决定于社会存在的原理外,他对文学现象所作的阶级分析也是具有值得重视的理论意义。他根据"每一个阶级的生活方式,在人们的情感与情欲上,印下它独有的形态"[1]这一马克思主义原理,把一切文学现象,都看作是属于一定阶级的意识形态。然而,我们知道,文学的阶级性的表现往往是复杂的,作家与作品的阶级实质往往隐藏在五光十色的生活现象和复杂曲折的艺术层次里,拉法格所论及的几位19世纪的作家,几乎全都如此。在我们看来,雨果身上有着向资产阶级社会抗议的人道主义,左拉有着外貌很科学、很客观的自然主义,都德的作品也不乏对资本主义微温的批判,而夏多布里昂更是穿着一套诗意的迷人的衣装,但拉法格却揭开了现象而让人见到了本质,他揭示得深刻、精彩,使我们不能不对这种杰出的阶级分析方法加以深思。

马克思曾经说过:"不应该认为,所有的民主派代表人物都是小店主或小店主的崇拜人。按照他们所受的教育和个人的地位来说,他们可能和小店主相隔天壤。使他们成为小资产阶级代表人物的是下面这样一种情况:他们的思想不能越出小资产者的生活所越不出的界限,因此他们在理论上得出的任务和作出的决定,也就是他们的物质利益和社会地位在实际生活上引导他们得出的任务和作出的决定。一般说来,一个阶级的政治代表和著作方面的代表人物同他们所代表的阶级间的关系,都是这样。"[2]马克思所揭示的这一关系指出了分析阶级的意识形态代表的基本途径,即视阶级意识形态的代表所反映的是哪一个阶级的利益和视他所没有超越的是哪一个阶级的范围。恩格斯论易卜生、列宁论托尔斯泰都是把握了这一关系,拉法格对一些作家

---

[1] 《拉法格文学论文选》,第232页。
[2] 《路易·波拿巴的雾月十八日》,《马克思恩格斯选集》第一卷,第632页。

作品的分析和论述，也使我们想起这种方法。

在《舞台上的达尔文主义》前面，拉法格引用了哈姆雷特的一句话，即"我们会重新落到多么下贱的用场啊"，这看来是对都德的剧本《生存竞争》掩饰资本主义社会矛盾的一种曲折的讽刺。都德写作这个剧本的动机，根据他本人所说，是为了表示"对那些生存竞争者的憎恶"，如果指责他有意识地企图粉饰资本主义社会的残酷现实、维护这个社会，也许不切合他的动机，然而，人往往是被对自己的幻想所欺骗的，事实是，剧本《生存竞争》客观上已落到了这样"下贱的用场"——掩饰了资本主义社会弱肉强食的真正社会原因。正是着眼于此，拉法格对它严加批判。可见，从文学家与文学作品的社会作用和功能来分析和确定他们的阶级性，是拉法格阶级分析的文学批评所遵循的一个基本原则。如在对17世纪杰出的喜剧作家莫里哀的评价上，他虽然看到了这位作家对资产阶级的讽刺、揶揄，然而他仍然确定莫里哀是资产阶级的积极成员："这位生于博马舍和大革命之前一个世纪的好斗的戏剧家，在'太阳王'统治下，手刃朝野的贵族阶级，攻击使笛卡儿战栗的教会——莫里哀属于他的阶级，是资产阶级的斗士。正像社会主义者对工人们这样说，'和自由资产阶级决裂！它要么屠杀你们，要么就欺骗你们'，莫里哀也向乔治·唐丹和想当贵族的资产者喊道，'像逃避瘟疫那样避开贵族，他们欺骗你们、嘲笑你们、抢劫你们'。"① 在这里，拉法格所看到的，不仅是阶级的思想代表与本阶级之间有"某种对立和敌视"的矛盾情况，而更重要的是看到了这种统一的情况："一旦发生任何实际冲突，当阶级本身受到威胁……这种敌视便会自行消失。"② 他在谈到整个资产阶级时代文学和本阶级的关系时，就这样说："浪漫主义始终明目张胆地

---

① 拉法格：《社会主义与知识分子》，第18页，1900年3月20日的演说，巴黎，国际社会出版社，1936年。
② 《德意志意识形态》，《马克思恩格斯全集》第三卷，第43页。

拥护篡夺了大革命成果的资产阶级。只要资产阶级一天有必要害怕封建贵族卷土重来，浪漫主义者就一天不放松地紧跟着自由的史学家，挖掘了中世纪历史上的阴暗，用来反衬当代的欢乐；但一等到无产阶级形成了自己的阶级，变为资产阶级的敌人时，浪漫主义者马上撇开历史小说，撇开封建时代的可憎可恶，而来对付当前的事件。左拉，在'血腥的一周'的惊心动魄的大屠杀的翌日，为了使资产阶级的良心上不留丝毫的内疚，在他的小说《小酒店》中用最令人恶心的线条描绘工人阶级；同时乔治·奥内之流用卑谦的谄媚来描写那些'冶金业大亨'的慷慨高贵的心灵。"① 如果我们知道拉法格所使用的"浪漫主义"是一个广泛得甚至包括了自然主义，其实就是和"资产阶级文学"相等的概念②时，便可以看出他正是从社会的功能来确定作家和作品的阶级性的。

当然，在阶级社会中，并不是任何文学现象都和政治社会斗争、阶级利害有着直接的、明显的关系，有的文学作品为政治、阶级斗争服务往往是间接的、隐晦的，甚至看来似乎超乎阶级功利之上，因此，对文学现象的阶级分析，往往就不能只看它是否在阶级政治斗争中发挥了明显的作用，而要掌握着作家和作品所不能超越的是哪一个阶级的范围这一关系，来确定某一作家、某一作品的阶级性。拉法格在批判都德的小说《萨福》时，便是这样做的。

《萨福》所写的是一个入世不久的青年与一个情场多变而容颜渐老的中年女人的爱情故事。根据不久前法国学者的考证，这部作品所描写的是作家自己在21岁时的一段经历。③ 从小说的描述来看，作者主要并不是要表现较广阔的社会生活面，甚至也很少触及人生见解等哲理问题，而把笔触局限于男女主人公爱情的纠葛和由于年龄、经历

---

① 《拉法格文学论文选》，第233页。
② 关于这一点，我们将在谈到批评家在理论上的缺点时加以讨论。
③ 雅克-亨利·波尔内克（Jaques-Henry Borneque）：《阿尔封斯·都德的学业年代》，第304~306页，巴黎，尼兹出版社，1951年。

的不同而形成的心理差距。因此，过去的文学史家只把它看作单纯的心理分析小说。但拉法格并不孤立地只从小说着眼，而是看到资产阶级读者在当时对这部小说的热烈欢迎，看到当时社会中资产阶级自私自利、卑鄙恶劣的情欲心理：他们害怕像娜娜[①]那样耗费自己大批钱财的妓女，而总渴望得到像茶花女那样"把身子交出来而不要钱"[②]的女子。拉法格把都德小说的受欢迎和这种社会阶级心理联系起来，分析出资产阶级青年正是以羡慕的心理看着小说中的主人公得到了一个那样理想的不要钱的情妇。而事实上，作者对于女主人公那种"热烈的""不自私的""献身的"情爱是抱肯定态度的，不论作者如何把故事写得具有感伤的色彩，也不论作者对萨福式的爱情的理想，和克莱凡们、于洛将军们、莫法伯爵们[③]对情妇的理想究竟如何有所不同，但作者所反映的这种赞许对方的献身以满足自己的自我中心主义的人生观，和拉法格所揭发的资产阶级对情妇的理想所反映出来的自私自利的人生态度，正是相通或相同的，也就是说，《萨福》中的情事和作者的态度，归根结底并没有超越资产阶级条件所规定的范围。拉法格把握住了这两者之间的关系，正确地指出，"都德先生给上述资产阶级烹调了符合他们胃口的一盘文学美羹"。正是从这个意义上，他对这本书得出精辟的结论："很少有书籍比《萨福》更为布尔乔亚化了。"[④]

除了以上两方面的理论问题外，现实主义也是拉法格在文学批评中着重讨论的问题之一。他关于现实主义的思想，主要体现在对左拉的评论上。从他的评论中，可以看出他对文学艺术的现实主义要求和

[①] 左拉的小说《娜娜》中的女主人公，巴黎的一个妓女。
[②] 拉法格在他的一篇社会论文中，把卖淫称为"资本主义文明的装饰"，说这种现象"使得妇女具有一种价格"，在这社会中，"茶花女把身子交出去而不要钱，真是太不幸了"。见《资本与宗教》，第13页，巴黎，国际社会出版社，1936年。
[③] 克莱凡、于洛是巴尔扎克小说《贝姨》中的人物，莫法则是左拉小说《娜娜》中的人物，他们都被妓女玩弄于股掌。
[④] 《拉法格文学论文选》，第4页。

为达到这一要求所应该贯彻的原则。我们应该说，在恩格斯之后，最先对现实主义问题提出详尽而精彩的论述的，正是拉法格。

文学艺术应该按现实的本来面貌反映现实的本质，这是马克思主义经典作家关于文学艺术的现实主义基本要求。恩格斯在致哈克奈斯的信中，根据当时的历史条件，向作家明确地提出了"真实地描写现实的关系"的要求，生活与斗争在此一时代的拉法格，在他的文学批评中所体现出来的，基本上也便是这种要求。在拉法格的时代，自由资本主义向垄断资本主义发展，具有了新的特点。按照真实地描写现实关系的要求，拉法格认为新的现实应该在小说中得到反映，正是从这点出发，他对当时不少落后于现实、仍用自由资本主义时期的生活来代替当前的现实的小说，提出了批评，也正因为左拉在他的作品中表现了这一时期的某些特点，"接触到社会上的一些巨大现象和现代生活中的大事件"①，拉法格对他加以肯定，称赞他在当代作家之中，"真是个巨人"。以同样的标准来加以衡量，他也指出左拉在表现时代的本质方面做得不够，甚至有严重缺陷。他认为左拉"缺乏讽刺才能"，在《金钱》中没有把交易所的种种下流情况描写出来，没有把金融集团之间具有典型意义的斗争表现出来。照批评家看来，这些本来应该"作为这部小说的基本背景，并且给它一种史诗式的伟大气魄"②。而更重要的是，拉法格批评了左拉在写作西奇斯蒙·布虚这个人物上的错误。左拉说这个人物是一个热烈的马克思主义者，然而，他却把蒲鲁东的无政府主义观点和傅立叶的乌托邦思想放在这个人物身上，而这时蒲鲁东主义早已被马克思彻底批判了，空想社会主义也早已为时代所否定了，因此，这个人物实际上是左拉所臆造的，是"一种云雾迷漫的幻想的产物"③。

---

① 《拉法格文学论文选》，第148页。
② 同上书，第169页。
③ 同上书，第184页。

当然，像拉法格所要求的那样按照马克思主义对社会现实正确的理解来创作反映现实的真实关系的"社会小说"这一任务，最理想的是由无产阶级自己的作家来加以完成，但是，在拉法格看来，无产者"由于过度的劳苦和穷困而下降到那样卑微的地步，他们是那样地昏沉，以致仅仅有受苦的力量，而没有叙述他们自己的苦痛的能耐"，这种小说"只好由那些自己不经历雇佣工人的生活，而且从外部来看这种生活的人来写"①，而这种人"由于自己的实际知识，以及生活和思想方式上的弱点，一般地说对于这样的任务是毫无准备的"②，这便是拉法格所见到的一系列矛盾，也正是从这种反映现实的本质的要求和非无产阶级出身的作家的主观缺陷之间的矛盾中，我们可以理解为什么对左拉有那样一些批评。而从这些批评中，我们也可以看出，在当时的条件下，拉法格认为文学艺术为达到真实地反映现实的要求所应实行的原则究竟是怎样的。

塑造典型环境中的典型性格，这是对现实主义小说的基本要求。作品之反映现实本质，主要便是体现在这一点上。拉法格在他的批评中也表现了恩格斯这一思想，并且对现实主义地、辩证地描写人物性格与社会环境的关系的问题，作了具体的发挥和阐述。"人自己创造了自己的社会环境，但是人又是环境的作品，当你改变环境时，你同时也在改变人的风俗、习惯、激情和感情"③。根据人与社会环境这一辩证关系的原理，拉法格批判左拉的自然主义描写人的方法。左拉不像某些反现实主义的作家一样，将人物的动机和行为归之于"Deus ex machina"（机关神道），而使人物"屈服于双重的从属性，一种是内在的和生理的从属性，另一种是外部的社会的从属性"④。但左拉把人物对生理的从属性提到首要地位，在他整部小说《卢贡－马卡尔

---

① 《拉法格文学论文选》，第150页。
② 同上书，第151页。
③ 拉法格：《赞成共产主义与反对共产主义》，《财产及其起源》，第10页。
④ 《拉法格文学论文选》，第137页。

家族》中,他用遗传的生理病态去解释人物的行为和命运,这正是拉法格所着力批判的。他指出,左拉"为了使他在小说中所倡导的东西(指自然主义——笔者)具有科学的外貌,也就乞灵于自然科学"①,其实是对"认为有机的环境对于生理成分的生命是起着决定性的影响"的自然科学一无所知,而追随了资产阶级社会科学中的庸俗的定命论。他批评左拉没有认识社会原因大于生理原因,没有认识"最根深蒂固的遗传品质如何在个人生长的环境中不断地受到改变"②,而作家一旦把生理原因提到首位,实际上也便落到用"Deus ex machina"来解释一切的反科学、反现实的地步了。拉法格在批判左拉的生理观点时,并没有完全否定生理的必然性。他举出巴尔扎克来,"巴尔扎克的人物没有例外地都被一种情欲所控制,这种情欲对于他们来说,成了一种生理的命运"③。他具体指出巴尔扎克的人物是如何受这种"生理的命运"控制以至成为偏执狂的患者,如高立欧的父爱、葛朗台的吝啬、于洛男爵的好色。但他同时指出,巴尔扎克笔下的这种"生理的命运"是环境的产物:"即使他们生下来的时候,已经带来了这种情欲的苗头,这种情欲也只是在环境影响之下,才慢慢地发展的。"④正因为巴尔扎克表现了社会环境与人物性格之间的辩证关系,表现了典型环境中的典型性格,拉法格在批判左拉的时候,便把巴尔扎克作为现实主义的一个高峰提出来,这正可以帮助我们理解恩格斯所说的:"巴尔扎克比过去、现在和将来的一切左拉都要伟大得多。"⑤

作家对生活必须具体体验、深入观察,并且对现实斗争不能抱冷漠旁观的态度,这是拉法格在批判左拉时所表现的另一中心思想,又是他认为文学艺术为达到真实地反映现实的关系所应实现的又一原

---

① 《拉法格文学论文选》,第139页。
② 同上书,第143页。
③ 同上书,第143页。
④ 同上书,第143页。
⑤ 《马克思恩格斯论艺术》第一卷,第10页。

则。他认为反映当时社会现实的社会小说由非无产阶级出身的作家来写，必须要这些人"不是把自己闭塞在各人的专业的墙垣之内"①才有可能，必须要作家关心和参加时代的斗争生活才有可能，他对自然主义认为"作家不应当参加当前的政治斗争"，"应当完全站在旁观的地位"②的理论狠狠加以讽刺，他有力地反问："谁能想象这样的事：假如但丁以地道的世俗之人的身份，把自己关在斗室之中，对公众生活漠不关心，假如他对当时的政治斗争不是采取热烈参加的态度，而能够写出他的《神曲》来？"③

正因为自然主义对待生活的态度是错误的，因此，它观察生活和描述生活的方法就不能不有严重缺陷，甚至是反现实主义的。拉法格清楚地指出了这种因果关系："当左拉在他的隐士之居的深处生活和创作时，他远离了作为他的研究对象的有生物和无生物；这样一来，用画家们的一句俗语来说，他不得不'写意'了。"④但为了给小说以严格的科学外貌，自然主义作家便从书籍、报纸和笔记中取得具体知识，甚至也去旅行参观，得到具体的印象，于是便把这些没有经过自己深切体验的零星材料搬用在自己的作品中。拉法格分析出，由于这种观察方法的庸俗性使作家只能抓住生活的表面形态，使创造性的写作劳动降为具体印象和材料的搬用、编排，使作品貌似现实而其实却是反现实的。

批评家在批判的同时，也提出了他正面的主张，他所主张的便是像塞万提斯、巴尔扎克那样的现实主义观察生活和描写生活的方法："在事件的主要发展方面去深入"，"追究事件的原因"，"抓住它们的作用和反作用的复杂性"，"和各种不同的环境打交道，在现实中观察了生活和人们的行为，通过生活和学习，熟悉了社会之后，才动笔

---

① 《拉法格文学论文选》，第156页。
② 同上书，第178页。
③ 同上书，第156页。
④ 同上书，第153页。

写作"①。拉法格对自然主义的批评和对现实主义的推崇是出于辩证唯物主义反映论深刻的理解。也许我们可以说,很少有批评家对自然主义创作方法作了像他这样精彩而透彻的论述。而更值得我们重视的是,拉法格在这里明确地提出了作家与生活的关系问题,向作家提出了符合当时历史条件的参加生活斗争的要求,从而对马克思主义文艺理论中这个重要问题,作出了正确的理解。

此外,在文学艺术如何反映真实的问题上,拉法格也像恩格斯那样,把"现实主义的真实性"和"艺术家的勇敢"联系起来。拉法格认为左拉对资产阶级社会批判得还不够彻底,认为他批判和揭发的勇气还不充足,正是因为缺乏这种艺术家的勇敢,他的现实主义成就便有所减损了。由此,批评家明确地提出要求:具有批判的勇气,像巴尔扎克那样"把丑恶弄得更丑恶",并且在自己的作品中运用讽刺和幽默的笔法,表现出鲜明的批判倾向。从这些要求中,我们难道不能看见,这位革命批评家在当时的条件下,企图引导作家去"打破对于这些关系(指资本主义社会关系——笔者)的性质的传统的幻想,粉碎资产阶级世界的乐观主义,引起对于现存秩序的永久性的怀疑"②的一种努力?

二

在认识了拉法格文学批评的成就和对我们的意义之后,也有必要看到他在文学理论上的缺点甚至错误。我们已经知道,拉法格曾经信仰过蒲鲁东主义和布朗基主义,过去的思想影响究竟还是妨碍了他在每一个问题上都达到马克思主义的正确性,他的文学批评中的缺点和错误,总的说来,就是由于小资产阶级的片面性和狂热性而产生的

---

① 《拉法格文学论文选》,第156页。
② 《马克思恩格斯论艺术》第一卷,第6~7页。

理论上的简单化、机械化以及过左的倾向。如，他认为无产阶级在资本主义残酷压榨下完全丧失"光彩动人的诗的表达才能"，不可能创造自己的文学艺术，而没有看到无产阶级不仅在非本阶级的有文化教养的人士中征集自己的代言人，而且还从本阶级产生自己的文学代表，而事实上，"一直是一个穷人和无产者"的鲍狄埃，"从1840年起，他就用自己的战斗歌曲来反映法国生活中所发生的一切巨大事件……"[①]了；又如，他从小说这种文学形式和资产阶级同时产生以及某些小说的读者主要属于资产阶级圈子的事实出发，便下结论说这是"资产阶级的文学形式"，也是犯了没有把文学形式的社会根源和意识形态的阶级性区别开来的错误；再如，他根据小说《勒内》受到社会普遍欢迎，不仅指出勒内这个人物也反映了资产阶级的某些心理，而且也把这个其实只是破落贵族化身的人物也看作资产阶级的化身。此外，他提倡作家在作品中多发议论，也不能说充分重视了文学形象的作用，而他对小说家都德的个别作品的批评尽管中肯，但对这个作家整个的评价却是尚可商榷的。总的说来，他的理论缺点和错误主要还是表现在两个问题上，即如何看待文学作为特殊的意识形态的复杂性和根据什么标准、什么尺度评价作家。前一个缺点主要反映在他对浪漫主义的研究上，后一个缺点集中表现在《雨果传说》中。

从拉法格所说的"现代自然主义，这个浪漫主义的尾巴"一语来看，他的浪漫主义这个概念是很泛的，而从他在《浪漫主义的根源》末尾那段话中[②]，我们可以肯定，他所指的浪漫主义在他看来就是资产阶级的文学，而在我们看来，实际上就是整个资产阶级时期的文学。显而易见，这里首先就有了笼统的毛病。资产阶级时期的文学包括不同阶级、不同阶层的文学，即使说资产阶级时期的文学与资产阶级文学就是同一的，但在不同阶段，资产阶级文学本身也有发展和变

---

① 《欧仁·鲍狄埃》，《列宁全集》第三十六卷，第210页。
② 《拉法格文学论文选》，第233页。

化。从事实来看,法国 1789 年以后资产阶级时代所产生过的好些不同文学流派,如浪漫主义、现实主义、唯美主义、自然主义,正标志着这一时期文学发展的几个阶段,而它们所代表的思想倾向,也并不是相同的。如拉法格所批判的自然主义代表作家左拉,虽然其世界观不可能超越资产阶级总的范畴,虽然他的作品有时也投合统治阶级的利益,但他所代表的绝不是镇压了巴黎公社的那个阶级,而是表现了某些激愤的小资产者的情绪,正因为如此,他有时便能克服错误的创作思想而达到批判现实主义的高度,这点是拉法格所未充分估计的。再以作为特定时期的文学思潮的浪漫主义而言,在其中也响彻着三个不同的阶级的声音:被革命剥夺了特权的贵族对过去的哀歌和对中世纪的梦呓,被大革命吓坏了的资产阶级逃避现实、矫揉造作的吟唱,还有一无所得的小资产阶级失望的抱怨和激愤,从夏多布里昂、拉马丁和雨果等人思想倾向不同的作品便可以证明。法国浪漫主义由反动浪漫主义者夏多布里昂开始,而在 19 世纪 20 年代的浪漫主义运动和 1830 年浪漫主义的胜利中,作为主将和领导者而活动着的,却是以雨果为代表的积极浪漫派。由此可见,这个运动是不仅以一个阶级为其根源的复杂的文学现象。的确,后来的浪漫主义者继承了夏多布里昂涂在他人物身上的那层忧郁的色彩、他惯常所用的幻想方式和色彩浓烈的语言,甚至还下过这样的决心:"我要做夏多布里昂,否则什么也不做。"①但是,这只不过借用了夏多布里昂所创造的"曲调",而在这"曲调"中填进了自己的"歌词"。拉法格精辟地解释过,夏多布里昂的作品在当时受到不止一个阶级的欢迎,是因为人们只听"曲调"而不注意"歌词",但是,他在对待资产阶级时期的不同文学流派的时候,自己却又没有看到它们各自在"歌词"上的区别了。包括着不同流派、不同倾向的资产阶级时期的文学,在他看来,就只是一种资产阶级文学,用他的话来说,就是浪漫主义文学。于是,自然主

---

① 克洛德·罗阿(Claude Roy):《雨果生平自述》,第 14 页,巴黎,联合出版社。

义、浪漫主义都是资产阶级的仆役了，代表贵族阶级的夏多布里昂的反动浪漫主义因为产生在大革命之后，也便成为资产阶级的东西了。总之，"浪漫主义"负担着拉法格认为的资产阶级文学所具有的一切劣性和缺陷，甚至唯美主义在1834年才提出来的"为艺术而艺术"的口号，也被批评家算在1830年获得胜利的积极浪漫派的头上，其实，正是雨果后来在自己的论著里提出了"美为真服务"的思想[①]。从这里可以看出，阶级分析的简单化会引导批评家走到怎样令人遗憾的论断，拉法格的错误正在于对特殊的意识形态的文学采用了简单的阶级分析，他把这些文学现象都笼统地确定为资产阶级性的，不仅没有分辨出它们所代表的阶级或阶层的不同，没有分辨出一个阶级的文学在各个历史发展阶段中的不同，而且，也无视它们各自在艺术思想、创作方法方面特有的含义，把文学这特殊的意识形态当作一般的意识形态来对待，只从阶级思想倾向的角度进行考察，于是各种不同的文学流派与创作方法在拉法格眼中，便都统一在同一种阶级的色调中了，由此我们才能理解，为什么在《左拉的〈金钱〉》一文中，拉法格一开始便否认自然主义的特殊性，认为这只不过是资产阶级文人的标新立异而已。

至于拉法格对作家批评过于偏激、失之片面的缺点是大家都知道的，《雨果传说》便是典型一例。这篇文章是直接针对资产阶级对雨果的庸俗宣传而写的，其实他本应该对雨果作出科学的分析，揭穿资产阶级宣传的实质。然而，他没有这样做，而把他犀利的笔锋转向雨果本人，这在批评方法上便不恰当。雨果的确有不少缺点，拉法格的

[①] 实用不仅不会排斥崇高，反而使它更加伟大。……艺术为了扩大自己，难道反倒会萎缩吗？不。愈是多一种用处，愈能增添一种美……我们所称为磁力或电力的那种巨大的活流，是不是因为它能使磁针总是指向北方以指引航船的方向，因而就不会在密云层中发出那样夺目的光彩呢？朝阳是否因为预料到苍蝇的干渴有意地把蜜蜂所需要的露珠藏在花朵里，因而就会不够光辉灿烂，就会缺乏霞红和玉碧，就会少一些庄严、风度和光彩呢？——雨果：《莎士比亚论》第六卷，第1节，《雨果全集·论文》第二卷，第174～175页，巴黎，阿兰多夫。

批评的确是建立在详细地掌握了具体材料的基础上,然而,引用材料不确切和主观引申的情形也是有的。如引用雨果1837年《心声集》序言不够准确①;如说雨果也提倡"为艺术而艺术";至于因为雨果流亡在国外时居住条件不错、书籍仍能出版就一笔否定诗人在长期流亡生活中所表现出来的政治坚定性,甚至说他"利用放逐生活作为最响亮的广告"②,则更是流于偏激。

雨果是一个复杂的作家,从历史发展过程来看,虽然他少年时曾经是一个"爱旺岱甚于爱法兰西"的"詹姆士王党"③,但是在19世纪20年代,他领导革命的浪漫主义运动,向复辟政权和受官方支持的伪古典派作了斗争,虽然他在1830~1848年这一时期,在政治上常有动摇,但他后期始终是一个为民主与共和而斗争、反对拿破仑三世专制政体的坚决的斗士。雨果生活在无产阶级开始革命斗争的时代,他不了解六月起义和巴黎公社的意义,然而,他却敢于在阶级斗争严重的时刻公开地站在同情革命斗争的这一方面来。从雨果的创作来看,的确,在复辟王朝时期,少年雨果写下了一些歌颂王权的诗歌,然而,这些诗歌在他整个作品中所占的比例是很小的,和他批判资本主义社会现实、同情劳动人民的作品比较起来,是微不足道的。因此,从雨果政治社会活动与文学创作各方面来看,其主流是好的,值得我们肯定。雨果的思想意识的复杂性和局限性应该说不是个人的

---

① 雨果在序言中说,他要求自己"在各种意见热烈争辩的时刻,在他的理智所要经受而又不为所动的各种强烈的吸引中,思想上始终认定这样一个严肃的目标:属于一切党派的好的方面,而不属于它们的坏的方面"(《雨果全集·诗歌》第二卷,第359页,巴黎,阿兰多夫),这和他另一篇序言中所说"他认识了比一切会党更伟大的东西,那就是党派,比一切党派更伟大的东西,那就是人民;比人民更伟大的东西,那就是人类"(《玛丽·都锋》序言,《雨果全集·戏剧》第三卷,第7页,巴黎,阿兰多夫)的话是相通的,同样表现了雨果"超阶级的""超党派的"人道主义思想,而拉法格却把它引申成为一个投机政客恬不知耻的格言了:"什么党派都可以参加,从它们慷慨大量的一面看(也就是说有利可图的一面看);什么党派都不能参加,从它们不好的一面看(也就是说使人受损失的一面看)。"

② 《拉法格文学论文选》,第101页。

③ 雨果:《秋叶集》序言,《古典文艺理论译丛》第二册,第130页。

现象，而是有着深刻的社会原因，和大革命以后直到巴黎公社这一长段历史时期里的复杂的阶级关系有紧密的联系。雨果的优点与缺点、长处与过失，都是时代、社会和阶级的产物。如果拉法格把雨果的复杂性加以切实的、细致的分析，我们本可以期待他写出精彩、深刻的篇章。但拉法格却没有同时看到作家的正面与反面，而是往往强调了作家落后的一面，忽视了值得肯定的主要的一面。这种片面的分析方法首先就妨碍了批评家达到正确的结论。

对作家提出非历史主义的要求，这是妨碍拉法格正确评价雨果的另一个原因。事实上，拉法格是以不切实际的思想水平来衡量雨果的，责备他对六月起义、巴黎公社所抱的同情态度是虚伪的，责备他有爱钱的不高尚的意识，但这正是脱离了雨果的条件来要求雨果。作为小资产阶级的代言人，雨果是不可能站到六月起义的街垒上去的，而作为一个生活在资本主义社会中的现实的人，雨果也不可能如拉法格所要求的那样纯净。重要的是，应该把作家当作作家来加以要求，即看他在作品中是否"能以提出这么多重大的问题，能以达到这样大的艺术力量"[①]，看他的作品所维护的是什么阶级关系，所损害的又是什么阶级关系。如果从这个标准来加以衡量，那么，我们可以说，从其作品来看，雨果一直是资本主义非正义现象的激烈的抗议者，是劳苦人民的朋友。但是，在这一点上，拉法格正犯了明显的错误，在他看来，雨果的人道主义不过是作家用来下面包的食料，而被列宁认为充满"革命气势"的《惩罚集》，只不过是作家受了伤的虚荣心的产物。当然，雨果的人道主义具有阶级的局限，它不能超脱资产阶级世界观的性质，然而，当作家手执资产阶级在上升期所制造的这一理想标准来衡量资产阶级社会的现实时，人道主义就成为一种批判的尺度了；当然，《惩罚集》不可能达到《路易·波拿巴政变记》那样的高度，然而，在法国工人阶级也曾参加的"为了共和制理想进攻帝国"

---

① 《列夫·托尔斯泰》，《列宁全集》第十六卷，第321页。

的斗争中，是起过积极的战斗的作用的。拉法格的根本错误在于：他看到了雨果与无产阶级的不同，但他没有看到雨果与当权资产阶级的不同；他看到了雨果和巴黎公社的距离，然而却没有看到雨果和凡尔赛宫的距离；或者说得更确切一点，他虽然不把没有和梯也尔站在一起的雨果看作是无产阶级的敌人，但也不把没有走上街垒的雨果看作是可以团结的朋友，看作是在对当权资产阶级斗争中可以团结也应该团结的对象。拉法格在理论上没有估计到作家思想意识的复杂性和阶级作用的复杂性，而把和自己观点不相同的一切非无产阶级作家，都笼统划为资产阶级文人之列，这正是当时以盖德、拉法格为代表的无产阶级运动中狭隘的阶级政治路线在文学批评中的反映。

拉法格在理论批评上片面、偏激、过左的缺点和错误，根本上是一种对文学艺术的特殊规律认识得不足的错误。我们应该指出这些缺点和错误，我们也应该理解这些缺点和错误的原因。特别是，拉法格有的偏激过左的文章，是在特殊的斗争条件下和特殊的思想状态中写成的，如《雨果传说》便是写于监狱，这种文章与其说是对作家的评论，不如说是掷向资产阶级的投枪。而且，他的缺点和错误也是次要的，主要的事实是，拉法格把马克思主义的基本原理用于文学批评，作出了不少精彩深刻的论述，对马克思主义的文学理论批评是有贡献的。正因为拉法格是一个战斗的马克思主义的理论家，他的理论便一直受到第二国际机会主义"理论家"的责骂，便一直为资产阶级的学者所不理睬。我们今天主要是应该向拉法格学习，同时也要认识从他的缺点和错误中所体现出来的经验教训。

1962 年 7 月

丹纳[①]的《艺术哲学》

1882年,丹纳将他在巴黎美术学校授课的讲义收集起来以《艺术哲学》为题名出版。其中的第一编《艺术的本质及其产生》,早在1865年便已问世,其他各编也分别在1866~1869年之间写出发表,从时间上来看,恰巧是丹纳写作另一部重要的著作《英国文学史》期间(1864~1869)。

《英国文学史》与《艺术哲学》,特别是《艺术哲学》,是使丹纳在文学史上获得文学艺术史家、理论批评家声誉的重要论著。虽然早在1857年,丹纳刚开始从事文学批评时,便被人称赞为"成就最为突出的青年批评家"[②],但他受到理论批评界高度的推崇,却是在这两部论著发表以后。1889年,当时法国一位重要的批评家在他的大学讲义中这样说:"自从黑格尔以后,在欧洲还没有人像《艺术哲学》的作者那样,对文学艺术的关系和发展问题,发挥了这样一些新颖、深刻、有力的思想。"[③]而在他死后,著名的文学史家朗松便这样盖棺论定了:"丹纳是本世纪最伟大的思想家之一,他具有高度的智慧和

---

① Taine,过去译为泰纳,本来可以沿用,现傅雷译为丹纳,本文为读者方便,采用现在的新译名。

② 圣-佩韦:《论丹纳先生的几部作品》,《星期一谈话录》第十三卷,第249页,巴黎,加尔尼叶兄弟书店。

③ 布留勒杰尔:《文学史中各类文学的发展》第一卷,第246页,巴黎,阿晒特,1892年。

能力。"①

作为文艺批评家，丹纳以主张考察文学艺术应该从种族、环境和时代三方面着手而著名。按一般了解，丹纳这一论点是在他的《英国文学史》的序言中提出来的。这篇序言由于阐述了文学艺术史的研究和社会研究的关系、作为精神现象的文学艺术与社会时代环境的关系等重要问题，集中地概述了丹纳的基本理论主张，因而一直被视为文艺批评史上的著名的理论文字。不过，也应该指出，丹纳的这一基本的思想，也并不是初次见于这篇序言。早在他第一本著作《拉封丹及其寓言》里，他便提出了他日后要加以发展的原则，并且还在具体论述中把这位作家放在当时时代的背景上和环境的氛围中予以考察。当然，不论是批评著作《拉封丹及其寓言》，还是主要为了说明一部史学专著的《〈英国文学史〉序言》，都不可能也没有把丹纳的全部文艺理论阐述得很充分。这个任务是由《艺术哲学》来完成的。

一

丹纳在《艺术哲学》中，是从考察具体的作品和文学艺术的历史现象入手而展开他的理论的，用他自己的话来说，"是从历史出发而不从主义出发，不提出一套法则叫人接受，只是证明一些规律"②。他首先以具体的事实说明，一部作品并不是孤立的，它属于作家的作品总和，是构成作家风格的一部分，而作家又属于他那个时代的艺术家族，具有时代的特色，而整个时代的文学艺术又和整个时代的风俗、习惯、时代精神不可分割，由此，他明确地说："要了解一件艺术品、一个艺术家、一群艺术家，必须正确地设想他们所属的时代精神和风俗概况。"丹纳便这样通过一步深入一步的论述指出了文学艺

---

① 朗松：《法国文学史》，第1047页，巴黎，阿晒特，1951年。
② 《艺术哲学》，第10页。以下引用该书内容时，具体页码不一一标注。

术和它的时代、社会的关系。这一关系，正是丹纳所要证明的规律，也正是《艺术哲学》全书的主旨。

丹纳能够看到文学艺术现象对于社会环境的从属关系，自然便不难看到问题的另一个方面，即时代社会环境等条件对于文学艺术的决定作用。而将这一认识概括为一条规律，便是他所说的，"作品的产生取决于时代精神和周围的风俗"。根据这一原理去观察文学艺术史上的现象，丹纳便既能看出某一作家或某一部作品何以会有某种艺术表现，也能看出在某一时代、某一环境何以会有某种作家、某种艺术作品的出现，而某种时代环境的变化又何以会引起文学艺术部门中相应的改变。看到了这些，他在论及文学艺术史上重要的历史现象、重要的作家和作品的时候，才能写出一些有价值的篇章，道出一些精辟的见解。

为什么在中世纪会出现感伤的骑士文学、流行哥特式的建筑，为什么在17世纪的法国产生崇尚端庄、高雅风格的古典主义文学，而在19世纪的文学中出现大批"感情永远不得满足，只是莫名其妙地烦躁、苦闷至于无可救药"的个人主义者形象……丹纳把这种种文艺现象或则放在明白具体的历史背景上，或则和一定的历史事实联系起来加以解释。他敏锐而细致地看出了哥特式建筑中所曲折反映出来的社会心理；他的辨析的眼光没有被法国古典主义悲剧中人物身上的古希腊罗马的衣装所迷惑，仍认出了他们"是17世纪的法国贵族"；他在希腊文学中的依斐日尼、阿喀琉斯与拉辛笔下的同名人物之间，也看出了两个时代的差异。丹纳总是力图从历史现实出发去把握文学作品的真实面目，而把某些批评家加在它们之上的妨碍视线的诗意的纱幕揭开。他并不把《奥德赛》的主人公看作一个近乎神人的英雄，而根据当时希腊人航海、经商、海上劫掠的现实生活，只把他看作是一个精明狡猾、"会随机应变"、"一心只想着自己的利益"的"本领高强的水手"。同样，对于19世纪文学中出现的那著名的一群主人公，如勒内、浮士德、维特、曼弗雷德等,丹纳也看得很现实,他透过那些华美的词藻,揭开这些人物身上迷人的衣饰,干脆说他们是个人主义思潮所造就的产儿。他从19世纪资产阶级和小资产阶级青年的生活环境和条件去看待这些个人主义者的形象,因此便对这些人物身上共同的性格,也就是文学史上所谓的"世纪病",作出了新颖的解释:"宗教与社会的动摇,主义的混乱,新事物的出现……逼得他年纪轻轻就东闯西撞,离开现成的大路,那是他父亲一辈听凭传统与权威的指导一向走惯的。作为思想上保险栏杆的一切障碍都推倒了,眼前展开一片苍茫辽阔的原野,他在其中自由奔驰。好奇心与野心漫无限制地发展……因为得到的总嫌不够,享受也是空虚,反而把他没有节制的欲望刺激得更烦躁,使他对自己的幻灭灰心绝望……这个病称为世纪病。"丹纳所有这些分析和论述,当然没有达到阶级分析的水平,但作为一个资产阶级文学批评家,他能够对文艺现象作比较客观的社会分析,努力在历史事实中找寻文艺现象真实的社会根源,这就值得肯定了。

在《艺术哲学》中,"作品的产生取决于时代精神和周围的风俗"这一规律,并不是作为片断的思想出现的,而是作者通过具体的事例从理论上加以多方面的论证而达到的。丹纳首先确定,文学艺术家作为某一时代的成员,其思想感情要受时代和社会决定。接着,他进一步说明了时代环境的条件在作家的艺术创作过程中的作用。在这个问题上,丹纳表现出对艺术创作过程有细致的了解,他一方面说明如果是一个苦难的时代,那么时代提供给作家的总是苦难的题材,而围绕作家的气氛也是苦难的气氛,这对于艺术家的形象思维便有着重要的影响,另一方面也指出,艺术家由于在感受和思维方面的特点,往往会把自己的印象、思想和情感加以深化、扩张和渲染,以致当他把这一切表现在作品里的时候,"他所看到、所描绘的事物,往往比当时别人所看到、所描绘的色调更阴暗"。最后,当文艺作品流传于社会的时候，同时代群众对它的检验，他们的爱好或反感，也起着作用，"群众的趣味完全由境遇决定，抑郁的心情使他们只喜欢抑郁的作品。他们排斥快活的作品，对制作这种作品的艺术家不是责备，便是冷淡"……而"艺术家从事创作必然希望受到赏识和赞美"，因此，"艺术家的雄心，连同舆论的压力，都在不断地鼓励他，推动他走表现哀伤的路。把他拉回到这条路上，同时阻断他描写无忧无虑与幸福生活的路"。丹纳把以上种种原因，称为"重重的壁垒"，它们促使艺术家和自己的时代社会一致，"给艺术家定下一条发展的路，不是压制艺术家，就是逼他改弦易辙"。有了这样一些具体的论证，丹纳所提出的文学艺术决定于时代和环境的论断，在理论上就比较充实和有说服力，而且，在第二、三、四编中，他又以绘画和雕刻方面的史例印证了这些原理，使之具有了更丰富的历史内容。这正是丹纳著作中史论结合的所在。

　　丹纳所谓的"时代精神和周围的风俗"一语，是一个笼统的用语，主要是概括文学艺术所产生的某种"精神的气候"。而从他的具体论述中可以看出，他所谓的精神气候，又不外是民族和时代的心理素质、思想情感、社会心理，以及社会政治组织等方面的因素，都是属于社会结构中精神意识、上层建筑部分。丹纳也寻找过决定这些精神意识条件的物质原因，他所找到的便是地理环境、自然气候，他认为正是这些自然条件决定了社会意识和社会组织，从而对文学艺术发生作用。可见，丹纳虽然在论断中只提出了时代精神和周围的习俗决定文学艺术，但在实际的论述里，他却是从他所能认识到的全部客观条件来考察文学艺术的；他虽然在《〈英国文学史〉序言》中正式把决定文学艺术的一切条件归纳为种族、环境和时代三个方面，但在《艺术哲学》的实际论述中，却是归纳为精神气候和决定精神气候的物质条件两个方面，而在这两个方面中，他认为社会政治组织、道德理想、宗教信仰、哲学思想、心理习俗等这些精神气候，较更根本的物质条件更为接近文学艺术，对文学艺术的影响是更为直接、更为巨大的。按照我们的理解，文学艺术是一种社会意识形态，它最终要由经济基础决定，而且也要受其他更为接近基础的社会意识形态的影响和制约。丹纳当然不能正确理解这种关系，他的理论与历史唯物主义相距还很遥远，然而只就对文学艺术与周围精神气候的关系的认识来说，他较之文艺批评史上其他资产阶级批评家却更为系统、更为细致，可说是资产阶级文学理论在这个问题上所达到的一种最高的认识。

在考察促使某种艺术产生的精神气候和客观条件的时候，丹纳总是细致周密地考察到了这气候中的每一股风力、每一个气流、每一次温度的变化……指出与这种艺术有关的种种因素。他不仅说明形成某种艺术繁荣的一般条件，而且还说明与这种艺术的特点密切联系的那些特定的历史条件，从而表现出了每一种艺术的个性：特定的土壤，特定的生长与发展的过程，特定的风格、面貌和色彩……《艺术哲学》各编在论述希腊雕刻、意大利文艺复兴时期的绘画以及尼德兰绘画时各不雷同，并都能给人以独特的印象，其原因便在这里。不仅如此，而且这在理论上也是有意义的。我们知道，马克思在谈到古希腊的艺术和当时社会的关系时这样说过："它（指古希腊艺术——笔者）是这个未发展的社会阶段的成果，而且是与下述情形分不开的，即希腊艺术所由产生而且只有在其下才能产生的未成熟的社会条件，是永远不能复返的了。"① 这里马克思同时所指出的两点，其一，某一种艺术是某一个社会的产物，其二，某一种艺术和产生它的某一个社会都是特定的、不能复返的历史现象，对于研究艺术现象与社会的关系以及整个艺术发展的问题有着巨大的意义。《艺术哲学》在史与论两方面可贵的一点，便是它在我们理解马克思的这两个思想的时候，可作为一个参考。它以具体的材料说明了历史上某一次巨大的艺术繁荣，总是由特定的历史条件所决定的历史现象，是各种具体的因素在

---

① 《马克思恩格斯论艺术》第一卷，第197页。

当时当地汇集作用的结果,在历史发展过程中是不可重复的,正如丹纳自己所说:"要同样的艺术在世界上重新出现,除非时代潮流再来建立一个同样的环境。"而正是在这种具体的对历史的研究和考察的基础上,丹纳形成了他发展的艺术观,他不像某些理论家那样在新的历史条件下切望过去历史上某次艺术繁荣的再现,而是清楚地认识到,"每个形势产生一种精神状态,接着产生一批与精神状态相适应的艺术品……今日正在酝酿的环境一定会产生它的作品,正如过去的环境产生过去的作品"。

丹纳对文学艺术与社会生活关系的根本思想,使他不完全像一般资产阶级思想家那样,"专门同思维的材料打交道;……不去研究任何其他的、比较远的、不以思维为转移的源泉"[①],他在说明某一时期、某一民族的文学艺术时,总以这一时期、这一民族的社会生活和历史背景作为依据,举出大量的史实作为论据。《艺术哲学》中的历史材料是相当丰富的,显示了作者对于研究对象认真努力的态度和他广博的学识。这些史料都是作者辛勤劳动的结果。在批评史上,丹纳搜集资料不辞辛劳、力求广博无遗的精神是有名的。文学史家法盖这样介绍说:"丹纳带着一种狂热,同时又以一种极其严谨的态度,去阅读、整理、积累和收集历史材料,他特别对细小的事件、风俗习惯的细节和在浏览中易于被忽略的细微线索感兴趣。"[②]而丹纳整个青年时期几乎便是在努力积累历史材料中度过的。由于丹纳掌握了相当丰富的史料,再加上他生动的文笔、具体的叙述、明白的论证,他的理论著作便具有一种生动优美的风格,并且使人读来有平易亲切、引人入胜之感。

在欧洲文艺批评史上,文学艺术与社会生活的关系问题,并非丹纳首次提出。从近一点来说,法国19世纪大批评家圣-佩韦在他之前

---

① 《马克思恩格斯论艺术》第一卷,第154页。
② 法盖:《十九世纪的政治家与道学家》第三卷,第239页,巴黎,1900年。

便发表过这种意见,而比这更早的,则还有18世纪的孟德斯鸠和斯达尔夫人。丹纳也继承了他们的思想,在《艺术哲学》里,有个别段落几乎是孟德斯鸠言论的翻版,如第一编第一章中关于文学艺术的发展繁荣与民族的强盛有关的言论,便和孟德斯鸠《手记》中的一则完全雷同。[1]至于斯达尔夫人,她以从社会生活考察文学艺术而著名,在她有名的专著《论文学》的《前言》中,这位18世纪末期的理论家这样说:"我要考察宗教、风俗和法律对文学的影响怎样,而反过来,文学对于宗教、风俗和法律的影响又是怎样。"[2]她的《论文学》和另一部专著《论德意志》正是以文学史的事实和德国文学的史例来论证这个基本思想。丹纳对此,显然有所继承。当然,对丹纳影响最大的还是黑格尔。丹纳青年时期的一位老师便是黑格尔《美学》的法文译者,丹纳曾仔细研读过黑格尔的重要论著,认为这位哲学家是"最接近真理的"。黑格尔在《美学》的导论中曾经这样说过:"每种艺术作品都属于它的时代和它的民族,各有特殊环境,依存于特殊的历史和其他的观念和目的。"[3]可以说,丹纳关于文学艺术与周围精神气候的关系的理论,正是黑格尔这一思想的发挥。不过,我们同时也应该看到,黑格尔这一论断究竟发挥得比较简略,至于法国18世纪的前辈理论家,他们主要也只是说明了文学艺术与社会环境不可分割这一事实,而丹纳则把这些提升到理论的高度,总结为文学艺术决定于周围的"精神气候",以及决定"精神气候"的更根本的物质条件这样一条规律,并且用具体、丰富的史料加以论证,在一系列的问题上达到比他的前辈更明确、更清晰的结论,这便是他的贡献,正如一位批评家所说:"不管这些见解从何而来,丹纳都把它们化为己有,并且深深地打上自己的印记,以至在当代思想发展史上,这些见解都

---

[1] 孟德斯鸠:《手记》第63~65页,巴黎,格拉瑟,1941年。
[2] 斯达尔夫人:《论文学》第一卷,第17页,巴黎,1959年。
[3] 黑格尔:《美学》第一卷,第17页,人民文学出版社。

将属于他丹纳。"①

二

《艺术哲学》的作者,在着力论证文学艺术与社会环境的关系的同时,也以相当多的篇幅阐释了文学艺术本身的内部规律,即文学艺术如何反映现实、文学艺术的创作与批评等重要问题。首先,在"文艺的本质是什么"这个根本的问题上,丹纳继承了亚里士多德在《诗学》中所提出的唯物主义的思想,认为一切艺术的共同特征,都是对现实的模仿,文学艺术的根本目的,便是真实地描绘客观现实,并且把文学艺术是否真实地模仿了现实视为文学艺术的生命,视为衡量一部文艺作品是否有价值的标准。

在文艺批评史上,指出文学艺术是对现实的模仿,这在古典文艺理论家之中,并不是罕见难得的,不少具有一定唯物主义思想、现实主义文艺观的理论批评家,往往都曾指出过文艺与现实的这一根本关系。但是,要更进一步指出,文学艺术所应模仿和表现的不是现实的表面现象,而是其真正的本质关系,那就只是少数比较深刻杰出的理论批评家才能达到的了。丹纳便可算其中的一个。他不仅表述了这一思想,而且还根据这一基本思想,对文学艺术作品的创作和批评提出了系统的、全面的意见。

在深入说明文学艺术与现实的关系时,丹纳反对所谓"绝对正确的模仿",也就是指简单的、机械的模仿,指对于现实的绝对忠实的描绘和单纯形似的复写。他指出真实的艺术品往往并不是和现实绝对一模一样,甚至某些艺术还有心与实物不符,如雕刻通常只有一个色调,史诗的语言也并非实际生活中的口语,而这种色调的单纯和语言

---

① 布留勒杰尔:《文学史中各类文学的发展》第一卷,第247页,巴黎,阿晒特,1892年。

的音韵都是构成雕像美和史诗动人的条件。相反,那些简单的仿造现实的作品,"往往不是给人快感,而是引起反感、憎厌,甚至令人作呕"。这里,丹纳提出了使人深思的问题,即艺术真实与生活真实的关系问题:既然文学艺术在根本上应该模仿现实,但它又不应单纯地仿造现实,那么,文学艺术对于现实的模仿应该是怎样的?而这种非复制式的模仿又如何形成对于现实的忠实?

丹纳作了相当深刻、相当完全的回答。他说,"艺术应当力求形似的是对象的某些东西而非全部。我们要辨别出这个需要模仿的部分;我们可以预先回答,那是'各部分之间的关系与相互依赖'",具体地说,在人体绘画中,"不是肉体的单纯的外表,而是肉体的逻辑",即各部分的比例、线条的性质、姿势或关系等等,在文学作品里,不是"人物和故事的外部表象",而是"人物与故事的整个关系和主客的性质",如写一群活动的人,"不要求你报告十来二十个人的全部谈话、全部动作、全部行为……只要求你记录比例、关系,首先是正确保持行为的比例;倘若人物所表现的是野心,你的描写就得以野心为主;倘是吝啬,就以吝啬为主;倘是激烈,就以激烈为主"。总之,"我们在实物中感到兴趣而要求艺术摘录和表现的,无非是实物内部外部的逻辑",这便是丹纳对问题所作的第一个回答。在另一个地方,丹纳又作了这样的补充:"我们只说艺术的目的是表现事物的主要特征,表现事物的某突出而显著的属性。""主要的特征""显著的属性",在丹纳的理解里,便是事物的本质,这种本质在现实世界里不过占主要地位,而在艺术中则应占支配一切的地位,这便是他所说的:"艺术品的本质在于把一个对象的基本特征,至少是重要的特征表现得越占主导地位越好,越明显越好。"虽然丹纳在具体说明"本质"这个概念时所举出的例子——如说尼德兰民族的本质在于其地理因素——是不正确的,但他指出艺术是要模仿事物的本质,的确大大深化了他关于文艺模仿现实的思想。

在文艺反映现实的问题上，丹纳还进一步指出了文艺对现实的模仿与艺术家的主观的关系，也就是说，现实材料是经过艺术家的加工和改造而才表现在艺术中的，而艺术家进行艺术创作时，也是根据自己的意图、自己的美的理想来改变现实的关系的。在丹纳看来，人对客观现实的认识和感受是各不相同的，艺术家表现现实的深刻和独特，往往首先在于对现实认识的深刻和精辟，因此他强调艺术家对事物要有独特的感受，"否则只能成为临摹家或工匠"。而当艺术家具有了这种独特的感受进入创作过程，"把他所设想的事物形之于外"的时候，便会"把事物重新思索过，改造过，或是照明事物，扩大事物；或是把事物向一个方面歪曲，变得可笑"。丹纳把"艺术家根据他的观念把事物加以改变而再现出来"的事物，称之为"理想的"，认为杰出的艺术家的优秀作品都是表现了作家自己的理想，其中的艺术真实都是现实材料经过作家加工改造的结果，因此，他很重视艺术家在模仿现实时的主观能动性，他甚至这样说，"最大的艺术宗派正是把真实的关系改变得最多的"。需要说明，丹纳这里所谓的"理想"是不精确的，它实际上只不过是蕴含在作品的艺术形象中的作者的认识感受、思想情感，而且，他只强调艺术家要根据"理想"改变现实的关系而没有规定这种改变的界限，这也是理论上的一个疏忽或漏洞，不过，我们也应该看到，丹纳能认识到艺术品是作者对现实的艺术认识的一种结果，能够接触到文学艺术模仿现实中的艺术家的主观与客观现实的关系问题，却又是他在理论上细致深刻的所在，而且，正是通过这一部分论述，他才彻底回答了文学艺术与现实的关系问题。

根据上述这些基本的理解，丹纳在《艺术哲学》的最后一编里，全面地、系统地阐述衡量艺术品的标准问题，提出应从三个方面去衡量文学艺术作品，即特征重要的程度、特征有益的程度和效果集中的程度这三个标准。第一个标准是看作品所表现的是不是事物最重要的特征以及这特征重要到什么程度;第二个标准是看作品所表现的事物的特征是否对人有益以及有益到什么程度;第三个标准则是看作品表现事物的特征是否集中、鲜明以及是否对人有强烈的感染作用。前二者,在丹纳看来,是真与善的问题,而后者,则主要是艺术美的问题。

"美能够把最高的结构建筑在真理之上是美的光荣",建筑在真理之上,便是表现事物的特征。丹纳看到了,事物的特征有本质的与表面的、根本的与派生的、稳定的与暂时的之分,而艺术品愈是表现了事物的本质的、稳定的特征,便愈是有意义,"一部书精彩的程度取决于它所表现的特征的重要程度,就是说,取决于那特征的稳固的程度与接近本质的程度"。如在人类社会中一时的生活习惯、流行的思想感情只是短暂的现象,"只要风气稍有变动就会消灭",表现了这些内容的作品只不过是时行的文艺,经不起时间的考验;时代精神和时代性格,则是较为经久的东西,凡成功地表现了时代精神和时代性格的,便是一代杰作;但在丹纳心目中,更为根本的,却是经历过好些历史时代的民族特性和人类普遍持久的特点,他认为,艺术家只有抓住了这种对民族、对人类都具有典型的、普遍意义的事物,才能写出伟大永恒的作品。正是从这个标准,他对《吉尔·布拉斯》有高度的评价,认为在这部作品里有"经久的典型,每个读者在周围的环境中或感情中都能发现的那个典型的面貌";也正是从这个标准,他推崇《神曲》与《浮士德》是"近代两部巨大的史诗",是"欧洲史上两个重要时期的缩影";而他之所以高度称赞《堂·吉诃德》和《鲁滨逊漂流记》,也是因为前者的主人公"是人类史上永久典型之一",后者的主人公则"是个十足地道的英国人,浑身的民族本能至今可以在英国水手和垦荒者身上看见",总之,都是"标志一个时代一个民族的不朽的人物"。在这些论述中,丹纳强调普遍的、永恒的人性的论点和他对某些作品的具体评价,当然有不正确、不恰当之处,不过,他强调艺术家要表现出"深刻而经久的特征""经久的典型",这是符合艺术创作规律的要求的。

丹纳强调作品的艺术形象必须集中，具体说来便是人物性格的集中、故事情节的集中和整个作品艺术形式的集中。丹纳把人物当作是作品的元素，因此，认为作品中是否有"具有显著的性格的人物，是作品成功与否的标志"。他指出，现实生活中人的特点往往是比较分散的、比较不够鲜明的，文学艺术家就必须把这些特点集中，使得作品中人物的性格"虽则组成的元素与真实的性格相同，但比真实的性格更有力量"。而为了达到这一种集中，丹纳进一步说明，不仅要把人物性格"加以补充""结合"，形成一种"深刻的逻辑"，而且还要具体运用一些艺术手法，通过人物的手势、心理、话语、表情来表现这集中的性格。故事情节的集中，一方面是为了使"艺术又高出于现实"，另一方面则是为了"使人物的遭遇与性格配合"，因为"所谓线索或情节，正是指一连串的事故和某一类的遭遇，特意安排来暴露性格、搅动心灵，使原来为单调的习惯所掩盖的深藏的本能，素来不知道的机能，一齐浮到面上"。而艺术形式方面的集中，如风格、语言的选择、变化和配合，目的也是要使"假想的人物比真实的人物说话说得更好，更符合他的性格"。由此可见，这些都是为了性格的集中。

丹纳所提出来的所有这些关于艺术形象的集中问题，根本说来，就是文艺作品中艺术形象典型化的问题，而其中心，又是人物性格的典型化。这和他要求文学反映现实的本质关系和主要特征的思想是一脉贯通的，是他这一根本思想的深化、具体化。当然，在其他古典理论家的著作里，文学艺术典型化的思想，也并不是没有的，但一般的情形，总是只表现为零星片断的见解。丹纳对这个问题不仅有比较系统的论述，在全书中贯穿了这一思想，而且明确地把它提升为一个批评标准，这不能不说是丹纳较为杰出之处。

三

尽管丹纳在很多文艺理论问题上显示了他深刻的思考力和见地，然而，作为资产阶级文艺批评家，其根本世界观的局限和他实验主义的研究方法，却给他的《艺术哲学》带来重大的缺陷和错误。在这部论著里，我们可以看到不少不成熟的思想、不恰当的论点和不确切的论述，如他机械地规定绘画与雕刻主要是表现人体美的艺术，并且以此为标准，只称赞那些表现了人体关系的作品，这在理论上固然对不同的艺术种类反映现实的问题有狭隘的、不正确的理解，在对具体作品的评论上，也是采取了极其主观的态度。此外，某些概念的不精确、论证的不切实、例证的不恰当，以及对某些具体作品评价有问题的情形也是不少见的。当然，对于《艺术哲学》来说，根本的缺陷和错误还不在一些个别的论断上。《艺术哲学》主要讨论的，是文学艺术与社会环境的问题，在这个重要的问题上，丹纳在批评史上是有所贡献的，也正是在这个问题上，表现出了丹纳文艺思想中的根本弱点。

丹纳在考察精神气候对于文学艺术的影响和决定时，往往把凡与文学艺术有关的政治、道德、宗教、社会心理、风俗习惯这些条件，都看成是平列的，并无主从之分。丹纳限于自己的思想水平，不可能认识到我们今天所理解的社会上层建筑结构中的具体关系，因此，在考察艺术史上的一些重大的历史现象时，往往就对重要的社会条件没有认识而只看到了一些枝节的原因。如他考察意大利文艺复兴时期绘画繁荣的问题时，对于当时意大利社会发展中的转折点，即恩格斯所说的"人类前所未有的最伟大的进步的变革"[1]并没有什么论述，对这一时期由于新生产方式的产生而引起的阶级关系和社会意识的变化未作必要的充分说明，倒是对于一些次要的条件，如统治阶级的风雅，文人的生活，粗野残酷的好斗风俗，五光十色、规模盛大的游行

---

[1] 《马克思恩格斯论艺术》第二卷，第120页。

赛会的流行，以及当时人们服饰的鲜艳等等，用了大量的篇幅加以绘声绘色的叙述，似乎意大利绘画成为艺术史上的一个高峰，其原因就在这里。同样，在解释希腊的雕刻艺术繁荣的成因时，他又陷在社会生活的表面现象、无关紧要的细节和风俗习惯里，很少论到根本的阶级关系和社会思想意识，因此，这些论述并不能帮助人们认识某种文学艺术繁荣的本质的历史社会原因，相反，它们堆积成为五光十色的材料的迷宫，往往还迷惑人们探求真正历史根源的视线。这种只满足于以表面的现象和零星的事实作为依据去考察文学艺术的社会根源的态度，正表现出丹纳的实验主义研究方法的特点。

丹纳所谓的"精神气候"，如前所述，固然是统指某一特定社会中的社会精神意识方面的条件而言，但主要的却往往是他所谓的种族特性（在丹纳的论著里，种族性的概念，往往又和民族性的概念混同）[1]。对于种族性或民族性，丹纳在《〈英国文学史〉序言》中曾下了这样的定义："人类出生时一起带到世界上来的一种天生的遗传性。"[2] 同样，他在《艺术哲学》中，也把种族性或民族性看作民族"永久的本能"，"不受时间影响，在一切形势、一切气候中始终存在的特征"。在他看来，种族性或民族性这个基本的动力要到一定的时代和情势下才能开花，但一定的时代、一定的情势没有这基本的动力便不会产生艺术繁荣。例如他认为，希腊雕刻的繁荣从根本上来说，是得之于希腊人三个"造成艺术家的心灵和聪明的特征"："首先是感觉的精细……其次是感觉的细致……最后是对现实生活的爱好与重视……"他认为正是这三个特征使希腊艺术家善于"以形体、色彩、声音、事故……造成一个总体"，"把意境限制在一个容易为想象力和

---

[1] 关于这点，著名文艺批评史家雷内·威莱克《丹纳的文学理论与批评》一文中，曾有详细的论证，他指出，丹纳的"种族"一词，"是一个难以捉摸的名词，有时指主要的人类种族，更多是指日耳曼与拉丁民族的区别，而最多是指主要的欧洲民族，如英国人、法国人、德国人的民族特性"。见《批评——文学艺术季刊》，1959年冬季号，第3页。

[2] 丹纳：《〈英国文学史〉序言》，《英国文学史》，第XXIII页，巴黎，阿晒特，1873年。

感官所捕捉的形式之内"。的确,长期形成的某种民族的心理素质,对于文学艺术是有一定的影响,然而,民族的特点只是一定历史时期的产物,而且,虽然民族的特性在该民族的不同时期的作品中会有相似的表现,但这也并不意味着它在历史过程中就是一种永恒的"内在的动力"①,能促使该民族文学艺术的繁荣和发展。丹纳把民族的特性说成是"先天的""永久的",其实就是抽去了民族特性的具体历史内容而把它抽象化,他把这种抽象的、先天的民族特性看作是文学艺术的永久的动力,也就陷入了荒谬。于是,在丹纳的理论中,就出现了一种双重的从属性,即文学艺术一方面从属于社会环境对它的影响和作用,另一方面从属于民族的天性对它的决定,而这两者显然是很矛盾的。由此可见,丹纳并没有始终如一地忠于文学艺术决定于社会环境的理论,他并不是一个彻底的环境论者,他的"精神气候"的理论中,实际上掺杂了不少唯心主义的成分,这是丹纳文艺理论最大的缺点之一。

丹纳也曾为他的"精神气候"找寻物质的原因。他所找到的,便是地理环境和自然气候,他把这个因素强调到了完全不正确的程度,把它看作是决定一切的最后根源,这种倾向特别明显地表现在他对希腊和尼德兰两个民族的艺术的考察上。在《艺术哲学》的第三、四编中,丹纳花了大量的篇幅具体说明这两个民族的自然环境对于它们各自艺术的决定。在他看来,希腊民族"精神气候"的种种条件,都是希腊自然环境的产物,如希腊的政治组织形式是"在自然界的驱使与限制下形成的",对希腊人的艺术创作有利的三个民族特点,是自然环境培育的结果。至于尼德兰,也是如此,"尼德兰的主要特征是'冲积土'……单单从'冲积土'这个名词上就产生无数的特点构成地区的全部外形,不仅构成地理的外貌和本质,并且构成居民及其事业的特色、精神与物质方面的性质"。正是从这个论点出发,丹纳去

---

① 丹纳:《〈英国文学史〉序言》,《英国文学史》,第XXXIV页,巴黎,阿晒特,1873年。

考察尼德兰绘画的繁荣以及它在内容与形式上的特色。丹纳作为一个资产阶级文艺理论家,没有看到社会发展的真正动力,没有认识到社会生活中最基本的规律,即"物质生活的生产方式制约着整个社会生活、政治生活和精神生活的过程"①这一规律,这是自然的。我们不必说明他与马克思主义历史唯物论的文艺观点相距多远,不过,倒需要指出,丹纳在如此强调地理环境的作用时,他自己实际上便陷入了难以自解的处境:他根本无法彻底说明,地理环境并无变化的希腊民族为什么是在那特定的"人类社会的童年"而不是在别的时候创造了自己的艺术,而自然条件完全相同的意大利中世纪时期和文艺复兴时期又为什么在绘画艺术上有着完全不同的局面。

拉法格在评论左拉的时候曾经说过:"由于自然科学在今天很时髦,左拉为了使他在小说中所倡导的新鲜东西具有科学的外貌,也就乞灵于自然科学了。"②丹纳活动于左拉的同一时代,深受达尔文的进化论的影响,他在文学与社会关系这个理论问题上的情形,与左拉在实验小说创作理论上的情形有相似之处,即"乞灵于自然科学"。我们注意到,丹纳关于文学艺术与社会环境的关系、人与社会环境的关系的认识,主要是对达尔文学说的一种套用。丹纳对达尔文关于环境对自然物的影响和选择的理论是深有体会的,早在1855年所写的《意大利游记》中,他便用达尔文学说的观点去看待自然现象和风土人情。他不像一般游记作家那样描写自然景物的美,而常常像一个论者那样去说明比利牛斯山上树木花草、山区居民的特征和当地气候、地理环境的关系。他从山上植物散发出来的"炎热气候所带来的浓郁芳香"里,看到它们"长期以来和荒野的土地、干燥的风、大量炎热的阳光所作的斗争"③,从居民的"嶙嶙的骨骼和高大的身躯"中,

---

① 《〈政治经济学批判〉导言》,《马克思恩格斯选集》第二卷,第82页。
② 拉法格:《左拉的〈金钱〉》,《拉法格文论论文选》,第139页。
③ 丹纳:《意大利游记》,见圣-佩韦:《论丹纳先生的几部作品》,《星期一谈话录》第十三卷,第263页。

看出山区的特点。总之,在这位游记作家看来,"水土气候熏陶和造就动物,就像它熏陶和造就植物那样。土壤、阳光、植物、动物和人类,同样都是自然根据同一思想,按对象的不同特点而写成的书"①。颇能说明问题的是,丹纳在《艺术哲学》中,正是用这种方法去说明文学艺术与环境的关系、艺术家与时代社会的关系。他在第一编中,把文学艺术比喻为植物,在以后的几编中,也正是把各民族的艺术当作特定环境中的某一品种的"植物"加以考察的。而且,他把文学艺术作品经受不同社会、不同时代考验的问题,也说成是精神气候对于文学艺术的"选择"和"自然淘汰",还进一步在他的批评标准中,把文艺作品表现了事物重要的特征,能经受时间的考验,说成是具有对精神气候强大的抵抗力。可见,丹纳的《艺术哲学》中很多关键的地方,都有着进化论的痕迹。丹纳把自然科学的成果当作观察社会事物的显微镜,当然不能正确认识社会事物,而只会由此产生重大的缺点和错误。正因为他只从自然科学的观点来看社会发展和文学艺术的发展,所以,他便只看到社会的自然环境方面的物质条件和社会生活的表面现象,不能看到本质的社会关系和阶级关系;只能到民族的地理环境和气候条件中去寻找文学艺术发展的根本原因,不能到社会的经济基础和社会阶级关系中去寻找。同样,正因为他从自然科学的角度把人看作是自然人,把民族看作是自然人的族类,所以,他在自己的"精神气候"的理论中,就不能认识到人的社会性和民族性的具体历史内容,而错误地认定人和民族的特性只来自遗传与天生,并又把这种抽象的、遗传的民族特性和人性,当作文学艺术发展的一个"内在的动力"。在这点上,丹纳和左拉的从生理遗传学看人的自然主义观点没有什么区别,因此,丹纳在批评史上又被称为自然主义理论家,这也是有原因的。

---

① 丹纳:《意大利游记》,见圣-佩韦:《论丹纳先生的几部作品》,《星期一谈话录》第十三卷,第261页。

除此以外，我们还应该指出丹纳在文艺批评思想上的缺点和错误，这主要表现在他的"特征有益的程度"这个批评标准上。所谓"特征有益的程度"，就是看文艺作品是否表现了有益于人的事物特征，也就是看作品所表现的事物的特征对人是否有思想教育作用，并且以此来衡量文艺作品是否有价值以及其价值的大小。当然，丹纳在提出关于"真"与"美"两方面批评标准的同时，又明确地在"善"这方面提出批评标准，这是正确地肯定了文学艺术的社会职能，是应该加以肯定的。问题是，文艺批评总是根据一定的阶级观点对文艺现象所作的评判，而文艺批评标准，特别是关于思想内容方面的标准，总是具有鲜明的阶级性。丹纳当然也不例外。丹纳所谓的善良、高尚的性格特征是些什么？他理想的正面人物又是怎样呢？这里，丹纳没有超出资产阶级平庸的说教的水平，他所提出的理想的性格特征，不外是"慷慨""和善""献身""大慈大悲"这样一些抽象的品德；他所强调的，也是资产阶级所经常重复的"爱的呓语"，在他看来，"爱的对象越大，我们越觉得崇高"，这种爱大则表现为"爱国心"，小则表现为"把自己隶属于另外一个人"，而最高的表现则是宗教的"大慈大悲"。根据这种道德理想，丹纳努力从文学艺术中去精选他的正面人物，也就是他所认为的有价值的人物。然而，他在所有杰出的现实主义文学作品中，根本就没有找出真正切合他理想的有血有肉的人选，他所举出来的，只不过是像熙特、荷拉斯兄弟和乡下医生这样一些虽为人所知但苍白无力的人物，而他最高的道德理想的典型，竟是《福音书》《启示录》那些宗教传说中的人物。作为一位批评家，丹纳在宗教传说中找到了自己理想的典型，这是颇具讽刺意味的事，这已经说明，丹纳的阶级偏见是如何使他脱离现实主义批评思想而陷入了头脑不清楚的状态。这时的丹纳，既然完全沉浸在他的阶级的道德理想中，也就很自然会对一些和他的道德理想格格不入，但的确具有批判意义的作品和人物大加贬责了。在他眼里，过去文学史上的埃古、理查三世、阿巴贡、塔尔菊夫、葛朗台老头、伏脱冷、拉斯蒂涅……都不是他所要求看到的"发育更健全、性格更高尚的人物",而是一些"猥琐残缺"的心灵,只能"给读者一种疲倦、厌恶甚至气恼与凄惨的感觉",在贬低这些人物的时候,丹纳固然没有看到他们作为反面典型所显示出来的批判意义,而且在理论上也是把自然的美与丑和艺术的美与丑混为一谈,错误地否定了深刻暴露了某些社会本质力量的反面典型的美学意义。

丹纳喜欢那些投合了他理想的苍白的人物,不喜爱那些能"引起对于现存秩序的永久性的怀疑"①的典型,这是合乎逻辑的。丹纳本质上是一个本分的、忠诚的资产阶级的成员。他在1882年,正当资本主义社会矛盾日益暴露、无产阶级与资产阶级的阶级斗争日益激烈的时候,却兴致勃勃地为当时社会描画出"政治机构也有所改善,社会变得更合理、更有人性,它维持内部的和平,保护有才能的人,帮助弱者和穷人"这样一幅社会改良、阶级调和的景象;正当1870年后法国资产阶级文学渐渐走向腐朽没落的时候,他却声调乐观地预言法国的文学艺术即将出现比美于1830年浪漫主义运动的文艺繁荣;这都正表现出他是一位真正的资产阶级的批评家。如果说,丹纳理论批评中的缺点和错误的根源之一,是他的研究态度和方法,那么,另一个更重要的根源,就是他那资产阶级成员的灵魂了。

1963 年 6 月 10 日

---

① 《致明娜·考茨基》,《马克思恩格斯论艺术》第一卷,第 7 页。

论创作方法与世界观矛盾统一的关系

当作家进入创作过程，开始写作一部作品的时候，或者说得更广泛一点，甚至早在他孕育主题、酝酿形象、构思情节的时候，不论他自觉与否，实际上总是在运用一定的方法进行创作。作家在创作过程中所运用的艺术地认识和再现现实的方法，便是一般所谓的创作方法。由于创作实践总是一种有目的、有意识的实践活动，因此在创作过程中，不论作家怎样进行写作，也不论本人是否自觉，他所运用的一定的创作方法总是和本人的思想认识有一定的关系，也就是说，不论作家用什么方式进行创作，以及自己对这些方式是否自觉，他所用的那种方式，总是有其主观认识的根源。由此，便有了我们通常所谓世界观与创作方法的关系问题。世界观与创作方法，是作家艺术创作实践中一对互相对立、互相依存的矛盾，"一切事物中包含的矛盾方面的相互依赖和相互斗争，决定一切事物的生命，推动一切事物的发展"[①]，世界观与创作方法的对立统一，正是作家的艺术创作实践活动得以存在与进行的条件。

然而，这个问题长期以来却不断被修正主义者歪曲、混淆。修正主义者，总是举出巴尔扎克这类作家，把这类现实主义作家的某些社会政治思想或态度和他们的现实主义创作方法对立起来，断言创作方法与世界观是矛盾的。而他们所谓的矛盾，其实是指世界观与创作方

---
① 《矛盾论》，《毛泽东选集》第一卷，第280页。

法完全无关,不构成统一的、相互依存的关系,于是照他们的说法,像巴尔扎克这类作家运用现实主义方法,完全没有世界观的根由,甚至世界观愈是反动落后,写成的作品倒"更要完全和更要深刻"。不仅如此,修正主义者,还把世界观与创作方法的关系和世界观与创作的关系这两个虽然很密切但完全不同的问题混同在一起,借他们在创作方法与世界观关系上的谬论,进一步推论到世界观与创作的关系上,否定世界观决定创作,否定作家的思想情感决定作品中的艺术形象,以此来反对社会主义时代的作家深入工农兵群众,进行思想改造、建立马克思列宁主义世界观。对于这种反动的谬论,显然应该彻底加以批判。

除了修正主义者别有用心的谬论以外,在世界观与创作方法的问题上,过去一直是有不同意见的。有的认为创作方法是世界观在文艺领域里的演绎,两者完全是一致的、统一的,没有矛盾。另一种则认为两者从根本上是有矛盾的,其基本的理由是,世界观与创作方法既然是有差异的两个事物,那么有差异就有矛盾。然而,持这种意见的同志,却并没有说明两者何以矛盾,以及他们所谓的矛盾和修正主义者所谓的矛盾(其实是指创作方法与世界观无关,不受世界观决定)的不同。正因为没有具体说明两者何以矛盾,持前一种意见的,当然就会提出这样的反问:天上的星星和地上的石头也是有差异的两个事物,但它们之间就必然会存在矛盾吗?

的确,世界观与创作方法是两个有差异的不同事物,但是,要看不同事物之间的关系怎样,首先要看它们是否发生了关系,是否结成了一定的关系而形成了一个统一体。天上的星星与地上的石子彼此并不发生关系,当然便谈不上统一和矛盾的问题。而两个不同的事物一旦发生了关系,形成了一个统一体,那么,它们的关系就不可能是别的,而只能是一种对立面互相依存、互相斗争的矛盾统一的关系,世界观与创作方法之间的关系便是如此。问题是,这矛盾统一的关系是如何形成的？其具体情形如何？在创作活动中，究竟哪一个是矛盾的主要方面，即哪一个是起决定性作用的，是世界观还是创作方法？这便是我们试图加以探讨的问题。我们在论述中，将以过去历史上曾经有过的创作方法为例，从创作方法本身的规定考察起，看它与世界观在哪些点上发生了关系，特别是它如何被世界观所决定，看它与世界观以外的因素的关系如何，然后再说明它与世界观全部的关系怎样。

一、创作方法是如何受世界观指导的

创作方法是从人类有文艺创作活动的时候起便已存在的。只要有一定的文艺创作，实际上便存在着创作文艺作品的一定的创作方法，尽管人们还没有把这方法总结起来加以明确表述。由于创作方法是一种在作家创作过程中发生作用的因素，而且有时甚至是作家自己所没有自觉地察觉和意识到的因素，因此，创作方法的性质，往往就只能从作品和作品中所描绘的艺术形象与现实生活的对比关系中被看出来。事实上，我们正是从文学艺术发展史中各种类型的文艺作品中，看到了各种不同的创作方法。这些创作方法有的是在它们存在了很久，为人们长期运用以后才被概括出来而加以明确地表述，获得名称的，如浪漫主义、现实主义；有的则是在它产生的时候，便已经被概括为明确的法则，如古典主义和自然主义。然而，不论是哪一种情形，一定的创作方法实际上都有一定的制约的范围，也就是说，不论运用它的人是否自觉，它总要规定运用者这样写而不是那样写，按照这个法则写而不按照那个法则写，通过这条途径写而不是通过那条途径写。总之，它有所规定，也有所排斥。那么，一般的创作方法，它的制约范围，它所要规定的究竟有哪些方面呢？

总起来说，创作方法对于创作过程中的诸关键问题，是都要作出明确规定的，而这些关键问题便是：作家如何处理文艺与现实的根本关系；根据什么总的原则去表现现实；如何在具体的表现手法上贯彻这个总的原则；采取一些什么手法；整个创作活动是在什么目的下进行的；作家如何规定自己的创作活动在社会中的地位和职责；而为了这一切，作家在准备创作或进行创作时应该具备什么条件以及如何获得这些条件；等等。

过去历史上的一切创作方法，现实主义或浪漫主义，古典主义或自然主义，都在以上这些关键问题上有所规定，只不过不同流派和不同方法的要求、规定彼此不同而已。当然，这也并不是说所有的创作方法在所有这些关键问题上都有明确的表述，但是，任何一种创作方法都要在最主要的关键问题上有明确的规定，如如何处理文艺与现实的根本关系，根据什么原则去表现现实，以什么目的去表现现实等。同时，虽然不同的创作方法并不是在任何问题上都有各自不同的规定，但是，不同的创作方法在最主要之点上所规定的便显然不同，如文学史上的积极浪漫主义与批判现实主义，在文学的社会作用和作家的职责问题上，同样都要求文学具有教育作用，作家负有教化的任务。巴尔扎克认为："一个作家……应该把自己视为人类的一个教师。"① 同样，雨果也说他自己"从来没有片刻忽视戏剧所教育的人民，戏剧所解释的历史和戏剧所指点的人类的心灵"②。然而，这两种不同流派的作家在文学与现实的关系上，则有完全不同的创作原则，正如高尔基所说，一个"从既定现实的总体中抽出它的基本意义而且用形象体现出来"，一个则"从既定的现实中所揭出的意义上面再加上——依据假想的逻辑加以推想——所愿望的、可能的东西"③。

文学创作活动，像人类任何其他劳动实践一样，"劳动过程终末

---

① 巴尔扎克：《〈人间喜剧〉前言》，《巴尔扎克全集》第一卷，第XXX页，Louis Conard。
② 雨果：《〈玛丽·都铎〉序》，《雨果全集》第四卷《玛丽·都铎》，第III页，巴黎，Paul Ollendorff。
③ 高尔基：《苏联的文学》，《高尔基文学论文选》，第337页。

时取得的结果,已经在劳动过程开始时存在于劳动者的观念中,已经观念地存在着"①。并且在这个过程中,劳动者"知道他的目的,并以这个目的,当作法则,来规定他的活动的样式和方法,并使他的意志,从属于这个目的"②。总之,它和任何劳动一样,都是一种有意识的、自觉的实践活动。在这实践中的创作方法既然如上所述是极其复杂的,要处理和解决如何反映和表现现实,为什么这样反映和表现等一系列问题,因此,它便不可能是无意识的产物而必定和作家的思想意识相联系。作家之所以运用某种创作方法,是有其思想意识根源的。那么,一般的创作方法与作家的思想意识究竟有哪些具体的关系呢?它往往是以哪些方面的思想观点为其根源呢?这是我们探讨创作方法与世界观关系的又一关键。

的确,创作方法由于是在文艺领域里的实践的方法,它便往往根源于作家的文艺思想,或者说是他文艺思想中直接有关创作实践的那一部分。塞万提斯在《堂·吉诃德》第47、48两章中,通过司铎和神甫评论骑士小说和戏剧所讲出来的关于文艺创作应"切近真实,既能教诲又能娱人"的言论,在他的思想中既是他的文艺思想,在他的创作中也是他所奉行的创作方法;托尔斯泰在他论到法国小说家莫泊桑时所强调的"艺术家之所以是艺术家,只因他不是照他所希望看到的样子来看事物"③,同样既是他的文艺思想、批评标准,也是他在自己的创作里忠实地遵守了的原则。正因为作家具有某种文艺思想,他往往才能自觉地遵循某种相应的创作方法。虽然创作方法与文艺思想的关系如此紧密,不可分割,然而,创作方法又远远不仅仅与文艺思想、文艺观点有关,而这,是由于文艺创作的复杂性所致。

我们知道,文学艺术是现实生活在作家头脑中的反映,任何文学

---

① 《资本论》第一卷,第172页。
② 同上。
③ 托尔斯泰:《莫泊桑文集序言》,《文学研究集刊》第一册,第318页。

艺术作品，不论是浪漫主义的还是现实主义的，或者，即使是反现实主义的，也总有一定的现实根源，作家不论描写什么以及如何描写，都要面对着现实事物。归根到底，文艺创作其实就是如何艺术地对待现实的问题。正因为如此，所以作家运用什么创作方法进行创作，便不能不与他关于人与现实的关系，以及应该如何对待现实的思想有关。历史上一切在当时有进步意义的现实主义作家主观上要求自己尊重现实生活、严格地摹写现实，往往便与这些作家对现实的某种唯物主义的认识和态度有关。19世纪俄国现实主义者契诃夫之所以能够强调"在艺术里不能说谎"[1]，"必须把生活写得跟原来面目一样，把人写得跟原来面目一样"[2]，就是由于他认为"文学所以叫做艺术，就是因为……它的任务是无条件的、直率的真实"[3]，而这种认识也正是他这样的唯物主义思想在文艺问题上的表现，"唯物主义……不是一种偶然的、暂时的东西；它是不可缺少的，不能避免的，而且不是人力所能左右的"[4]。（当然，作家的这种文艺观与唯物主义思想，是有其阶级根源和阶级局限的）再如，托尔斯泰在《安娜·卡列尼娜》中，揭露了贵族上流社会的虚伪、腐朽和罪恶，描写了主人公必然死亡的悲剧命运，让他的人物"做了在实际生活中常有的和应该做的事，而不是做了我们希望他们做的事"[5]，这也正是因为他认识了现实环境中的这种必然性："这整个沉重、荒唐而不幸的现实并不是偶然的东西，也不是我一人独有的可恼的遭际，而是一条不可避免的生活规律。"[6] 同样道理，脱离现实的作家在创作中之所以自觉地运用歪曲现实、破坏现实形象的创作方法，也是和他反动的主观唯心主义的思

---

[1]《契诃夫论文学》，第394页。
[2] 同上书，第395页。
[3] 同上书，第35页。
[4] 托尔斯泰：《莫泊桑文集序言》，《文学研究集刊》第一册，第8页。
[5] 贝奇柯夫：《托尔斯泰评传》第345页。
[6] 同上书，第76页。

想和态度不可分的。在18世纪德国反动浪漫主义者看来,"人类精神强迫一切存在物接受它的法则,而世界便是他的艺术作品"①,因此,他们很自然就在自己的创作中奉行一种唯我主义的创作方法,即"承认诗人的任凭兴之所至是自己的基本规律,诗人不应当受任何规律的约束"②。20世纪反动资产阶级作家艾略特运用颓废的形式主义的创作方法写出神秘、主观、晦涩难懂的诗歌,也正是他对现实的主观唯心的态度和神秘的宗教蒙昧主义的思想观点在创作上所必然带来的结果。

文学艺术作品中的现实生活图景,既然是作家对现实生活的一种艺术的再现,而作家在创作中反映和表现现实时又必须以作家对现实有一定的认识为前提,不言而喻,作家如何描绘现实对象,用什么方法去描绘现实对象,便不能不与他对于这一对象的本质或规律的认识有关,不能不受这种认识的影响和指导。而由于文学艺术是以全部的现实生活为其反映对象,并且这种反映特别是以社会生活以及人的生活为其内容,因此,作家如何进行创作的方式,往往便与他对整个自然,特别是对社会生活和人本身的认识有关。历史上著名的流派、著名的作家描绘现实的方式,都往往是以一定的对现实对象的认识为基础的。他们之中能以比较正确的、符合客观规律的方法去描绘现实对象的,往往在于对现实对象的规律有比较正确、比较如实的认识,而那些以不正确的方式去描绘现实对象的,则往往和他对该现实对象只有片面的或歪曲的认识有关。就以描绘现实生活的复杂而言,我们知道,法国作家雨果是主张把现实生活描绘成一幅崇高优美与滑稽丑怪、明与暗、美与丑对照的图景的,他在自己的浪漫主义小说和戏剧中,也的确是按这个方式去进行描绘的,为了写出复杂的人物形象,他或则"取一个形体上畸形得最可厌、最可怕、最完全的人物,把他

---

① 弗·史雷格尔:《断片》,《古典文艺理论译丛》第二期,第53页。
② 同上书,第54页。

安置在他最能突出的地位上,在社会组织的最低下、最底层、最被人轻蔑的一级上,用阴森的对照光线从各方面照射这个可怜的东西;然后,给他一颗灵魂,并且在这灵魂中赋予男人所具有的最纯净的一种感情,使得渺小变成了伟大,畸形变成了美","或则取一个道德上畸形得最可怜、最可怕、最完全的人物,把她安置在她最能突出的地位上,在一种妇女的心灵状态中,还加上体态的美和雍容华贵的风度,使她的罪过更加突出"[①]。而他这种对照的方法正是和他对现实世界的认识有关,他在有名的《〈克伦威尔〉序》中就曾经这样说过:"万物中的一切并不都是符合人情的美……美的旁边有丑,畸形靠近着优美,粗俗藏在崇高的背后,善与恶并存,光明与黑暗相共"[②],并且,他自己还自觉地把这种认识视为"诗的出发点"。再以表现人物性格的形成而言,不同作家描写性格形成的根源的不同方法,实际上也正是由对这个问题的认识不同而来。我们知道,巴尔扎克在《人间喜剧》里,描绘了资本主义时代社会关系中的各种各样的人物性格,力图照过去那些优秀的作家一样,表现自己的人物"是从他们时代的脏腑中孕育出来的"[③]。巴尔扎克之所以能这样从客观环境去描写人,正是由于他认识了社会环境与人的关系:"社会不是按照人在其中进行活动的种种不同的环境,把人造就成各式各样,正如动物之有千差万别么?"[④]而且,他还看到了社会环境与自然环境的不同:"人类社会有一些自然界所不可能有的偶然性,因为人类社会环境是自然界加社会。"[⑤]根据这种认识,巴尔扎克所创造出来的人物便都是活生生的社会的人。与巴尔扎克有所不同,左拉有时以自然主义的方法去写

---

① 雨果:《〈留克莱斯·波日雅〉序》,《雨果全集》第四卷《留克莱斯·波日雅》,第V页,巴黎,Paul Ollendorff。
② 雨果:《〈克伦威尔〉序》,第37页,巴黎,A. Hatier,1957年。
③ 巴尔扎克:《〈人间喜剧〉前言》,《巴尔扎克全集》第一卷,第XXVIII页,Louis Conard。
④ 同上书,第XXVI页。
⑤ 同上书,第XXVII页。

人，在有些作品里，如在小说《小酒店》和《人兽》里，就只表现出了人的自然本能、生理本能，而没有表现出人的社会性、阶级性。左拉这种自然主义创作方法的错误，首先是因为他只从生理学与遗传学方面去看人，而没有看到人是社会的、阶级的。在他看来，"路上的石块，人类的头脑，都要受同一种决定论的支配"[1]，而且，"不论心理现象的本质如何奇妙、表现如何细致，我认为也不可能不把它们归入一种科学的因果决定论的原则，就像对一切有生物现象一样"[2]。根据这种认识，左拉在他的创作方法问题上自然便得出这种不正确的结论了："我们处理人物、情感、人类事件和社会事件，完全应该像化学家和物理学家处理无生物、像生理学家处理有生物一样。"[3]

任何文学艺术作品总是通过一定的艺术形象给人的思想影响，从而为一定阶级的政治和社会功利服务的。文学艺术作品在社会生活中的这种职能以及它和读者的关系，是一种客观存在着的关系。事实上，文学艺术家从来都不是为自己而创作的，他总是自觉或不自觉地要考虑到自己的作品在社会生活中的作用和地位，总希望自己的作品发生这种或那种影响，因此，他在创作中如何规定自己的创作方法，如何进行创作实践，有时便不能不与他对于作品的社会功能、他的社会职责之类的问题的思考有关。这里，可以举唐代诗人白居易为例。白居易的名篇《秦中吟》是他"贞元元和之际……闻见之间，有足悲者，因直歌其事"[4]而产生的。这种"直歌其事"的创作方法，对于作为士大夫的白居易来说，是出于什么思想根源呢？这首先与他"但伤民病痛，不识时忌讳"这种关心人民的生活、敢于向统治阶级"直谏"的思想有关（当然，他这种思想是有阶级局限性的，其根本出发点是维护统治阶级长远的利益），也和他对文学作用的认识有关，"文

---

[1] 《实验小说论》，第12页，《左拉全集》，巴黎，Francais Bernouard，1928年。
[2] 同上书，第23页。
[3] 同上书，第25页。
[4] 白居易：《秦中吟序》。

章合为时而著,歌诗合为事而作"。他这些在当时还算比较进步的思想认识,不仅指导了他"直歌其事"的创作方向,而且也制约了他创作实践的每一个重要的环节,正如他自己所说:"其辞质而径",是为了教育的目的——"欲见之易谕也";"其体顺而律",是为了要广泛地发挥其社会作用——"可以播于乐章歌曲也";至于"篇无定句,句无定字,系于意,不系于人"①"首句标其目,卒章显其志",也莫不是出于更灵活地反映现实,给人以讽喻的意图。从这里便不难看出作家的创作方法和他的政治社会思想的关系了。

同样,19世纪法国浪漫主义运动的领袖雨果,在1830年前后大力反对在文学创作中"分门别类,排列整齐,像勒·诺特的古典花园里的花丛一样"②的古典主义创作方法,提倡"按照他(指作家——笔者)本性的法律去进行创造",不受古典主义清规戒律的束缚,要求"对着亚历山大诗体规矩的队形,刮起一阵革命的狂风,给古老的字典戴上一顶红色小帽……在墨水瓶里掀起一阵风暴"③,写出"像原始森林一样"的文学作品,所有这些在创作上宣战的态度和主张,正是他要求"诗歌在政治风暴中冒险"④的具体化,正是他在复辟王朝统治下争取"文学的自由主义一定和政治的自由主义能够同样地普遍伸张"⑤的具体化,显然具有明显的政治社会的目的。当然,文学史上也有过一些否认文学的社会作用而遵循唯美主义创作道路的作家,他们的形式主义的创作方法则又直接和他们落后以至反动的政治观点、社会思想有关,和他们对于作家的社会职责的否定态度以及对道德伦理问题的某种虚无主义态度紧密联系在一起的。法国19世纪作家戈蒂耶是首先提倡"为艺术而艺术"的,他公然这样宣称过,"一切有

---

① 白居易:《新乐府序》。
② 《〈短曲与民谣集〉序言》,《雨果诗歌总集》,第7页,巴黎,Jean-Jacques Paubert。
③ 《沉思之七》,《沉思集》,第20页,《雨果全集》,巴黎,Paul Ollendorff。
④ 《〈秋叶集〉序》,《雨果诗歌总集》,第134页,巴黎,Jean-Jacques Paubert。
⑤ 《〈欧那尼〉序言》,《雨果全集》第四卷《欧那尼》,第V页,巴黎,Paul Ollendorff。

用的都是丑的；因为它是一种需要的表现"①。实际上，他也在创作中贯彻了一种脱离现实、脱离社会生活的形式主义创作方法，他的这种创作态度不仅像普列汉诺夫对他所批评的那样，"一种态度是与另一种态度密切联系着的：过分注重形式是对社会和政治漠不关心的结果"②，而且也是他自己所说的"为了看到拉斐尔的真画或裸体美女，我非常乐于放弃我作为法国人和公民的权利"那种政治上和道德上的虚无主义的表现。

总之，由于创作方法是作家从事一种有目的的实践活动所运用的方法，而这种实践既是复杂的精神劳动，也是具体的社会劳动，这种劳动所涉及的现实生活的各种内容、对象，以及这种劳动本身的作用和意义，都向作家提出了各种各样重要的原则性的问题，因此，作家在这种劳动实践中所自觉地运用的创作方法，就必然来源于作家对于现实生活和对于这种实践本身的各种重要的观点和思想。这便是创作方法受世界观的指导。

于是，在以上的论述中，我们可以得出结论：在作家如何进行创作的实践活动中，存在着一对相互依存的关系，即世界观与创作方法的依存关系，世界观总是通过创作方法实现于创作中；创作方法总是根源于一定的世界观的。这便是我们所理解的世界观与创作方法的统一，而这互相依存的统一关系的核心或实质，就是世界观对创作方法的指导。

我们说过，世界观是各种观点的总和。世界观虽然有其重要的核心部分，但是，其内部的情形是复杂的，甚至有些观点是互相矛盾对立的；而如上所述，作家所自觉运用的创作方法又往往是来源于世界观的某一具体部分或某些具体部分，即某一特定的观点或某些特定的观点，因此，这里便有人会提出一个问题，即作家的创作方法虽然

---

① 戈蒂耶：《〈莫班小姐〉序》，第31页，巴黎，Droz，1946年。
② 普列汉诺夫：《艺术与社会生活》，第225页，人民文学出版社，1962年。

在世界观中有其相应的根源，但却与世界观的其他部分，甚至是其主要部分不一致，似乎创作方法便不受世界观的指导了，与世界观无关了，那么，应该如何理解创作方法与世界观的关系呢？

一般人认为巴尔扎克的情况便是如此。

我们且以他作为一个典型的例子来加以分析。

二、巴尔扎克的例子说明创作方法不决定于世界观吗？

对于巴尔扎克，恩格斯曾经指出过两个重要之点，即"巴尔扎克在政治上是一个保皇党"和"他的伟大作品是对于上等社会的必然崩溃的不断的挽歌"①。过去修正主义者把这两点说成矛盾的、不可统一的，在他们看来，矛盾有两个：一个是"在政治上是一个保皇党"和他全部《人间喜剧》中现实主义形象图景之间的矛盾，所谓世界观与创作的矛盾，即为什么"政治上是一个保皇党"的巴尔扎克能写出一部真正的"挽歌"；另一个是，"在政治上是一个保皇党"和他现实主义的矛盾，所谓世界观与创作方法的矛盾，即"政治上是一个保皇党"的巴尔扎克，为什么会这样去写这一首"挽歌"。总之，他们抓住这种表面现象作为口实来歪曲世界观与创作的关系，以及世界观与创作方法的关系，照他们的说法，巴尔扎克作品中的现实主义图景似乎是他反动世界观的结果，而他所运用的现实主义创作方法，则与世界观无关，根本没有世界观的根源可言。

其实，恩格斯的论断并不能引申为这两个矛盾。关于世界观与创作的问题，恩格斯明白地指出巴尔扎克"他看出了他所心爱的贵族的必然没落而描写了他们不配有更好的命运，他看出了仅能在当时找得着的将来的真正人物"②。恩格斯在这里所指出的巴尔扎克"看出

---

① 《马克思恩格斯论艺术》第一卷，第10页。
② 同上书，第11页。

了"，正肯定了巴尔扎克世界观中有着真正与巴尔扎克创作中形象图景一致的根源，说明了巴尔扎克正是根据他的"看出了"而绘制出了"法国社会的卓越的现实主义的历史"。巴尔扎克的世界观与创作关系，是一个专门的问题，它除了要涉及巴尔扎克的世界观与创作方法的关系问题外，还有更多的其他内容，有待专门加以说明，这里只是很简单地提及对恩格斯原话的理解。至于第二个问题，即关于巴尔扎克的世界观与创作方法的问题，恩格斯也指出了"巴尔扎克老人最伟大的特点之一"——现实主义的胜利。而修正主义者却故意歪曲解释巴尔扎克的"现实主义的胜利"，并且利用巴尔扎克"在政治上是一个保皇党"与他的现实主义胜利这一矛盾现象，断言创作方法与世界观无关。

我们在上面曾经说明过，作家之运用一种创作方法，总和某一种思想观点有关。这里，我们暂时不谈巴尔扎克之所以成为一位历史上杰出的现实主义者，主要是得之于他世界观中的哪一方面的思想观点。既然巴尔扎克的政治思想对于巴尔扎克问题是如此重要，而且往往被拿来和他的创作及他的创作方法作比较，因此，我们有必要先说明一下巴尔扎克在政治上是一个怎样的保皇党。

法捷耶夫曾经说过："他（指巴尔扎克——笔者）的世界观实际上比他表面的、外在的正统王朝主义要宽广得多。"[①]这就是说，巴尔扎克在政治上的表现远远不能概括他的全部世界观，而他的正统王朝主义的政治表现，也只是一种"外在的""表面的"现象。这是对于恩格斯关于巴尔扎克政治态度的论断的进一步解释，这一解释是符合巴尔扎克的实际的。

一般人把巴尔扎克视为一个保皇党人，不外是根据他曾经参加过保皇党的政治活动，有过保皇党人的言论，在他的创作宣言《〈人间喜剧〉前言》里，公开宣称"我在两种永恒真理的照耀下写作，那就

---

① 法捷耶夫：《苏联文学批评的任务》。

是宗教和君主政体"①，并且在作品里有过对某些贵族人物的同情，在《乡村医生》和《乡村教士》里宣扬过宗教，等等。然而，巴尔扎克当时是处于复杂的阶级斗争的环境中，而他本人又出于个人的考虑而纠缠在更为复杂的政派斗争的关系里，他在政治上的主张和态度就更需要我们作更细致、更切实的了解。从巴尔扎克致友人的书信中，我们可以看出，巴尔扎克出于政党的利害关系和种种考虑，在他公开的文字中对于他真实的政治思想是很有保留的。其实，巴尔扎克思想深处并不是一个真正的保皇党人，并不希望法国仍回到1789年前的轨道上去，他对保皇党是"口是心非"的，在1832年参加保皇党的竞选时是怀着一种"异己"思想的，甚至他顾虑这种思想"如果让我的党（指保皇党——笔者）知道了，便会使我遭到它的忌恨"②。巴尔扎克这种向保皇党隐瞒而只向朋友透露的思想，便是他的与保皇党完全相反的政治理想。这种理想在他1830年12月30日和1832年9月23日致加洛夫人的信里，表述得再清楚不过了。

巴尔扎克与加洛夫人的通信是在1935年才第一次公之于世的，我国过去并无译介。加洛夫人是巴尔扎克在事业上少有的一位真诚的知己和诤友，具有共和主义思想倾向。当巴尔扎克在1830年前后参加保皇党的政治活动，甚至中断了自己的文学创作的时候，她出于关心和友善向巴尔扎克提出了劝告和批评，这便引起了巴尔扎克的自白。巴尔扎克在他的信里告诉这位好友，他参加保皇党的政治活动，"投身于政治野心的险恶而充满风暴的天地里"③，完全是出于个人利益的考虑，而他的政治思想，也就是他自己所说的"政治思想的秘密"④，

---

① 《〈人间喜剧〉前言》，《巴尔扎克全集》第一卷，第XXXI页，Louis Conard。
② 巴尔扎克：1832年9月23日致居勒玛·加洛夫人的信，《巴尔扎克与居勒玛·加洛夫人未发表的通信集》，第82页，巴黎，Armand Colin，1937年。
③ 巴尔扎克：1832年6月1日致居勒玛·加洛夫人的信，《巴尔扎克与居勒玛·加洛夫人未发表的通信集》，第56页，巴黎，Armand Colin。
④ 巴尔扎克：1832年9月23日致居勒玛·加洛夫人的信，《巴尔扎克与居勒玛·加洛夫人未发表的通信集》，第82页，巴黎，Armand Colin。

却完全是另外一套。他在1830年12月30日的信里，这样全面表述他的政治理想：

> 法兰西应该成为一个君主立宪制国家。有一个一脉相承的王室，一个特别强而有力的贵族院，它代表私有财产，尽可能保证继承权和一些性质尚应加以讨论的特权；另外，再要一个选举出来的议会，它代表中间群众的一切利益，并从中把社会的上层地位和我所谓的人民分开。
>
> ……………
>
> 给予富裕阶级以最大限度的自由，因为它有财产，有需要保管的东西，有可能失去的一切；它永远也不会任性放浪。
>
> 让政府拥有尽可能强大的力量，有了这样的政府，有钱人和资产者便会有兴趣去增进最下等阶级的幸福，去扩大中间阶级，而这个阶级正是国家的真正力量的所在。①

他在另一封信里，又作了补充：

> 把贵族院之外的整个贵族阶级消除，使教会和罗马脱离关系；以自然疆界为法兰西的国界；给中间阶级以完全的平等；承认真正的权威，节省开支，通过聪明的税收办法增加收入，使每个人都受到教育，这便是我的政治思想的主要支点。②

不难看出，巴尔扎克的政治纲领是在法国建立一种能保证社会安定，以利于资本主义发展、适应中等资产阶级利益的制度，而这种

---

① 巴尔扎克：1830年12月30日致居勒玛·加洛夫人的信，《巴尔扎克与居勒玛·加洛夫人未发表的通信集》，第29～30页，巴黎，Armand Colin。
② 巴尔扎克：1832年9月23日致居勒玛·加洛夫人的信，《巴尔扎克与居勒玛·加洛夫人未发表的通信集》，第81页，巴黎，Armand Colin。

制度，他认为便是君主立宪制。他并不像保皇党那样，主张法国恢复1789年以前的旧秩序，即在政治上恢复君主专制制度，在经济上恢复封建土地所有制。可见巴尔扎克真实的政治思想是属于资产阶级的，而不是属于封建阶级的；他的政治理想和认识，正说明了他是资产阶级的儿子而不是封建阶级的遗老。不难理解，对于具有这样一种政治思想的人，写出"对于上等社会（恩格斯指的是封建贵族上流社会——笔者）的必然崩溃的不断的挽歌"，是很自然的事；也不难理解，在如何创作的问题上，巴尔扎克真实的政治思想并不会妨碍他运用现实主义方法去真实地描写封建阶级的必然灭亡。因此，巴尔扎克的实际情况根本谈不上有什么维护封建阶级的愿望和他真实描写这个阶级的方式之间的矛盾。

问题不在这里。问题在于，即使巴尔扎克的政治思想完全是保皇党的，这种思想和他运用的现实主义创作方法这一点是否有着直接的关系？认为巴尔扎克的创作方法与世界观矛盾的人是否能说明，巴尔扎克的政治思想如果是保皇党的，那么它何以就会决定他的创作方法是现实主义的？究竟在巴尔扎克的思想里，保皇党的政治思想如何发展演绎成了现实主义创作思想？它们两者之间的思想逻辑是什么？是否有一种哲学的、道德的、伦理的思想作为这两者之间的渠道？可惜，在巴尔扎克的《人间喜剧》所描写的形象和所发表的议论里，我们很难找到这条渠道，在他的序言和书信里，也很难找到这条渠道，而那些强调和武断巴尔扎克的世界观和他的创作方法矛盾的人，从来也没有论证过这两者之间的联系。问题很简单，巴尔扎克从来没有由于所谓的保皇党政治思想而采取现实主义创作方法，或者说，在巴尔扎克的思想里，现实主义创作方法，实际上并没有和所谓的保皇党的政治思想形成一条思想逻辑，他的现实主义创作方法的思想根源，并不是所谓的保皇党的政治思想。问题也很简单，说这两者矛盾的修正主义者实际上就是把这两个其实并没有关系的事物硬扯在一起，把它们放在一个臆造的关系里侈谈它们的矛盾统一的问题,而利用它们作为两个事物原有的差异性而武断它们是矛盾的,并进而说这便是世界观与创作方法的矛盾,证明创作方法与世界观无关。这是一种诡辩。

如果巴尔扎克真是一个忠诚、地道的保皇党人,那么,究竟是什么力量推动他在创作过程中克服他保皇党人的政治偏见而真实地去写出对这个阶级来说是严酷的现实图景呢?当然,作为保皇党这一点绝不会对克服保皇党的政治偏见有什么帮助,而且即使他在政治上持有保皇党人的思想观点,从这种观点涉及的内容来说,也并不会规定他去运用现实主义创作方法,尤其是运用现实主义创作方法去描绘本阶级的命运。那么,如果巴尔扎克不是一个真正的保皇党人,而是如上所述具有一套资产阶级的政治理想,是否就会由于这一点而使他去以现实主义创作方法进行创作呢?同样,他的这些资产阶级政治理想,从其所涉及的特定内容与特定范围来说,也并不一定就会规定他用现实主义方法而不用其他的方法。由此可见,不论巴尔扎克是不是一个真正的保皇党,他的现实主义创作方法对于他是不是一个保皇党来说,关系不是直接的,因此,要找寻他的现实主义创作方法的思想渊源,必须到世界观的其他观点中去找寻。

巴尔扎克在他自己的创作宣言中曾经这样表示过:"我对于持续的、日常的、隐秘的或明显的事实,对于个人生活的行为,对于它们的起因以及它们的原则的重视,同到目前为止的历史学家对各民族的公共生活的重视一样。"[1]因此,对于他全部的创作活动,他很集中地归结为一点:"法兰西社会是历史学家,我只能当它的书记。"[2]当然,另一方面,巴尔扎克也说,"艺术的使命不是摹写自然,而是解释自然",并把小说视为"庄严的谎话"[3],但是在他看来,"如果……小

---

[1] 巴尔扎克:《〈人间喜剧〉前言》,《巴尔扎克全集》第一卷,第XXXV页,巴黎,Louis Conard。
[2] 同上书,第XXIX页。
[3] 同上书,第XXIII页。

说在细节上不真实的话,它就毫无价值了"①。作家这种要求自己忠于现实,按照现实的面貌进行描绘的意图,不仅是他对文艺的根本认识——"艺术是什么?不过是集中起来的自然罢了"②——在创作问题上的具体演绎,是他这种现实主义文艺观的一种具体运用,而且也决定于他对于客观现实以及人们的主观与客观现实的关系的认识:"我们不能违反自然的法则而不受惩罚,因为自然是铁面无情的。"③因此,按我们的理解,巴尔扎克现实主义创作方法中尊重现实这种根本的精神不仅就是他整个现实主义文艺思想的一部分,而且也直接来自他的唯物主义的哲学观点。

《人间喜剧》是一整部包括了两三千个人物,反映了整个时代的风俗史,在这部作品里,巴尔扎克有意识地用人物再现、故事情节相关联的方法,也就是恩格斯所说的"用编年史的方式",把这些各自独立的作品联成一个整体,把对于社会生活各个方面的写照联结起来,构成一幅全面的社会图景,"给予了我们一部法国'社会'的卓越的现实主义的历史",这是巴尔扎克运用现实主义创作方法的杰出所在。关于这种编年史的方式,巴尔扎克自己说过,是受自然科学的启发而决定采用的,是为了像"贝丰写出一部卓越的著作讲述各种动物"那样,"替社会写一部表现各类人的作品"④。巴尔扎克不满意司各特整个创作中每一部个别的作品的本身都是光辉的,"但不与任何其他东西相关,不从属任何整体"⑤的情况,因为照他看来,"在真实生活和在社会里,这些事物总是和那些事物命定地联结在一起,甚至

---

① 巴尔扎克:《〈人间喜剧〉前言》,《巴尔扎克全集》第一卷,第XXIII页,巴黎,Louis Conard。
② 巴尔扎克:《幻灭》。
③ 达里叶·伏迦:《不由自主的巴尔扎克》,第87页,巴黎,José Corti,1957年。
④ 巴尔扎克:《〈人间喜剧〉前言》,《巴尔扎克全集》第一卷,第XXVI页,巴黎,Louis Conard。
⑤ 菲力克斯·达文:《巴尔扎克〈十九世纪风俗研究〉序言》,查理·德·罗望汝尔编,《巴尔扎克作品的发展》,第55页。该序言是达文根据巴尔扎克的授意而写的,并经过巴尔扎克本人的修改,所以一般都把它视为巴尔扎克本人之作。

它们相辅相成，不可分割"①。也正是这种对于现实生活的统一观，使他要求作家在创作中"把社会的成分一一重建，以获得社会的整体"②，而他自己上百部作品之所以形成浑然一体，也正是以世界的一体为基础，用他自己的话来说，就是"它（指他自己的作品——笔者）的统一性就是世界本身"。从这里我们便不难看出为巴尔扎克所特有的那种全面而有联系的描绘现实的创作方法，正是由巴尔扎克对客观世界的统一性、对社会事物的互相关联的认识和体会而来的。

如果更进一步考察巴尔扎克现实主义创作方法的每一个具体的方面，同样，也不难发现，不论巴尔扎克描写环境、刻画性格、表现典型，还是通过日常的生活现象提出重大的社会问题的具体方式，都是有着深刻的思想根源。就以巴尔扎克的人物描写而言，正如我们所知，巴尔扎克的人物，不仅因为阶级、阶层或职业、教育等方面的特点而区分为各种类型或种类，他们不仅体现着某一种"同一性"，或则是"表现了时代的最典型的特性之一"，或则是"非常能代表保皇党的这一部分人"，而且他们"作为个别创造物来说是不可能再不相同了"③。那么，巴尔扎克所借以达到这种艺术结果的方法究竟是如何来的呢？它并不是一种出自无意识的临摹，而是在于巴尔扎克不仅认识到了人类正"如同动物之有千殊万类"，认识到了"国王、银行家、艺术家、资产者、教士和穷人，他们的习惯、服饰、谈吐、居住条件都各不相同，并且随着文明程度的高低而有变化"④。另外，巴尔扎克在描写人物的时候，总是把人物放在一定的具体环境和情势之下，充分表现环境对于人物的作用以及人物性格与形成它的环境之间

---

① 巴尔扎克：《伏脱冷》，《〈人间喜剧〉中巴尔扎克的思想》第二卷，第88页，Droz与Giard。
② 菲力克斯·达文：《巴尔扎克〈十九世纪风俗研究〉序言》，查理·德·罗望汝尔编，《巴尔扎克作品的发展》，第47页。
③ 同上书，第55页。
④ 巴尔扎克：《〈人间喜剧〉前言》，《巴尔扎克全集》第一卷，第XXVII页，巴黎，Louis Conard。

的密切关系,他之所以能自觉运用这种方法,也是由于他对于人的思想感情、性格、特征决定于周围环境这一真理有一定的认识。他在一部作品里曾经说:"只要我们在生活里走了几步,便会认识到环境对于心灵状态的影响。"①而他在《社会解答》中,也明确地认为:"人在自然处境,肯定或者决定,全和他的周围事物有关。"②在他看来,"我们的感情难道不可以说是刻写在我们周围的事物上吗"?③这些理解正都体现在他的现实主义方法中。

我们并没有,也不可能在这篇文章里全面地说明巴尔扎克的创作方法和他的思想观点之间的关系,但仅就以上的说明来看,似乎也足以使人看出,巴尔扎克的现实主义创作方法显然是有着一般保皇党或非保皇党政治思想之外的其他思想根源的。也就是说,巴尔扎克的现实主义创作方法首先是直接与他关于如何表现现实的认识有关的。既然如此,我们就应该把巴尔扎克的创作方法和与它直接有关的思想联系起来,看它们是矛盾的还是一致的,而不能把他的创作方法和某一部分与之没有直接关系的思想观点联系起来看它们是矛盾还是一致。如果把巴尔扎克的现实主义创作方法和他与此直接有关的思想联系起来,那么,如上所述,我们所看到的便仍然是世界观对创作方法的指导、创作方法与世界观的一致。

有人也许会反驳说,你们所举出的一部分思想观点,仅仅是世界观的一部分,难道就能以它来说明世界观对创作方法的指导?我们知道,具体人的世界观是复杂的,其内部的各种观点之间往往有不一致,甚至有矛盾的情况。在世界观内部存在不一致或者矛盾的时候,根源于世界观某一部分思想观点的创作方法,当然不可能和世界观内

---

① 巴尔扎克:《遭人诅咒的孩子》,《〈人间喜剧〉中巴尔扎克的思想》第三卷,第11页,Droz与Giard。
② 《巴尔扎克论文选》,第58页。
③ 巴尔扎克:《钱袋》,《〈人间喜剧〉中巴尔扎克的思想》第三卷,第10页,Droz与Giara。

部的一切思想观点都契合，但是，既然世界观中的某些思想观点即使是重要的思想观点与创作方法并没有直接的联系，并不构成一种关系，因而，我们便没有理由去考察它们之间是否矛盾，更没有理由把它们之间是否矛盾的问题作为创作方法与世界观是否矛盾的问题；而世界观中那些与创作方法直接有关的思想观点，虽然它们并不是世界观的全部，但由于它们和创作方法构成了一种关系，而且由于世界观中只有它们和创作方法构成了一种关系，因此，世界观与创作方法的关系，实际上便通过这一关系体现出来。

上面我们说，与巴尔扎克的现实主义创作方法直接相关的不是他的某种政治思想观点，这并不是说，一般的现实主义创作方法都和一定的政治思想观点无关，也并不是说，在任何作家那里，现实主义创作方法的根源都不是某种政治思想观点，如我们在前面曾经列举过的白居易，他那种"非求宫律高，不务文字奇"的"直歌其事"的创作方法，便直接决定于他"惟歌生民病，愿得天子知"[1]的政治思想。我们认为，作家的创作方法与他的世界观的关系是具体的，每个作家的创作方法都有自己的思想根源，即使是相同的创作方法，在不同的作家身上也可能有不同的思想根源，或则是哲学的，或则是政治的，或则是道德的，而不一定都根源于某一种观点、某一种思想或某一方面的观点、某一方面的思想，更不一定都必然与作家的政治思想、政治观点有关。问题是，对于不同作家身上的创作方法与世界观的关系，要作具体的考察，也就是说，要找到真正和他的创作方法有关的那种思想观点，这样才能合理地进一步考察两者的关系。既然巴尔扎克的现实主义创作方法是和他对他所描绘的现实、社会和人的规律特点的认识有直接的关系，因此，要说明巴尔扎克的现实主义创作方法与世界观的关系如何，实际上就是要看上面这二者的关系如何，而如上所述，这二者就是统一的、一致的，这正是巴尔扎克现实主义创作方法

---

[1] 白居易：《寄唐生》。

与世界观的统一与一致，是巴尔扎克的世界观对其创作方法的指导。

虽然我们把巴尔扎克的现实主义创作方法和他的世界观中的积极部分联系起来看，而认为他的现实主义创作方法与世界观是统一的，但巴尔扎克的世界观毕竟是复杂的，因此，另一方面，我们以为，像巴尔扎克这样一类世界观比较复杂和矛盾的作家，尽管其现实主义创作方法在其世界观中有实在的根源，但它在创作中的实现，毕竟是对作家世界观中消极部分的一种胜利，这便是我们所理解的恩格斯所说的现实主义的胜利。这种胜利，往往是发生在过去历史上世界观内部矛盾复杂的现实主义作家身上，它实际上就是现实主义创作方法所根源的那一部分积极的世界观在创作实践上对于世界观中消极部分的胜利，它反映了作家身上世界观中积极部分与消极部分的对立。①

当然，我们不能想象，在一个世界观复杂矛盾的现实主义作家那里，世界观中的消极部分会对创作毫无作用或完全"无能为力"。事实并不如此。现实主义作家世界观中的消极部分，不仅决定了作家对他所表现的现实会有不正确的或者歪曲的认识，从而直接决定作品中形象不正确或有歪曲，而且，这些消极的部分往往会限制作家的现实主义创作方法，或者使作家在对某些现实、某种人物的描绘上完全放弃这种方法。这种现实主义的不彻底、现实主义的胜利不完全的情况在过去历史上很多现实主义者，甚至是杰出的现实主义者的身上也是

---

① 应该说明，即使批判现实主义作家的创作方法根源于作家世界观中的积极部分，但他这一部分世界观和创作方法都有阶级根源和阶级局限性，因此，其"现实主义的胜利"当然也是有阶级局限性的。在本文中，我们只是把巴尔扎克的批判现实主义创作方法和其相关的思想观点，作为例证举出来以说明创作方法与世界观的关系，而对巴尔扎克的创作方法及其世界观的阶级局限性、对整个资产阶级批判现实主义创作方法以及与其有关的思想根源的阶级局限性，我们将在另外的文章中论及。

还应该说明，说现实主义创作方法根源于作家世界观中的积极部分，这仅仅是对巴尔扎克这样的作家而言，这个论断只适用于过去历史时代，特别运用于19世纪批判现实主义作家，因为，当时运用批判现实主义的创作方法，会对资本主义现实有所暴露，如恩格斯所说的那样，引起对于资本主义现存秩序的永久性的怀疑，所以，作家运用这种创作方法，往往是由于具有在当时历史条件下有积极意义的思想观点上。显然，到了社会主义时代，情况就有些不同了。——笔者注

屡见不鲜的。巴尔扎克也是其一。虽然，巴尔扎克宣称自己像历史学家尊重所记录的史实那样尊重现实的真实，然而，他出于他的政治和宗教思想，为了"要指出慈善事业，指出宗教对巴黎所起的作用"，[①]便写出了像《现代历史的背面》这样歪曲现实的作品，完全放弃了他一贯的现实主义的创作方法，而为了宣扬阶级调和，说明"只有天主教的教义可以治好这种危害社会团体的病症"[②]。他也臆造出《乡村教士》中一个有钱的资产阶级太太出于"精神捐弃"而贡献出自己全部的精力和财力改造了一个野蛮贫困的乡村，使那里的人民获得富裕幸福的生活的故事。同样在人物的描写上，他虽然强调应该通过一定的历史条件和社会环境而描写出人物的真实性格，但是，为了解释他自己的政治思想，也为了宣扬"与其描写病状及用哀怨之辞来增加社会的浩劫，最好每个人……到上帝的葡萄园里去当一个小工"的宗教人生观，他又把《乡村医生》的主角倍纳西写成了一个苍白无力，像传声筒一样的人物；而正由于他错误地认为，只有生活富裕的阶层才能产生德行，他便往往把有的贵族阶级的人物，如《弃妇》中的鲍赛昂夫人，《古物陈列室》中的埃斯格里雍侯爵等写成高贵、善良、庄严、激情的化身。至于对劳动人民，巴尔扎克虽然有时也能看到劳动人民身上的优秀、善良的品质，对于他们在剥削制度下极其贫困的生活也有认识，然而，由于他资产阶级的立场，由于他对劳动人民的阶级偏见，特别是对劳动人民起而反对资产阶级社会秩序的斗争感到恐惧，因而，在他描写尖锐的阶级矛盾的作品《农民》中，他并没有如实地描写出农民向封建贵族进行经济斗争的真正的阶级根源，而把这一场斗争歪曲地描写为出于农民阶级无限的贪婪和自私。总之，如果我们在巴尔扎克的《人间喜剧》中去找那些非现实主义和反现实主义

---

① 《致〈星期报〉编辑意保利特·卡斯狄叶先生书》，《巴尔扎克全集·杂文集》第三卷，第649页，巴黎，Louis Conard。
② 《乡村教士》，《巴尔扎克全集》，《乡村生活》第三卷，第143页。

的描写,我们便不难看出,这些描写总是和巴尔扎克这种或那种落后的思想观点有关,总是巴尔扎克坚持他的落后的或反动的思想观点而放弃了真实地描写现实的要求所产生的结果。如果我们合乎逻辑地把这种描写、把这种反现实主义成分和与它们相关的落后思想观点联系起来,放在一个关系中来考察的话,我们所发现的,便又是创作方法和世界观的一致、世界观对创作方法的指导,所不同的,只是这是反现实主义的创作方法与世界观中消极部分的一致,是世界观中消极部分对反现实主义创作方法的指导。

三、创作方法与才能、性格、修养、生活经验等条件的关系

如上所述,当作家自觉运用某种创作方法的时候,这种创作方法总是受与之相关的世界观中的某一观点或某些观点的指导,因此,创作方法与世界观的关系有统一的一方面。那么,创作方法是否在任何情况下都是与世界观完全一致,而没有发生矛盾的可能?如果有此可能,那么可能性是如何产生的?我们在上面只主要考察了创作方法与作家的思想观点的关系,因而总能看到它与世界观的一致,但实际上,创作方法不仅是一种自觉的意识与思想认识的体现,而且,它是一种具体的实践方法,除了和一定的理性认识有关系以外,还和其他的因素有关。因此,只有考察了它的实践的品格,考察了它与作家理性认识以外的其他有关条件的关系,才能最终说明创作方法与世界观是否也可能有矛盾以及矛盾是如何形成的。

艺术创作是对现实的一种艺术的认识,也是对现实的一种艺术的再现。由于文学艺术是以全部的现实生活为其表现对象的,也由于文学艺术表现的道路极其广阔,而且,由认识生活、确定题材到构思情节、塑造典型、安排结构、修饰语言的创作过程,又是极其复杂的精神劳动过程。因此,在创作实践中,作家在认识、思考、判断、体

验、想象、表达等方面的主观条件都将全部投入；创作实践的各个方面和各个环节也都会对作家全部的主观条件有所要求，要求它们在这个方面或那个方面、在这个环节或那个环节发生作用。事实上，作家的一切主观条件也的确对整个创作实践起了或大或小的影响，以至于创作出来的作品往往都在某种程度上烙印着作家的创作个性。而在所有这些主观条件中，对现实世界的认识或观点，固然是举足轻重，最为重要的是它既决定作家对现实有怎样的艺术认识，也影响作家对现实如何作艺术的表现，但作家其他重要的主观条件，即才能、性格、修养、生活经验等，也不能完全忽视。特别是这些条件对于如何表现现实这一方面的作用，亦即对于创作方法的作用，更是如此。

才能、性格和修养，都是人在一定的现实条件下，由于客观环境的作用和人的主观的能动性而逐步形成的。虽然它们所形成的具体途径并不一致，在人的精神领域里也并不相同，它们之间还有着相当大的差异。但它们较之于人一时的情绪、感情、思想、观点，却都是更为稳定的，它们往往作为一种持续的状态而存在于人的身上，而且，在由精神而至物质的关系中，即在由人的主观认识而至对客观对象的实践过程中，才能、性格、修养以及生活经验往往由于比较具体而更为接近于实践。因此，不难理解，它们在艺术创作实践中，特别是对创作方法，肯定是要发生作用的。从另一方面看，文艺的创作方法是一种实践的方法，它固然要为作家所认识，但更要为作家所掌握，事实上，它从来也不是抽象存在的，而总是作家在创作过程中实际上所运用，并具体表现在创作结果中的，因此，一个作家的才能、修养、性格，以及生活经验，对于他实际上所运用的创作方法的作用和影响也是不可忽视的。古人所说的"然才有庸俊，气有刚柔，学有浅深，习有雅郑，并情性所铄，陶染所凝，是以笔区云谲，文苑波诡者矣"[①]，便是充分估计了这种影响和作用。

---

① 刘勰：《文心雕龙·体性》。

事实上，文学发展过程中的任何一个作家如何进行艺术创作，使用什么创作方法进行创作，总是或多或少与他的才能、修养、性格以及生活经验有着密切的关系。就以文学史上两种最主要的创作方法浪漫主义和现实主义而言，不同作家之所以分别采取这两种方法，不仅存在着对如何反映现实这个问题的认识分歧，即前者主张按所希望的那样去写，而后者则主张按现实本来的面目去写，而且，还由于作家的才能、修养、性格有所不同的缘故。席勒曾经说过："素朴的天才（指现实主义者——笔者）对于经验是处于依赖的状况，而这种依赖的状况是感伤的天才不懂得的。"①同样，高尔基也说过，生活贫困的青年作者由于"尽力想用美丽的虚构，来丰富'苦恼的贫困的生活'"，便"会写出所谓'浪漫主义的'东西来"，而从"生活印象丰富""不能沉默不语"的青年作者中，则"会造就出不少的'现实主义者'"②。正由于这个原因，按一个批评家的说法，文学史上著名的现实主义小说，"都是出自40岁以上的人之手"，要不然则是由"在20岁以前就获得了十分丰富的人生知识"的"少数例外的人"③写出来的；而文学史上著名的浪漫主义者，则往往出自富有幻想的青年之中。

这里，可以看看具体作家身上创作方法与才能、性格、修养等条件的关系。车尔尼雪夫斯基在论及托尔斯泰的时候，曾经指出这位现实主义作家在塑造人物的方法上的特点，不仅在于"迥然不同的观察力，对内心变化的细致分析"，而且特别在于"善于抓住一种情感向另一种情感、一种思想向另一种思想的戏剧性的交替"，亦即善于表现"心理过程本身，它的形式，它的规律，用特定的术语来说，就是心灵的辩证法"④。固然，这种方式和托尔斯泰对于人本身以及人的

---

① 席勒：《论素朴的诗和感伤的诗》，《古典文艺理论译丛》第二期，第35页。
② 高尔基：《我怎样学习写作》，第13~16页。
③ 安德烈·莫洛亚：《狄更斯评传》，第11页。
④ 车尔尼雪夫斯基：《〈童年〉和〈少年〉、〈列夫·托尔斯泰伯爵战争故事集〉》，《古典文艺理论译丛》第五期，第161页。

心理规律的认识是分不开的，但也肯定和车尔尼雪夫斯基所指出的有关，"正像别的任何能力一样，这种能力应该是本乎天赋；但单限于这种过于一般的说明是不够的，只有赖于独立的（精神的）活动，才能使才华得到发展，我们所说的托尔斯泰伯爵作品的特色足以证明他这种活动的特别努力，应该认为这种活动是他的才华所具有的力量的基础。我们谈的是自我反省，是不倦地自我观察的努力"[1]。说托尔斯泰的创作方法本乎天赋，那当然不对，但说它和托尔斯泰一贯"观察"的努力有关系，和他在观察方面的才能和习惯有关系，却颇有道理。事实的确如此。托尔斯泰在他的自传体小说中也告诉过读者，他在少年的时候，便对自己的思想情感的变化以及周围人的心理活动，有"过分敏感与爱好分析"[2]的习惯。而根据传记作者所说，托尔斯泰早在从事创作之前，便把写日记这件事看作是自己一项经常的文学工作，通过写日记培养自我观察、记录内心心理过程、分析和刻画周围的事物和人物的习惯和能力。

同样，巴尔扎克的情形也是如此。我们知道，巴尔扎克不仅以现实主义创作方法写出了像《高老头》《欧也妮·葛朗台》这样一些现实主义杰作，而且也曾运用浪漫主义的方法写出过像《塞拉菲达》这样奇特神秘的作品，但是，他自己也曾这样承认："我可以经常写《高老头》，但一生只能写一次《塞拉菲达》。"[3]这说明了他善于运用现实主义创作方法而对浪漫主义方法不习惯，事实上，巴尔扎克从事创作时写作浪漫史诗和诗体悲剧的尝试都遭过失败，他早期为了挣钱而粗制滥造的浪漫主义作品也低劣到自己也不愿用真名发表的程度，而当他找到了自己的创作道路，以现实主义创作方法写作时，便

---

[1] 车尔尼雪夫斯基：《〈童年〉和〈少年〉、〈列夫·托尔斯泰伯爵战争故事集〉》，《古典文艺理论译丛》第五期，第165页。
[2] 托尔斯泰：《幼年·少年·青年》，第180页。
[3] 巴尔扎克1835年3月11日致韩斯迦夫人的信。《巴尔扎克致韩斯迦夫人的书信集》第一卷，第311页，巴黎，Delta，1967年。

接二连三地写出了杰作。这是因为，他的生活实践使他在才能、性格、修养、生活与艺术经验方面，对现实主义创作方法具有了基础和条件，具有了实际的掌握能力。巴尔扎克的少年时期与青年时期，不是在幻想和沉思中度过，没有形成自己作为浪漫主义诗人的素质，倒是恰巧与此相反。早在童年，他便开始具有了"不仅能记得所要记住的任何事，而且能用他内在的目光，把它们曾经真实呈现在他面前的情形，如姿态、色彩，都看得一清二楚"①的能力。而在他最初从事创作的时候，他一方面以浪漫主义创作方法写作而经受着失败，但另一方面，却不自觉地在准备他日后作为杰出的现实主义者的品格，即学会了观察生活的才能。这时，他住在巴黎的贫民区，每天在写作他的诗体悲剧之余总到旁边的居民区散步。他在一本作品里这样回忆说："只有一种热情使我离开我勤奋的工作，然而这不也是工作中的一部分吗？我开始观察市郊的风俗、它的居民和他们的特点……观察不久就变成了我的一种直觉……这种观察方法赋予我一种才能，可以使我分享被我观察的人的生活，使我能够对他们设身处地。"②同样，他早期在律师事务所工作的经历以及他为了挣钱而多次经商的生活，也大大培养了他现实主义者的品格，正如传记作家茨威格所说："不停地竭力应付现实的压力，教给这位'浪漫主义者'——他一直以描写一些从时髦典型里抄袭来浅色阴影而自以为满足——去看这真实的世界和它日常的许多表演"，"学会了观察它们（指资本主义社会不合理的现象——笔者）的因果关系，以至他能忠实地描绘他那个时代"③。正是在巴尔扎克经历了这些生活，培养了他现实主义者的创作条件后，他才真正掌握了这种创作方法而写出了现实主义的杰作。总之，这两个例子都说明了主要由于实际生活的作用，作家才能、性格、修养等

---

① 巴尔扎克：《路易·朗贝尔》。该书是巴尔扎克的自传体小说。
② 《法西诺·加奈》，《巴尔扎克全集·巴黎生活场景》第四卷，第371~372页，巴黎Louis Conard版。
③ 斯蒂芬·茨威格：《巴尔扎克传》，第116页。

方面所具备的条件，对于他形成与掌握某一种创作方法具有一定的重要意义。从某种意义上，甚至可以这样说，作家如何进行创作，正是他的才能、气质、性格、修养等因素在艺术创作上的具体表现。于是，创作方法就有了双重的关系了：一方面，它受世界观指导；另一方面，它又与才能禀赋、性格修养、生活经验很有关系。既然如此，我们就不能不考虑，创作方法与世界观的关系是否就如上所述的那样单纯。

显而易见，世界观与才能、性格、修养等虽是整个精神条件中密切相关的两个方面，但它们之间究竟有所不同。才能、性格、修养等较之于世界观的不同，其一，它们是客观的现实生活与主观的思想情感长期持续作用而产生的精神机能，因而它们的发展变化往往是在作家的思想情感、客观遭遇都有所发展变化之后；其二，它们更具体，更实际，在由精神而至物质，亦即在人的自觉实践活动中，它们与实践有着更具体的关系，也就是说，当人以其主观条件作用于对象的时候，才能、性格、修养往往能发挥更具体的作用，如在文学艺术创作活动中，它们对于作家如何创作、对于创作方法，往往能起较实际的影响。由于第一个差异，便有可能出现思想情感、世界观已有所变化，而才能、性格、修养等却还没有变化或即将有所变化但还未真正变化的情况；由于第二个差异，便有可能出现对于现实对象已经有了概括的，甚至有了具体的认识，而这些认识还不能由才能、修养等具体条件的保证而在实践中变成物质力量的情况。反映在实践中，就可能产生知与行的某种脱节，即虽然有了对于对象和对于如何实践的认识，并不一定就有实际的能力完全按这种认识进行实践。

同样，这种脱节的现象在文艺创作中也存在，陆机在《文赋》中曾经说过："恒患意不称物，文不逮意，非知之难，能之难也。"[①]这里所说的"非知之难，能之难也"正反映了两者之间的矛盾。事实

---

① 陆机：《文赋》。

上,过去的文学艺术家也的确在自己的创作活动中遇见过这种矛盾和困难。歌德在与爱克尔曼的谈话中,所讲的他学习绘画的故事便是一例。歌德曾经努力学习过绘画,但是照他自己所说,"我虽然付出了辛勤的劳动,仍然未成为一个画家"。这倒不是因为他对美术创作没有认识,他告诉我们,"我在美术的各部门都有所涉猎,我能辨识美术中的每一个笔画,并知道何者为优,何者为劣"①,而他确也发表过不少对于美术创作规律的深刻而精辟的见解,可见他在绘画方面的失败实际上也是"非知之难,能之难也"所致,也就是他自己所承认的那样,"当我画任何东西的时候,我对于物体的形象缺少充分的本能"②,缺少他所说的那种造型美术的真正才能,即"对于形态、比例和色彩有一种天赋的感觉,因而不需要什么指导就能把这一切表现好,尤其是对于事物的形象具有敏感,并且有才能通过把光线的明暗表现得恰到好处而使事物栩栩如生"③。如果说,在造型艺术的创作上有这种"非知之难,能之难也"的情况,那么,文学创作的情况亦复如此。如法国现实主义小说家莫泊桑早期开始写作时,福楼拜曾向他传授现实主义创作方法的重要原则,教导他"才能就是持久的耐性。对你所要表现的东西,要长时间很注意地去观察它,以便能发现别人没有发现过和没有写过的特点"④。然而,福楼拜所传授的现实主义创作方法,莫泊桑也并不是一有认识便能掌握和运用的,而是经过整整7年不断的失败,在实践中锻炼与培养了自己现实主义者的才能以后,才能掌握和运用。

正因为在文学艺术创作实践中有知与行脱节的可能,即作家虽然

---

① 歌德1829年4月12日与爱克尔曼的对话,《歌德对话录》,第327~328页,Everyman's Library,1930年。

② 歌德1829年4月10日与爱克尔曼的对话,《歌德对话录》,第324页,Everyman's Library,1930年。

③ 同上书。

④ 《皮埃尔与让》,《莫泊桑小说全集》,第XXIII页,巴黎,Louis Conard。

具有了关于如何进行创作的思想以及与之相关的其他认识，但不一定就有相应的实际能力按这些思想认识进行创作，而作家在创作活动方面的才能等具体条件往往又具体体现于创作方法上。因此，上述脱节的现象表现在创作实践中，就形成作家关于应该如何创作的认识与他实际只能如何进行创作的矛盾，也就是作家的思想认识、世界观和他实际上所掌握和运用的创作方法之间的矛盾。

这里，为了说明问题，我们着重解剖一个例子，即消极浪漫主义作家夏多布里昂写作他著名的代表作《阿达拉》的事例。这是一篇以美洲为背景的小说，在1802年被夏多布里昂收入他宣扬宗教神秘主义的著作《基督教精华》中，成为这部专著的一个插曲。但是，它的写作实际上先于《基督教精华》，从思想体系来说，属于夏多布里昂在1797年所发表的《革命论》，在那部著作里，他对宗教作了彻底的否定。正因为《阿达拉》是夏多布里昂《革命论》阶段的产物，因此，作者不论在写人物的情感还是描绘美洲的自然景物方面，对自己并非没有真实地描写现实的要求，以至他后来在1805年所写的《阿达拉》与《列奈》的第12版序言中，还这样自信地说："但是，我敢说《阿达拉》中的美洲景物是以最严格的精确性描绘下来的，这是所有曾经游历过路易斯安那州和佛罗里达州的旅行者都能为我作证的。"①而在反驳当时有些人对作品中情感描写的批评时，夏多布里昂也理直气壮地说："问题不在于弄清楚这种情感是否不好承认，而在于它是否真实，是否以我们共同的经验为基础，要不同意这点，看来是困难的。"②的确，夏多布里昂亲身在美洲游历过，而他作品中人物的思想感情有很多都是以他自己的思想感情为基础的。然而，实际上夏多布里昂的作品却正如马克思所批评的那样，"有一身浪漫主义的

---

① 《〈阿达拉〉与〈列奈〉1805年第12版序言》，《夏多布里昂全集》第三卷，第10页，巴黎，Garnier Frères.
② 同上书，第9页。

化装"，充满了"虚伪的深刻，拜占庭式的夸张，感情的卖弄，五光十色的变幻，Word Painting（文字的雕琢），戏剧式的表现，Sublime（崇高的形式）"①，至于其中的美洲景物的描写，其不真实的程度也早已有定评。当时，一位去过美洲的旅行者便指出过："在看到密西西比河之前，我一直怀着《阿达拉》中的密西西比河生动的概念……但是我根据这作品的描写去辨识这块地方，便完全白费气力了，我面对着现实完全感到失望，《阿达拉》中对这条河的描写像是出自一个从未见过这条河的作家之手。"②总之，不论作家是如何企图真实地进行描绘，但他实际上所运用的，却是脱离现实的消极浪漫主义方法。这种情形并不难理解，只需看看作家实际的生活道路和创作道路就可以了。

一位传记作者说得对："夏多布里昂经历了古旧的法兰西向新兴的法兰西的过渡；他在心灵上和肉体上都经受了这次过渡的痛苦。"③根据夏多布里昂的自述，他"生来便是一个贵族"，但却出生在"贵族制度最后的时刻已经来临"④的时候，他那个"在很多字典上都能找到其家谱"⑤的贵族之家，早在大革命之前便已经衰落了。贵族之家往日的兴盛和眼下的衰微，使他从童年时便已经感受了日后永远也没有摆脱过的"永恒的忧愁"⑥，使他形成了感慨人生、缅怀往日的精神状态；家庭关系的冷淡，"很早就被交给陌生人之手，在远离家屋的地方受教育"⑦，又使他养成了孤单独处、沉思幻想、自怜自爱

---

① 《马克思恩格斯论艺术》第二卷，第251页。
② 吉尔贝·谢纳尔：《夏多布里昂作品中的美洲情调》，第246页，巴黎，Hachette，1918年。
③ 于尔·勒麦特：《夏多布里昂传》，第2页，巴黎，Calmann-Lévy。
④ 夏多布里昂：《墓外回忆录》第一卷，第4页，巴黎，Garnier Frères。
⑤ 同上书，第5页。
⑥ 《列奈》，《夏多布里昂全集》第三卷，第74页，巴黎，Garnier Frères。《列奈》是夏多布里昂的自传性小说，其中的主人公是他自己的写照。
⑦ 《列奈》，《夏多布里昂全集》第三卷，第74页，巴黎，Garnies Frères。

的习惯。更主要的是,大革命时期法国社会的变化,封建制度的彻底破灭,使得这位出身贵族名门的伯爵不愿意也不敢去正视严酷的现实——"我停立在生活的路口,把生活的道路一一加以审视,而不敢走进去"[①]——他总是逃向虚无缥缈的幻想,正像他的自传性小说所描写的那样:"一点点东西便足以引起我的幻想,往往只是一片被风吹逐到我面前的枯叶,一所屋顶上覆盖着树荫与炊烟的茅舍,一片长在橡树躯干上迎风而动的苔藓,一块兀立的岩石,或者是一个枯苇在其中飒飒作响的干塘。远远从山谷里传来的钟声总引我极目望去;常常我目送从我头顶飞过去的候鸟。我想象这些鸟儿飞往的那些遥远的国土,不可知的地方。"[②]像这样的性格气质、精神状态、对待现实的态度以及幻想的习惯,便很自然使作家在认识和表现现实上形成脱离现实的消极的浪漫主义创作方法。虽然在大革命的高潮中,夏多布里昂曾接受过启蒙主义思想的影响,写出了《革命论》,然而,过去的生活经历和精神发展过程中所形成的才能、性格、习惯等条件,还没有随之发生变化,因此,这些条件在他写作《阿达拉》的过程中,便实际上规定了他创作方法的性质,使他当时的思想观点在如何创作的问题上没有发生有成效的作用,而仍按他原来实际的可能那样进行创作。并且,这些根深蒂固的条件坚持不变,仍持续地发生作用,不久以后,又使得夏多布里昂抛弃了启蒙主义思想影响,而陷入了反动的宗教的世界观。

如果夏多布里昂的例子还不够,我们可以再看一看歌德。歌德是文学史上杰出的积极浪漫主义作家。他之所以始终是一个浪漫主义作家,而从未像巴尔扎克、托尔斯泰那样写出过现实主义的作品,是与他在生活中所形成的才能、性格以及在艺术创作方面的素养和一贯的经验分不开的。从歌德的自传中我们知道,歌德从童年时代起便在

---

① 《列奈》,《夏多布里昂全集》第三卷,第76页,巴黎,Garnies Frères。
② 同上。

生活中培养和形成了他丰富的感受能力和活跃的幻想能力，他"幼稚的头脑里很快就满装着一大堆形象、大事、有意义的和奇怪的人物和事件"，并且他"老是忙着把从此所得的资料加工、复习和再创造出来"①；他常向他的儿童朋友编造关于自己的各种各样的奇遇或童话，他后来把这称之为"吹牛"，说"这件吹牛的开端实不免对我留有坏影响"②。而从他一开始知道写作的时候，他便走上了抒发主观的情感、制造幻想故事的浪漫主义的道路：他读了古希腊罗马的文学作品，便动手写"半神话寓言"的戏剧，在这种戏剧里，"公主、王子和天神都少不了"③；他读了《圣经》，丰富的想象力对《圣经》中的内容便"发生一种更活生生的表象"④，并且企图"将陈旧简单的历史变为新的独立的作品"⑤；如果他感情上产生了什么不愉快，他便"咀嚼自己的悲楚、虚构地把它放大千百倍"，把自己"全部创造力、诗才和辞藻，全都集中在这个创口上。借着这种生命之力，使身心都陷入不可救药的病势"⑥。而所有这些从主观出发的方式和态度，正是歌德整个一生在文艺创作上所继续的方式和态度。至于歌德的思想观点，不论是他对现实的总的观点，对于文学与现实关系的认识，还是关于作家在创作实践中所面对的社会职责的思想，都和他实际上所运用的创作方法有不一致之处，至少其性质不是必然要决定歌德运用浪漫主义创作方法而不运用其他的创作方法。就以对文学与现实的关系的思想观点而言，歌德并不像历史上有些浪漫主义作家一样，要求尊重作家自己的主观，而是主张应该尊重现实和现实的规律。他知道现实世界有其客观的规律，认识到人对客观规律应有的态度，"我们必

---

① 歌德：《歌德自传》，第30页。
② 同上书，第48页。
③ 同上书，第113页。
④ 同上书，第137页。
⑤ 同上书，第151页。
⑥ 同上书，第232页。

须顺从永恒的、严峻的、伟大的规律，完成我们生存的连环"①，因此，在文艺创作上，他要求作家忠实于自然，要求"艺术家必须在细节上忠实地、虔诚地模仿自然"②，并且还这样加以强调，"如果诗人只表达了自己的主观感情，还配不上诗人的称号；而一旦他把握了客观世界，并能加以表现时，他才算一个诗人"③。在与爱克尔曼的谈话中，他便多次批评了那些"缺乏自然和真实"的作品。然而，所有这些思想认识都没有使他实际上以现实主义创作方法进行创作，他在创作上服从的仍是他那些被生活所造成的由来已久、根深蒂固的实际条件，他自己对这种不由自主、不以主观的愿望转移的必然性，也是有所认识的，他后来在自传中便曾谈到他的幻想力对其创作的影响，往往违反他主观愿望之"所欲"。

由以上所述可见，作为一种自觉的实践方法，创作方法不仅受世界观指导，而且也与作家的才能、性格、艺术修养、生活经验等条件有关，这是创作方法复合性质的所在。仅仅把创作方法看作是一种文艺观点的体现，是世界观在文艺领域里的演绎，而不估计到它实践的品格，这是一种片面；仅仅把创作方法看作是一种具体的技巧和手法，而不看到它作为一种原则所体现的思想内容，这是另一种片面。两者都不能全面地了解创作方法的性质，因而对于创作方法与世界观的关系这个问题，也就不可能作出切实的回答。既然创作方法同时与两个不同方面的因素有关，因此考察创作方法与其中一个方面因素的关系时，就不能不估计到它与另一个方面的因素的关系。而在我们看来，这两个方面的因素是有差异的，如果这两个方面在一个作家身上基本上是统一的，那么它们都将朝同一个方向决定创作方法，就像巴

---

① 歌德：《神性》，《德国诗选》，第100页。
② 1827年4月18日与爱克尔曼的谈话，《歌德对话录》，第196页，伦敦，Everyman's Library，1930年。
③ 1826年1月29日与爱克尔曼的谈话，《歌德对话录》，第126页，伦敦，Everyman's Library，1930年。

尔扎克世界观中的积极部分和他作为现实主义者的品格、才能一致决定了他的现实主义创作方法那样,这时,既不存在创作方法与才能、性格等条件的矛盾,也不存在创作方法与世界观的矛盾。但如果这两个方面在一个作家身上并不完全一致,那么,它们则将朝各自的方向影响创作方法,而由于才能、性格、修养、生活经验等条件较理性的思考和认识更为稳定、持续,对实践的作用更具体,于是就可能出现创作方法受着才能、性格、修养、经验等具体条件的影响而与世界观呈现某种脱节或不一致的情况。总之,由于创作方法不仅受世界观的制约和决定,便有与世界观发生矛盾的可能;但又由于制约和决定创作方法的两个方面的因素在某些作家身上虽然不一致,但在很多作家那里,都基本上是一致的,因此,便不能说创作方法一般总是和世界观不一致的。这两个方面究竟是统一还是矛盾,在不同的作家身上是不同的,这就要进行具体的分析。一般说来,只有当某种世界观在作家身上不仅是一种一时的理性认识,而且是从他一点一滴的生活经验中扎实积累起来的,深深地渗透在他的性格修养中、体现在他的才能里的有血有肉的东西,才能对创作方法起决定性的作用。正因为如此,由于才能禀赋、性格修养、生活经验实际上影响了创作方法,从而使创作方法与世界观有所脱节或矛盾的情况,往往便发生在某些具有一定唯物主义世界观或现实主义文艺观点的浪漫主义作家身上,或者往往发生在世界观刚开始变化的作家身上。之所以常发生在这类浪漫主义作家身上,是因为现实主义创作方法要求作家"完美地模仿现实"[①],因而在艺术地认识和表现现实的创作过程中,较之浪漫主义创作方法有更多的关系需要处理,这是习惯于按照自己主观愿望和理想进行描绘的浪漫主义作家所不习惯的,虽然他具有某种唯物主义世界观或现实主义文艺观。至于之所以常发生在世界观刚开始变化的作家身上,是因为这类作家虽然已经有了改变其原来世界观的要求或已经

---

① 席勒:《论素朴的诗和感伤的诗》,《古典文艺理论译丛》第二册,第2页。

开始形成新的世界观，但还没有把它巩固起来，没有足够的生活基础以改变他原来的认识能力、表现能力、观察问题和对待问题的方式和习惯，于是，他便不可能掌握和运用新的世界观所要求的创作方法，而实际上仍然运用着和他旧有的主观条件相联系的创作方法。

四、结语

既看到创作方法与世界观的关系，也看到创作方法与作家世界观以外的一些具体主观条件的关系，对于更切实地认识创作实践是有意义的。首先，这有助于认识文学艺术创作实践所需要的一切条件，认识在如何创作的问题上，不仅需要有一定的思想观点的指导，而且也需要有与这种思想观点相应的才能、修养和经验等条件予以具体贯彻。这样，便既不会把如何创作的问题，看作与作家的思想观点、目的企图毫无关系；也不会把如何创作的问题，特别是作家实际上是如何创作的问题，仅仅简单归结为思想观点的问题，把创作实践的复杂性加以简单化。其次，这也有助于作家更好地进行创作实践。对于作家来说，为了要掌握和运用先进的创作方法，既应该努力树立先进的世界观，也应该加强生活锻炼，以使先进的世界观深深扎根于自己的生活实践中，渗透在自己的性格修养里，并使自己艺术地认识和表现现实的实际能力与之相适应，这样，作家如何进行创作实践，就不仅有正确的思想观点作为指导，而且也拥有具体的条件来贯彻这种正确思想的指导。

那么，在对创作方法起制约作用的两个主要方面，即世界观与才能、性格、修养、经验这两方面，究竟是哪一方面起主导的、决定性的作用呢？也就是说，在作家的创作活动中，究竟是世界观与创作方法构成主要的矛盾，还是才能、性格、修养、经验等因素与创作方法构成主要的矛盾？而在对创作方法的关系中，究竟世界观是矛盾的主要方面,还是才能、性格、修养、经验等因素是矛盾的主要方面?

我们认为,在创作活动中,世界观与创作方法是一对主要的矛盾,而世界观又是创作方法关系中的矛盾的主要方面。具体说,对创作方法发生基本的主导性作用的是世界观(当然,整个创作更是主要决定于世界观),世界观通过哲学、政治、道德、社会、文艺等各种观点对创作方法发生制约和指导作用。某些作家的创作方法固然有时深受与其世界观不完全一致的才能、性格、修养、经验等因素的影响,但其基本的性质却还是与作家的世界观有关。以上所列举的歌德、夏多布里昂基本上都是如此。

更值得注意的是,才能、性格、修养、经验也是在世界观与生活环境持续的作用下形成的,世界观与生活环境的改变,往往引起才能、性格、修养等主观条件的改变。才能、性格、修养、经验等因素,从来不是与世界观无关的,它们总是与一定的世界观相联系的,在某种程度上,总是某种世界观的一种具体的表现。因此,归根到底,作家的创作方法主要是受作家的世界观指导,而不是主要决定于才能、性格等条件。即使在那些世界观已经有所变化,而才能、性格尚未相应变化的作家身上,其才能、性格等条件虽然与新建立的世界观不一致,但却是与作家原来的世界观有关,而在这种作家那里,才能、性格等条件对创作方法的主导性的影响,其实还是原来根深蒂固的旧世界观的影响没有完全消失的反映。当然,这种情形不会持续很久,如果不是反复到原来的世界观,从而由原来的世界观与才能、性格等条件一致地决定创作方法,就是新的世界观的不断巩固与深化,进而渗透到才能、性格等条件中去,引起它们的变化,并使作家的创作方法也发生新的变化。总之,不论在哪种情形下,世界观的作用始终是最主要的、最根本的。

由此可见,作家要以先进的创作方法进行创作,首先就要建立先进的世界观,而且,只有当这种先进的世界观不停留在一时的理性认识上,而是在长期的生活和斗争中得到巩固与深化,深深渗透在自己思想的每一片断、感情的每一末梢,具体体现在自己的才能、性格、修养、经验中的时候,先进的创作方法才能实际上为作家所掌握和运用。从这里,正可以看出世界观的改造对于文艺创作的重要性以及世界观的改造与长期生活锻炼的紧密关系。

外国古典文学研究中的阶级分析方法

在古典文学研究中，阶级分析是一个关键性的问题。然而，要正确地掌握和运用阶级分析的方法，却并不是一件容易的事。事实上，在这方面也是存在不少问题的。

例如，我们在古典作家和古典作品那里，经常遇到这样的情形，即作家或作品往往对自己的时代甚至自己的阶级作了大胆的揭发、严厉的责难和深刻的批判，文艺复兴时期的人文主义作家激愤地揭发过资产阶级原始积累所造成的罪恶，19世纪批判现实主义作家几乎都曾以不容情的态度讽刺和批判过资产阶级。那么，当这些作家这样做的时候，他们究竟是站在一个什么样的立场上呢？他们的思想本质和所根据的原则究竟是属于哪一个阶级的呢？他们是否在这时超出了本阶级的局限，超脱了本阶级的立场呢？认为他们超出了本阶级局限的看法并不是没有，而且，由这种看法还发展为这样一种论断：某某作家或某某作品超出了本阶级的局限和偏见，这正是这个作家或这部作品杰出、伟大的所在。

当然，任何时代的作家，作为一个具体的人，其思想都是复杂的，统治阶级的作家并非不可能接受被统治阶级的某些影响，而被统治阶级的作家也完全可能接受统治阶级的思想影响，因而，作家在作品中所表现的思想，往往就可能是复杂而非单一的了。但是，一个作家作为阶级的喉舌，从根本上来说，是不可能超出其阶级的局限的。

马克思和恩格斯在《德意志意识形态》中曾经说过，在一个阶级的内部，分为阶级的一般成员与"把编造这一阶级关于自身的幻想当作谋生的主要泉源"的"阶级思想家"这两部分人，"这种分裂甚至可以发展成为这两部分人之间的某种程度上的对立和敌视，但是一旦发生任何实际冲突，当阶级本身受到威胁，甚至占统治地位的思想好像不是统治阶级的思想这种假象，它们拥有的权力好像和这一阶级的权力不同这种假象也趋于消失的时候，这种敌视便会自行消失"[①]。

这里指的是阶级的思想家与本阶级的一般关系，当然，也适用于本阶级的作家与其阶级的关系。

虽然马克思、恩格斯所说的"一旦发生任何实际冲突，当阶级本身受到威胁"的时候，更主要的是指阶级斗争形势发生变化，因而引起阶级内部的联合；但是，从这段话里，我们可以得到两点启示：其一，阶级的思想家与本阶级的一般成员之间往往是存在着某种对立，而这种对立并不使阶级思想家不成其为这个阶级的思想家；其二，阶级思想家与本阶级的对立，总是要服从于本阶级的根本利益的，也就是说，根本上不可能违反这个阶级的利益，不可能以损害本阶级为其最后的结果。

这两点启示可以帮助我们理解某些作家的作品与其阶级的关系。

的确，有些作家在自己的作品里对本阶级作了相当深刻的批判，表现了强烈的对抗精神，看来确实像是置身于和本阶级对立的地位上，然而，经过分析，还是可以看出，他们对本阶级实际上有批判也有帮忙，看起来，他们对本阶级的某些重要方面作出了批判，然而，他们往往在根本上却是本阶级思想体系的最忠实、最有力的维护者，即使在他们对本阶级进行批判的时候，也同时在完成自己作为阶级思想家的职责。

就以19世纪批判现实主义小说的一位代表人物司汤达为例，我

[①] 《德意志意识形态》，《马克思恩格斯全集》第三卷，第53页。

们知道,他在著名的小说《红与黑》中,对当时的复辟社会作了大胆的揭露,同时以反感和讽刺的笔调描写了资产阶级暴发户和有钱人;他塑造了于连这个人物,通过这个人物的追求和失败的故事,向那个社会提出了抗议,把这个人物写成一个有反抗性的英雄,以不加掩饰的赞赏之情写这个青年与上流社会的对立,刻画和渲染于连与上流社会对抗的那种微妙的心理。不可否认,这样一部作品,对于它所针对的当时的现实是具有相当深刻的批判意义的,甚至可以说,它对当时的现实是具有某种破坏性的。但是,《红与黑》的作者根本的出发点,却是要证明像于连这样一个"像一株美好的植物"的人,本应该具有充分的个人发展的机会,要证明这样一个人存在和发展的合理性,要证明这个人物的个人发展的要求应该得到满足。从这里可以看出,作者所依据的是资产阶级个性发展的原则,他所肯定的是资产阶级个人英雄主义的要求,因此,当《红与黑》对现实进行批判时,也使读者通过同情主人公而不自觉地接受它所依据的资产阶级个性发展的原则和个人英雄主义的精神,而这种原则和精神既是"一切人反对一切人"的资产阶级社会的必然产物,也是资产阶级在自由竞争的战斗中所不可缺少的本性。从这个意义上来说,这样一部作品对于资产阶级的根本思想体系是具有维护作用的。

同样,资本主义初期的人文主义作家,如莎士比亚、拉伯雷,他们在自己的作品中对当时资本主义原始积累的罪恶现实,对刚刚孕育出来的资产阶级人物,都有过深刻的批判和无情的讽刺,显示出他们与本阶级的某种"对立"。然而,他们进行批判时所依据的人文主义理想,又是十足的资产阶级的产物,当他们一方面在使读者同意他们的批判的时候,另一方面又使读者在不知不觉中同意他们所依据的人道主义思想。

杰出的阶级思想家,便往往以这种巧妙的方式来完成自己的职责。如果只看到他们进行批判的一面,就说他们超出了本阶级的局限性，那就真是过于轻率的断语了。

  阶级分析方法是历史唯物主义的基本方法。马克思列宁主义经典作家已经提出了这个方法的基本原则，并且也提供了作阶级分析的范例，我们的问题是要对经典作家的论著作深入的钻研，从而细致、深入地体会和学习这个方法。至于以上所说的，只不过是个人一点很微小的体会而已。

1964 年 7 月 19 日

再谈外国古典文学研究中的阶级分析方法

在古典文学研究中如何对一个作家进行阶级分析呢？当然，根据一个作家的出身、社会身份以及他本人某些言论来确定他的阶级性质，这是一种分析的方法，事实上，我们不少古典文学的评论文章经常运用的，也正是这种方法。然而，这种方法也许还不能说是根本的阶级分析方法，它在相当多的复杂的情况下，并不能使我们收到预期的效果——切实地确定一个作家的阶级性。就说19世纪现实主义小说家巴尔扎克吧，他当时参加过保皇党的政治活动，而且他在阐明自己整部《人间喜剧》的前言中这样宣称："我在两种永恒真理的照耀下写作，那就是宗教和君主政体。"如果只根据这些来确定巴尔扎克属于哪一个阶级，那么便不难确定他是一个封建阶级的遗老，像夏多布里昂一样。然而，巴尔扎克是否属于封建贵族阶级，显然大成问题，至少我们从他向密友表白自己的信札中知道，他并不真正属于保皇党，并不是真正为了忠于封建阶级。而从其整个创作来看，也的确如此。

为什么仅仅根据作家的出身、社会身份以及他本人某些不足以概括其创作的言论来确定作家的阶级性质往往并不十分可靠呢？这是因为在阶级社会中，作家是作为阶级意识形态的代表而存在的，他总是以自己的作品维护或破坏某种阶级关系，倾向或针对某个阶级的利益，而他这样做虽然经常和他的出身和社会身份有关，但也不仅仅与此有关,特别是不一定和他本人在某种情势下发表的言论一致,因此衡量一个作家,重要的还是要从他的创作的阶级性质来看,而不能以其出身、社会身份、宣言为唯一的根据。

那么,对作家进行阶级分析的基本途径是什么呢?马克思指导我们:"不应该认为,所有的民主派代表人物都是小店主或小店主的崇拜人。按照他们所受的教育和个人的地位来说,他们可能和小店主相隔天壤。使他们成为小资产阶级代表人物的是下面这样一种情况:他们的思想不能越出小资产者的生活所越不出的界限,因此他们在理论上得出的任务和作出的决定,也就是他们的物质利益和社会地位在实际生活上引导他们得出的任务和作出的决定。一般说来,一个阶级的政治代表和著作方面的代表人物同他们所代表的阶级间的关系,都是这样。"①由此可见,对一个作家进行阶级分析的基本途径,就应该是看他所反映的是哪一个阶级的利益和看他在提出问题、解决问题时所没有超越的是哪一个阶级的范围。在这方面,马列主义经典作家不仅深刻地指出了基本的原理,而且,也提供了如何对具体作家进行阶级分析的范例,恩格斯论易卜生、列宁论托尔斯泰便都是这样的范例。

的确,如果根据这种阶级分析的原理去研究作家,即使所遇见的是一位很复杂的作家,也不难排除一些表面的现象或假象而见到作家的阶级本质了。就拿我们所熟知的17世纪法国大喜剧家莫里哀来说吧,他当时是"太阳王"路易十四最宠爱的文学家,是宫廷剧团的团长,而在他的作品中,既有对封建贵族阶级的深刻批判,对反动教会势力无情的揭发,也有对资产者辛辣的讽刺,还有对出身于下层人民的仆人形象的热情赞美。这样看来,莫里哀的确如过去不少评论文章所肯定的那样,是"民主的""进步的""具有深刻人民性"的了。当然,这样说莫里哀有一部分道理,但只说这些而对莫里哀的阶级本质只字不提,却并不很妥当。那么,莫里哀有这样多的方面,他的阶级

---

① 《路易·波拿巴的雾月十八日》,《马克思恩格斯选集》第一卷,第632页。

性是什么？应该如何分析他的阶级性呢？

我们知道，莫里哀生活在资产阶级新兴的时代，如果从他的思想"所没有越出的界限"来看，从他在创作中提出问题和解决问题的方式所没有超脱的阶级范围来看，他整个的创作其实就是新兴资产阶级利益的反映。我们不要以为他提出年青一代的婚姻自由、个性解放的要求只是为了针对资产阶级家庭的家长，其实，这在当时最符合资产阶级生产关系的根本利益；我们不要以为他只是为讽刺而讽刺了当时典型的资本家——悭吝人阿巴贡，其实，对于这种代表了旧式剥削关系的货币贮藏者的打击，也正符合当时资本主义生产发展的趋势；他揭露封建贵族的恶行、教会势力对市民家庭的损害，嘲笑资产阶级想当贵人而攀交贵族、与贵族联姻，甚至把戴绿头巾的命运派到他们的头上，也都是为了提醒资产阶级不要充当封建破落贵族的"肥田粉"[1]，至于他对下层人民的形象的赞赏，也并没有超出资产阶级在反对封建主义制度的斗争中与人民群众所维持的关系和所采取的态度。杰出的马克思主义批评家拉法格说得很精辟："这位生于博马舍和大革命之前一个世纪的好斗的戏剧家，在'太阳王'统治下，手刃朝野的贵族阶级，攻击使笛卡儿战栗的教会——莫里哀属于他的阶级，是资产阶级的斗士。正像社会主义者对工人们这样说，'和自由资产阶级决裂！它要么屠杀你们，要么就欺骗你们'，莫里哀也向乔治·唐丹和想当贵族的资产者喊道，'像逃避瘟疫那样避开贵族，他们欺骗你们、嘲笑你们、抢劫你们'。"[2]

当然，要按马克思所指出的关系去分析作家的阶级性，就不能仅仅着眼于作家的片言只语，而要对其整个创作的思想倾向进行切实的研究，同时，也不能仅仅孤立地去分析作家的创作，而要把作家的创

---

[1] 法国17世纪作家拉·市吕埃尔在他描述当时风俗人情的《性格论》中，把和封建贵族联姻的资产阶级，说成是贵族的肥田粉。

[2] 拉法格：《社会主义与知识分子》，《拉法格文学批评集》，第18页，巴黎，国际社会出版社，1936年。

作放在具体的时代背景上,放在当时具体的阶级情势下加以考察,这就要求我们对于作家创作的时代背景、社会根由不仅要有一般的、笼统的了解,而且要有较全面、较深入的认识。这样,我们才能更好地在古典文学研究中运用阶级分析的方法。

1964 年 7 月 26 日

论共鸣现象的实质及其原因
——关于共鸣问题的答复

一、共鸣现象的实质以及它和一般感动现象的区别

当读者打开一本文艺作品的时候,面对着作品中所呈现的生活图景、活动着的人物形象以及通过它们所表现出来或流露出来的作者的思想情感,必然会产生种种主观感受,发出种种精神反应。共鸣便是这些精神反应中的一种。现在,共鸣问题的讨论已经进行不少时候了,但看来,首先大家对共鸣现象的实质理解还有分歧。我们以为共鸣是人的精神或情感活动中不那么普通的一种,它不是精神或情感活动的全部,而且也和精神或情感活动的其他形式如理解、欣赏、喜爱、感动有所不同,但在这个问题上还有一些不同意见。有的意见认为不必把共鸣和理解、喜爱和感动做些区分;有的同志虽然没有明确地提出这种主张,但在实际论述中,共鸣不仅和感动、喜爱没有区别,而且,也成了理解、感受的同义语;还有的同志虽然也在字面上提出来对它们应加以区别,但有时却又用非共鸣的例子来说明共鸣的现象。这就使我们不能不产生这样的困惑:究竟是在谈共鸣,还是在谈整个精神感应现象呢?我们以为,如果把共鸣和整个精神感应现象如喜爱、感动、理解、欣赏等都混同起来,既不掌握共鸣的本质特点,也不掌握理解、喜爱、感动等精神活动形式的特点,显然就难以切实地论述共鸣是如何产生的,共鸣的产生原因和其他精神感应的原

因又有什么区别。

关于共鸣与其他一些精神感应现象的区别，我在《关于文艺欣赏阅读中的情感运动形式》①一文中已做了说明，这里不再重复。现在我想从人的较根本的精神活动规律和途径再来做些分析，那么，对共鸣的本质特征以及和它相近的一般感动的本质特征，就会有更深入的了解。

共鸣和一般的感动都是情感活动，是以观念、意象为材料，通过感受、体验、回忆、想象而完成的，是以一定的具体感受和心理经验为基础的。人生活在现实世界里，由于这种或那种原因产生一定的感受、体验、爱好、憎恶、愿望和理想，它们产生以后，就成为了心理的情感的经验，在以后的阅读欣赏中，如果作者所表现的和人物所体现的思想情感和这些心理情感经验具有相同的性质，便会产生与作者或人物的同内容、同情状的感情活动，作者和人物所爱的是他的所爱，作者和人物所恨的也是他的所恨，作者和人物悲痛或欢乐也引起他的基本上相同的悲痛或欢乐，作者和人物所表现的或所体现的愿望理想使他觉得恰巧是或基本上是他所希望的，这便是共鸣产生的途径和情况。如像巴比塞揭露帝国主义战争的残酷和罪行的小说《火线》出版以后，就有一些曾在前线作过战的士兵写信给作者，感谢他写出了他们的感受："我读完你的书，好像从战壕里爬出来一样。我似乎感到自己的面孔也憔悴、肮脏、激动。"②他们感谢他表达了他们的心声："你是遭受过战争苦难者的代言人……你有勇气道出了我们曾经有所感觉，然而不敢予以正视的真理。"③正因为巴比塞这部作品表现了当时受害于战争的人们的心理经验，表达了他们在帝国主义战争阴云下对光明的和平劳动生活的向往，因此，便引起了这些读者的共

---

① 《学术月刊》，1961年第五期。
② 安耐特·魏达尔（Anette Vidal）：《和平战士亨利·巴比塞》第6章，法国，联合出版社，1953年。
③ 同上。

鸣,受到了他们热烈的欢迎。一位高尔基的回忆者也曾谈过这样的共鸣的经验:"在我青年时代的这个重要关头,高尔基把我吸引住了。他吸引我的原因不仅仅在于他的鼎鼎大名,他的作品所发出的勇敢的抗议的声音是完全投合我在神学校秘密小组里早已体验过的那种情绪的。"①

共鸣虽然要求有相同的思想情感、相同的心理经验,但并不是要求绝对完全的相同。世界上的事物不可能绝对完全相同。它所要求的是在本质上的基本相同和基本一致。那么,这本质上的基本相同和基本一致又是什么呢?我们知道,"在阶级社会中,每一个人都在一定的阶级地位中生活,各种思想无不打上阶级的烙印"②。因此,同阶级的人们的思想情感、心理经验虽然不会完全绝对相同,但基本上却是相同的。共鸣所需求的思想情感、心理经验的相同正是在阶级性上的相同。读者在作品中遇到与他基本上相同的阶级思想情感、心理经验的表现和体现,由此或则重新唤起他自己也曾有过的与此相同的思想情感、心理经验,或则使他原来具有的这种思想情感、心理经验的萌芽在作品的形象中找到了一个较充分的"自我"而明确下来、定型下来,像这样形成的情感上的运动,是作为社会阶级的人的精神运动的重要规律之一,共鸣就是基于这一规律,基于这一根本的途径。

那么,如果作品所表现的作家的思想情感和人物所体现的思想情感与读者是分属于不同的阶级,也就是说作品中所表现的那种心理经验、思想情感是读者所没有经历过、所不具有的,读者的感情又会按照什么规律发生运动呢?人对某一事物虽然未能从客观出发而掌握客观事物的关系或者对某一事物尚未具有一定的心理经验,然而往往却能通过内省而形成自己的悟性,将客观对象纳于自我的悟性之中,或者将自己原有的心理经验充实在客观对象之上,总之,将自我实现于客观,将主观移植于客观。当然,"在直接呈现于他面前的外在事物

---

① 谢明诺夫斯基:《阿·马·高尔基,书简与会见》,《回忆高尔基》,第107页。
② 《实践论》,《毛泽东选集》第一卷,第272页。

之中实现他自己"①，这不是由客观出发，而是由主观出发、让主观演绎于客观，是一种主观主义的态度。我们把它提出来并不是从哲学上肯定它的正确性，而是认为它虽然是一种主观的态度，然而人们在生活中却经常对客观事物不自觉地采取这样一种态度，人们的主观精神在客观现实之前往往不自觉地按照这种途径运动。在文艺阅读欣赏中也是如此。

如果这一个阶级的读者不曾受过另一个阶级的思想影响而具有了那个阶级的思想情感，当然便不会在表现了那个阶级的思想情感的作品里找到一个与"自我"真正切合着的"我"因而产生共鸣。然而，在这种情况下，读者的"自我"却往往根据一定的联系利用了这与自己不同的客观对象，取用了它的某些形态和特点而充实了"自我"，也形成一种情感上的运动，这实际上就是把客观对象纳入了"自我"的范围，赋予它以自我的色彩。这样就造成了一种假象，似乎两者都是统一在一体之中，两者具有相同的性质。我们且对一个具体的例子加以说明，也许这个例子正是对共鸣问题持不同意见的同志所乐意引用的。季米特洛夫在他1935年给《做什么？》所写的序言中谈到他读这部作品的情形："……没有另一部作品像车尔尼雪夫斯基的小说这样使我受到深刻的革命教育。我特别喜欢拉赫美托夫。我决心做一个像我想象中车尔尼雪夫斯基的完美无瑕的英雄，坚决、刚毅、大无畏、忘我，在同困难和贫困斗争中锻炼自己的意志和性格，使个人的生命服从于工人阶级的伟大事业。"②季米特洛夫不仅只在这里谈过拉赫美托夫这个人物对他的影响，他还在对苏联作家的一次演讲中谈到他在革命斗争中的坚持力，"在莱比锡法庭的时候的一贯坚持性、信心和坚定"也都和车尔尼雪夫斯基的作品有关。③我们对这位无产阶级

---

① 黑格尔：《美学》第一卷，第36页。
② 季米特洛夫：《论文学艺术与科学》，第84页。
③ 同上书，第10页。

革命家的自述应该如何理解呢？是否可以理解为这位革命家在阅读中也经验到拉赫美托夫同样的思想情感从而产生了真正的共鸣呢？我以为是不能这样理解的。拉赫美托夫虽然是一个意志坚强的革命者，但也只是一个革命民主主义者，他由于具有一些知识分子的弱点而往往在其革命性上有某些比较幼稚的表现，季米特洛夫也曾在他那篇序言中谈到要以批判的眼光去读这部书的问题。当然，拉赫美托夫这样一个人物不会把"使个人的生命服从于工人阶级的伟大事业"的思想传达给一个无产阶级的革命者，而这思想，从根本上来说，只可能根植于无产阶级的现实生活和革命斗争的土壤中的。实际的精神过程只可能是这样的：无产阶级革命者在现实生活和斗争中产生革命的思想情感、心理状态，并实际上形成革命的倾向以至特点，由于他具有了这种总的精神倾向，因此，即使与他相异但却投合这种倾向的便很容易为他所接受。当革命者有了献身的要求，有了对于革命事业所需要的坚强品质的时候，拉赫美托夫那些坚强、刚毅、忘我的行为表现便很自然地为他所接受，然而，这种接受实际上只是革命者的主观精神在正面人物形象中找到了他自己所要求的某种表现形态，在这种表现形态中填进了自己的内容，用自己的心理经验代替了人物的心理经验，也就是说，在这表现形态上实现了他自己。从根本的意义上来说，是读者的主观利用和借用了客观的形象，而不是客观形象改变了读者的主观，也不是客观的形象与读者的主观原来就是一致的。然而，这一种精神过程是被掩盖着的，不仅旁人不易察觉，而且读者本人也不易察觉，甚至大家都形成了一种错觉，似乎是客观的形象影响和征服了读者的主观或者是两者原来就具有了相同的性质。

以上这个例子当然还是比较费解的，如果我们还举出一些更较典型的例子来加以说明，问题的实质就会更加明显。同样也是季米特洛夫阅读的情形。季米特洛夫在他的狱中书信里告诉我们，他在德国法西斯监狱中每当感到特别难过时，就低声吟咏歌德著名的诗句，"胆怯的想法、懦弱的游移、女性的畏缩、痛苦的哭泣,不能摆脱不幸,不能使你自由",或者从"歌德的绝妙的格言"里找到慰藉,"你若失去了财产,你只失去了一点,你若丢掉了荣誉,你就丢掉了许多,你若失掉了勇敢,你就把一切都失掉了"。当然,季米特洛夫并不具有歌德的诗所原来蕴含的那种心理经验,而歌德在这诗和格言中所具有的真实思想并不和无产阶级革命家季米特洛夫的相同,但是却由于可供读者表现自己与实现自己,就似乎也成了和读者相同的东西。甚至还有这样突出的例子,虽然客观形象的思想内容是明确的,但读者仍然可以根据一定的联系而让自己实现于客观。高尔基青年时期念过16世纪的一个作品《关于愉快的射手乔治·格林和罗宾汉的喜剧》,在那里面,一个普通的射手拒绝国王提议把贵族的称号封给他,他向国王这样说:"啊,让我作为一个自由的村民生活终生吧,我的父亲是个普通的农民,我当儿子的也只愿做一个农民。当我的弟兄老百姓,干起活来,要比显贵的老爷还多,那就正是更大的光荣。"这几句诗由于投合了高尔基那时憎恶爱虚荣的市侩的精神倾向,因而他把它们抄在自己的本子上,虽然这几句诗并没有反对市侩,但高尔基这样说,"它们很多年来,对于我好像成了巡礼者的手杖,也许成了一面盾牌,保卫我不受当时的小市民——'显贵的老爷们'的诱惑和卑劣的教训的伤害"[1]。在阅读欣赏中读者像这样把自己寄寓、表现、实现于客观对象之上的情形是极为普遍、极为常见的现象。"人是以其所有的精神和努力来接应外物,接应周围的世界的;——依着目的所需要的程度认识并利用周围的世界"[2],这段话虽然不概括人的全部精神活动的规律,但的确可以说概括了其中较重要的一种。传说有这样一个故事,拿破仑读过高乃依和拉辛的作品,虽然高乃依的作品艺术力量不及拉辛,但拿破仑说,"如果他还活着,我就要封给他爵位",

---

[1] 高尔基:《我怎样学习写作》,第32页。
[2] 《歌德对话录》1829年4月10日的谈话。

这也是因为高乃依作品中所表现的忠君爱国、牺牲个人的精神，在政治上正对拿破仑有用的缘故。

由于作品投合读者的精神倾向、符合他的精神需要便能得到欢迎，因此，的确可以从读者的反应来看一部作品成功与否、是否有价值，但是，由于在阅读欣赏中，读者的喜好往往是像以上所说，是从自我出发的结果，带有强烈的主观性，有时就不能切实地反映出作品的客观意义，因而，读者对于作品的喜好虽然是衡量作品的重要尺度之一，但却不是一个绝对可靠的尺度。不过，我们也应该看到，虽然读者可以从主观出发而在作品的形象之中确定自己，实现和表现自己，利用作品的形象作为自己的表现形态，但是这也并不是说完全决定于读者的主观而与作品本身无关。读者之所以能借用、寄寓客观的作品，还是由于作品本身提供了一定的可能性。这可能性的根源就在于文学艺术作品中思想内容和思想内容的阶级特征的特殊表现方式。由于文学艺术所表现的固然有阶级色彩异常鲜明的思想情感，但也有阶级色彩比较淡薄或隐晦的思想情感，固然有一段段比较完整因而性质也较明确的思想情感，但也有片段不完整因而性质比较隐晦的思想情感，而且，还由于作品具有形象性的特点，固然任何作品都要表现一定的思想内容，但有的作品却完全可能偏重于揭示现实事物或思想情感的状况而没有明显地表现出具体的阶级思想，所有这些原因，就可能使读者较少地感到或甚至一时感不到他和作品之间思想实质的差异性，可能少受或撇开不受其内含的隐晦的阶级性的作用和影响，而只根据自己的思想情感的需要取其表现和形象。

总之，以上我们所说的这两种精神运动的规律或途径是不同的，一种是读者的主观与客观的作品完全或基本上相同因而两者吻合一致，一种是两者有差异因而读者主观借用客观作品，或者说，主观在客观的作用下而自我演绎。如果把基于前一规律的共鸣与基于后一规律的一般的感动现象混同起来，那么在讨论为什么产生共鸣的时候，就会流于不切实际，或则找不到正确的途径。

二、产生共鸣所需要的条件

共鸣在什么条件下才能产生？这是这次讨论中的一个关键问题。我们认为要在作家所表现的或人物所体现的思想情感与读者本人的思想情感具有相同的阶级性的条件下才能产生。既然如此，那么，同时代、同阶级的作品与读者之间产生共鸣的可能性当然是最多最大的了，而事实上也的确如此。虽然我们根据共鸣需要相同性质的阶级思想情感作为基础这一点而这样说过：共鸣，一般地说，是发生在同时代、同阶级的作品与读者之间的。但我们并没有作出像以下这样的结论：共鸣只能发生在同时代、同阶级的作品与读者之间。相反，我也曾对不同时代、不同阶级的作品和读者之间产生共鸣的可能性做了必要的估计，并且最后结论说，共鸣所能发生的范围即是它所基于的某一种思想情感所能发生影响和作用的范围。然而，不同意我的同志却只着眼于我整个论点的局部和整个意见的片段，而责怪我把共鸣的范围限制在同时代、同阶级的人们之间，并且把他们的论点建立在这其实并不存在的对立面的反驳之上。如果真有人提出共鸣只能发生在同时代、同阶级的作品与读者之间这样简单化的论点，那么确是可以加以反驳的，但是，现在并没有人提出。要大家都一致同意共鸣也能发生在不同时代、不同阶级的作品与读者之间，这并不是困难的，但要对这现象与事实做出合理的解释和正确的说明，却不可避免地要产生分歧。在这次讨论中，大家都对不同时代、不同阶级的作品与读者之间的共鸣的原因进行了探讨，有的同志由于对共鸣的含义的理解过于笼统，因此，读者为什么对不同时代、不同阶级的作品共鸣的问题到了他们的笔下就成为读者为什么对不同时代、不同阶级的作品能产生理解、欣赏、感受、喜爱和感动了。有的同志由于承认了这些精神活动形式的区别,因而比较切实地探讨了共鸣产生的原因,但是,主要是从论证社会意识形态的继承性和不同阶级在某些思想情感上具有相通或共同点而入手的,以为共鸣之所以产生是因为"不同时代、不同阶级间思想情感上可以存在某种相同或相通的情况"。还有的同志也持与此相似的意见,但还没有承认一切阶级之间都可能存在相同的思想情感,而只承认了被剥削阶级之间、剥削阶级之间某些思想情感的相同或相通。但不论哪一种意见,都还值得商榷。

认为不同阶级在某些思想情感上会具有相同或相通的同志,不外有两个理由,其一是某些共同的社会条件会造成不同阶级在思想情感上的相同或相通,其二是社会意识形态的继承性会造成不同时代的阶级在思想情感上的相同或相通。

我们承认,既然人的思想意识决定于客观现实,因此,对于属于某一个社会或民族的各个阶级都具有共同意义的社会条件和民族条件当然便会在这些阶级的思想情感上形成某种相应的具有共同意义之点,如私有制社会中,私有财产的观念对各个阶级都是共同的。但是,"共同"只能意味着各个阶级都相应地具有,并不意味着所具有的都是相同的。而且,共同的社会条件和民族条件其实只是一种总称,它们因各个阶级的不同而有本质的区别,或者说,它们是通过各个阶级的自己的条件而具体地、真实地存在着,如在某个历史阶段有外侮和入侵,这对于生活在这个历史阶段的各个阶级是一个共同的事实,而这事实是由各个阶级各自的阶级生活的变故而共同组成的,如果没有这个阶级的不幸、那个阶级的利益的被侵害,那么,这个事实就没有具体的实在的内容。当我们说某种民族条件和社会条件的时候,其实是对于这个民族和这个社会中各种不同的阶级条件的抽象,因此,这个共同只是抽象意义上的共同,而不是具体的共同,是相对的共同而不是绝对的本质的共同。正因为以上所说的理由,我们就可以说,社会性和民族性其实只是在某种抽象意义上共同的社会条件或民族条件下各个阶级的有关的阶级性的总称和抽象的概括，因而，它们对于各个阶级的共同，也就只是抽象意义上的共同，而不是具体的共同，是相对的共同而不是绝对本质上的共同。有的同志忽略了社会性和民族性的真实含义，而提出各个阶级在一定的情况下和条件下"可能有某些共同的观念""思想意识上可能存在某些共同的因素"的论点，企图以此作为探讨共鸣问题的途径，但事实上各个阶级之间并不存在着即使在某一点完全相同的观念、思想、情感，因此，要从这里出发探讨共鸣的产生原因，看来也是会此路不通的。

的确，马克思与恩格斯在《共产党宣言》中曾说过，过去一切时代的社会意识，"不管它表现得怎样纷繁和怎样歧异，总是在某些共同形态下演进的"，有的同志引出这段话，由此说各个剥削阶级或被剥削阶级之间"也有某些共同的特性"，并说这就是共鸣的基础。我们认为，马克思、恩格斯虽然说了某些社会意识具有共同的形态，然而，社会意识的形态并不就是社会意识的本身或本质特性，因此，说某些社会意识具有共同的形态并不就能说某些阶级之间"有某些共同的特性"，而且，马克思、恩格斯的这段话是在批判观念形态问题上的超阶级论的时候所说的，他们在开头时就这样说："人们的观念、观点、概念，简短些说，人们的意识是随着人们的生活条件、人们的社会关系和人们的社会存在的改变而改变的，——这一点难道需要有什么特别深奥思想才能了解吗？"马克思、恩格斯提出共同形态的问题，也只是为了说明某些社会意识至多也只在某些形态上有共同之处而已。当然不应该也不可能得出不同阶级的思想情感也具有共同的结论了。

除此而外，还有一个问题，即是否由于社会意识具有继承性而会形成不同时代、不同阶级在思想情感上的相通或相同。有的同志回答是肯定的，他们在文章中主要便是致力论证这个问题，并认为这是文学作品使不同时代的读者共鸣的基础。我们的意见与此不同。我们在上面已经引用过《共产党宣言》中那一段论观念形态随社会生活条件的改变而改变的话，马克思和恩格斯正是在这段话之后批判了那种认为"一些永恒的真理，如自由、正义，等等，——对于社会发展的一切阶段都是共同的"的论调。恩格斯在《论住宅问题》中谈到正义这一个在历史上沿用下来的观念在不同历史阶段的含义时说："希腊人和罗马人的公平观认为奴隶制度是公平的；1789年资产阶级的公平观则要求废除被宣布为不公平的封建制度。在普鲁士的容克看来，甚至可怜的专区法也是破坏永恒公平的。所以，关于永恒公平的观念不仅是因时因地而变，甚至也因人而异，它是像米尔柏格正确说过的那样，'一个人有一个理解'。"①

我们知道，某种社会思想意识是产生于一定时代和一定阶级的，它的一切性质都决定于这个时代和这个阶级、适应和符合这个时代和这个阶级，因此，对于不同的时代和不同的阶级就必然会有不符合、不适应甚至矛盾和敌对的情形。当然，由于人类社会是在某种共同状态中发展的，不同时代、不同阶级的条件往往可能有相对意义上的共同之点，这样，这一个时代和阶级的思想情感便也有可能对那一个时代、那一个阶级有所投合或符合。一个时代、一个阶级的思想意识与另一个时代、另一个阶级的这种矛盾而统一的关系，便决定了这种思想意识被继承的性质。统一的一面决定了这种思想意识能够被继承，而矛盾的一面决定了这种继承不是原封不动的继承，而是经过了改造加工后的继承，不是绝对的原物，而是处于一种新关系之中的新物。经常的情况是这样的：一个阶级根据其阶级的条件产生一定的精神要求或倾向，它或则创造出一种历史上完全未曾有过的崭新的观念或意识，这种情形，我们称之为创造，或则利用历史上已有的旧形态，保存其对自己有用的、符合的部分，扬弃其对自己无用的、不适合的部分，这便是继承的主要意思。

由此可见，一个时代、一个阶级对于另一个时代、另一个阶级的

---

① 《论住宅问题》，《马克思恩格斯选集》第二卷，第539页。

思想观念的继承并不是绝对的继承,而是以改造、扬弃为条件的,这样,在不同时代、不同阶级之间就不会如有的同志所说的那样,由于继承关系而形成思想意识上的相同和相通。既然不论是同一时代共同的民族和社会条件还是不同时代社会意识形态的继承关系,都不可能形成不同时代、不同阶级在思想意识上的相同和相通,因此,要从这里来解释共鸣产生的原因是会得不出什么结果的。我们以为,要解释发生在不同阶级、不同时代的人们之间的共鸣,不应该从阶级与阶级之间存在某种相同或相通的思想情感这一个论点出发,而应该从人的阶级思想情感的复杂性出发。

人的阶级思想情感是复杂的。首先,在不同的阶段,由于社会和个人生活的某些原因,一个人的阶级思想情感可能有发展和变化,甚至可能抛弃了原来的阶级思想情感而具有了另一种阶级思想情感。不仅个人如此,整个阶级的思想意识也并非一成不变,它会随着时代和总的社会环境的发展变化而有所不同。其次,人的阶级思想的成分往往不是单一纯净的,由于社会中阶级与阶级之间的生活条件并非截然毫无联系,因而,人不仅会具有本阶级的思想情感,也可能具有一部分虽然次要但的确有所不同的另外阶级的思想意识。而且,一定的阶级思想意识一旦从本阶级的土壤上长成后,它便作为一种现实力量而在社会生活中发生影响,因此,对于个体的人来说,一个出身于某一个阶级甚至并未脱离其原来阶级地位的人,也可能接受其他阶级的思想影响而具有非本阶级的思想情感。再次,思想意识、道德伦理观念虽然是随着基础而产生,但却不一定随着基础的消亡而完全消失,而仍然可以在后来的时代流传,对后来时代的人有所影响。正因为以上所说的原因,一个阶级的读者在不同的时候或者就在同一个时候可能具有非单一的属于不同阶级的思想情感(当然有主次之分、基本的与次要之分),也可能接受不同时代的阶级思想的影响,因此,共鸣就往往可能发生在不同阶级、不同时代的作品与读者之间,而且呈现出来的情形也是复杂的，即有的共鸣，有的不共鸣，有的在这时共鸣而在那时则不共鸣。虽然这些情况是复杂的，但是产生共鸣的基础终归是相同的阶级思想情感，而共鸣现象的上述种种变化也是基于人的阶级思想情感本身变化的基础上的，当一个读者在某时某地对某一部作品中表现的思想情感产生共鸣的时候，那必然在他的主观中具有某种相同阶级思想情感的根由。因此，我们才说，共鸣所发生的范围是它所基于的某一种阶级思想情感所能发生作用和影响的范围，而不是同时代、同阶级地位这样一个范围。

既然共鸣所发生作用的范围是它所基于的某一种阶级思想情感所能发生作用和影响的范围，因此，固然如上所说的那样，由于一种阶级思想情感可能附着不同时代、不同阶级地位的个体人的身上，因而不同时代、不同阶级的读者与作品之间可能共鸣，但一种阶级思想情感所发生作用和影响的范围，究竟还是主要地在它自己的那个时代、那个阶级，因而，共鸣也就主要是产生在同阶级、同时代的读者和作品之间。我以前所说"共鸣一般是发生在同时代、同阶级的人们之间"，就是这个意思。而且，我们固然说共鸣需要有相同的阶级思想情感作为基础，但并没有说感受、喜爱和一般的感动也必须有这样的基础，因此，我们认为，虽然在不具有相同的阶级思想情感的情况下不会产生共鸣，但却完全可能产生喜爱和感动。这些意思，我们以前并非没有说明，但论争的同志似乎对此不以为意，而怪我把读者对不同时代、不同阶级的优秀文艺作品产生喜爱、感动的可能性也给否定了，其实，这是与事实不符合的。

三、艺术形象的感染力对产生共鸣的作用

根据我们以上所说，共鸣需要读者具有与作品相同的阶级思想情感作为其条件，这样就很可能使人产生这样的问题：当读者打开一部

作品的时候，如果他不具有与作品相同的阶级思想情感便始终不会产生共鸣？但是，事实往往并不尽然如此。读者在阅读之前不具有与该作品相同的阶级思想情感，然而在阅读后却可能达到与作者所表现的思想一致、与人物的爱憎相同、同悲同喜、同忧同乐，那么对此如何解释呢？现在我们准备在这个问题上做些补充的解释和说明。

我们以为，简略地说，这种现象是文学作品的形象感染作用所带来的结果。由于文学作品对读者具有潜移默化的力量，便能使读者的思想情感趋向于作者或人物的思想情感，因而产生共鸣。以前我们曾经说过，共鸣需要有相同的阶级思想情感作为基础，这是从性质上对于共鸣的规定，即确定共鸣需要什么样的条件这样一个特性，这是一个问题，这是把共鸣置于静止的状态中来考察；现在，我们又说，读者在阅读过程中能受作品中形象的作用而最后产生共鸣，这又是另一个问题，这是把共鸣置于人的主观思想情感受作用于客观形象这一运动的过程中来加以考察；这两个论点并不矛盾。说文学艺术作品具有形象的感染作用而有助于共鸣的产生，并不否定共鸣需要相同的阶级思想情感作为基础，因为在阅读欣赏中，读者由开始不共鸣而逐渐到最后产生共鸣，正是被作者或人物的思想情感影响和同化了，使他趋于一致而才有的结果。

这在整个关于共鸣的理论问题中，也是一个比较重要的问题，而且，它还包括了一些理论环节，值得我们来做一些探讨。

人的主观精神能反映客观现实。人总是在直接呈现于他面前的外在事物之前，反映和复写这客观事物，让客观现实再现于主观，而主观则决定和服从于客观。在自己内心世界复写出外在事物的关系和特性，这是由客观决定主观这一根本关系所形成的人的主观精神活动的一个最主要的途径。人最初获得观念形成思想，是通过这一途径，而如果一个人初次所获得的观念和形成的思想由于某些主观或客观原因是不正确的或是属于这一种性质的，那么，这种原来的精神状态的改正或改变为那一种性质,也是要通过这一途径的,也就是说,第二次反映能够改正或改变第一次反映的结果。因此,它不仅是形成第一个"主观"的途径,也是使这形成了的"主观"更加深化、完整或者得到纠正的途径,或者说也是第二个"主观"产生的途径。我们以前从性质上来讨论共鸣,只是讨论读者在已经具有某种思想情感的情况下能否对作品中所表现的思想情感共鸣,现在却是要由此更进一步,讨论读者原来已经有了某种主观思想而这思想是否会在阅读中有所改变从而由不具有共鸣的基础而到具有共鸣的基础。

别林斯基说过:"艺术是现实的复制,被重复了的、重新被创造了的世界。"[①]的确,当读者打开一部文艺作品的时候,就作品所描绘的生活图景而言,读者的面前就展开了一个特定的现实世界,这是真实的现实世界在作品中的艺术再现;就作品的主要表现而言,在他面前便走过了一系列的具体人物,这是作者在作品中塑造出来的和现实生活中的人一样有形貌、有思想情感的形象;就作品最内在的内容而言,在他面前便提供了一种具体的思想和情感,这是作者通过生活形象和人物形象在作品中所表现的主题思想和所流露的情感情绪。尽管文艺作品本身和其中所表现的,都是一种意识形态的东西,然而,由于它是现实世界的复制,有着现实世界的形象境界,因此,读者在阅读时,当他被作者引进了书本世界时,他也完全可能像在现实世界里一样得到新的生活知识,形成新的生活感受,甚至改变或纠正他在某次实际生活中所形成的思想。鲁迅从幼年生活中形成的学医救国的思想通过他在日本看一次电影而根本改变的故事是大家所熟知的。这种通过文艺阅读而对于原来生活所形成的思想观念有所改变和纠正的情况,对于说明读者对不同时代、不同阶级的文学作品产生共鸣很有用处,我们在这里再举一个阅读方面的例子。那是在雨果的小说《悲惨世界》中,作者描写青年主人公马吕斯如何通过阅读而改变了保皇党

---

① 别林斯基:《1847年俄国文学的一瞥》,《别林斯基选集》第二卷,第418页。

的信仰而成为一个共和主义者、拿破仑的崇拜者。马吕斯生长在复辟时期的一个信仰保皇主义和天主教的保守落后的家庭里，从小就浸透了阶级的偏见，"直到那时，共和国和帝国（指拿破仑的资产阶级帝国——笔者）对他来说，都是可怕的字眼。共和国像是冥冥中的一架断头台；帝国好像是黑夜中的一把军刀"[1]，然而，在读了很多帝国时期的回忆录、具体记述材料之后，他改变了原来的政治信仰而热烈地崇拜起拿破仑来了。其中有这样一段具体描写：

> 一个夜晚，他……坐在敞开的窗口旁边的桌前倚肘而读。各种幻影从空中来到他面前，混杂在他的脑海里……整个雄伟的帝国在他眼前浮现……他好像听见战鼓齐鸣、大炮怒吼、军号嘹亮，方队踏着整齐有力的步伐，骑兵在远处奔驰；他精神紧张、情绪热烈，不得平静；突然，他自己也不知道是什么东西附在了他身上，是什么东西指使了他，他一下站起来，把双臂伸向窗外，瞧着这片寂静的黑夜、黑沉沉的无极、永恒的无垠叫了起来："皇帝万岁"！[2]

我们知道，马吕斯这个人物在某些方面是雨果本人的写照，雨果自己也经历过从保皇主义到共和主义的发展过程。《悲惨世界》虽然是一部浪漫主义色彩较浓的作品，但这一个阅读例子看来还是具体可信的。马吕斯所读的是拿破仑时代的人所写的描述拿破仑征战情景的作品，当然，作者是满怀着称颂赞扬之情来写这些的，而马吕斯读了后，不仅改变了原来对帝国的看法，而且还高呼"皇帝万岁"，其程度已经不再是理解、肯定、喜爱所能比的了，而是强烈地和作者共鸣

---

[1] 雨果：《悲惨世界》，《雨果全集·小说》第五卷，第344页，法国，阿兰多夫。
[2] 雨果：《悲惨世界》第3部第三卷，第6章，《雨果全集·小说》第四卷，第346~347页，法国，阿兰多夫。

了。这个例子可以很明显地表明这样一点，即读者虽然原来不具有作品中的那种思想情感，然而，却由于文学作品是"复制的现实世界"而在阅读中形成新的思想情感，得到新的心理经验，从而可能产生原来所不具有的共鸣的基础而达到共鸣。

读者从阅读中能获得新的心理经验，这是好理解的，但产生原来所不具有的共鸣的基础，这却要加以解释。读者对文学作品的共鸣，其实不外是与作品中所表现的作者本人的思想情感共鸣和与作品中的人物所体现的思想情感共鸣，因此，我们准备把这两种情形分开来加以说明。我们先谈与作品中的人物共鸣。

如果作家是像托尔斯泰在《安娜·卡列尼娜》、曹雪芹在《红楼梦》里那样描写人物，也就是说按照现实生活的逻辑、按照人物与外部世界的关系和他内在矛盾所决定的必然性来描写人物、使人物的性格就像一条"波澜壮阔的河流一样，它依着自然本质要求似的流着"[①]，那么，这样一个人物就会是一个真实的有血有肉的人物。这个人物在这"复制的现实世界里"行动，读者跟随着他，他遭到这样或那样的事，与这样或那样的人物发生关系，在这些事件和关系中，他思考着，行动着，由于这些事件和关系在这"复制的世界里"被安排得像是必然的，"命定的"，而这个人物在它们之中又必然会这样或那样地行动、思考，因此，这就形成一种使读者信服的逻辑力量，使读者相信人物思想行为的合理性，使读者同情他。不仅如此，当读者看人物在这"复制的现实世界"里行动时，他本人也进入到了这个世界，这个世界中的事物、人物的关系也作用于他，使他有可能在某种程度上也开始像这个世界里的人那样感受和思考，因此，当他感到了一个人物思想行为的合理性的时候，他便可能由此进而在作品中所描绘的现实生活的范围和条件下，在某种程度上和他同感，和他同忧同

[①] 杜勃罗留波夫评《大雷雨》中女主人公卡捷琳娜语。《黑暗王国的一线光明》，《杜勃罗留波夫选集》第二卷，第424页。

乐，就好像成为了人物本人。托尔斯泰在他的回忆录中便说到他在阅读中类似的感受："我在自己身上发现了那些被描写的热情，以及我和每本小说中所有的人物、和英雄们、和恶徒们的相似，好像一个多疑的人，读医书时，在自己身上发现了一切可能的疾病表征。我喜欢这些小说中狡猾的思想、热烈的情感、魔术的事件和彻底的性格……并且，我能够在做高贵事件的时候，记得、提到高贵的英雄们所说的高贵的话。……根据这些小说，我心中甚至组成了我希望达到的那些道德品质的新概念。"①

其次，我们谈文学作品由于形象的作用而使读者对作者本人的思想情感产生共鸣的原因。高尔基说过："文学是社会诸阶级和集团的意识形态——感情、意见、企图和希望——之形象化的表现。"②这说明任何文学作品都是要表现作家的一定的阶级思想情感。当然，文学作品是对于客观世界的具体描绘，而不应该是作家主观的说教，但是，作品中所呈现出来的现实世界却并不是原来的客观世界了，而是作者根据一定的意图、通过一定的手段如选择、概括、加工而复制出来的，如果说，人在客观世界里可以比较自由地形成某一种思想情感的话，那么，在"复制的现实世界"里，读者的主观精神活动的自由性就相对地减少了，它因为要在作者所规定的范围里活动，要朝向作者思想的方向运动，所以便也不能不无形地被作者在复制这"现实世界"时所怀带着的意图和思想的制约和影响以至决定。屠格涅夫的《猎人笔记》所写的只是一些农奴，我们且不论这些描写中是如何渗透了作者的思想感情，就单以他在残酷的农奴制统治下的旧俄社会现实中，选择了这一方面的生活来再造一个受着苦难的农奴的"现实世界"而言，便表现了"农奴也像一切人那样，应该享有各种人权"③、

---

① 托尔斯泰：《幼年·少年·青年》，第423页。
② 高尔基：《俄国文学史序言》，《俄国文学史》，第1页。
③ 加里宁：《作家应该精通自己的业务》，《加里宁论文学》，第64页。

也应该在文学中获得一席地位的思想,而整个《猎人笔记》这个"现实世界"就是这思想的体现,就是对这思想的论证。当读者进入到这世界里来开始形成他的思想时,便有可能不自觉地达到与作者的思想情感的一致。加里宁曾经这样谈到《猎人笔记》:"不错,作家并没有说到这些权利(指他前面提到的农奴应享有的各种人权),但它们却自然而然地表现出来,并且激起读者的思想。"①

除此而外,文学作品虽然是对客观世界的具体描绘,但是,由于作家进行创作都具有一定目的,要表现一定的思想情感,因此,这种对客观世界的描绘就不可能是绝对客观的,即使作者对作品中的事件或人物不公开地表示意见、在描绘中也力求按现实所要求的那样去描绘、避免流露自己的感情,然而,作品的整个描绘却仍然会渗透着作家的爱憎和思想情感。正因为作者是满怀着感情来写作的,而且这种感情又是溶化在具体的形象的描绘中,因此,读者便可能通过作品中的形象不自觉地接受了这种感情的影响,和作者趋于一致,对人物产生赞扬和怜爱,与作者对人物的怜爱的感情达到了共鸣。这种情形正如契诃夫所说的那样,"……优秀的作家,具有一个非常重要的共同特征:他们在向一个地方走去,并且号召您也往那儿走……他们把生活写得像真实存在的那样,但因此每一行就渗透着目的性,好像渗透着液汁一样"②。一位与音乐家格林卡同时代的人回忆这位音乐家歌唱的动人情形也有助于我们的理解,这位回忆者写道,"像所有第一流的演唱家一样,他是极端客观的,他落入他所演唱的歌曲的深渊,迫使听众闻着他所散发的气息;因此在每一个语句和每一个字中都有性格,有化身,因此就使人为每一句语句和每一个字所引诱"③,这样,当然就能把欣赏者"带到这乐曲作者的精神状态中……和他在灵魂上

---

① 加里宁:《作家应该精通自己的业务》,《加里宁论文学》,第64页。
② 契诃夫1892年11月25日致苏伏林的信。
③ 谢洛夫:《格林卡回忆录》。见普罗托波夫:《格林卡评传》,第48页。

交流在一起,从一种精神状态走进另一种精神状态中去"①。这便是达到了和作者(在这两个例子中即音乐家)的一致。

由以上两个方面的情况来看,显然,对作品来说,要原来具有不同阶级思想的读者在阅读过程中形成与作者或人物共鸣的新的基础,也就是达到潜移默化的结果,就应该有具体、形象、真实的描绘,就是说,作品的形象性和真实性是使得原来具有不同思想的读者可能产生共鸣的一个重要的条件,因为根据客观现实决定主观精神的原理,栩栩如生地"复制的现实世界",是读者得以接近并进入作者或作品中人物的精神状态的关键。这也是历史上优秀的文学家和重要的理论批评家,都异常重视文学描写的形象性和真实性的原因。当然,应该说明,要使读者信以为真,从而"感动"读者,并不是说只要有细节描写的真实性就行了。对于真实性我们应做更进一步的理解。文学作品中的形象是否真实,还不仅要看是否符合于现实生活的外貌,而且主要地要看是否符合现实生活发展的规律和方向。过去历史上的一切现实主义的和积极浪漫主义的优秀作品都具有这样一种品质,因此,能够经过时间的考验,或则得到人民的喜爱,或则使他们感动,或则对他们起潜移默化的作用而引起一定程度的共鸣,获得了持久的生命力。

虽然文学作品具有潜移默化的作用,但是,一部作品是否能将读者潜移默化到和作者或人物趋于一致以至共鸣的程度,这固然要看作品是否反映了生活的真实和是否具有魅人的艺术力量,但另外一方面也不能忽视读者本人的主观条件。如果读者的心灵还是一张白纸,那当然只会任凭作品在它上面描绘出自己的花纹而不会有什么抗拒,因此,一般儿童总是容易在阅读中受到感动,也容易或则与作品中的人物或则与作者的思想情感共鸣。但是一般读者的思想要比儿童定型,有这样或那样的阶级观点或成见,有或多或少的生活经验,有或深或浅的文化知识,这些都是在实际生活中形成的,当他进入到"复制的

---

① 托尔斯泰在小说《克莱采朔拿大》中通过一个人物这样谈音乐欣赏的感受。

现实世界"中的时候,这些固有的因素便会起它们的作用,他不自觉地然而却必然地用它们来和作品中所表现的渗透着作者主观色彩的形象做比较,或者信以为真,或者不以为然,或者有所肯定,或者有所保留。如果阶级思想情感、心理经验相似或相近,则两者易于趋于一致,形成可能共鸣的基础,如果阶级思想、心理经验截然不同,读者原来的主观条件就会成为作品发生潜移默化作用的阻力,当然这阻力有时可以克服,有时却完全是顽强不可克服的。不论《红楼梦》中的人物写得如何生动具体,也很难感染封建卫道者;不论席勒的《强盗》中的思想情感是如何符合正义,但是魏玛的公爵看过后只这样说:"假如我是上帝,在将要创造世界的瞬间预知席勒将在世界上写《强盗》,我必定不会创造出这个世界的。"[①]由此可见,我们以上所说的文学作品通过潜移默化作用形成某种程度的共鸣的可能性,一般只有在读者所具有的阶级思想情感是相近或相似的时候,才有可能变成现实性,而在两者是完全不同甚至相反的时候则是不可能的。特别是反动顽固的统治阶级,对于即使具有强烈的艺术力量但却违反其阶级利益的作品,总是无动于衷,历史上很多优秀的作品遭到打击禁止的命运的例子都可以说明这点。

此外,读者的阶级思想情感和作者的阶级思想情感是相近的,而且作品也具有一定的艺术感染力,却也不一定能够因感染而至于共鸣,因为,读者的生活经验、当时的心情以及其他种种主观因素也对此有影响。海涅在儿童时很喜欢《堂·吉诃德》,但当他成为一个青年以后,便觉得扫兴乏味了,因为那时他所经常关心和经常梦想的不再是义侠行为而是光荣和爱情。司汤达自己也表示过,他不喜爱那些使当时的读者如醉如狂的浪漫主义的作品,因为他说过"他过分爱好逻辑"。

总之,文学作品产生潜移默化的作用既需要作品方面的客观条

[①]《歌德对话录》1827年1月17日的谈话。

件，也要有读者主观的基础。好的作品因反映了现实生活的本质而总有一种逻辑的论证的力量，即使它对读者不一定起潜移默化的作用以至于共鸣，但也完全能对读者具有一定的教育作用和认识作用。而善于阅读的读者，往往也总能根据一定的正确的思想原则与艺术原则，从作品中吸取真、善、美的精神养料。狄德罗说得好："艺术欣赏力究竟是什么呢？由于反复的经验而获得的敏捷性，它表示在能使它美化的情况下，抓住真实与良好的东西，并且迅速而强烈地为它所感动。"[1]

最后，让我们还是回到共鸣问题上来。我们在这一部分里比较详细地谈到了由于文学作品的形象作用，阶级思想情感不同的读者可能改变其思想情感而产生共鸣的具体缘由，从这些具体论述里可以看出，这种共鸣得以发生是因为读者的主观在文学形象的作用下产生了朝向作者的主观的运动，最后基本上趋于一致。这种情况虽然复杂，但有一点仍然是可以肯定的，即共鸣是基于相同的思想情感，这是共鸣的本质特点，在任何情况下也是不会改变的。

1961 年 5 月

---

[1] 狄德罗：《绘画论》，《文艺理论译丛》1958 年第四期，第 72 页。

论文艺欣赏阅读中的情感运动形式

共鸣问题正在进行讨论，有一种意见认为不应该把共鸣理解得较狭窄，而主张共鸣是一种更广泛的精神活动现象。《学术月刊》今年第三期上的《关于文学的共鸣问题》一文，在这方面可说是具有代表性的，该文认为共鸣就是"对作品中所歌颂的人物和事件感兴趣、爱好和赞赏；或者对作品中所批判的人物和事件发出不满、愤慨和痛恨"，就是"我们的思想感情和作者在作品里所贯注的思想感情发生交融，趋于一致"，总之对共鸣做了一个最广泛的解释，不仅包括了"感兴趣、爱好和赞赏"，而且也就是一种理解。而在论述今天的读者如何对古典作品发生共鸣时，实际上论的是今天的读者如何用历史唯物主义来评价和对待古典作品的问题。正因为把共鸣理解得比较广泛，所以把发生共鸣的基础也规定得比较广泛，凡过去时代的古典作品，只要表现了被压迫、被剥削阶级的斗争和生活，或者表现了"社会的发展性和历史进步性"，或者表现了"对无产阶级的思想利益并无公开的直接的危害"的思想，今天无产阶级的读者便会对它们发生共鸣。也就是说并不以为共鸣是基于相同的阶级倾向和阶级思想情感的。

共鸣究竟是一种怎样的精神现象，它的基础究竟是什么，它与另外一些精神现象如理解、欣赏、喜爱和感动是否能画等号，看来还值得我们做些探讨。

我们知道，一切事物都有其内部的本质以及由这本质所决定的一定的运动形式。每件事物各自的本质和外在的形式,把这事物和其他事物区分开来,这便是不同事物之间的差异。因此,"尤其重要的,成为我们认识事物的基础的东西,则是必须注意它的特殊点,就是说,注意它和其他运动形式的质的区别"①。对于实在的物质事物应该如此,对于抽象的精神活动也不能例外。

人脑是物质发展的最高产物。我们把它的全部活动统称为主观精神活动。在主观精神活动中,又存在着在运动形式上有所差异的两种,即渗透着感情的思维活动与受制约于理性的情感活动。读者阅读一部作品时,他可能把作品中的事件、人物的意义加以抽象化,把它们作为材料进行分析、综合、比较、概括,从而对作品产生一定的认识、理解和结论,这便是对作品的理性评价。它主要是通过抽象思维而进行的。虽然任何一个读者在阅读时都要进行程度不一、正确与否的理性评判,但是,在一般的情况下,读者往往都是首先对作品中的事件和人物进行具体的感受的。他和作品中具体的、形象的人物和生活图景接触,从感性上感受它们,并且根据自己的感情倾向、生活经验和主观想象,对这具体的形象形成自己的情感反应,喜爱或不喜爱、感动或不感动、共鸣或不共鸣。这便是人在阅读欣赏中的情感活动。它主要是通过感受、回忆、想象来进行的,它也受思维的影响和制约,然而不是抽象的思维,而是我们常说的形象思维。可见当读者打开一本作品的时候,在他的主观中是有着两种不同形式的精神活动的,即理性的评价和感情的反应。理解、肯定、赞赏主要是属于理性的评价的范围,而喜爱、感动和共鸣,则是属于感情反应的领域。

理解、肯定、赞赏与喜爱、感动、共鸣虽然同是客观对象即作品差不多同时在主观中所引起的产物,而且是相互关联、相互渗透的,抽象的理解要以具体的感受为基础,而具体的感受又要受理解和思维的制约。虽然有这样紧密的关系,但由于它们形成的途径和运动的形

---

① 《矛盾论》,《毛泽东选集》第一卷,第283页。

式不同，究竟还是不应该加以混淆。事实上，读者对作品有了理解和正确的评价，并不就等于读者对于作品产生了喜爱和共鸣；同样，无产阶级的读者可以用历史唯物主义的观点去看待、解释、评价过去时代的一切作品和一切作家，给予他们以正确的评判，并对其中优秀的进步的表示赞扬，但并不会对一切作品即便是根据历史唯物主义观点应加以肯定的作品都产生感动和共鸣。例如，薄伽丘及其作品《十日谈》都是为我们所肯定的，《十日谈》中有不少聪明的"骗子"，他们往往用损人利己的办法为自己获取利益，这些人物是早期资产阶级文学中的英雄。作者用不可掩饰的赞赏之情来描写他们，体现了资产阶级对自由竞争中所需要的聪明机智、狡猾的崇尚。这些人物是用自己狡猾的心计来与当时生活中的愚昧、落后、顽固的封建势力为敌的。作者赞赏他们，正表现了作者的新兴资产阶级的反封建的世界观，因而得到了我们的肯定。尽管如此，这种体现了资产阶级本性的人物和作者那种有严重局限性的资产阶级世界观，却不会得到无产阶级读者的喜爱和共鸣。巴尔扎克的《高老头》暴露了资本主义社会中金钱的罪恶，形象地证明了"资产阶级撕下了罩在家庭关系上的温情脉脉的面纱，把这种关系变成了纯粹的金钱关系"①。因此，我们在评价时便给予它较高的肯定。虽然如此，今天的读者仍不会对高老头那种为了获得女儿的爱而想尽一切办法去满足她们私欲的猥琐的"父爱"共鸣、喜爱，也不会对作者肯定和同情这种父爱的思想共鸣。

理解其实就是对于客观对象的本质的一种认识。由于人具有能反映和认识客观现实的主观，因此对于任何客观对象都能够有程度不一、正确与否的理解。在文艺作品的欣赏阅读中，尽管作品本身有时是艰深或是隐晦的，尽管读者本人的认识能力是有局限性的，但是任何一个读者对任何一部作品，都能有自己一定的也许正确也许不正确的理解。因此，理解就是欣赏阅读中人的最广泛、最常见的精神活动

---

① 《共产党宣言》，《马克思恩格斯选集》第一卷，第254页。

现象。当然，理解是一回事，正确地理解又是一回事。正确的理解必须先有正确的观点和正确的思想方法。

共鸣与理解不同，这是可以肯定的。共鸣是感情运动形式中的一种。在人的感情活动中，不仅有共鸣，还有喜爱、感动和感受等形式。共鸣与这些形式虽有相近之处，然而，究竟还是有所区别。如果我们考察一下人们在阅读文艺作品时感情活动的规律，便不难了解共鸣是一种较喜爱和感动为狭窄的感情现象。在我看来，共鸣是一种人在与自己一致的外来思想情感、人物事件的影响下而产生情状相同、内容一致、倾向一致的心理活动；它是一种感动，但是，引起这一种感动的对象首先必须是一种属于道德、伦理范围内的思想情感或者包含着道德、伦理思想意识的人物事件。举例来说，文学作品中的一种爱国主义思想情感或包含着爱国主义思想情感的人物事件就能成为引起这种感动的条件，而作品的一种艺术技巧则不能成为引起共鸣的条件。共鸣不仅要求引起它产生的对象（作品）具有一定的道德伦理性质的东西，而且也要这种道德伦理的东西和读者思想中的产生感应的那一部分道德伦理性的思想具有相同的倾向、一致的性质，也就是说，引起共鸣的主体和被引起共鸣的客体应该是属于同一倾向、同一本质的道德伦理的范围。因此，主体作用于客体作为一种结果而产生出来的思想情感就必然是与原来作品中的思想情感或作品中人物事件所体现的思想情感内容一致、倾向一致、情状一致。我们并不是主观地设想一些条件来生硬地规定共鸣的特点和性质，而是有感于人的感情活动中有这样一种现象，需要对它的特点和性质加以一定的概括和表述，于是我们以为这种现象应该概括为共鸣。

共鸣现象与感动这种感情现象是相近的，而且，我们以为共鸣是感动的一种。感动是客观的事件、人物或思想情感作用于人的主观而引起感情上波动变化这种现象的总称。感动的情感内容一般也是属于道德伦理性的。但是，在这一点上它和共鸣有两个不同。

第一，在共鸣的情况下，引起共鸣的和产生共鸣的都应该具有道德伦理的性质，而在一般的感动的情况下，则只要求被感动的情感内容是道德伦理性的，而引起感动的固然经常是具有道德伦理性的，但却也有不具有道德伦理性的情形。请让我们在下面具体加以说明。

感动具有多种形式。如在我们社会里，不少青年在读《钢铁是怎样炼成的》的时候，受到主人公崇高的思想和行为的影响而产生出要把自己的生命贡献给壮丽的共产主义事业的美好思想情感；季米特洛夫在青年时候，读了《怎么办？》便激起了一个革命者的决心，要做一个"我想象中车尔尼雪夫斯基的完美无瑕的英雄，坚强、刚毅、大无畏、忘我，在同困难和贫困斗争中锻炼自己的意志和性格，使个人的生命服从于工人阶级的伟大事业"①，作品这种对人具有正面教育意义的感动，我们可以称之为感召。再如，我们在读果戈理的《外套》时，对那个在旧社会被侮辱被损害的公务员产生可怜的感情，少年高尔基在读《一颗纯朴的心》时也受到了深深的感动，这类感情虽然并不包含正面思想教育的内容，但的确也是倾向于引起这种感情的对象的，而且对于造成这对象的不幸的社会原因抱有一种相反的感情即反感，对于这种情况我们可以称之为同情。在这两种形式中，引起感召或同情的某一种思想情感和人物事件所体现的思想情感是具有道德伦理性质的，而读者感应而生的思想情感也是具有道德伦理的性质。由于感召和同情是人们感动现象中最为常见和最为普遍的形式，因此，我们才说这种感动的对象与读者感应而生的思想情感双方都具有道德伦理性质的情形，是感动中经常的一般的情形。但是，除了这种经常一般的情形以外，还有另外的情况需要注意。由于人的思想情感具有能动的作用，因此，它不一定要在本身具有道德伦理性质的事物面前才能产生感动，它在并无社会思想内容的事物面前也能产生感动，这种感动是在客观事物仅作为一种启发的因素，而主观方面的思

---

① 季米特洛夫："给青年读者"。

想情感受它的触发后自身产生运动的情况下完成的。我们常说的"触景生情"就是这样一种感情活动。像陈子昂的《登幽州台歌》，作者在这台上面对着空旷的情景，有感于"前不见古人，后不见来者，念天地之悠悠"，于是"独怆然而涕下"了。同样，林黛玉面对着落花，联想到自己飘零的身世，感到人世的冷酷，于是也悲伤得哭泣。这种感动我们可以称之为感触。人不仅在生活中有"触景生情"的感触，而且在文艺欣赏阅读中也有这种情形。列宾的一位传记作者告诉我们，有一次列宾在参观《邦贝城的末日》一画时，感动得哭泣起来，但是，这并不是那幅画的内容感动了他，而是那幅画的"辉煌的技巧"，甚至在参观后，他还一反他平日的艺术见解对回忆者说："艺术中主要的东西就是技巧的魅力和美妙的手法。"①同样，高尔基也有过这样的感动，一位回忆者在一篇文章中回忆高尔基说："有一次，他在意大利看到一个雕像，线条的和谐和清晰，甚至使他感动得流下泪来。"②这种感动，并不是由于对象本身提供了某一种思想情感，而是由于感动者本人已经贮存了丰富的感情，它只需要外应轻微的触动就能自我完成了。列宾和高尔基之所以在艺术品的技巧面前能如此深沉地感动，正是因为他们根据自己的经验对于艺术家创作的甘苦有深切的体验，曾经为艺术创作技巧上的成败得失备尝了欢乐与痛苦的缘故。当然，这一种感触与共鸣是有区别的。

第二，在感动的情况下，即使引起感动的与被引起感动的都是具有道德伦理的内容，然而，这两者并不像在共鸣现象中一样，要具有相同的倾向、一致的性质。也就是说，引起读者感动的某一种社会道德伦理的思想情感和它在被感动者身上所引起的思想情感可能并不一致，并不相符合，而在内容和情态上都有所区别。我们以为，既然人的能动的主观有触景生情、触物生情的禀能，那么，它在某一种思想

---

① 柯尔尼·楚可夫斯基：《回忆列宾》。
② 谢明诺夫斯基：《阿·马·高尔基，书简与会见》。

感情或体现了某种思想感情的形象的触发下产生或者相似、相近或者很不相同的思想感情,那是非常自然的事。事实上,这种感情运动的现象在文艺阅读欣赏中是大量存在、屡见不鲜的。克鲁普斯卡娅在她对列宁的回忆录里记载过这样一件事:列宁流亡在巴黎的时候,听到一个法国妇女唱亚尔萨斯的一支民歌,歌词的大意是说,德国人虽然把法国的亚尔萨斯变成了自己的土地,但是却永远也得不到亚尔萨斯人的心。列宁特别喜爱这首歌,他学会了它并且常用一种胜利的声调来唱出。因为,那时"在1909年,正是反动分子猖獗的时期,党被击溃,但是它的革命精神并没有消沉。这支歌对于伊里奇的心境是很合适的"[①]。这支民歌所表现的是一种对祖国的坚贞的情感,而在列宁身上所引起的是一种不屈不挠的革命意志和在革命处于逆境时的乐观情感,这两者之间内涵的差异是相当大的。这种差异在音乐欣赏中特别明显,因为音乐具有以概念性不强的媒介(音响)来表达概念性不固定的情感和情绪这样一个特点,所以,欣赏者感应而生的思想情感就可能少受或不受作者在作品中所表现的思想情感的制约和影响,因而,在性质上和倾向上也就可能有较大的出入。这种差异在阅读中国的诗词时也是常有的。中国诗词形式短小,有大量的作品都是偏重于描写某种片断的情感和某种情感的情态,作者的阶级思想表露得比较隐晦,所以,欣赏阅读者感应而生的思想情感的倾向性质也可能受较少的制约。

总之,一般的感动如感召、同情、感触与共鸣的不同就在于,在这些形式的感动中,引起感动的对象与感应而生的情感在性质上具有一定的差异,而在共鸣中,感动的对象与感应而生的思想情感在性质上具有一致性。也就是说,共鸣是作品中的思想情感与读者的思想情感的关系,而且是同倾向、同本质的思想情感之间的关系;而一般的感动则是不一定同性质的思想情感之间的关系,有时甚至是非思想情

[①] 娜·康·克鲁普斯卡娅:《列宁回忆录》。

感的事物与思想情感之间的关系；表现在后果上，共鸣是两者在内容与情状上的一致，而一般感动则是在内容与情状上的不尽一致。由此可见，在生活中，产生一般感动的可能要远比产生共鸣的可能为多。因此，一般的感动是较共鸣更为常见的现象。

至于喜爱，当然和共鸣也有所区别。喜爱只是人倾向于对象的一种总的感情表态。人面对着客观事物，在理性上一定要做出基本的判断，肯定或否定；而在感情上也必定要做出一定的表示，爱好或厌恶。由于现实生活中各种各样的事物都会引起人的感情表态，而这表态又不外是喜爱与不喜爱两种，因此，从人的主观上来说，世界上的万物对于人只存在他所喜爱的与他所不喜爱的两大类；而从被人喜爱或不喜爱的个体来说，却又是千千万万、不一而足。既然如此，人所喜爱的对象，也就是说能被喜爱的东西便是千千万万、丰富繁复的了。在文艺欣赏和阅读中，这被读者所喜爱的对象可以是一部作品，可以是作品中的一个人物，可以是一种思想情感，甚至也可以是某一句话、某一段描写或者是某一种技巧。我们知道，高尔基是一个读书很多、具有高度文化修养的人。从他的自传和人们的回忆中可以看出，他对书籍的喜爱是非常广泛的。他喜爱《一颗纯朴的心》中那个"没有做过什么大事和犯过什么罪行的平凡的厨娘"，喜爱《驴皮记》中对于银行家聚会的描绘、"龚古尔兄弟的刚劲的明显得像钢笔画一样的作品"、"左拉用暗淡的色彩所描绘的阴沉的绘画"，喜爱"有不平常的内容的好书或者好的冒险小说"、司各特小说中的传奇故事、狄更斯作品中的外国生活的图景，喜爱自由射手罗宾汉拒绝爵位的自白诗、佛教箴言圣歌中的"东方色彩的华丽的诗句"、《猎人笔记》中劳动人民的善良和聪明、贝朗杰的诗歌对不合理生活的讽刺[①]——由此可见，读者在阅读欣赏中产生喜爱的可能是很多的，范

[①] 均见高尔基的《在人间》《我的大学》《我怎样学习写作》。其中仅有对佛教箴言圣歌的喜爱一例，系见于斯米尔诺夫的《高尔基在萨马拉（1895~1896年）》。

围是很广的。可以说,阅读欣赏中的喜爱现象是一种不仅较共鸣为广泛、而且也较感动为广泛的感情活动。

我们区分共鸣、感动和喜爱这几种情感运动形态,是因为在人的情感活动中确实存在着这些不同形式的运动。它们之间有着区别。如果我们要比较科学比较切实地来讨论问题,首先就有必要承认这种区别,并且在研究有关的问题时考虑到这些区别。

当然,把共鸣的一致规定为共同阶级倾向、阶级思想情感的一致,的确容易导致这样的结论,即共鸣只能发生在同时代、同阶级的作品、作者与读者之间,而不同时代、不同阶级则难以产生共鸣。但是,我们并没有得出这样的结论。有关人的阶级思想情感的一些复杂的情况也不可能使人得出这样的结论。人的一切思想意识都是属于一定阶级的,都打上了一定阶级的烙印。但是,有一些复杂情况需要加以考虑。首先,人的阶级思想是具有能动的性质,出身于某一阶级的人,固然要具有这个阶级的思想情感,然而,由于社会和个人生活的某些原因,却完全可能发展、改变他原来的思想情感,甚至抛弃了原来阶级的思想情感而具有了新的另一个阶级的思想情感。不仅个体人的阶级思想具有能动性质,就是整个阶级的阶级性也不是一成不变的。随着时代和总的社会环境的变化和发展,一个阶级的思想意识、倾向爱好也是会有所不同的,例如资产阶级在它的上升时期就不像在帝国主义时期这样反动、腐朽。其次,人的阶级思想的成分往往不是单一纯净的,而是复杂的。某一个过着一定阶级生活的个人,固然因存在决定意识而主要地具有这一个阶级的思想意识情感,但是,由于社会中阶级与阶级之间的生活条件并非截然毫无关联,因而,也可能形成另一部分虽是次要的但的确有所不同的阶级思想情感,而且,一定的阶级思想意识一旦从本阶级生活的土壤上长成后,它便作为一种客观的力量而在社会生活中发生影响。因此,对个体的人来说,一个出身于某一阶级、甚至并未脱离其原来阶级地位的人也可能接受其他阶级的思想影响而具有非本阶级的思想情感。再次，思想意识、道德伦理观念是具有继承性的，虽然旧的时代过去了，旧的阶级消亡了，但是旧时代、旧阶级的思想意识并未完全消失，仍然可以在后来的时代流传，对后来时代的人有所影响。正因为以上所说的一个阶级的读者在不同的时候或者就在同一个时候可能具有不同阶级的思想情感，也可能接受不同时代的阶级思想的影响，因此，共鸣就往往不是限于发生在同阶级同时代的人们之间，而也可能发生在不同阶级不同时代的人们之间，而且表现出来的情形也是复杂的，不一而足的：有的共鸣，有的不共鸣；有的对这部分共鸣，对那部分则不共鸣；有的在这时共鸣，而在那时则不共鸣。虽然这些情况是复杂的，但是产生共鸣的基础终归是具有相同性质的阶级思想情感，而共鸣现象的上述种种不同情况和变化也是基于人的阶级思想情感本身复杂的情况和多种变化的基础上的。当一个读者在某时某地对某一部作品中所表现的思想情感产生共鸣的时候，那必然在他的主观中具有某种性质相同的阶级倾向或阶级思想情感的根由。因此，我们说，共鸣所发生的范围即是它所基于的某一种阶级思想情感所能发生作用和影响的范围，而并不是同时代、同阶级地位这样一个范围。

我们认为，虽然在不具有相同性质的阶级倾向和阶级思想情感的情况下不会发生共鸣，然而却完全可能产生喜爱和一般的感动。如我们今天的读者，在不具有过去时代的思想情感的情况下或者在没有受这种思想情感影响的情况下，对古典作品中所表现的思想情感不会发生共鸣，但是却可能产生喜爱和感动。我们对《红楼梦》的喜爱，受《满江红》《正气歌》的感动都是这种情形。不过，喜爱和一般感动虽不需要相同性质的阶级倾向和阶级思想情感作为基础，然而，也并不是说，喜爱和感动不需要一定的条件。事实上，一部作品引起读者的喜爱和感动并不是偶然的，都是具有其内在的原因。

感动既然是读者的主观对客观作品的一种感应，那么我们不妨从主观与客观的契合这样一个角度出发把文学作品划分为以下的几种：第一，表现了与读者相同的思想情感的作品；第二，表现了与读者相近、相似或在相对意义上相同的思想感情的作品；第三，思想情感表现得较为隐晦的作品。第一种作品由于它所表现的思想情感在性质上与读者的相同，便能产生共鸣，即我们所说的特殊的感动。其中有进步的读者与进步作品之间的共鸣和落后甚至反动的读者与落后甚至反动的作品之间的共鸣。至于第二种和第三种作品，它们引起读者情感变化的原因和情况是较为复杂的，我们想分别加以说明。

我们知道，在人类历史发展中不同形态的社会里，存在着阶级状况和生活条件都不相同的各个阶级。根据这些阶级在生产关系中所占的地位，大致上可分为剥削阶级与被剥削阶级两大阵营。同阵营的阶级虽然各自的时代条件、生活状况有所不同，但却可能有而且事实上也有相近或在相对意义上相同的地方。如历史上的奴隶主阶级、封建地主阶级和资产阶级虽有种种不同，但在剥削压榨其他阶级上却是相同的；同样，奴隶阶级、农民阶级和无产阶级虽也有种种不同，但在被剥削被压榨这一点上却也是相同的。正因为如此，在各个剥削阶级之间和在各个被剥削阶级之间，阶级性、心理状况和思想情感方面便也会有相近和在相对意义上相同之处。一切剥削阶级都有不劳而获、奢侈浪费的习性，损人利己的思想；而一切被剥削阶级都有勤劳刻苦的品德，反剥削、反压迫的精神。当一部作品表现的某种阶级思想情感是与读者所具有的阶级思想情感相近或相对地相同的时候，这部作品便特别容易使读者感到亲切，产生感动。历史上进步的优秀的作品，总能得到人民的喜爱，激动人民的心灵，而反动的作品常被反动统治阶级所欣赏，其根本原因就在于此。就以今天我们自己阅读古典文艺作品的经验来说吧，由于无产阶级也有过被压迫被剥削的经历和命运，也是一个劳动的阶级，因而，不仅直接表现了古代劳动人民反剥削反压迫精神的民歌、体现了这种精神的《水浒传》中的英雄人物，特别能使今天的读者感到亲切，发生感动，而且，即使是封建阶级的知识分子，只要是在他们接近了人民、体验了人民的思想情感之后写出来的反映了这种思想情感的作品，也能使读者产生强烈的感动。杜甫和白居易的一些优秀诗歌便是这样的。

此外，每一个阶级是发展着变化着的，它要经历发生、发展、成熟、消亡各个阶段，而且有的阶级在它成为统治阶级之前，也曾经历过被统治的时期，在它成为不推动历史前进甚至阻碍历史前进之前，也曾起过进步的历史作用。例如资产阶级是一个剥削阶级，但当它处于被压抑被统治地位时，它的被统治的阶级状况和反抗统治的行为与一切被剥削被压迫阶级的状况和斗争却是有相似之处的。而且在这时期它的阶级性以及它所处的社会关系的性质也是与它成为统治阶级后有所不同的。资产阶级在这个时期某些进步的思想情感，也能为后来有过被压迫经历的阶级所理解和同情。因此，资产阶级上升时期的文艺作品，也能使不同阵营的阶级读者，即便是无产阶级读者受感动。直到今天，莎士比亚的《哈姆雷特》和《罗密欧与朱丽叶》、莱辛的《克莱斯特》、席勒的《阴谋与爱情》仍然是具有动人力量的作品。这类作品给人以感动，有的可能是由于阶级地位的某一点相似而引起的读者的感触，有的则可能是读者能够由己及彼而产生的同情。

第三种作品也是文学史上大量存在的。虽然作者在作品中表现的都是一定时代一定阶级的思想情感，然而，在某些文学形式如短诗小词中，却往往可以只表现其思想情感的某一片断或描绘其思想情感的某种情态。读者在阅读时便可以少受或不受作品中所蕴藏着的隐晦的阶级思想情感或不完整的阶级思想感情的影响而为其具体描绘所吸引。读者的思想情感虽然与作者的不同，但却可能在某一个片断有符合之处，在某种情态上有共同之处，因此，这样的作品也就特别能够引起读者的感触，或者使读者借用这一个片断或这一情态来完成自我的情感运动。

文学作品引起读者的喜爱当然也是具有一定的条件。总起来说，作品引起喜爱大致有三种原因。第一，由于作品使读者共鸣或使读者感动因而得到读者喜爱的。关于共鸣和感动的原因，我们已经在上面有所说明。正因为在共鸣和感动中，作品满足了读者主观方面道德伦理性的精神要求，和读者的思想感情建立了血肉的联系，因而便不可能不得到读者的喜爱。读者喜爱的作品不一定是感动、共鸣的作品，但他感动、共鸣的作品一定是他所喜爱的。因此可以说，作品引起喜爱的原因和条件不一定能构成使读者感动、共鸣的原因和条件，但引起读者感动、共鸣的原因和条件却一定是作品能得到读者喜爱的一种原因和条件。第二，作品中所表现的形象和它本身所具有的艺术性投合了读者的美感或者引起了读者的美感而产生喜爱的。如一幅描绘了美丽自然景色的山水画、一张有高度艺术技巧的素描，虽然被描绘在作品中的客观形象并没有引起什么道德伦理性的感动，但这形象本身所具有的美的关系和条件使得读者感到它美（创造了读者的美感），或者这形象本身所具有的美的关系和条件原来就是读者所认为是美的（符合了读者的美感），这样，作品满足了读者主观方面美感的要求，因而便得到了喜爱。另外，还有一些作品，它们所表现和描绘的形象并不具有美的关系，不是美的，甚至还是丑的，但是由于它们成功地艺术地表现了对象的本质和特点，具有艺术的美，也能得到人们的欣赏和爱好。在这里，引起了或投合了读者或欣赏者的美感的，不是被描绘被表现的客观形象本身，而是艺术家如何表现和描绘这对象的艺术创造。齐白石所画的螃蟹引起我们的美感、得到我们的喜爱便是这样的。第三，由于作品中所表现的生活对于读者有认识的意义，因而读者便对作品产生了喜爱。属于一定时代、一定国度、一定阶级的读者，其生活经验和直接视野总要受时间和空间的限制，而文艺作品由于总是要有具体的形象的描绘，因而，便能提供出具体的生活图景，对于读者认识和经验的局限性可以有所弥补，如果一部文艺作品对生活的描绘具有较高的形象性、生动性,能满足读者主观方面求知和认识生活的精神要求,那么,它能够得到读者的爱好也就是很自然的了。例如,我们喜爱希腊的史诗,固然史诗中的英雄人物的某些品质使我们感到可贵,但是主要吸引着我们的,往往还是史诗中作者对于古代生活的情景和人们的思想情感状态的具体描绘。

共鸣问题是一个比较复杂的理论问题。它不仅涉及人性与阶级性、社会思想意识的继承性、文学艺术的特性等重要问题,而且,由于它本身是一种精神感应现象,因而也关系到人在阅读欣赏中的整个精神活动规律性的问题。我在这里所着重谈的有关共鸣的几种情感运动及其原因,只是整部分问题中的一个问题。但是,在讨论共鸣时它究竟还是一个初步需要解决的问题。因此,我愿把它提出来讨论并希望在解决了这个初步需要解决的问题以后,更深入到有关共鸣的其他问题上去。

1961 年

采 石 集

柳鸣九 著

序

1979年,我把以前所写的论文与评论收集为《论遗产及其他》,从那以后,主要的精力是用来从事《法国文学史》中册与下册的撰写,其间又穿插了写关于国外学术考察见闻的《巴黎对话录》与《巴黎散记》。在这五年里,单篇的评论文章本来就写得不太多,虽有一些,一部分成熟的短评又已收集为《外国短篇爱情小说选评》,因此,这次应人民文学出版社的邀约向"外国文学评论丛书"供稿,颇有捉襟见肘之感,剩下来能再凑一个集子的,就是读者目前所见到的这十几篇东西了。

这些文章大部分是应各出版社之约为文学名著所写的序,另有几篇是主编《法国现当代文学研究资料丛刊》时为各集所写的序,只有少数三四篇是随笔札记之类的东西。本来只准备把这个集子简单名为《序言集》,但考虑到在写这些文章的时候,多少想要从那些文学遗产里采撷一点精华或有用的东西,引出一点可供借鉴与参考的道理,因此,又觉得不妨名之为《采石集》。

采石,本是一种艰苦的体力劳动,请看库尔贝的《石工》,画面上那两个工人劳动得多么费力。如果把从其他时代、其他民族、其他国家丰富的文化里取其精华、"洋为中用",也比喻为"采石",那么,这种文化上的"采石",也许问题就更为复杂,这里有鉴别问题、角度问题、技艺问题、水平问题,等等。在这些方面,我实在不敢说自己做得有多少可取之处,更不敢说不会引起异议,如果我所采之石,即使只有一小块碎片能铺在社会主义时代的文化大厦深广的基地上,我就感到很欣慰了。

最后,做一点简单的说明:所收入的这些文章,此次成集时,均一如当时发表的原貌,仅有一两篇,在极个别的词句上做了修改。

1984 年 5 月 1 日

自传文学的辩证法典范

——《忏悔录》中译本序

在历史上多得难以数计的自传作品中,真正有文学价值的显然并不多,而成为文学名著的则更少。至于以其思想、艺术和风格上的重要意义而奠定了撰写者的文学地位——不是一个普通的文学席位,而是长久地受人景仰的崇高地位的,也许只有《忏悔录》了。卢梭这个不论在社会政治思想上,还是在文学内容、风格和情调上都开辟了一个新的时代的人物,主要就是通过这部自传推动和启发了19世纪的法国文学,使它——用当时很有权威的一位批评家的话来说——"获得最大的进步""自巴斯喀以来最大的革命",这位批评家谦虚地承认:"我们19世纪的人就是从这次革命里出来的。"①

写自传总是在晚年,一般都是在功成名就、忧患已成过去的时候,然而对于卢梭来说,他这写自传的晚年是怎样的一个晚年啊!

1762年,他50岁,刊印他的著作的书商,阿姆斯特丹的马尔克-米谢尔·雷依,建议他写一部自传。毫无疑问,像他这样一个平民出身、走过了漫长的坎坷的道路、通过自学和个人奋斗居然成为知识界的巨子、名声传遍整个法国的人物,的确最宜于写自传作品了,何况在他的生活经历中还充满了五光十色和戏剧性。但卢梭并没

---

① 圣伯夫:《让-雅克·卢梭的〈忏悔录〉》,《月曜日丛谈》第一卷,第78页,巴黎,Garnier Frères。

有接受这个建议，显然是因为自传将会牵涉到一些当时的人和事，而卢梭是不愿意这样做的。情况到《爱弥儿》出版后有了变化，大理院下令焚烧这部触怒了封建统治阶级的作品，并要逮捕作者，从此，他被当作"疯子""野蛮人"而遭到紧追不舍的迫害，开始了逃亡的生活。他逃到瑞士，瑞士当局也下令烧他的书；他逃到普鲁士的属地莫蒂亚，教会发表文告宣布他是上帝的敌人；他没法继续待下去，又流亡到圣彼得岛。对他来说，官方的判决和教会的谴责已经是够严酷的了，更沉重的一击又接踵而来：1765 年出现了一本题名为《公民们的感情》的小册子，对卢梭的个人生活和人品进行了攻击。令人痛心的是，这一攻击并不是来自敌人的营垒，而显然是友军之所为。卢梭眼见自己有被抹得漆黑、成为一个千古罪人的危险，迫切感到有为自己辩护的必要，于是在这一年，当他流亡在莫蒂亚的时候，他怀着悲愤的心情开始写他的自传。

整个自传是在颠沛流离的逃亡生活中断断续续完成的。在莫蒂亚和圣彼得岛时，他仅仅写了第一章；逃到英国后，他完成了第一章到第五章前半部分；第五章到第六章则是他回到法国后，1767 年住在特利堡时完成的，这就是《忏悔录》的第一部。经过两年的中断，他于 1769 年又开始写自传的第七章至第十二章，即《忏悔录》的第二部，其中大部分是他逃避在外省期间写出来的，只有末尾一章完成于他回到了巴黎之后，最后"竣工"的日期是 1770 年 11 月。此后，他在孤独和不幸中活了将近 8 年，继续写了自传的续篇《一个孤独的散步者的遐想》。

《忏悔录》就是卢梭悲惨的晚年的产物，如果要举出他那些不幸岁月中最重要的甚至是唯一的内容，那就是这一部掺和着辛酸的书了。这样一部在残酷迫害下写成的自传，一部在四面受敌的情况下为自己的存在辩护的自传，怎么会不充满一种逼人的悲愤？它那著名的开篇，一下子就显出了这种悲愤所具有的震撼人心的力量。卢梭面对着种种谴责和污蔑、中伤和曲解，自信他比那些迫害和攻击他的大人先生、正人君子们来得高尚纯洁、诚实自然，一开始就向自己的时代社会提出了勇敢的挑战："不管末日审判的号角什么时候吹响，我都敢拿着这本书走到至高无上的审判者面前，果敢地大声说：'请看！这就是我所做过的，这就是我所想过的，我当时就是那样的人……请你把那无数的众生叫到我跟前来！让他们听听我的忏悔……然后，让他们每一个人在您的宝座前面，同样真诚地披露自己的心灵，看有谁敢于对您说：我比这个人好！'"①

这定下了全书的论辩和对抗的基调。在这对抗的基调后面，显然有着一种激烈的冲突，即卢梭与社会的冲突，这种冲突绝不是产生于偶然的事件和纠葛，而是有着深刻的社会阶级根由的。

卢梭这一个钟表匠的儿子，从民主政体的日内瓦走到封建专制主义之都巴黎，从下层人民中走进了法兰西思想界，像他这样一个身上带着尘土、经常衣食无着的流浪汉，和整个贵族上流社会当然是处于两个不同的世界，即使和同一营垒的其他启蒙思想家孟德斯鸠、伏尔泰、狄德罗也有很大的不同。孟德斯鸠作为一个拥有自己的庄园、同时经营工商业的穿袍贵族，一生过着安逸的生活；伏尔泰本人就是一个大资产者，家有万贯之财，一直是在社会上层活动；狄德罗也是出身于富裕的家庭，他虽然也过过清贫的日子，毕竟没有卢梭那种直接来自社会底层的经历。卢梭当过学徒、仆人、伙计、随从，像乞丐一样进过收容所，只是在经过长期勤奋的自学和个人奋斗之后，才逐渐脱掉听差的号衣，成了音乐教师、秘书、职业作家。这就使他有条件把这个阶层的情绪、愿望和精神带进18世纪的文学。他第一篇引起全法兰西瞩目的论文《论科学与艺术》（1750）中那种对封建文明一笔否定的勇气，那种敢于反对"人人尊敬的事物"的战斗精神和傲视

---

① 卢梭：《忏悔录》第一部，第1~2页。

传统观念的叛逆态度，不正反映了社会下层那种激烈的情绪？奠定了他在整个欧洲思想史上崇高地位的《论人类不平等的起源》（1775）和《社会契约论》（1762）对社会不平等和奴役的批判，对平等、自由的歌颂，对"主权在民"原则的宣传，不正体现了18世纪平民阶层在政治上的要求和理想？他那使得"洛阳纸贵"的小说《新爱洛绮丝》又通过一个爱情悲剧为优秀的平民人物争基本人权，而带给他悲惨命运的《爱弥儿》则把平民劳动者当作人的理想。因此，当卢梭登上了18世纪思想文化的历史舞台的时候，他也就填补了那个在历史上长期空着的平民思想家的席位。

但卢梭所生活的时代社会，对一个平民思想家来说，是完全敌对的，从他开始发表第一篇论文的18世纪50年代到他完成《忏悔录》的70年代，正是法国封建专制主义最后挣扎的时期，他逝世后11年就爆发了资产阶级革命。这个时期，有几百年历史的封建主义统治已经到了山穷水尽的境地。长期以来，封建生产关系所固有的矛盾、沉重的封建压榨已经使得民不聊生，农业生产低落；对新教徒的宗教迫害驱使大量熟练工匠外流，导致了工商业的凋敝；路易十四晚年一连串对外战争和宫廷生活的奢侈浪费又使国库空虚，路易十五醉生梦死的荒淫更把封建国家推到了全面破产的边缘，以致到路易十六的时候，某些改良主义的尝试也无法挽救必然毁灭的命运了。这最后的年代是腐朽、疯狂的年代，封建贵族统治阶级愈是即将灭顶，愈是顽固地要维护自己的特权和统治。杜尔果当上财政总监后，提出了一些旨在挽救危机的改良主义措施，因而触犯了贵族特权阶级的利益，很快就被赶下了台。他的继任者内克仅仅把宫廷庞大的开支公之于众，就触怒了宫廷权贵，也遭到免职。既然自上而下的旨在维护封建统治根本利益的改良主义也不为特权阶级所容许，那么，自下而上的反对和对抗当然更要受到镇压。封建专制主义的鼎盛虽然已经一去不复返，但专制主义的淫威这时并不稍减。伏尔泰和狄德罗都进过监狱，受过迫害。这是18世纪思想家的命运和标志。等待着思想家卢梭的，就正是这种社会的和阶级的必然性，何况这个来自民间的人物，思想更为激烈，态度更为孤傲——他居然拒绝国王的接见和赐给年金，他竟然表示厌恶巴黎的繁华和上流社会的奢侈，他还胆敢对"高贵的等级"进行如此激烈的指责："贵族，这在一个国家里只不过是有害而无用的特权，你们如此夸耀的贵族头衔有什么可令人尊敬的？你们贵族阶级对祖国的光荣、人类的幸福有什么贡献！你们是法律和自由的死敌，凡是在贵族阶级显赫不可一世的国家，除了专制的暴力和对人民的压迫以外还有什么？"①

《忏悔录》就是这样一个激进的平民思想家与反动统治激烈冲突的结果。它是一个平民知识分子在封建专制压迫面前维护自己不仅是作为一个人，更重要的是作为一个普通人的人权和尊严的作品，是对统治阶级迫害和污蔑的反击。它首先使我们感到可贵的是，其中充满了平民的自信、自重和骄傲，总之，一种高昂的平民精神。

由于作者的经历，他有条件在这部自传里展示一个平民的世界，使我们看到18世纪的女仆、听差、农民、小店主、下层知识分子以及卢梭自己的平民家族：钟表匠、技师、小资产阶级妇女。把这样多的平民形象带进18世纪文学，在卢梭之前只有勒·萨日。但勒·萨日在《吉尔·布拉斯》中往往只是把这些人物当作不断蔓延的故事情节的一部分，限于描写他们的外部形象。卢梭在《忏悔录》中则完全不同，他所注重的是这些平民人物的思想感情、品质、人格和性格特点，虽然《忏悔录》对这些人物的形貌的描写是很不充分的，但却足以使读者了解18世纪这个阶层的精神状况、道德水平、爱好与兴趣、愿望与追求。在这里，卢梭致力于发掘平民的精神境界中一切有

---

① 卢梭：《新爱洛绮丝》第一卷，第62封信，《卢梭作品集》第六卷，第209页，巴黎，Armand Aubrée。

价值的东西：自然淳朴的人性、值得赞美的道德情操、出色的聪明才智和健康的生活趣味，等等。他把他平民家庭中那亲切宁静的柔情描写得多么动人啊，使它在那冰冷无情的社会大海的背景上，像是一个始终召唤着他的温情之岛。他笔下的农民都是一些朴实的形象，特别是那个不怕被税吏发现后就会被逼得破产、仍拿出丰盛食物款待他的农民，表现了多么高贵的慷慨，他遇到的那个小店主是那么忠厚和富有同情心，竟允许一个素不相识的流浪者在他店里骗吃了一顿饭；他亲密的伙伴、华伦夫人的男仆阿奈不仅人格高尚，而且有广博的学识和出色的才干；此外，还有"善良的小伙子"平民乐师勒·麦特尔、他的少年流浪汉朋友"聪明的巴克勒"、可怜的女仆"和善、聪明和绝对诚实的"玛丽永，他们在那恶浊的社会环境里也都发散出了清新的气息，使卢梭对他们一直保持着美好的记忆。另一方面，卢梭又以不加掩饰的厌恶和鄙视追述了他所遇见的统治阶级和上流社会中的各种人物："羹匙"贵族的后裔德·彭维尔先生"不是个有德的人"；首席法官西蒙先生是"一个不断向贵妇们献殷勤的小猴子"；教会人物几乎都有"伪善或厚颜无耻的丑态"，其中还有不少淫邪的色情狂；贵妇人的习气是轻浮和寡廉鲜耻，有的"名声很坏"；至于巴黎的权贵，无不道德沦丧、性情刁钻、伪善阴险。在卢梭的眼里，平民的世界远比上流社会来得高尚、优越。早在第一篇论文中，他就进行过这样的对比："只有在庄稼人的粗布衣服下面，而不是在廷臣的绣金衣服下面，才能发现有力的身躯。装饰与德行是格格不入的，因为德行是灵魂的力量。"①这种对"布衣"的崇尚，对权贵的贬责，在《忏悔录》里又有了再一次的发挥，他这样总结说："为什么我年轻的时候遇到了这样多的好人，到我年纪大了的时候，好人就那样少了呢？是好人绝种了吗？不是的，这是由于我今天需要找好人的社会阶层已经不再是我当年遇到好人的那个社会阶层了。在一般平民中间，虽然只

---

① 卢梭：《论科学与艺术》。

偶尔流露热情，但自然情感却是随时可以见到的。在上流社会中，则连这种自然情感也完全窒息了。他们在情感的幌子下，只受利益或虚荣心的支配。"①卢梭自传中强烈的平民精神，使他在文学史上获得了他所独有的特色，法国人自己说得好："没有一个作家像卢梭这样善于把穷人表现得卓越不凡。"②

当然，《忏悔录》中那种平民的自信和骄傲，主要还是表现在卢梭对自我形象的描绘上。尽管卢梭受到了种种责难和攻击，但他深信在自己的"布衣"之下，比"廷臣的绣金衣服"下面更有"灵魂"和"力量"。在我们看来，实际上也的确如此。他在那个充满了虚荣的社会里，敢于公开表示自己对于下层、对于平民的深情，不以自己"低贱"的出身，不以他过去的贫寒困顿为耻，而宣布那是他的幸福年代，他把淳朴自然视为自己贫贱生活中最可宝贵的财富，他骄傲地展示自己生活中那些为高贵者的生活所不具有的健康的、闪光的东西以及他在贫贱生活中所获得、所保持着的那种精神上、节操上的丰采。

他告诉读者，他从自己那充满真挚温情的平民家庭中获得了"一颗多情的心"，他虽然把这视为"一生不幸的根源"，但一直以他"温柔多情"、具有真情实感而自豪；他又从"淳朴的农村生活"中得到了"不可估量的好处"，"心里豁然开朗，懂得了友情"，虽然他后来也做过不够朋友的事，但更多的时候是在友情与功利之间选择了前者，甚至为了和流浪少年巴克勒的友谊而高唱着"再见吧，都城，再见吧，宫廷、野心、虚荣心，再见吧，爱情和美人"，离开了为他提供"飞黄腾达"的机遇的古丰伯爵。

他过着贫穷的生活，却有自己丰富的精神世界。他很早就对读书"有一种罕有的兴趣"，即使是在当学徒的时候，也甘冒受惩罚的危

---

① 卢梭：《忏悔录》第一部，第181页。
② 圣伯夫：《月曜日丛谈》第三卷，第80页，Garnier Frères。

险而坚持读书，甚至为了得到书籍而当掉了自己的衬衫和领带。他博览群书，从古希腊罗马的经典著作一直到当代的启蒙论著，从文学、历史一直到自然科学读物，长期的读书生活唤起了他"更高尚的感情"，形成了他高出于上层阶级的精神境界。

他热爱知识，有着令人敬佩的好学精神，他学习勤奋刻苦，表现出"难以置信的毅力"。在流浪中，他坚持不懈，疾病缠身时，他也没有中断；"死亡的逼近不但没有削弱我研究学问的兴趣，似乎反而更使我兴致勃勃地研究起学问来"。他为获得更多的知识，总是最大限度地利用他的时间，劳动的时候背诵，散步的时候构思。经过长期的努力，他在数学、天文学、历史、地理、哲学和音乐等各个领域积累了广博的学识，为自己创造了作为一个思想家、一个文化巨人所必须具备的条件。他富有进取精神，学会了音乐基本理论，又进一步尝试作曲；读了伏尔泰的作品，又产生了"要学会用优雅的风格写文章的愿望"。他这样艰苦地攀登，终于达到当代文化的高峰。

他生活在充满虚荣和奢侈的社会环境中，却保持了清高的态度，把贫富置之度外，"一生中的任何时候，从没有过因为考虑贫富问题而令我心花怒放或忧心忡忡"。他比那些庸人高出许多倍，不爱慕荣华富贵，不追求显赫闻达，"在那一生难忘的坎坷不平和变化无常的遭遇中"，也"始终不变"。巴黎"一切真正富丽堂皇的情景"使他反感，他成名之后，也"不愿意在这个都市长久居住下去"，他之所以在这里居住了一个时期，"只不过是利用我的逗留来寻求怎样能够远离此地而生活下去的手段而已"。他在恶浊的社会环境中，虽不能完全做到出污泥而不染，但在关键的时刻，在重大的问题上，却难能可贵地表现出高尚的节操。他因为自己"人格高尚，绝不想用卑鄙手段去发财"，而抛掉了当讼棍的前程；宫廷演出他的歌舞剧《乡村卜师》时邀他出席，他故意不修边幅以示怠慢，显出"布衣"的本色；国王要接见并赐给他年金，他为了洁身自好，保持人格独立而不去接受。

他处于反动黑暗的封建统治之下,却具有"倔强豪迈以及不肯受束缚、受奴役的性格",敢于"在巴黎成为专制君主政体的反对者和坚定的共和派"。他眼见"不幸的人民遭受痛苦","对压迫他们的人"又充满了"不可遏制的痛恨",他鼓吹自由,反对奴役,宣称"无论在什么事情上,约束、屈从都是我不能忍受的"。他虽然反对法国的封建专制,并且在这个国家里受到了"政府、法官、作家联合在一起的疯狂攻击",但他对法兰西的历史文化始终怀着深厚的感情,对法兰西民族寄予了坚强的信念,深信"有一天他们会把我从苦恼的羁绊中解救出来"。

18世纪贵族社会是一片淫靡之风,卢梭与那种寡廉鲜耻、耽于肉欲的享乐生活划清了界限。他把妇女当作一种美来加以赞赏,当作一种施以温情的对象,而不是玩弄和占有的对象。他对爱情也表示了全新的理解,他崇尚男女之间真诚深挚的情感,特别重视感情的高尚和纯洁,认为彼此之间的关系应该是这样的,"它不是基于情欲、性别、年龄、容貌,而是基于人之所以为人的那一切,除非死亡,就绝不能丧失的那一切",也就是说,应该包含着人类一切美好高尚的东西。他在生活中追求的是一种深挚、持久、超乎功利和肉欲的柔情,有时甚至近乎天真无邪、纯洁透明,他恋爱的时候,感情丰富而热烈,同时又对对方保持着爱护、尊重和体贴。他与华伦夫人长期过着一种纯净的爱情生活,那种诚挚的性质在18世纪的社会生活中是很难见到的。他与葛莱芬丽小姐和加蕾小姐的一段邂逅,是多么充满稚气而又散发出迷人的青春的气息!他与巴西勒太太之间的一段感情又是那样温馨而又洁净无瑕!他与年轻姑娘麦尔赛莱一道做了长途旅行,始终"坐怀不乱"。他有时也成为情欲的奴隶而逢场作戏,但不久就出于道德感而抛弃了这种游戏。

他与封建贵族阶级对奢侈豪华、繁文缛节的爱好完全相反,保持着健康的、美好的生活趣味。他热爱音乐,喜欢唱歌,抄乐谱既是他谋生的手段，也是他寄托精神之所在，举办音乐会，更是他生活中的乐趣。他对优美的曲调是那么动心，童年时听到的曲调清新的民间歌谣一直使他悠然神往，当他已经是一个"饱受焦虑和苦痛折磨"的老人，有时还"用颤巍巍的破嗓音哼着这些小调"，"怎么也不能一气唱到底而不被自己的眼泪打断"。他对绘画也有热烈的兴趣，"可以在画笔和铅笔之间一连待上几个月不出门"。他还喜欢喂鸽养蜂，和这些有益的动物亲切地相处，喜欢在葡萄熟了的时候到田园里去分享农人收获的愉快。他是法国文学中最早对大自然表示深沉的热爱的作家。他到一处住下，就关心窗外是否有"一片田野的绿色"，逢到景色美丽的黎明，就赶快跑到野外去观看日出。他为了到洛桑去欣赏美丽的湖水，不惜绕道而行，即使旅费短缺。他也是最善于感受大自然之美的鉴赏家，优美的夜景就足以使他忘掉餐风宿露的困苦了。他是文学中徒步旅行的发明者，喜欢"在天朗气清的日子里，不慌不忙地在景色宜人的地方信步而行"，在这种旅行中享受着"田野的风光，接连不断的秀丽景色，清新的空气，由于步行而带来的良好食欲和饱满精神……"

《忏悔录》就这样呈现出一个淳朴自然、丰富多彩、朝气蓬勃的平民形象。正因为这个平民本身是一个代表人物，构成了18世纪思想文化领域里一个重大的社会现象，所以《忏悔录》无疑是18世纪历史中极为重要的思想材料。它使后人看到了一个思想家的成长、发展和内心世界，看到一个站在正面指导时代潮流的历史人物所具有的强有力的方面和他精神上、道德上所发出的某种诗意的光辉。这种力量和光辉最终当然来自这个形象所代表的下层人民和他所体现的历史前进的方向。总之，是政治上、思想上、道德上的反封建性质决定了《忏悔录》和其中卢梭自我形象的积极意义，决定了它们在思想发展史上、文学史上的重要价值。

假如卢梭对自我形象的描述仅止于以上这些，后人对他也可以满足了,无权提出更多的要求。它们作为18世纪反封建的思想材料不是已经相当够了吗?不是已经具有社会阶级的意义并足以与蒙田在《随感集》中对自己的描写具有同等的价值吗?但是,卢梭做得比这更多,走得更远,他远远超过了蒙田,他的《忏悔录》有着更为复杂的内容。

卢梭在《忏悔录》的另一个稿本中,曾经批评了过去写自传的人"总是要把自己乔装打扮一番,名为自述,实为自赞,把自己写成他所希望的那样,而不是他实际上的那样"[1]。16世纪的大散文家蒙田在《随感集》中不就是这样吗?虽然也讲了自己的缺点,却把它们写得相当可爱。卢梭对蒙田颇不以为然,他针锋相对地提出了一个哲理性的警句,"没有可憎的缺点的人是没有的"[2]。这既是他对人的一种看法,也是他对自己的一种认识。认识这一点并不太困难,但要公开承认自己也是"有可憎的缺点",特别是敢于把这种"可憎的缺点"披露出来,却需要绝大的勇气。人贵有自知之明,严于解剖自己至今不仍是一种令人敬佩的美德吗?显然,在卢梭之前,文学史上还没有出现过这样一个有勇气的作家,于是,卢梭以藐视前人的自豪,在《忏悔录》的第一段就这样宣布:"我现在要做一项既无先例、将来也不会有人仿效的艰巨工作。我要把一个人的真实面目赤裸裸地揭露在世人面前。这个人就是我。"[3]

卢梭实践了他自己的这一诺言,他在《忏悔录》中的确以真诚坦率的态度讲述了他自己的全部生活和思想感情、性格人品的各个方面,"既没有隐瞒丝毫坏事,也没有增添任何好事……当时我是卑鄙龌龊的,就写我的卑鄙龌龊;当时我是善良忠厚、道德高尚的,就写

---

[1] 1850年10月,《瑞士杂志》发表了《忏悔录》另一段开头,这是卢梭从自己的初稿中删去的。该稿本当时藏于纳夏台尔图书馆。

[2] 圣伯夫:《月曜日丛谈》第三卷,第81页,巴黎,Garnier Frères。

[3] 卢梭:《忏悔录》第一部,第1页。

我的善良忠厚和道德高尚"①。他大胆地把自己不能见人的隐私公之于众，他承认自己在这种或那种情况下产生过一些卑劣的念头，甚至有过下流的行径。他说过谎，行过骗，调戏过妇女，偷过东西，甚至有偷窃的习惯。他以沉重的心情忏悔自己在一次偷窃后把罪过转嫁到女仆玛丽永的头上，造成了她的不幸，忏悔自己在关键时刻卑劣地抛弃了最需要他的朋友勒·麦特尔，忏悔自己为了混一口饭吃而背叛了自己的新教信仰，改奉了天主教。应该承认，《忏悔录》的坦率和真诚达到了令人想象不到的程度，这使它成了文学史上的一部奇书。在这里，作者的自我形象并不只是发射出理想的光辉，也不只是裹在意识形态的诗意里，而是呈现出了惊人的真实。在他身上，既有崇高优美，也有卑劣丑恶，既有坚强和力量，也有软弱和怯懦，既有朴实真诚，也有弄虚作假，既有精神和道德的美，也有某种市井无赖的习气。总之，这不是为了要享受历史的光荣而绘制出来的涂满了油彩的画像，而是一个活生生的复杂的个人。这个自我形象的复杂性就是《忏悔录》的复杂性，同时也是《忏悔录》另具一种价值的原因。这种价值不仅在于它写出了惊人的人性的真实，是历史上第一部这样真实的自传，提供了非常宝贵的、用卢梭自己的话来说，"可以作为关于人的研究——这门学问无疑尚有待于创建——的第一份参考材料"②，而且它的价值还在于，作者之所以这样做，是有着深刻的思想动机和哲理作为指导的。

卢梭追求绝对的真实，把自己的缺点和过错完全暴露出来，最直接的动机和意图，显然是要阐述他那著名的哲理：人性本善，但罪恶的社会环境却使人变坏。他现身说法，讲述自己"本性善良"、家庭环境充满柔情，古代历史人物又给了他崇高的思想，"我本来可以

---

① 卢梭：《忏悔录》第一部，第2页。
② 同上书，前言。

听从自己的性格,在我的宗教、我的故乡、我的家庭、我的朋友间,在我所喜爱的工作中,在称心如意的交际中,平平静静、安安逸逸地度过自己的一生。我将会成为善良的基督教徒、善良的公民、善良的家长、善良的朋友、善良的劳动者"[1]。但社会环境的恶浊,人与人之间关系的不平等,却使他也受到了沾染,以至在这写自传的晚年还有那么多揪心的悔恨。他特别指出了社会不平等的危害,在这里,他又一次表现了他在《论人类不平等的起源》中的思想,把社会生活中的不平等视为正常人性的对立面,并力图通过他自己的经历,揭示出这种不平等对人性的摧残和歪曲。他是如何"从崇高的英雄主义堕落为卑鄙的市井无赖"呢?正是他所遇到的不平等、不公正的待遇,正是"强者"的"暴虐专横","摧残了我那温柔多情、天真活泼的性格",并"使我染上自己痛恨的一些恶习,诸如撒谎、怠惰、偷窃,等等"。以偷窃而言,它就是社会不平等在卢梭身上造成的恶果。卢梭提出一个问题:如果人是处于一种"平等、无忧无虑的状态"中,"所希望的又可以得到满足的话",那么又怎么会有偷窃呢?既然"作恶的强者逍遥法外,无辜的弱者遭殃,普天下皆是如此",那么怎么能够制止偷窃的罪行呢?对弱者的惩罚不仅无济于事,反而更激起反抗,卢梭自己在小偷小摸被发现后经常挨打,"渐渐对挨打也就不在乎了",甚至"觉得这是抵消偷窃罪行的一种方式,我倒有了继续偷窃的权利了……我心里想,既然按小偷来治我,那就等于认可我做小偷"。卢梭在通过自己的经历来分析不平等的弊害时,又用同样的方法来揭示金钱的腐蚀作用,他告诉读者,"我不但从来不像世人那样看重金钱,甚至也从来不曾把金钱看作多么方便的东西",而认定金钱是"烦恼的根源"。然而,金钱的作用却又使他不得不把金钱看作"是保持自由的一种工具",使他"害怕囊空如洗",这就在他身上造成了这样一种矛盾的习性,"对金钱的极端吝惜与无比鄙视兼

---

[1] 卢梭:《忏悔录》第一部,第50页。

而有之"。因此,他也曾"偷过七个利物尔零十个苏",并且在钱财方面不时起过一些卑劣的念头,如眼见华伦夫人挥霍浪费、有破产的危险,他就想偷偷摸摸建立起自己的"小金库",但一看无济于事,就改变做法,"好像一只从屠宰场出来的狗,既然保不住那块肉,就不如叼走我自己的那一份"。从这些叙述里,除了可以看到典型卢梭式的严酷无情的自我剖析外,就是非常出色的关于社会环境与人性恶的互相关系的辩证法的思想了。在这里,自我批评和忏悔导向了对社会的谴责和控诉,对人性恶的挖掘转化成了严肃的社会批判。正因为这种批判是结合着卢梭自己痛切的经验和体会,所以也就更为深刻有力,它与卢梭在《论人类不平等的起源》中对于财产不平等、社会政治不平等的批判完全一脉相承,这一部论著以其杰出的思想曾被恩格斯誉为"辩证法的杰作"。

卢梭用坦率的风格写自传,不回避他身上的人性恶,更为根本的原因还在于他的思想体系。他显然并不把袒露自己,包括袒露自己的缺点过错视为一种苦刑,倒是为深信这是一个创举而自诩。在他看来,人具有自己的本性,人的本性中包括了人的一切自然的要求,如对自由的向往、对异性的追求、对精美物品的爱好,等等。正如他把村民的原始淳朴的状态当作人类美好的黄金时代一样,他又把人身上一切原始的本能的要求当作了正常的、自然的东西全盘加以肯定。甚至在他眼里,这些自然的要求要比那些经过矫饰的文明化的习性更为正常合理。在卢梭的哲学里,既然人在精美的物品面前不可能无动于衷,不,更应该有一种鉴赏家的热情,那么,出于这种不寻常的热情,要"自由支配那些小东西",又算得了什么过错呢?因此,他在《忏悔录》中几乎是用与"忏悔"绝缘的平静的坦然的语调告诉读者,"直到现在,我有时还偷一点我所心爱的小玩意儿",完全无视从私有制产生以来就成为道德箴言的"勿偷窃"这个原则,这是他思想体系中的一条线索。另一条线索是:他与天主教神学相反,不是把人看作是受神奴役的对象，而是把人看成是自主的个体，人自主行动的动力则是感情，他把感情提到了一个重要的地位，认为"先有感觉，后有思考"是"人类共同的命运"。因此，感情的真挚流露、感情用事和感情放任，在他看来就是人类本性纯朴自然的表现了。请看，他是如何深情地回忆他童年时和父亲一道，那么"兴致勃勃"地阅读小说，通宵达旦，直到第二天清晨听到了燕子的呢喃，他是多么欣赏他父亲这种"孩子气"啊！这一类感情的自然流露和放任不羁，就是卢梭哲学体系中的个性自由和个性解放。卢梭无疑是18世纪中把个性解放的号角吹得最响的一个思想家，他提倡绝对的个性自由，反对宗教信条和封建道德法规的束缚，他傲视一切地宣称，那个时代的习俗、礼教和偏见都不值一顾，并把自己描绘成这样一个典型，宣扬他以个人为中心，以个人的感情、兴趣、意志为出发点，一任兴之所至的人生态度。这些就是他在《忏悔录》中的思想的核心，这也是他在自传中力求忠于自己、不装假、披露一切的根本原因。而由于这一切，他的这部自传自然也就成为一部最活生生的个性解放的宣言书了。

  卢梭虽然出身于社会的下层，但在当时的历史条件下，他的思想体系不可能超出资产阶级的范围，他在《忏悔录》中所表现的思想，其阶级性质是我们所熟悉的，它就是和当时封建思想体系相对立的资产阶级人道主义的思想。一切以时间、地点、条件为转移。这种思想在历史发展过程中，在当时18世纪，显然具有非常革命的意义。它以宗教世界观为对立面，主张以人为本，反对神学对人的精神统治，它从人这个本体出发，把自由、平等视为人的自然本性，反对封建的奴役和压榨，在整个资产阶级反封建的历史时期里，起着启迪人们的思想、摧毁封建主义的意识形态、为历史的发展开辟道路的作用。然而，这种思想体系毕竟是一个剥削阶级代替另一个剥削阶级、一种私有制代替另一种私有制的历史阶段的产物，带有历史的和阶级的局限性。因而，我们在《忏悔录》中可以看到，卢梭在与宗教的"神道"

对立、竭力推崇自己身上的"人性"、肯定自己作为人的自然要求的同时，又把自己的某些资产阶级性当作正当的"人性"加以肯定；他在反对宗教对人的精神奴役、肯定自我活动的独立自主性和感情的推动作用的同时，又把自己一些低劣的冲动和趣味美化为符合"人性"的东西。他所提倡的个性自由显然太至高无上了，充满了浓厚的个人主义的味道；他重视和推崇人的感情，显然又走向了极端，而成为了感情放纵。总之，这里的一切既表现了反封建、反宗教的积极意义，又显露出资产阶级意识形态的本质。

卢梭并不是最先提出资产阶级人道主义思想的思想家，在这个思想体系发展的过程中，他只是一个环节。早在文艺复兴时代，处于萌芽阶段的资本主义关系就为这种意识形态的产生提供了土壤，这种思想体系的主要方面和主要原则，从那时起，就逐渐在历史的过程中被一系列思想家、文学家充实完备起来了。虽然卢梭只是其中的一个阶段，却无疑标志着一个新的阶段。他的新贡献在于，他把资产阶级人道主义的基本原则进一步具体化为自由、平等的社会政治要求，为推翻已经过时的封建主义的统治的斗争，提供了最响亮、最打动人心的思想口号。他还较多地反映了平民阶级，也就是第三等级中较为下层的群众的要求，提出了"社会契约"的学说，为资产阶级革命后共和主义的政治蓝图提供了理论基础。这巨大的贡献使他日后在法国大革命中被民主派、激进派等奉为精神导师，他的思想推动了历史的前进。这是他作为思想家的光荣。在文学中，他的影响似乎也并不更小，如果要在他给法国文学所带来的多方面的新意中指出其主要者的话，那就应该说是他的作品中那种充分的"自我"意识和强烈的个性解放的精神了。

"自我"意识和个性解放是资产阶级文学的特有财产，它在封建贵族阶级的文学里是没有的。在封建主义之下，个性往往消融在家族和国家的观念里。资本主义关系产生后,随着自由竞争而来的,是个性自由这一要求的提出,人逐渐从封建束缚中解脱出来,才有可能提出个性解放这一观念和自我意识这种感受。这个新的主题在文学中真正丰富起来,在法国经过了一两百年。16世纪的拉伯雷仅仅通过一个乌托邦的德廉美修道院,对此提出了一些憧憬和愿望,远远没有和现实结合起来;17世纪的作家高乃依在《勒·熙德》里,给个性和爱情自由的要求留下了一定的地位,但也是在国家的利益、家族的荣誉所允许的范围里;在莫里哀的笔下,那些追求自由生活的年轻人的确带来了个性解放的活力,但与此并存的,也有作家关于中常之道的说教。到了卢梭这里,发生了根本的变化,是他,第一次把个性自由的原则和"自我"提到如此高的地位;是他,以那样充足的感情,表现出了个性解放不可阻挡的力量,表现出"自我"那种根本不把传统观念、道德法规、价值标准放在眼里的勇气;是他,第一个通过一个现实的人,而且就是他自己,表现出一个全面体现了资产阶级人道主义精神的资产阶级个性;是他,第一个以那样惊世骇俗的大胆,如此真实地展示了这个资产阶级个性"我"有时像天空一样纯净高远、有时像阴沟一样肮脏恶浊的全部内心生活;也是他,第一个那么深入地挖掘了这种资产阶级个性与社会现实的矛盾以及他那种敏锐而痛苦的感受。由于所有这些理由,即使我们不说《忏悔录》是发动了一场"革命",至少也应该说是带来了一次重大的突破。这种思想内容和风格情调的创新,是资本主义的发展在文学中的必然结果,如果不是由卢梭来完成的话,也一定会有另一个人来完成的。唯其如此,卢梭所创新的这一切,在资产阶级反封建斗争高涨的历史阶段,就成为了一种典型的、具有表征意义的东西而对后来者产生了启迪和引导的作用。它们被效法、被模仿,即使后来者并不想师法卢梭,但也跳不出卢梭所开辟的这一片"个性解放""自我意识""感情发扬"的新天地了。如果再加上卢梭第一次引入文学的对大自然美的热爱和欣赏,对市民阶级家庭生活亲切而温柔的感受，那么，几乎就可以说，《忏悔录》在某种程度上是19世纪法国文学灵感的一个源泉了。

《忏悔录》前六章第一次公之于世，是在1781年，后六章是在1788年。这时，卢梭已经不在人间。几年以后，在资产阶级革命高潮中，巴黎举行了一次隆重的仪式，把一个遗体移葬在伟人公墓，这就是《忏悔录》中的那个"我"。当年，这个"我"在写这部自传的时候，无论如何也不会想到有一天会获得这样巨大的哀荣。当他把自己一些见不得人的方面也写了出来的时候，似乎留下了一份很不光彩的历史记录，造成了一个相当难看的形象，否定了他作为一个平民思想家的光辉。然而，他这样做本身，他这样做的时候所具有的那种悲愤的力量，那种忠于自己哲学原则的主观真诚和那种个性自由的冲动，却又在更高一级的意义上完成了一次"否定之否定"，即否定了那个难看的形象而显示了一种不同凡响的人格力量。他并不想把自己打扮成历史伟人，但他却成了真正的历史伟人，他的自传也因为他不想打扮自己而成了此后一切自传作品中最有价值的一部。如果说，卢梭的论著是辩证法的杰作，那么，他的事例不是更显示出一种活生生的、强有力的辩证法吗？

1980年3月

纪念狄德罗

1984年是法国18世纪启蒙作家狄德罗（Denis Diderot，1713~1784）逝世二百周年。狄德罗生活在一个急需巨大的社会变革，而且也即将发生这种变革的时代。这是法国封建时代的末期，在法兰西土地上存在了好几个世纪的古老社会结构，已经衰败不堪。封建制度的桎梏严重地阻碍着社会生产的发展，农业凋零，工商业萧条，财政危机日益严重，国家面临着全面的破产。封建贵族阶级早已丧失了任何活力，腐朽糜烂不堪。整个法国处于这样一种状况：要么在困境中走向灭亡，要么彻底改变现状，寻求出路。历史发展的规律决定了已经没有生命力与发展余地的社会形态，必然要被另一种社会形态所代替。担负这个历史任务、实现这一变革的社会力量已经有了，市民阶级经过了几百年的发展，已经拥有了相当强大的力量，以市民资产阶级为首的第三等级与封建阶级的矛盾日益尖锐，正酝酿着一场其结果必然是埋葬旧社会、产生另一种社会的严重较量与重大斗争。

然而，这还不是产生丹东、罗伯斯庇尔、马拉、圣鞠斯特的时候。一个巨大的社会变革之前，往往有思想上的启蒙与舆论上的准备；产生摧毁旧社会结构的猛士之前，总要有启迪人们思想的先知先觉，由他们把现实社会的矛盾提升为意识形态，诉诸广大人群的思想感情，引起人们对现存秩序永恒性的怀疑，向人们启示改变现状的必要。如果说这是18世纪法国社会进程中的一个历史任务，那么，这个任务就是落在狄德罗这一代人的身上,只不过,在狄德罗之前,就已经有了两位杰出的先行者——孟德斯鸠与伏尔泰。

要成为一个担负时代历史任务的思想家,首先必须有为"对真理和正义的热诚"而献出整个生命的精神,尤其是在反动统治阶级愈临近灭亡就愈施展高压手段、愈肆虐逞凶的时代,而这种精神正是狄德罗身上最可宝贵的东西。从他的市民家庭条件和父母那种追求实惠的愿望来看,狄德罗本来可以成为一个富裕而有身份的神甫或律师,然而,他一开始就向往那充满了困难险阻而又不能保证自己生计的思想、文化与艺术的国度。他甘愿被父亲中断接济,在贫困的生活中坚持他对数学、语言学、哲学、艺术美学的钻研,坚持他对真理的探索与追求。他成名很迟,经过10年刻苦自学,在33岁的时候,才发表了第一部作品《哲学思想录》。但他在思想领域刚一发出真理的声音,却为此付出更大的代价,《哲学思想录》因揭露了宗教迷信,触犯了封建统治的思想基础"君权神授"说,"君主政权就是神权"说,而招致巴黎法院的判决与销毁,并且使狄德罗在巴黎警局的档案里被列为"极端危险的人"。狄德罗并不因此而屈服,又相继写成了宣传无神论思想的《怀疑者的散步》与《论盲人书简》,前者遭到了警方当局的没收,后者更使狄德罗被捕入狱。当他出狱的时候,他已经成为了一个"天欲降大任于斯人也,必先苦其筋骨"的战士。此后,狄德罗以极大的为真理而战斗的热情,主持《百科全书》的编纂,并且在哲学、美学、戏剧、小说等各方面进行了卓越的活动,始终保持着为了改变现状而要改变人们思想方式的清醒意图,坚持着他对封建阶级、反动教会以及维护着封建制度的一切封建意识形态的战斗精神。

18世纪是思想界群星灿烂的时代,从孟德斯鸠、伏尔泰到狄德罗、卢梭等启蒙作家的星群,发出了强大的启蒙的光辉,照亮了法国历史的进程。从个人的创作成果来看,这些思想家都是强有力的,我们很难断言成就之大小,业绩之高低,他们每个人都有自己独特的贡献。但作为有组织的思想流派的代表,狄德罗无疑是他人所不能比拟的。他是"百科全书"派的领袖人物,他团结了当时代所有的先进思想家和各个领域中的一切杰出人物,从1751年到1772年,编写出版了《百科全书》共三十七卷。这既是对旧的时代、社会、阶级以及旧的意识形态大规模的批判,又是对当时代科学的总汇与资产阶级意识形态、思想体系大规模的建设。《百科全书》一开始就被封建统治阶级仇视,不止一次遭到干涉与禁止。狄德罗在反动压力下,以罕见的毅力始终坚持工作,终于在意识形态领域为资产阶级完成了一项巨大的建设工程,给1789年法国资产阶级革命这一伟大的变革做了重要的思想准备。

狄德罗能主持这样规模巨大、各种学科无所不包的百科全书的编纂,是和他广博的学识、多方面的才能分不开的。事实上,狄德罗在哲学、美学理论、戏剧理论与小说创作上,都标志着18世纪的最高水平。作为思想家,任何课题来到他的笔下,无不见地新颖、议论精微;作为文学家,任何题材一经他处理,无不真实自然,生气盎然,含义隽永。

在哲学上,狄德罗是法国18世纪唯物主义哲学最杰出的代表。他承认物质是第一性的,时间和空间是物质存在的形式,物质与运动是不可分的。对于意识与存在的关系问题,他坚持反映论的原则,把对客观物质的感觉视为认识的第一阶段,而思维则是在感觉的基础上产生的。所有这些观点,构成了相当完整的唯物主义哲学体系,并被列宁评为"非常接近现代唯物主义的看法"。

狄德罗又是一个杰出的美学理论家、艺术批评家。他对各种艺术形式都有精湛的研究,他在美学、绘画与戏剧理论三个方面的深刻论述,奠定了他在文艺批评史上的重要地位。他的长篇美学论文《美之根源及性质的哲学研究》《绘画论》以及著名的画评《沙龙》,都是批评史上艺术论的力作,其中深刻的思想与论辩的才华足以使人叹服,德国大批评家莱辛也这样不吝自己溢美的赞词:"他的每一句名言,犹如电光一闪,照耀着艺术的奥秘。"

狄德罗的美学思想,是他唯物主义哲学观点在艺术美问题上的演绎,他严格规定了美的客观性与美感的主观性,充分地论述因社会条件、阶级地位与主观思想的不同而形成的审美判断上的千差万别,他提出了真善美统一的美学标准。在善的标准中,他注入了资产阶级人道主义启蒙思想的内涵,从而使这样一个美学标准具有了反封建的社会意义。他格外重视艺术中的"真",他是亚里士多德模仿说最辉煌的继承者与发扬者,以"真"的标准为核心,他建立了从选择题材、表现特征到注重细节的一整套现实主义创作论。他是"自然"的最坚决的维护者,竭力为"自然"在艺术中争地位,即使是日常的"自然"、平凡的"自然",他这一美学纲领的背后,其实就是扩大艺术表现范围的要求,而这在古典主义仍然禁锢着文艺,只有封建阶级、帝王将相才是文艺表现对象的当时,无疑具有非常现实的社会意义,由于这个要求,资产阶级的内容与生活才可能进入文艺的庙堂。

在戏剧理论方面,狄德罗做出了独特的贡献,他以极大的开创精神,打破古已有之的既定观念与定义,主张突破悲剧与喜剧之间不可逾越的界线,而建立一种介乎两者之间的新的"中间类别"——"严肃剧种"或"严肃喜剧"。他以现实主义的精神,为这种剧种设想了"接近现实生活"的艺术形式,对人物性格塑造、故事情节安排、语言、服饰、布景,等等,都提出了真实表现生活的要求,他自己还进行了创作实践,写作了《私生子》与《一家之长》两个"严肃喜剧",由于他这种开拓的努力,人类文化中才得以有了后来所谓的"正剧"这种戏剧形式。

狄德罗文学创作的成就主要是在小说方面,虽然他的小说数量不多,中长篇只有三部,但它们以其思想内容的深刻与现实主义的成就，在 18 世纪发出了独特的异彩，即使在今天，也仍保持着未曾磨灭的光辉。小说《修女》通过一个少女在暗无天日的修道院里的悲惨经历，尖锐地揭露了反动教会的腐朽、淫邪、虚伪、暴虐，批判了宗教禁欲主义对正常人生活的破坏；在小说里，教会与政府、法律所织成的罗网，使整个社会像一个牢笼，作者在表现牢笼中的窒息感的同时，表达了资产阶级个性解放的要求，并且在全部形象描写中贯注了反封建主义的激情。作为一部现实主义小说，《修女》在反映社会现实上，具有了某种社会学的价值，它不仅是 18 世纪文学中对修道院幽禁生活最全面、最深入的描写，而且还反映了 18 世纪资产阶级家庭的状况与财产关系。

《拉摩的侄儿》是一部极有深度的作品，为马克思所喜爱，被恩格斯誉为"辩证法的杰作"。我们很少看到一部篇幅如此有限的中篇，竟包含着如此多的社会内容、蕴藏着如此深邃的对现实的认识。在这里，既有对 18 世纪法国社会现实鸟瞰式的描绘、高屋建瓴的批判，也有对人物思想情感、内心状态细致而深刻的揭示。小说的主人公无疑是世界文学中最经得起分析的一个现实主义的典型，以其复杂而著称，而这种复杂性既来自 18 世纪的封建社会和其中已经存在着的资本主义关系对人性格的双重决定，又来自狄德罗作为资产阶级启蒙思想家的世界观的正反两个方面。《拉摩的侄儿》之所以是辩证法的杰作，正在于作者以辩证的方法挖掘和表现了主人公性格中尖锐的矛盾，特别是这种矛盾的性格所反映的社会现实生活中的尖锐矛盾以及作者本人思想中的矛盾。

在长篇小说《定命论者雅克和他的主人》里，狄德罗显示了他对法国当代历史发展动向与阶级关系的深刻理解。这部小说采取了近似"流浪汉体"的形式，写主人公雅克与他的主人漫无目的地到处游历，一路上谈论各种话题，遇到各种经历。狄德罗利用这种形式广泛地描写了 18 世纪封建社会的现实，暴露出这个黑暗反动的时代社会矛盾重重,预示这个社会必然要走向终结。他还把自己对法国阶级关系的认识表现为雅克与他主人的关系。雅克出身农民,精力充沛,诙谐乐观而又聪明机智,他的主人,一个贵族老爷,则死气沉沉,迷迷糊糊,缺乏基本的生活能力,离开雅克就寸步难行。狄德罗通过两个人物的关系,表现了这样的寓意:平民雅克比贵族老爷有强得多的生命力、高得多的精神力量,在现实生活中起决定作用的,是雅克而不是贵族老爷。狄德罗以此预示,腐朽没落的贵族阶级已经临近死亡,而被它统治的平民将成为生活的主人,他在整个作品幽默诙谐的描写中,注入了启蒙思想家的历史诗情。

  对于人类小说艺术的发展,狄德罗无疑做出了巨大的贡献,他把现实主义小说艺术推进到了一个前所未有的水平。他扩大了小说描写的范围,使五光十色的生活与平凡的生活场景得以进入小说;他在人物塑造上,显然取得了较高的成就,以现实主义的方法使他的人物在某种程度上既成为一定的社会关系的总和,又具有活生生的立体感,有血有肉,有个性;他是法国文学中最早重视细节描写真实性的大师,这使他小说中的故事情节与生活场景更为接近生活的真实;他也是善于写人物对话的能手,他笔下的对话不仅以机智隽永而意趣盎然,而且照顾了场景与情势的真实,并有助于表现人物的性格。和18世纪其他启蒙作家一样,狄德罗的小说也具有明显的哲理性,然而,他的哲理并非外加在作家所编造的故事之上,而是从他所摄取的生活场景里渗透出来的,这就使他的小说始终保持着高度现实主义的特色。他的短篇小说也像他的中长篇小说一样,达到了很高的水平,就以《世界文学》向读者介绍的短篇小说《众口铄金》而言,何尝不具有19世纪巴尔扎克式的风格?在这里,人物对话的进行、故事情节的开展,就像流着的河水一样,平静而自然,最后达到了对"众口铄金"这种混淆黑白、颠倒是非的社会风气的揭露与讽刺。

  正像过去大多数站在时代的前列指导过历史潮流的杰出人物所不

能避免的那样，狄德罗也不可能不有自己时代的和阶级的局限性。他的哲学、美学观点带有机械论的痕迹，他在政治上，也未能抛弃对开明君主的幻想，他迷信抽象的理性，而这种理性归根到底不过是资产阶级理想化的悟性。尽管如此，我们应该说，狄德罗是资产阶级中最与我们接近的一个思想家、文学家，他在理论活动与创作活动中自觉为历史潮流服务的精神、他唯物主义的哲学与美学观、他完整的现实主义文艺思想体系，至今还使我们感到亲切，这是我们今天应该特别纪念他的原因。毫无疑问，他丰富的理论遗产与文学遗产，在我们今天仍有积极的现实意义，将对我们社会主义文化建设与文学艺术的繁荣，提供可贵的借鉴。

1984 年 6 月 16 日

《如此世界》与哲理小说的经验

《十月》准备在这一期"借鉴与探讨"一栏中介绍伏尔泰的《如此世界》,这是一个很好的主意。"借鉴与探讨"的目的本来就是从过去时代或其他民族的文学中,吸取于己有用的营养,以繁荣社会主义的文艺创作。吸取营养,有如蜜蜂之采花酿蜜,只有善于从属于人类的那个万紫千红的文艺芳林中广为撷英,从那些千姿百态、色香各异的花卉中多方取粹,才能酿成醇美的蜜糖。现实主义、浪漫主义大师的杰作需要借鉴,象征主义、表现主义的作品何尝就没有参考的价值?伦勃朗式栩栩的写实值得学习,莎士比亚式的五光十色当然也是典范,外国文学中某些较新的品种和手段,如意识流小说、荒诞派戏剧值得研究,世界文库中古老精品所凝结的艺术经验也应该被我们重温。按我的理解,正是从这个角度,《十月》选了这篇《如此世界》。

这是一篇哲理小说。对哲理小说,一般读者的兴趣往往不像对别的类型的小说,如惊险小说、爱情小说、战争小说那样浓厚。这当然不是没有原因。哲学总是和文学相对的,前者是抽象、概括,诉诸读者的理性,后者是具体、形象,作用于读者的感情。哲理小说本身就意味着要讲哲理,要诉诸读者的理性,要把哲学与文学这两个矛盾对立面统一在某种形式中,似乎就是要把枯燥的哲理填在一定的文艺形式里,这对于企图在阅读中追求形象、趣味、休息、娱乐甚至消遣的读者来说,哲理小说就成了不那么具有强烈吸引力的文艺品种了。可见，写哲理小说是一件费力而不容易讨好的事情，如果你没有精辟的思想，没有道出深刻而为大家所关心的哲理，而且又不是把这种思想和哲理写得趣味盎然，那么读者为什么要读你的哲理小说呢？没有前者，那就是平庸思想的文艺图解，不值得一读，没有后者，那还不如去读艰深的哲学著作，何必去读你不伦不类的哲理小说？因此，在文学史上，哲理小说虽然不少，但是经受了时间的考验，对读者仍保持不朽的魅力，得以长久流传的却并不多。正因为如此，凡作为哲理小说而能青春常在者，也就必定凝结着宝贵的艺术经验，值得我们重温了。如果我们要在这一哲理小说中举出一位具有持久艺术生命力的大师的话，那么《如此世界》的作者伏尔泰则当之无愧。

伏尔泰是18世纪法国大思想家、大文学家。他生于17世纪末年太阳王路易十四统治的时代，死于1789年资产阶级革命之前11年。从时间上来说，他几乎经历了整个18世纪；从历史过程来说，他则见证了法国封建专制时代整个的末期，即封建社会已经衰败腐朽到不可救药，必将爆发一场深刻社会变革的整个一个历史阶段。他是为这次变革准备条件的启蒙思潮中的一个代表人物。在启蒙思想家中，他较早登上历史舞台。其身影笼罩了整个18世纪的四分之三。在这样一个旧时代即将告终、新时代即将来临的过渡时期，他感时代变化之征兆，一开始就以旧阶级和旧意识形态的批判者、讽刺者的姿态出现，在哲学、历史和文学、政论等各个领域中都进行了卓越的活动，发出了强有力的声音，其影响远远超出了法国国土而遍及欧洲。当他晚期定居在瑞士和法国边境的菲尔奈时，欧洲文化知识界的进步人士均以到那里拜见他为荣，他无疑已经是新思潮运动的导师和领袖人物。他的地位是如此之高，他的作用是如此之举足轻重，以至有的文学史家干脆把18世纪称为伏尔泰的世纪。《如此世界》这篇小小的作品，就出自这样一个大思想家的手笔。

就其规模来说，《如此世界》在伏尔泰卷帙浩繁的论著中，也许只能说是沧海之一粟,即使是在伏尔泰的哲理小说中,也并不是最主要的作品。伏尔泰哲理小说的名著是《查第格》《天真汉》和《老实人》,它们的篇幅比这一篇都大得多,但不如这一篇更适于作为一个小巧的样品。不过,伏尔泰全部的哲理小说,在他来说,则不过是"信笔写来",他对此很不在意,自己根本没有把它们当回事,当人们听他朗诵了这些小说之后建议他把它们付印时,他竟然认为这些"小玩意儿"是不值得出版的。虽然伏尔泰本人主观上并未重视这些小说,然而,它们却成为了18世纪启蒙文学中具有代表性的实绩,并且一直流传至今,为人们所喜爱,而他主观上特别重视的悲剧和史诗创作却并没有结出一直到今天还有艺术生命力的硕果,这不能不说是文学史上一个令人深思的现象。

为什么伏尔泰的哲理小说比他别的文学作品具有这样强旺得多的生命力呢?从《如此世界》中也多少可以看出其中的某些必然性,也就是对于艺术创作具有某种普遍性的规律。

文艺作品的灵魂是思想。虽然文学与哲学相对,文学作品应该具有生动、具体的形象性而切忌抽象和说教,但任何成功的文学作品并不是形象的罗列和堆砌,而是在形象的描绘中蕴含着丰富的思想性,不言而喻,哲理小说更应该以其思想性的丰富与深刻而见长,它应该有一般人所难得有的深刻见地和发人深省的哲理。《如此世界》具有这个特点。它提出了一个巨大的哲理性同时也是社会性的问题:18世纪法国社会这一个"世界"究竟是什么状况,应该对它做出怎样的评判和估价,特别是应该如何对待这种状况。

这是一个时代的问题。法国在17世纪路易十四时代,封建君主专制达到了极盛的顶点,国内经过一百年的和平发展,颇有一番繁荣昌盛的景象,路易十四在整个欧洲也威名远扬,他的君主专制政治和他的凡尔赛宫廷,更成了一切君主国家效法的榜样,法国的封建秩序似乎要永世长存下去。路易十四一死,他晚年开始出现的外强中干,颓败衰落之势就完全暴露出来。经过路易十五当政的那一段腐朽荒淫的时期,法国封建社会已经千疮百孔,病入膏肓,但是,君权神授、君主专制永世长存、贵族特权天经地义的封建意识形态仍然是社会生活中的统治思想,继续粉饰着不合理的封建社会的现实,维护着法国社会摇摇欲坠的封建统治。社会历史要向前发展,旧的制度要突破,就必须启迪人们的思想,打破那种旧意识形态所造成的愚昧的状态,就必须引起人们对于旧的社会形态的永久性的怀疑。伏尔泰的这篇哲理小说就适应了社会历史的这一要求,在这方面发挥了它积极的作用,这是它的思想意义所在。在小说里,古代波斯旧京柏塞波里斯,是对18世纪巴黎的影射,而巴黎则是封建法国的象征和缩影。伏尔泰以讽刺的笔法给当时法国的政治、军事、宗教、经济、社会风习等各方面提供了一幅形象的荒诞化的图景,令人信服地揭示出了那一个外表堂皇、金玉其表的封建社会是一个腐败的不合理的世界。当我们读到他通过主人公之口对那个城市下了这样一系列严厉的判语,"这个倒霉的城,不是黑暗到极点吗?""这些是人还是野兽,啊!柏塞波里斯一定要毁灭的了",就可以清楚地看到伏尔泰这位启蒙思想家反封建的战斗精神跃然纸上。

  文学作品既不能无思想性,又最忌概念化,如果有什么东西足以使一部文学作品彻底完蛋的话,那也许就是概念化了。哲理小说本来就以明确提出某种哲理、某种思想为己任,它当然更容易因而也更应该避免触上这块致命的礁石。避免概念化,首先并不在于排斥思想性和主题去充斥一些无思想意义的形象,而在于作品的主题思想必须有其深厚的现实生活的基础,有其历史社会的客观必然,必须来自作家对现实生活深切的感受并渗透着他自己的爱与恨,而不是一种"空中楼阁",不是某种主观臆想和抽象的产物。这是一切文学作品,当然也包括哲理小说的主题思想有力的所在。伏尔泰的《如此世界》就具有这个特点,而这,又与伏尔泰本人的生活经验、社会地位紧密相关。伏尔泰出身于资产阶级,在封建专制时代,资产阶级还没有从作为人民的第三等级中独立出来,还是封建统治阶级的对立面,它还没有取得政治统治权,它在社会地位上比两个特权阶级,即贵族和教会远为低下,还处于一种受气受压的境地。伏尔泰本身的经历就有不少辛酸,他刚刚入世,就由于在言谈中对当权的摄政王不敬而被逐出京城,后又因在诗里讽刺了宫廷而被投入了巴士底狱,即使在他成了名、贵族和宫廷把他捧为"法兰西最优秀的诗人"之后,当他与一个贵族发生冲突时,他却不仅受了对方的侮辱,而且还被政府颠倒黑白,把他送进了监狱,后又将他放逐国外。他带着精神创伤来到已发生了资产阶级革命的英国,见识到新的社会现实,呼吸到了新的政治空气,接触到了新的社会科学和自然科学的理论学说,既然他具有了两种社会制度、两种社会现实对比的经验,而且这经验于他又是切肤之痛的,所以,他也就有条件向自己的时代和社会提出"这是一个什么世界"的问题,并且明确对这个世界提出了怀疑和否定。于是,他就这样把自己的切身感受,把自己的爱和恨凝结、浓缩为《如此世界》的主题思想,使这一个短小的篇幅里充实着深厚丰富的时代社会内容,加之,他从青年时代起就混迹于贵族上流社会的圈子,对那个社会种种腐朽弊端有广泛的见闻,有丰富的感性认识,这就便于他在把自己对现实世界总的认识表现为一个主题时,有着可供使用的形象材料,使他有可能把主题蕴藏在充实具体的生活形象之中。在这里,我们并没有读到作者长篇大论的说教和论证,而是看到一系列形象的描绘,当你读《如此世界》的时候,你为什么不感觉它是概念化作品,原因恐怕就在这里。

当然,仅仅在现实生活中形成了深刻的哲理思想,并有充足的生活实感来予以丰富,这还不是艺术创作的全部,还必须善于做艺术的表现。在这方面,伏尔泰就显示了同时作为思想家与作家的高度才能,他既善于通过形象来表现哲理,也善于从生活形象中发掘哲理。

要选择合适的形象表现哲理，最重要的是要求形象本身具有典型性、概括性，伏尔泰在《如此世界》中成功地做到了这一点。为了表现他对现实世界哲理性的认识，他从法国现实生活中选取了几个具有典型意义的方面加以描绘：统治者为私利发动战争，上流社会一片淫乱，文武官职公开拍卖，官场腐朽，宗教生活黑暗，教派斗争激烈，社会风气恶浊，舆论欺善怕恶，人与人尔虞我诈，等等。这样，他就在不长的篇幅里深刻地表现出了那个时代社会的风貌和本质。而且，他对每一个方面描绘所花费的笔墨竟是那么经济而又富于表现力，使人惊叹于他善于抓住本质特征的本领。例如，他讽刺路易十四时期以来以各种神圣的名义所进行的战争只用这样几句话，"这场战争使亚洲受了20年难，起因是波斯大帝的一个妃子手下有个太监，和印度大帝某衙门中一个小官儿起了冲突。所争的权利大约值一块波斯金洋的三十分之一"；他揭露教会和宗教的残酷腐朽，只用了神庙底下埋满了尸体这样一个细节；而他寥寥几笔所勾画出来的几个男女的形象，则把18世纪法国上流社会中那种淫靡之风表现得淋漓尽致。

像文学史上其他优秀的文学作品一样，伏尔泰哲理小说中的形象描绘既具有典型化的共性，也具有伏尔泰本身的特点：夸张滑稽，意味隽永。《如此世界》也不例外。在这里，伏尔泰的描述几乎像漫画一样，他对细节的真实毫不在意，总是采取夸张的手法，把他描写的对象的某些特征加以夸大，虽然并不构成酷似现实的图景，但却突出了对象的本质。由于他是以不合理的现实作为描写对象，因而他常常把那些不合理的东西夸张到了荒诞的地步，以荒诞的描述来表现18世纪没落的封建专制社会的荒诞本质。这种荒诞的图景的色彩不是阴森可怕、压抑低沉的，而是充满了作者的嬉笑、揶揄和嘲讽，显现出一种滑稽的基调，一种明亮的色彩。伏尔泰在他的小说中，是以开阔的眼光、高超的智慧、嘲讽的微笑来看待那个世界的不正义、纷争、偏见、腐败和恶习的，正因为他是从很高的思想境界，以一眼就看透了的洞察力观察人和世界，得出了真知灼见，所以表现在他的哲理小说里，滑稽夸张之中又带有隽永的意味，这就是伏尔泰哲理小说所具有的独特的风格。这种风格正是来自伏尔泰这样一个思想家的思想境界以及他艺术创作中内容与形式的高度统一。

请让我们再回到原来那个题目上，为什么伏尔泰花了那么多力气的悲剧与史诗早就不拥有广大读者了，而他自己并不重视的哲理小说反倒至今仍为读者所喜爱？这里，有一个艺术规律问题，说来复杂，其实也很简单，原因就是：伏尔泰在史诗创作中，完全按照17世纪古典主义的规范，对古代罗马的史诗进行了盲目的模仿，而在悲剧创作上，他也只是高乃依和拉辛的效法者，以追求古典主义标准为其目的。既然在题材和形式上都脱离了当时的生活，那么怎么会产生有生命力的作品呢？他在哲理小说的创作上则完全相反，在这里，他从现实生活出发，写自己的时代，针砭自己的社会，宣传自己启蒙的主张，还企图探索出路，并且从这些思想性的需要出发，抛弃了过时的僵化的文学传统，找到适合的艺术形式，通过短小精悍的篇幅、灵活自如的叙述、滑稽的笔调，在半神话式的或传奇式的趣味盎然的故事里注入哲理，达到影射讽刺现实、宣传启蒙思想的目的，这就使他的哲理小说同时具有了高度的思想价值与艺术价值。如果要概括起来讲的话，他的哲理小说的生命力就是来自与现实生活的紧密联系，来自作家的时代感和他的独创性。

《如此世界》在伏尔泰的哲理小说中，是写得较早的一篇，它在思想上还不及《老实人》《天真汉》那样成熟，有着很明显的局限性。伏尔泰毕竟是一个上层资产阶级的代表，他本人就是一个有万贯之财的富翁，因此，他对当时封建专制社会有着很大的妥协性。在《如此世界》里，他暴露了那个世界的丑恶，但也费力去挖掘了那个世界的可取之处，并得出了一个错误的结论，"即使不是一切皆善，一切都还过得去"，这不仅和他在《老实人》中的结论，"地球上满目疮痍，到处都是苦难啊"相距甚远，而且和《如此世界》中所指出的"这样的社会是维持不下去的"也自相矛盾。他并不想革这个社会的命，他的思想还没有达到这一步，在小说的结尾，巴蒲克拿各种最名贵的金属和最粗劣的石子混合起来，造成一座人像来象征那个世界的情节，正说明了这一点。不过，当我们读到这里的时候，一方面固然惋惜伏尔泰的妥协性大大损害了他作品的思想社会意义，另一方面，却又不能不深感这一情节在艺术构思上的巧妙。作者用这样一个情节非常形象地表现了他的哲理，虽然是妥协性的哲理。因此，不妨可以说，伏尔泰在他力图表现自己的思想这一个范围里，他是成功的，他用适当的艺术形式和艺术形象达到了自己的目的。这，从艺术经验来说，就不应该为我们所忽视。

《法尼娜·法尼尼》与"意大利性格"

如果要从司汤达的作品中选出一篇最好的短篇小说,那就只能选《法尼娜·法尼尼》;如果要从欧洲19世纪上半期的短篇小说里,选出几个名篇,那么《法尼娜·法尼尼》无疑也是其中之一。

从标题和副标题可以看出,小说写的是意大利的人物和故事,它后来被收入《意大利遗事》一书,此书集中了司汤达关于意大利题材的短篇小说,被人们认为是司汤达描写所谓"意大利性格"的一部作品。

《法尼娜·法尼尼》写于1829年,从先后来说,它仅次于《阿尔芒斯》(1822),是司汤达最早的小说创作之一,当然,也是司汤达写"意大利性格"的开始。此后不久,他出版了著名的描写复辟时期社会生活的《红与黑》(1830)。而到七月王朝时期,他又很快地再次以意大利生活为描写对象,其丰硕的成果是著名的长篇小说《巴马修道院》(1839)和那些陆续发表的《意大利遗事》中的短篇小说,如果再算上他早期在意大利旅行的随笔《罗马·那不勒斯·佛罗伦萨》(1817)和两部论述意大利美术音乐的专著——《意大利绘画史》(1817)与《罗西尼传》(1823),那就不难看出,在司汤达的作品里,意大利题材占有相当大的比重。

司汤达以热爱意大利著称。巴黎的蒙马尔特坟场上,有一块镌着意大利文"亚利哥·拜尔,米兰人"的墓石,这是根据司汤达生前的遗嘱对他的安息处所做的安排,这个原名叫作亨利·贝尔的法国作家,自命为米兰人,改用意大利的姓氏,足见他对这个国家感情之深,由此也可以理解,司汤达的意大利题材的作品,正是他全部爱憎的结晶,也是他生活经历的必然产物。

司汤达的生活经历过三个阶段:一是资产阶级革命火热斗争的岁月以及代表了资产阶级革命最后阶段的拿破仑帝国时期,二是波旁王朝复辟时期,三是金融资产阶级进行统治的七月王朝时期。他一生中大部分时光是在前两个时期,也就是在资产阶级与封建阶级反复争夺统治权、进行大搏斗的时期度过的。他,作为18世纪那些为即将来到的资产阶级革命启迪了人们头脑的启蒙思想家的忠实信徒,一开始就置身于资产阶级的营垒中,直接卷入了这一场大搏斗,直到斗争最后分晓,正是在这一既充满了社会历史的兴衰际遇又有司汤达本人悲欢离合的过程中,司汤达与意大利结成了不解之缘。

在拿破仑时期,他跟随拿破仑的军队不止一次到过意大利。当时,意大利是一个落后的封建的国家,被奥地利、西班牙分而治之。拿破仑在这里是以"革命原理的传播者""旧的封建社会的摧毁人"[①]的身份出现的,他给意大利"带来了好处"[②],用司汤达的话来说,"由于有了拿破仑的政府,意大利以连续的跳跃前进了三个世纪"。司汤达本人是这一历史发展变化的参加者和见证者,后来他在《巴马修道院》著名的第一章中,以热情洋溢的笔调描写了拿破仑进驻意大利,歌颂他"唤醒了一个沉睡的民族"。1814年,拿破仑失败,波旁王朝在法国复辟,整个欧洲沦入封建君主国神圣同盟的统治之下。不言而喻,像司汤达这样一个在拿破仑手下服务多年、曾经跟随他转战全欧、还曾远征过莫斯科的人,在沙皇亚历山大一世所操纵的波旁王朝的统治下,"除了受屈辱外,不会再有别的"。他被"扫地出门",失掉了自己的饭碗。在这种困窘的境况下,他不得不离开巴黎,前往

---

① 恩格斯:《德国状况》,《马克思恩格斯全集》第二卷,第636页。
② 同上书,第640页。

意大利的米兰，在这儿旅居了7年。这时的意大利，虽然随着拿破仑的失败，又重新沦入神圣同盟的重要成员国之一奥地利的统治之下，国内封建贵族势力又卷土重来，但也发生了以烧炭党人的斗争为内容的资产阶级民族解放运动，司汤达完全同情这一运动，并与烧炭党人有直接的交往，特别是他与作为当时意大利民族解放斗争一部分的革命浪漫主义文学运动，关系更为密切，曾经撰文参加浪漫主义文学对伪古典主义文学的论争。也正是在意大利期间，司汤达开始了写作生活，他的《意大利绘画史》和《罗马·那不勒斯·佛罗伦萨》就是这一时期的产物。如果说，从前一部著作可以看出司汤达对意大利传统艺术的热爱和渊博的知识，那么，后一部游记则表现了司汤达对当时意大利政治、社会现实状况的关心和深刻的理解。这是一部忠实、生动的政治社会见闻录，在这里，作者以极端不满的眼光，观察从1814年开始的全欧性的历史倒退在意大利生活中的种种表现，对异国统治者和本国封建贵族势力联合统治下的意大利的社会现实，进行了揭露和批判。

1821年，意大利烧炭党人的起义遭到镇压，司汤达面临白色恐怖的危害，不得不离开了意大利，回到了巴黎。对米兰7年，司汤达一直非常珍视，他说："米兰就像我的祖国。"不难理解，在意大利的长期旅居，对于司汤达的生活和写作都具有重要的意义，它坚定了司汤达反封建复辟的政治立场，形成了他资产阶级民主主义的思想，培养了他对意大利艺术、意大利民族本身的深厚的感情，向他提供了意大利生活的素材，使他日后能写出像《法尼娜·法尼尼》和《巴马修道院》这样在他的创作中发出异彩的意大利题材的作品。

《法尼娜·法尼尼》虽然是司汤达离开意大利8年之后的作品，但其思想倾向与他在意大利所写的《罗马·那不勒斯·佛罗伦萨》一书完全一脉相承，并且保持着司汤达对过去的意大利生活活跃的印象和对烧炭党人深情的怀念。这是一篇对意大利民族运动和对革命者的颂歌，高昂的、热烈的民主主义的感情，是这篇小说的基调。

小说在意大利黑暗的社会背景上，突出了烧炭党人斗争的正义性。整个民族都在异国的统治之下，密探遍地，告密者到处都是，上层贵族资产阶级醉生梦死，过着奢华享乐的生活，反动教会和统治者荒淫无耻，对人民备加防范，对革命者极为凶残……正是在这样的背景上，司汤达表现了烧炭党人为民族解放所进行的斗争，他们不屈不挠，前仆后继，他们在民众中有深厚的社会基础，虽屡遭残酷的镇压，但仍进行了巧妙的、有效的革命活动。而处于这一切的中心地位的，则是主人公米西芮里的形象。司汤达把这个人物当作革命人民的代表，通过他的活动展示了烧炭党革命斗争的面貌，给19世纪意大利民族解放运动这一重大的历史现象，提供了形象的历史记录。

米西芮里是司汤达以热烈的民主主义的激情塑造出来的一个英雄人物。在这个人物身上，体现着司汤达对意大利烧炭党人深切的怀念、由衷的敬意和热烈的歌颂。司汤达赋予这个人物以年轻美貌的特点和温柔热情的性格，但同时又把他写成一个铁打的硬汉。这是一个普通的外科医生的儿子，虽然还只有19岁，但怀着一种深厚的爱国主义的感情，立志献身于祖国的独立自由，把"从野蛮人手里解放意大利"视为他崇高的职责，因此，在他身上，对祖国的爱和对统治者、压迫者的恨，成为压倒一切的感情。他外表柔弱文静，几乎像个少女，但在这文弱的外表下，却有着勇敢的性格和坚强的毅力，他被捕后13个月在地牢里的苦难生活，并没有消磨掉他的革命意志，越狱时听见有一个卫兵咒骂烧炭党人，就愤怒得奋不顾身、主动进行袭击。他一经逃脱了官方的追捕，司汤达便把他放在一个传奇的、浪漫情调十足的爱情故事中，让他在最能看出一个人的道德情操、精神力量的爱情生活里展示他的性格。他在潜伏养伤期间，遇见了罗马最富有、最显赫同时又是最美貌的郡主法尼娜·法尼尼，从他们两人一产生爱情直到故事终结，他一直保持着一个高尚形象的绝对完美。他对法尼娜·法尼尼虽然产生了热烈的爱情，但在这个贵族小姐面前从来不失一个平民革命者的骄傲和矜持。更能显示这个人物高尚品德的是，即使是在幸福的爱情足以使一个青年人忘掉一切的时候，他却始终没有忘记他的职责。虽然他所得到的一切是那么不平凡、令人眩晕：死里逃生后在爵府中得到的绝对安全、优厚的无微不至的照顾、整个罗马都艳羡的贵族小姐对他热烈的爱……这一切几乎可以说就是"人间天堂"了，然而，他却不愿意在这"天堂"里待下去，而要回到充满了苦难和危险的斗争中去；他把这里的享受和欢乐视为"小事"，唯恐自己因为这"一点点小事"而忘记了水深火热中的意大利。他果然没有放弃自己的职责，在他爱情生活最甜美的日子里，下定决心离开法尼娜·法尼尼，又重新走上征途。当法尼娜·法尼尼提出要公开和他结婚、带给他显赫的地位和巨额的财产时，他也坚决加以拒绝，他把自己视为"祖国的仆人"，认为"意大利越是不幸"，自己"越应当对它忠心到底"，因此，在个人幸福与祖国利益之间，作出了崇高的抉择。他回到斗争中以后，有时也感到革命与爱情的矛盾，并产生回到法尼娜·法尼尼身边的冲动，但都以"对祖国的爱"克服了儿女私情，表现出了一种坚强的革命毅力。经过了感情生活的锻炼，特别是经过严酷斗争的磨炼之后，他的精神似乎更加纯粹，他身上的热情也更加集中，他虽然热爱着法尼娜，但终于几乎杜绝了自己对于个人幸福的追求，以殉道者的自我牺牲精神，放弃了使他在斗争中分心的法尼娜对他的爱，成为一个真正全心全意献身革命的志士，决心"不是死在监狱里，就是想法子把自由给予意大利"。最后，法尼娜·法尼尼的来到和哀求也没有动摇他的决心。在这个世界上，还有什么能打动他那在残酷的斗争中磨炼出来的感情呢？"只有提到'祖国'的时候，他的眼睛才亮了亮。"由此，可以想见，当法尼娜·法尼尼向他坦白了自己为了爱他曾把他的同志出卖给官方的时候，他的愤怒与鄙视会达到何等的程度，他毫不犹疑地唾弃了这个为了他而损害了革命的女人,并与她作了最彻底的决裂。

司汤达所描绘的米西芮里这个人物形象,不仅在19世纪法国文学中,而且在整个欧洲文学中都具有重要的意义。19世纪欧洲文学虽然丰富,但是,从正面对一次作为重大历史现象的革命运动加以描绘的作品,却为数甚少,而以鲜明的色彩生动而具体描绘出革命者形象的则更寥寥无几。在巴尔扎克的《人间喜剧》里,共和主义的英雄基本上是从侧面写出来的,在雨果的《悲惨世界》里,1832年起义中的英雄人物,主要也是通过在街垒上的战斗来表现的。司汤达的《法尼娜·法尼尼》不仅从正面表现了意大利民族解放运动,而且通过一个爱情故事的始末,细致地、完整地描绘了一个正义事业的斗士的形象;不仅描绘了他的斗争和英雄行为,而且表现了他非凡的精神境界和人格力量,刻画了他复杂矛盾的内心生活,使得这个人物比其他作家笔下的革命者形象来得丰满、有血有肉。这个人物身上所体现的对祖国的热爱、忘我的精神和坚强的毅力,都发射出理想的光辉,更衬出了他在那阴暗社会背景上高大的身影,像他这样一个具有如此鲜明、如此高尚的革命品质的人物,在19世纪文学的画廊中是极为罕见的。即使在今天,也还具有积极的思想教育意义。

小说的另一个突出的成就是极为出色地塑造了法尼娜·法尼尼这一个具有独特个性的女主人公。法尼娜不但属于贵族上流社会,和米西芮里是在两个截然不同的世界,而且,她在自己那个社会里还是最优越、最得宠、最骄傲的一个。作为郡主,她本身就意味着尊荣的地位、华冠丽服、钟鸣鼎食的生活,何况她还是一个美貌绝伦的少女,因而,她自然成为上流社会中的"皇后",罗马的贵族少年都以获得她的青睐为最高的幸福。但是,她从精神上、从感情上又似乎不属于这个世界,而对它表示了藐视:在那金碧辉煌的舞会上,"非常漂亮、非常高贵的英吉利人"使她讨厌,即使是"罗马最头角峥嵘的年轻人"里维欧·萨外里也不能使她满意,她甚至以折磨这青年爵爷为乐，而偏偏爱上了一个出身低微、身受重伤、被官方追捕的"逃犯"，而且，是那么奋不顾身的爱！在他面前，她丢掉了自己那种"罕见的骄傲"，主动表示了爱情，她把自己的社会地位、身份和前途置之度外，决心把自己的命运和他联结在一起，正式向他提出了和他结婚的要求，甚至在他拒绝了这一要求后，她还要跟随着这个年轻的烧炭党人赴汤蹈火，宁可"毁掉自己"，"成为一个声名扫地的姑娘"也在所不惜。她为了赢得和保持米西芮里对她的爱，还有什么不能牺牲呢？故事发展到这里，法尼娜似乎完全是一个献身于爱情，而其感情又是那么坚定不移的正面形象了，然而，也正是在这里，事情有了突变，一下露出了法尼娜·法尼尼性格中某种可怕的东西：她为了独占米西芮里的爱情，为了割断他与正义事业的血肉联系，竟卑劣地向反动教会告密，出卖了自己情人的全部同志。法尼娜·法尼尼这一行为虽然出人意料，但却是她性格发展的必然结果，她既然为了米西芮里可以抛弃自己的财富、名誉和社会地位，那她为了爱情的目的也就完全可能做出损害革命运动的事来，何况她本人对这运动毫无感情，而她的阶级更是这个运动的对立面。同样，既然她为了满足自己的感情可以把革命党人置于死地，那么，她为了救出自己的情人，达到自己的目的，又可以不惜利用自己的色相来迷惑大臣和他的侄子。通过这一系列描写，作者在法尼娜那种为了爱情而不计一切后果的勇敢精神的后面，深刻地表现出一颗为满足自己的感情而不择手段的冷酷的心，在出色地描写了女主人公强烈个性的同时，又深刻地揭示了她的阶级本质。这样，一个性格矛盾复杂、个性与阶级性高度统一的形象，就呈现在读者的面前，这无疑是19世纪文学中一个极为成功的艺术形象。

不论是米西芮里，还是法尼娜，都是司汤达心目中的"意大利性格"。什么是"意大利性格"？从司汤达的作品来看，那就是感情极为强烈并为了实现这种感情目的而不顾一切后果的性格。司汤达的

《意大利遗事》中那些以 16 世纪意大利生活为题材的短篇,基本上都是描写那些具有这种性格的男女主人公,他们身上强烈的感情冲动和压倒一切的激情或情欲,往往使他们作出某种暴烈的行为。这些作品写于资本主义秩序在法国已经完全巩固的七月王朝时期,司汤达在这里显然是用意大利性格那种强烈的个性来对照他眼前现实生活中平庸的资产阶级个性,在一定程度上表现了他对于自己时代社会的不满,但是,他这些小说里的意大利性格的强烈的感情,往往只是一些男女之间的私情,因而,其社会意义并不深刻。和这些小说比较,《法尼娜·法尼尼》写于反封建斗争的历史任务尚未完成的复辟时期,因而,在这篇小说中,司汤达注入了他充沛的反封建复辟的政治热情,他把爱国主义的革命内容填进了米西芮里的"意大利性格",而把贵族阶级那种利己主义的不择手段的狂热,填进了法尼娜·法尼尼的"意大利性格",这就使得他笔下的这种抽象的性格具有了不同的阶级内容,正是在这一点上,《法尼娜·法尼尼》比司汤达其他描写意大利人物的小说来得深刻,这也是它在《意大利遗事》一书中占有特别重要地位的原因。

《法尼娜·法尼尼》在艺术上也是一篇完整的佳作。它的篇幅不长,却容纳了丰富的内容:鲜明的人物形象、相当充分的性格刻画、复杂的情节、足以给人深刻印象的历史社会背景的描写,等等。这就要求艺术的典型化。在这方面,司汤达表现出高度的才能,正因为他对复辟时期整个欧洲,包括意大利的政治形势、阶级关系有深刻的理解,所以他善于选择和提炼某些具有典型意义的细节来表现他的人物,突出小说的主题。他对时代社会背景着墨不多,但大的轮廓和小的局部都以鲜明的色彩呈现在读者面前:B 公爵府邸舞会上的豪华是意大利贵族上流社会奢侈享乐、醉生梦死的缩影,舞会外的追捕一下就烘托出了当时意大利紧张的斗争和革命党人的英勇;教皇使者接见告密者一场,把统治阶级那种虚弱的本质暴露无遗;法尼娜唯恐即将得到特赦的情人在监狱里吃了"政府供应的食物"可能会被毒死的细节，又非常典型地揭露了反动政府的凶残和阴险。小说的故事情节充满了戏剧性的变化：受伤的"少女"一变而为烧炭党革命者，欢乐的爱情不久就成为痛苦的离别，法尼娜对米西芮里的狂恋又导致了她的告密，她的一切追求和努力最后以被唾弃而告终……所有这些错综复杂、起伏跌宕的情节，都在短短的篇幅里安排得曲折有致，紧凑自然，引人入胜，而这一切又都服从于刻画人物性格的要求；作者在整个故事中，以革命与爱情的矛盾作为基本矛盾，围绕这个矛盾描写了两个不同人物的思想感情和对待的态度，而不同的思想感情和态度又引起了两个人物之间的矛盾和斗争，作者就在这一矛盾的变化过程中，展示两个主人公的性格特征与内心世界，因而，故事情节的发展与人物性格的塑造紧密结合，互相渗透，互相补充，互相促进。《法尼娜·法尼尼》既以生动的故事情节取胜，又在塑造人物性格方面取得了较高的成就，其艺术上的奥秘就在这里。在风格上，故事和细节都是以写实的手法描述出来的，但整个作品又具有浪漫主义的成分：浓重鲜丽的色彩、高度理想化的人物以及作者贯穿在字里行间的高昂的激情和热烈的赞颂。因而，这篇小说是现实主义与浪漫主义完美的结合，具有某种典范的意义。

《红与黑》和两种价值标准

《红与黑》这本书，在过去30年中，"倒霉"的时候似乎居多，它虽然出自一个法国人的手笔，而且这个法国人早在130多年前就已经中风死去，但它却不断被卷进中国的历次运动，而且经常扮演"运动对象"的角色，好像是一个"黑五类"，几乎每次运动都有它的份。中国出了"右派"，它就和"右派"挂在一起，有些"右派"为什么"反党反社会主义"，据说是受了《红与黑》的影响；某次运动要"兴无灭资""横扫一切"了，它就成为现成的典型和靶子；某处发生了一桩流氓刑事案件，它又被指责为"教唆犯"，据称，有的犯罪分子就是因为中了《红与黑》的毒才走上犯罪道路的；中国搞"文化大革命"了，它自然是最触目的"封资修破烂货"之一，头一批就被"扫进了历史的垃圾堆"。

如果和其他一些外国文学作品比起来，譬如说，和欧里庇得斯的悲剧、但丁的《神曲》、莎士比亚的《哈姆雷特》、塞万提斯的《堂·吉诃德》、巴尔扎克的《欧也妮·葛朗台》、托尔斯泰的《战争与和平》比起来，《红与黑》显然更为"刺眼"。当然，所有的优秀外国古典文学作品，包括以上的这些杰作，都曾被当作剥削阶级的"货色"而受到暴风骤雨的冲击，但正如"右派"之中还有"极右派"一样，外国文学中也有"毒素最重""危害性最大"的"毒草"。《红与黑》就经常被视为这样一株毒草，它在历次运动中的命运正说明了这点。

"毒"究竟在哪里？为什么《红与黑》的"毒"更为刺眼，以至那么容易屡招批判的火力？除了指责《红与黑》是"黄色小说"外，最经常被数落的罪名，莫过于"美化了野心家的向上爬""美化了两面派的不择手段"了。还有什么比这对社会主义道德更有腐蚀性？还有什么比这对革命青年更有危害作用？于是，必须以"社会主义道德"的名义、以"无产阶级革命利益"的名义，对《红与黑》加以判决，必须一批再批、批深批透，告诫人们，特别是告诫青年，这是一本坏书，这是一个"坏蛋"，切勿上当，切勿中毒。姚文元就是如此地"代表无产阶级"扮演过这种法官的角色，其任务就在于把这本书搞臭。

这种"批判"无疑不是真正马克思主义社会主义的文学批评，而是一种封建道德化的批评，它不是以历史唯物主义的精神，从《红与黑》产生的社会历史条件出发对作品作出科学的解释，而是因作品不符合某种主观模式和"道德标准"而加以谴责和讨伐；它不是从社会主义现阶段社会发展的需要，从中吸取有用的东西，而是从某种落后的封建主义残余的狭隘意识出发去加以拒绝和否定。

《红与黑》究竟是一本什么样的书？它的历史内容、社会内容是什么？它赞扬的是什么？反对的是什么？在当时是反动的还是进步的？在今天是有害的还是有用的？这些年来，每当运动过去，《红与黑》似乎也可以享受到贝多芬第六交响乐第四乐章式的轻松和宁静，得到一些宽厚的待遇和评价，不外是反映了现实生活，揭露了贵族、资产阶级的丑恶本质，等等，其实这些评语用在任何一部外国 19 世纪文学作品的身上也未尝不可，总之,《红与黑》的要不得，显然是批得过头，而它的可取处却远远说得不透。但是，某一部作品的意义能否说透，是要取决于一定的历史社会条件的，要充分阐明《红与黑》的意义，只有在"四人帮"那一条反马克思主义的路线受到彻底清算的日子，才有可能。

《红与黑》虽然正式出版在 1830 年七月革命胜利之后、资本主义秩序在法国最终得到完全胜利的时候,但它却是写于 1828~1829 年,这正是法国历史上一个特别的时期,即资产阶级与封建贵族阶级进行最后一次严重较量的时期。这时的法国发生过一些什么事情?处于一种什么状态呢?

在这之前 40 年左右,发生了 1789 年资产阶级革命,这是世界史上最彻底的一次资产阶级革命,它推翻了封建主义的君主专制政体,摧毁了封建贵族土地所有制。此后,就是被打倒的封建贵族阶级与新获得统治权的资产阶级之间反复的、激烈的搏斗,这种搏斗经过大革命高潮中的国内战争,经过拿破仑时期一直到 1830 年的七月革命,持续了将近 40 年之久。斗争的实质,从政治上来说,是哪一个阶级掌握统治权的问题;从经济关系上来说,则是哪一种所有制取得统治地位的问题。这一场大搏斗的酷烈和范围的巨大,都是历史上少见的。整个欧洲都卷入了这场搏斗:早在大革命高潮中法国封建贵族阶级被推翻的时候,欧洲的君主国就支持法国被打倒的阶级,对法国革命进行了干涉,于是,法国的国内战争一开始就带有国际的背景和性质;当拿破仑在法国建立了强有力的军事专政、为资本主义的巩固和发展继续开辟道路的时期,斗争就进一步在全欧范围里进行,拿破仑与欧洲君主国多次反法联盟的战争,实际上是一场关系到"欧洲是共和制的欧洲还是哥萨克式的欧洲"的斗争。拿破仑 1814 年的失败,使历史发展出现了大的曲折,在大革命中被推翻的波旁王朝又在哥萨克的刺刀保护下回到了巴黎。尽管封建贵族阶级又恢复了政治统治权,但是他们面对着的却是一个"今非昔比"的法国,一个被大革命的风暴把全部封建主义的根基都彻底铲除了的法国。君主专制没有了,贵族教会过去占有的土地早在大革命中都被没收、分成小块卖给成百万自由农民了,从前是整个法国主人的波旁王朝,如今在君主立宪制的约束下会感到满意吗?过去享受种种特权的贵族阶级的残余,丧失了自己的天堂和所有制,不梦想再获得那一切吗?于是在 1814~1830 年这一个时期里,恢复君主专制和封建大土地所有制,就成为王室——极端保皇党、反动贵族的理想和纲领。既然封建阶级这一方要在法国完全恢复过去时代的政治秩序和所有制的秩序;而资产阶级这一方则要夺回政治统治权并要在法国建立资产阶级的秩序,这样,政权形式问题、所有制问题,就成为了这个时期阶级矛盾和阶级斗争的焦点,成为了历史是倒退还是绕过曲折继续前进的关键。

司汤达就是在这种历史条件下写出《红与黑》的。对于一个作家来说,要从纷纭复杂、普通平凡的日常生活现象中,理出历史发展的头绪,对几十年来阶级关系和社会历史的动向、趋势、变化、规律、实质,有一个明确的符合实际的认识和理解,已经是很不容易的了,特别是在还没有历史唯物主义世界观这一种远望镜的时代,何况要把这种认识和理解用艺术形象来加以表现呢?令人惊异的是,司汤达就是这样理解认识当时的历史发展和阶级关系的,还极为出色地把这种深刻的认识表现在《红与黑》中,他的认识也并不是图解式地表现出来的,而是渗透在整个的形象描绘之中。这只需要看一看第二卷中整整四章关于那个黑会的描写就够了。在这里,司汤达直接触及了最上层的政治活动,把复辟时期最高统治集团形形色色的人物展示在读者的面前,揭露了他们的大阴谋,这一阴谋虽然包括了种种计划和细节,但最核心的纲领只有两条,一是取消君主立宪的宪章,"把法国的君主专制重建起来",再一条就是恢复过去的所有制,把土地归还给被剥夺的封建主。这一击中要害的揭露性的描写,几乎可以说就是对实际生活中波旁王室和极端保皇党反动政治活动的直接写照和影射了,一部作品能够这样揭示重大的政治斗争课题,而且揭示得如此合乎客观历史的实际,在19世纪文学中是少见的,这需要多么高明的政治见识、多么敏锐的政治嗅觉和多么准确的政治洞察力!当然,在《红与黑》中,有价值的远远不止这几章,第一卷中所有关于外省社会政治生活、关于保皇党与自由党的斗争以及这一斗争带来的紧张气氛的描写，第二卷中关于巴黎权贵大臣客厅中各种贵族人物以及他们的活动、爱憎、希望、忧虑、恐惧的描写，与这几章上下呼应，有机结合，浑然一体，从各个角度栩栩如生地呈现出复辟时期政治社会生活的整体与细节，它在反映这个历史时期某些"本质方面"所达到的高度，并不低于今人以历史唯物主义的观点对那个时期的阶级关系、阶级矛盾以及其发展趋势、变化规律的认识，这是足以使我们吃惊的。

如果《红与黑》只是对当时代的政治斗争作了直接的影射、对社会政治生活作了真实的写照，那它也许会成为另一种类的杰作，而不会成其为《红与黑》。《红与黑》之所以成为一部对当时代的人来说具有某种典型意义、对后来时代的人来说也保持着强烈的吸引力、往往能引起人们共鸣的文学作品，原因还在于写出了于连这一个典型人物，并通过他的遭遇和命运，提出了在一定历史阶段都具有现实意义的问题：个人的发展与社会制度、社会环境的关系。实事求是地说，对于《红与黑》在反映时代社会的矛盾和斗争方面所取得的成就，过去的评论还是作了一些肯定，虽然肯定得并不够，但对于小说主人公于连，对于于连的憧憬、追求和奋斗，以及对于司汤达本人对于连这个人物的感情和态度，评论者就苛刻严厉了，也正是于连问题使得《红与黑》在历次运动中总要受些冲击，使得人们总是对它侧目而视。但是，这个问题恰恰是《红与黑》全部形象描绘的集中点，在这个问题上否定了《红与黑》，对《红与黑》予以不公正的对待，这部小说的主要价值不就大成问题了吗？这就是《红与黑》总是被视为"毒草"的关键。

于连是一个野心家、两面派、伪君子吗？在决定是否应该对他进行谴责之前，首先应该对他进行科学的、历史的解释。于连的幼年是在拿破仑时代度过的，而他成年入世则是在复辟时期。这两个对立的时代在他身上造成了尖锐的矛盾。在拿破仑时代，他看到的是法兰西在欧洲的光荣，是银盔银甲的将士凯旋的场面，于是，拿破仑成为了他心目中至高无上的神圣的偶像，拿破仑时代成为了他心目中最美好的时代，特别使他感到亲切、受到鼓舞的是，在那个时代，不讲门第，不讲血统，不讲资历，文职人员以其干练可以擢升为高级官吏，普通士兵以其战功可以成为将军元帅。作为一个只有才能和勇气而无任何别的本钱的小资产阶级青年，怎么可能对这种前景不悠然神往？于连正是在拿破仑这种政策的基础上建立起他的理想。他的理想既不是以吸他人的血来肥自己为内容，也不是以通过卑鄙的手段、龌龊的勾当来谋求私利为目的，而是要以自己的才能和勇敢立功战场而获得光荣和地位。这里，除了他所追求的东西中也有"财富"和"美女的青睐"而还达不到共产主义的道德标准外，他为达到目的所准备通过的途径却是无可厚非的，还不失为一种正派的严肃的志向，而且，于连还能追求什么别的更高尚、更伟大的东西呢？他毕竟是一个生在《共产党宣言》发表之前的小资产阶级者。根据于连所理想的生活道路，完全可以设想，如果没有出现1814年以后这一段历史弯路的话，像他这样一个精力充沛、坚毅勇敢、才能出众的青年，未尝不会成为拿破仑手下缪拉式的英雄。然而，他生不逢时，他刚成年的时候，正碰上了波旁王朝复辟。光荣的时代过去了，眼前是一个倒退、猥琐、卑劣的时期，再也没有过去那些轰轰烈烈的举动了，人们再也不可能得到拿破仑时期那种以自己的能力而获得光荣的机遇了，门第、血统、资历又成为了取得地位和荣誉的必备条件，甚至成为了衡量人的价值的首要标准，于是，在现实生活里，显赫闻达、高官厚禄的是一批早已丧失了生命力的社会渣滓——流亡贵族和一批卑鄙无耻、善于钻营的小人。面对这种现实，于连内心里并没有放弃他的信仰，他仍然热爱卢梭，崇拜拿破仑，强烈惋惜那个时代的一去不复返，他并无意于成为一个卑劣无耻之徒，也不愿意在权贵者、贵族上流社会的面前摇尾乞怜，他面对他们一直保持着敌对的情绪和难得的骄傲，因此，根本不存在于连成为了一个坏蛋的问题。

然而，问题在于他在复辟时期那个对他这种出身的青年冷酷无情、充满敌意的社会环境里，不仅要保护自己、要活下去，而且还要尽可能求得个人的发展。因此，他就不得不掩饰他对拿破仑的崇拜，因为这种崇拜在当时被认为是大逆不道；他就不得不违反自己的感情走教会的道路，因为只有教会可以给他一个饭碗，还有可能给他提供一个进入上层的机会；他就不得不勉强装出一副虔诚的姿态，因为这已经成为了那个社会共同的精神道德准则和规范，至少表面如此；他就不得不在维护自己平民尊严，并对保皇党的阴谋有反感的同时，又为拉摩尔侯爵卖力效劳，因为拉摩尔侯爵毕竟给他提供了一个好的前程。总之，活下去的需要，求个人发展的需要，使他不得不藏起他内心深处的思想感情。这种主客观不统一的矛盾，自己不得不从事的事情和自己内心真实愿望明显相违、尖锐对立的矛盾，其实是一种具有普遍意义的社会矛盾，并不是于连所特有的矛盾。在我国"四人帮"猖獗的时期，人们不是也经常陷入了这种矛盾吗？因而，以这种矛盾责备于连是"表里不一"的"两面派""野心家"，显然是不公正的。难道可以因为20世纪一个雇员不得不为企业主效劳，而谴责他们的"表里不一"的"两面派行为"吗？虽然他们也有向上爬的打算。这是一种社会悲剧，而不是道德谴责的问题。当然，这里并不是要对于连在复辟时期的行为加以称赞，当于连在德·拉摩尔侯爵手下一帆风顺因而由苟安一时而到几乎飞黄腾达的时候，实际上他是陷入了他作为小生产者家庭出身的青年人的盲目性，他并没有理解也没有认识到他为之服务的那个保皇党的阴谋正是以牺牲他所属于的小生产者阶层的利益为内容的，既然大革命造成了大量的小生产者，那么取消大革命的成果、恢复大革命前的秩序，首先受害的就是这个小生产者阶层。于连在顺利的时候的确存在着一种幻想，自以为可以和自己那个阶层的命运脱离开来而在上流社会里获得自己个人的更好的命运，然而，最后教会的告密和他的下狱使他清醒了过来，原来，那个封建贵族的上流社会并没有忘记他是一个平民,并不认为他以自己的才能就配享有与平民有所不同的更好的命运,而且对于他居然想获得这种命运,并取得了一定的成功而特别感到愤怒,必欲严惩才肯罢休。当于连在监狱里终于认识了这一点并在法庭上公开道破了这一点的时候,当然时间已经迟了,他必须为他的清醒过来付出生命的代价。因此,于连在复辟时期的所作所为,并不是道德上、品质上的败坏和卑劣所促成的,而是一个社会悲剧,一个小生产者、一个小资产阶级个人主义者极为深刻的悲剧,一种社会的阶级的局限性所造成的悲剧,对此,应该根据历史条件做出科学的分析和解释,道德化的谴责在这里是没有说服力,也是无济于事的。

其实,于连对拿破仑时代那样羡慕、对拿破仑以才取人的政策那么梦寐以求,就是在人的价值问题上向往资本主义价值规律的兑现;而他与上流社会的对立,他对封建贵族的傲慢,正表现了他对复辟时期以门第、血统作为人的价值标准的反感和鄙视。在这个问题上,拿破仑代表了资产阶级原则,他以才取人的政策正符合了自由资本主义时期社会发展的需要,也投合了封建关系、封建束缚被打破后中小资产阶级,特别是小资产阶级以至更底层的人们寻求自由发展的要求,因此,在他的军队和帝国政府里,人才辈出,较之于封建时期的上层建筑,他的行政机构和军事机构才得以充满活力,具有较高的效率。封建贵族阶级则与此相反,他们顽固地以门第、血统、资格作为人的价值标准,这是他们已经丧失了生命力的表现,他们正是用门第、血统来掩盖他们的腐朽无能、维持他们反动的统治。总之,于连所感受到的生不逢时的矛盾,就是两个阶级的两种价值原则、两种制度的不同标准的矛盾。在复辟时期,面临着感受着这一矛盾的,何止一个于连?而是整整一代小资产阶级青年。这一代人,正如缪塞在著名的小说《一个世纪儿的忏悔》中所描述的,他们生在拿破仑的战鼓声中,呼吸的是晴朗天空下充满了光荣、响彻了刀兵声的空气,鞋匠出身的元帅缪拉是他们的理想,他们期望着以自己的聪明才智崭露头角,但拿破仑的消失、波旁王朝的重来,使这一切都成了泡影,在他们面前的是一片空虚,英雄主义的出路没有了,只剩下了教会这一卑鄙的行业。于是,就产生了整个一代人想走缪拉的道路而不可得的绝大的苦闷。于连就是这一代小资产阶级青年中的一个,他是他们的代表人物和典型。

不言而喻,司汤达是满怀着同情来写这个人物的,或者更确切地说,在这个人物身上注入了他自己深切的感受,在某种意义上,司汤达本人就是一代于连中的一个,只不过他的年岁稍长。他也属于18世纪末19世纪初法国社会大变动中经济地位不稳的中小资产阶级,当然容易接受卢梭的影响,拥护大革命,拥护代表着法国革命最后阶段的拿破仑,特别是他作为这一个阶层一个谋出路、希望改善自己地位的知识分子,拿破仑时期的价值标准也更投合他的需要,实际上,他从中学毕业后才17岁就在拿破仑军队中得到了一个职务,从此整整15年跟随拿破仑转战欧洲,虽然没有因军事才能卓绝而成为达乌、缪拉式的人物,但也分享了拿破仑帝国的光荣,个人的才能也得到了相当的施展。1814年波旁王朝复辟后,他失掉自己的光荣、地位甚至饭碗,不得不离开了法国。他所经历的这一沧桑,当然使他尖锐地感受到了两种价值标准的差异和冷暖,也有助于他体察比他更年青、还没有来得及分享拿破仑时期的光荣就被复辟扼杀了全部希望的一代人的愤慨和苦闷。因此,当他在法院公报上看到关于一件情杀案的报道后,他就对这个素材作了根本的加工改造,赋予深广丰富的社会内容,通过于连的故事写出一代青年的命运,提出了一个重大的社会矛盾问题。他以鲜明的态度站在上升的资本主义的价值标准一边,反对封建主义贵族阶级落后腐朽的价值标准,以明显的赞赏塑造出于连这样一个出身寒微但生气勃勃、毅力坚强、才能出众的青年,肯定他谋求个人发展的合理性,怀着深深的同情描写他对拿破仑时期的原则和标准的追求，以及他在现实生活中所遇到的矛盾。正因为司汤达自己从来就是18世纪启蒙思想家的信徒，也正因为他在18世纪末以来两种制度、两个阶级的大搏斗中，始终置身于资产阶级的营垒，对几十年来历史发展的内容有着深刻的理解，所以，整部《红与黑》充满了强烈的反封建的精神和对于毫无生命力、腐朽垂死的贵族阶级不肯退出法兰西现实生活并倒行逆施、肆虐逞凶的极大愤慨。

显而易见，于连所追求的原则和标准以及司汤达在《红与黑》中所表现的思想感情，在当时的历史条件下，具有明显的进步性。从发展的观点来看，资本主义的东西总要比封建主义的东西进步一些、优越一些，这是历史唯物主义的基本道理，何况，当时无产阶级还没有登上历史舞台，根本不存在用无产阶级的原则和标准来加以衡量的问题。但是，为什么于连的追求却使《红与黑》在过去总成为外国文学作品中被批判的重点？

一本书在一个时代的命运总是要打上这个时代的烙印。在"兴无灭资"这样一个口号被神圣化、绝对化的时期，人们对资产阶级的东西自然都有格外高的警惕，只看到它的阶级局限性和它与社会主义的矛盾，而看不到它与封建主义东西相比的进步性和优越性，至于封建主义东西本身的腐朽落后，对不起，倒似乎被忘得一干二净了。于是，于连所追求的资产阶级原则和价值标准，就被剥去了它原来所具有的黑暗的封建主义背景的反衬，而被放在一个真空中，甚至被放在社会主义共产主义的标准之下，那它怎么不显得"卑鄙""龌龊"呢？怎么会不受到谴责呢？然而，这种谴责却正是反历史主义的，是一种道德化的批评。

这种情况的出现，当然有着更为根本的原因：封建主义在中国历史中根深蒂固，中国并没有经历过法国大革命那样彻底的资产阶级革命，资本主义在中国的发展很不充分，社会主义中国是从半封建半殖民地而来的，在这种历史条件下，中国出现林彪、"四人帮"的封建法西斯主义的东西，是不足为怪的。这种政治路线必然给文学批评打下封建道德化的烙印，在外国古典文学中，还有什么比拿破仑以才取人的价值标准、比于连的追求，更与封建法西斯主义的"龙生龙、凤生凤、老鼠生儿打地洞"这类血统论、门第论针锋相对呢？还有什么比于连那种要靠自己的才能和奋斗来取得荣誉和成功的志向更和那种饱食终日、无所作为、怠惰寄生的贵族老爷式的人生态度格格不入呢？于是，《红与黑》被视为"毒草"，于连被当作"反革命"，必须以一种一尘不染、高得脱离了任何现实条件的道德标准加以判决！这就是对《红与黑》的封建性道德化批评的根子。

远大的目标是共产主义，而社会主义是通向共产主义的一个相当长的过渡时期。在现阶段的社会主义中国，既要反对资产阶级的腐朽思想，同时，还存在着反封建主义残余的历史任务，而某些资本主义性质的东西，如资产阶级法权、资本主义价值法则、竞争和择优的原则、价值观念，与那些封建主义的残余相比，又仍然有有利于现阶段社会发展的一面，并没有完全丧失其历史作用。当经过了"十年浩劫"，人们开始认识到这一点的时候，当反封建残余的问题已被提了出来的时候，对《红与黑》的意义就可能予以比较充分的阐明了。我们并不是要向于连学习，于连是个有阶级局限性的悲剧人物，社会主义时代的人是在从事伟大的事业，应该比于连站得高得多，但是《红与黑》中强烈的反封建的精神，对于彻底清算林彪、"四人帮"的封建法西斯主义，清除社会生活中某些封建性的残余，显然不是完全没有借鉴意义的。

如果要讲"洋为中用"，这也许是《红与黑》的一个用处。

1980 年 8 月

《巴马修道院》·崇拜与写实

司汤达的两大名著之一《巴马修道院》去年已经出版,作为"外国古典文学名著丛书"中的一种。此书堪称世界文库中的瑰宝,建国后又是第一次翻译介绍,可惜没有引起像《基督山伯爵》和《飘》那样的"轰动"。

不论从它所描写的历史内容对我们的认识意义来说,或是从它在艺术创作方面所显示的经验来说,甚至仅从它故事的生动、情节的复杂、情趣的丰富来说,《巴马修道院》都属于真正有高度价值的杰作之列。如果要打个比喻的话,不妨说这部小说是一座"富矿",从中可以发掘出不少对我们有用的东西,值得欣赏、赞扬的东西。

在这里,请允许笔者不按那种约定俗成甚至已成"经典"的评论方法,依次从主题思想、人物形象、情节结构、语言风格来加以分析,而只是管窥其中的一幕:对滑铁卢战役出色的描写。

其实,《巴马修道院》中这一妙处,并不是笔者的新发现。早在1839年,当司汤达用2500法郎廉价卖掉了《巴马修道院》5年的版权,并把描写滑铁卢一役的章节提前在《立宪报》上发表的时候,巴尔扎克对它就做了热烈的赞扬。他说,这一章节把战争"写得这样高妙、真实",以至使自己"又喜又痛苦,又着迷,又绝望",因为他自愧不如;他甚至还这样说,自己读后"简直起了妒忌的心思"。巴尔扎克做此评论的时候,司汤达虽然已经发表了他所有的重要作品,但还没有得到什么名望，而巴尔扎克，则已经不仅在法国而且在全欧，都受到了推崇。

在法国与比利时边境，有一个山岗起伏、连绵不断、有如巨浪的古战场，1815年6月18日，拿破仑与英、普、奥、俄联军会战于此，这就是有名的滑铁卢之战。它也许是近代史上最大的一次战役了，这不仅是从其规模之大而言，而且更是从其意义、影响和历史作用来看。一方是代表了1789年法国大革命后新的资本主义秩序的拿破仑，一方是纠集了整个欧洲的封建保守势力的反法联盟。战役以拿破仑的惨败告终。从此，波旁王朝又在法国复辟，俄、普、奥、英等君主国的神圣同盟在整个欧洲恢复了旧的秩序，大革命以来法国的以至欧洲的历史出现了最大的一次曲折和倒退。这无疑是一个历史悲剧。在19世纪法国文学中，凡持进步立场的作家无不为之惋惜。雨果在他著名的长篇小说《悲惨世界》里，就曾说过："滑铁卢是一种有计划的反革命胜利"，"滑铁卢过后，欧洲在实质上是昏天黑地。拿破仑的消失给欧洲带来了长时期的莫大空虚"。因此，他把滑铁卢之战形象地称为"日食"。①

雨果向拿破仑表示以上敬意是在19世纪60年代。其实，他在1814年波旁王朝复辟后的一个时期里，一直拥护复辟王朝，反对拿破仑，还曾写诗加以责骂，因为拿破仑这个名字和他家庭的利益实在格格不入，他父亲虽是拿破仑部队中的一员骁将，但由于卷入了反拿破仑的派系，一直得不到重用，雨果从小对拿破仑本无好感，而在波旁王朝复辟后，他的父亲又投效了新王朝，他责骂拿破仑似乎对家庭利益有点好处。雨果对拿破仑的崇拜是以后的事，完全是一种理智的、思想发展的结果。司汤达则与雨果不同，他一直追随拿破仑，信仰拿破仑，思想上是一个真正的拿破仑主义者，感情上对拿破仑始终保持着崇敬，而且，这种思想感情不只是一种思考的结果，也不是历史变

---

① 《悲惨世界》第二部第一卷。

化、时髦舆论影响所致,而是和他自己大半生的经历血肉相连,和他自己的命运、和他生活中引以骄傲和视为屈辱的一切紧密地结合在一起。

他是一个名副其实的拿破仑的"老兵",17岁时就从家乡来到巴黎,在拿破仑的军队里谋了一个差事,从此,跟随拿破仑的大军转战欧洲。在意大利,他看到了拿破仑"唤醒了这沉睡的民族";在德国,他看到了拿破仑"修筑了文明的交通大道";在征俄战争中,他也亲身经历了拿破仑大军所遭到的那可怕的灾难。拿破仑征俄失败后,他又参加了抗击欧洲君主国反法联盟的战争,直到1814年拿破仑垮台前夕,还在法国后方执行后勤任务。拿破仑失败后,波旁王朝一复辟,他也被扫地出门,生活无着,不得不离开巴黎,去到意大利。

可以想见,像司汤达这样一个始终置身于拿破仑的营垒,其命运与拿破仑的命运紧紧拴在一起的人,对拿破仑该有多么深厚的感情。请看,《巴马修道院》的第一章中拿破仑进驻米兰时的场面,那描写里蕴藏着司汤达多么大的热情,表现了他对拿破仑怎样的敬意与崇拜;同样,也可以想见,司汤达对滑铁卢战役这一历史悲剧是多么痛心惋惜。请看,在拿破仑最倒霉的时候,当他作为神圣同盟的囚徒被禁闭在圣赫勒拿岛的时候,当对拿破仑略表好感就被视为叛逆的时候,他,司汤达居然在他的《意大利绘画史》的卷首写了一篇献词向拿破仑致敬,称颂他是"伟大的人物",对他向欧洲君主国进行的斗争作了高度的评价,其崇敬之狂热,由此可见。

那么,一个怀着这样一种感情的人,会怎样来描写滑铁卢呢?他将如何使自己的描写成为世界文学史上战争描写中最杰出的章节之一呢?

司汤达在这里所采用的方法显然和后来雨果在《悲惨世界》里描写滑铁卢战役的方法有所不同,不像雨果那样夹叙夹议、基本上以叙述来表现这一历史事件，而是通过具体的描写表现出战场上的情景、细节以及人物的精神状态，正像我们在后来托尔斯泰的《战争与和平》中所看到的那样。《战争与和平》有大量的篇幅可供作者对上自拿破仑和亚历山大一世、库图索夫，下至俄军的校尉军官和普通士兵等各种人物作细致的描写，以表现整个战争的过程以及某一战役的整体与细部。而司汤达却只有不多的篇幅：在整个小说里，关于滑铁卢的章节只居于"序幕"的地位，其作用在于揭开1815年后一个反动黑暗的历史时期。因此，在这有限的篇幅里表现一个重大的历史事件，就必须采取一个最经济、最有效的方法。司汤达的写法很聪明，他通过法布利斯这个人物莽莽撞撞来到滑铁卢战场上的这一天的经历，带领着读者在战地上巡游了一周，让他们看到战场的各个角落、战争的各种景象以及这个战役的发展、变化和结局。

　　法布利斯是小说的主人公，是法国革命在意大利现实生活中结出来的果。早在1796年，拿破仑作为资产阶级共和国的将军击败了奥皇的军队，进驻意大利。那时的意大利是一个落后的封建国家，处于奥地利、西班牙的黑暗统治之下，拿破仑给这个国家带来了新的秩序、制度和生活方式。他的军队所到之处，人们可以看见士兵在茅屋门前哄主妇的婴儿睡觉，每天晚上都有鼓手拉起小提琴，凑起一个舞会。代表了共和制的法国人在意大利受到了人民的热烈欢迎。就是在这个时候，一个顽固、反动、愚蠢、自私的意大利侯爵的年轻善良的妻子，与一个法国中尉结下了不解之缘，这才有了法布利斯。他名义上是侯爵的次子，实际上体内流的是法兰西共和国军官的血液，思想中满是对拿破仑的崇敬和效忠的渴望。1814年，拿破仑失败，意大利又恢复了1796年以前的旧秩序，法布利斯的苦恼可想而知。因此，当1815年拿破仑"百日"又东山再起时，法布利斯就急忙逃出意大利前往投效拿破仑，经过一番曲折，他赶上拿破仑大军时，正是1815年6月18日，地点在滑铁卢。

法布利斯在这里遇见了一些什么？看见了一些什么呢？

与他对战争的浪漫遐想截然相反，他看到的是战场上一片惨不忍睹的景象。战争并不是他所想象、他所愿望的那样一帆风顺、轻而易举，并不只是驰骋疆场、军容整肃、威武雄壮、凯歌高奏，而是充满泥泞、鲜血、险阻、狼狈。

与他热烈向往的自由平等的事业完全不同，也与他理想中的拿破仑军队同生死、共患难、讲义气的战友关系完全不同，他所看到的竟是那么严酷无情的事实：田野里躺着不少还在辗转挣扎的伤兵，他们在凄厉地呼救，但没有人停下来救他们，紧张、酷烈的战斗使人根本顾不上伤员。法布利斯一直想在战场上追求战友之间精细的友谊，但他这种愿望竟受到如此沉重的打击：他跟随着一小支卫队护卫着一位将军，自认是他们亲密的战友，一阵炮击把这小队人马轰倒在地；将军的战马也被击毙，剩下的随从立刻把法布利斯没有受伤的马抢了过来，让这位将军骑上，簇拥着他疾驰而去，把法布利斯丢弃在田地里，任他在后面高声地咒骂"强盗！强盗！"而这将军不是别人，正是法布利斯的生父、他母亲从前遇上的那位法国中尉，只不过父子二人在战场上谁也没有认出谁……

与他想象中那些历史伟人不平凡的、高大光辉的形象大不相同，他在战场上所见到的这些人物竟那样毫无光彩，不惹人注意。他在战场上遇上了他长期以来热烈崇拜、梦寐以求、渴望一见的拿破仑，然而，他并没有认出他心目中的这个伟人，因为拿破仑毫不显眼地夹在几个军官之间驱骑而过，他头上既没有光圈，他的出现也没有预兆，他并没有什么尊荣的标志，只是军服上没有绣花。法布利斯也亲眼看见了那位赫赫有名的奈依元帅，他是拿破仑最得力的部将，军事史上叱咤风云的英雄，拿破仑不止一次辉煌的军事胜利的缔造者之一，人称之为"勇士中的勇士"，然而，他的形象也并不高大，他和旁边其他军官在一起并不显得突出，只见他的脸"又红又大"，说起话来，嘴里还带着脏字……

当然，和法布利斯所梦想的辉煌胜利更是相反，经过一天的战斗，他最后亲眼看到了法军溃败时一片混乱的、悲惨的情景……

这就是拿破仑的一个热烈崇拜者所见到的滑铁卢战役，或者，更准确地说，这就是作家司汤达所展示出来的拿破仑、拿破仑的军队和拿破仑的战役，你怎么能想象这样一幅图景是出自一个对拿破仑充满了深厚的感情、对滑铁卢的结局扼腕痛心的作家之手？那么，是否应该责备他把"我方"、把"好人"写得太不堪，有点"长敌人的威风，灭自己的志气"？不，他既没有美化战争，也没有渲染"战争恐怖"，而只是忠实地再现战场上真切的情景；他既没有去歌颂拿破仑军队，也没有丑化军中关系，而只是表现了浴血的大地上现实的人与人的关系；他既没有让他对拿破仑和对他手下英雄将领的崇拜之情溢于字里行间，也没有在历史人物身上抹一点黑，而只是恢复了他们在那样一个顾不上仪容和谈吐的具体场合下的本来形象。

"真实，严酷的真实"，就是这一篇章的特点。对于司汤达这样一个对拿破仑怀着巨大的热情、深深的崇敬、对滑铁卢之战有着强烈的主观倾向的作家，写出这样的篇章是多么"不得已"的事，但又是多么值得20世纪读者深思的事！

在文艺创作中，作家主观的思想感情与他描写的客观实际发生矛盾是常有的事：他有某种理想，但理想并未成为现实，甚至还遭到了破灭；他有某种主观愿望，但客观事实往往与此相违；他对某些人物满怀同情或偏爱，但他们都不可避免地遭到某种厄运；他内心深藏着某种热情和崇敬，但有时却遭到了现实的嘲弄。遇到这种主客观不一致的情况时，究竟如何对待？如何处理？不同创作态度、不同创作方法的作家当然会有不同的对待和处理，但只要我们面前是一个以真实反映生活为己任的作家、一个追求把客观现实描绘得栩栩如生的作家，他总是坚持按现实生活本来的面貌来表现现实生活的。尽管他心目中有着种种偏好、钟爱、崇敬、理想和神圣的事物,但当他进行创作的时候,在所有这一切之上,还有一个更神圣的东西——真实,有一种更压倒一切、驾凌于一切之上的思想感情——忠于现实。

恩格斯曾经深刻地揭示了这一文艺现象,把这称之为"现实主义的胜利"。他的论断是从对巴尔扎克的评价而来的:"他的全部同情都在注定要灭亡的那个阶级方面。但是,尽管如此,当他让他所深切同情的那些贵族男女行动的时候,他的嘲笑是空前尖刻的,他的讽刺是空前辛辣的。而他经常毫不加掩饰地加以赞赏的人物,却正是他政治上的死对头,圣玛丽修道院的共和党英雄们,这些人在那时的确是代表人民群众的。这样,巴尔扎克就不得不违反自己的阶级同情和政治偏见;他看到了他心爱的贵族们灭亡的必然性,从而把他们描写成不配有更好命运的人;他在当时唯一能找到未来的真正的人的地方看到了这样的人,——这一切我认为是现实主义的最伟大胜利之一,是老巴尔扎克最重大的特点之一。"[1]

恩格斯指出的这一种文艺现象,显然不仅仅存在于巴尔扎克身上,它是一种常见的重大的文艺现象,几乎可以说是一切伟大的现实主义作家的标志。托尔斯泰笔下的"无与伦比的俄国生活的图画"[2],不是也违反了他那傻头傻脑的托尔斯泰主义的说教吗?正是这种写实精神的胜利、现实主义的胜利,使得文学史上留下了一些深刻反映了时代社会的名著名篇。司汤达《巴马修道院》对滑铁卢的描写正是如此,只不过在巴尔扎克、托尔斯泰那里,是现实主义克服了他们的偏见,使他们不是去歪曲现实,而是去真实地描写现实;而在司汤达身上,则是现实主义抑制了他的热情和崇拜,使他不是去粉饰现实、走上浮夸虚假的歪路,而是沿着艺术规律的正道,达到了令人赞赏的艺术境界,留下了文学史上战争描写的杰出篇章。

---

[1] 恩格斯1888年4月初致玛·哈克奈斯。
[2] 列宁:《列夫·托尔斯泰是俄国革命的镜子》。

两种情况,同样都是现实主义的胜利。

由此,也许可以说,要给自己的时代社会留下真实而深刻、栩栩如生、伦勃朗油画式的写照和图景,现实主义仍然是一条必由之路。在这方面,《巴马修道院》关于滑铁卢的篇章,给我们提供了似乎是更亲切的借鉴。

梅里美的启示

——《梅里美小说选》中译本序

此人肯定具有某种独特的才能和动人的魅力,他既不是以《红与黑》那样深刻的作品,也不是以《悲惨世界》那样广阔的画幅,更不是以《人间喜剧》那样宏伟的巨著,而仅仅是,或主要是靠不到 20 篇中短篇小说,就在深受后代读者赞赏的 19 世纪法兰西文学中占有了一席光荣的地位,进入了司汤达、雨果、巴尔扎克所属的不朽行列。他和他的作品,构成了令人深思的文学现象,给后人提供了颇有意义的启发。

这个集子所介绍的,就是他中短篇小说的精华,如果再加上少数未选入的几篇,那就是他中短篇小说的总和了。从这个意义上来说,这本书就是"梅里美魅力"之展示,请看:

《马铁奥·法尔哥尼》,以那么短的篇幅鲜明地描绘了 19 世纪文学中一个独特的个性,使人读后久久不能忘怀;《塔曼戈》,以那样冷静的笔法,达到那样惊心动魄的效果,足以引起人们极大的愤慨;《费德里哥》是一篇讽刺小品,它的构思是那么巧妙,闪烁着作者机智的才华;《夺堡记》只是一幅小小的素描,但它把战场的情景、气氛和人物的精神状态描写得那么真切,显示出作者高度的写实技巧;《伊勒的维纳斯像》的叙述是那么娓娓动人,其中的寓意又是那么若隐若现,具有某种空灵的情致;《阿尔赛娜·吉约》的故事是那么委婉凄切,感人肺腑,但通篇的笔法却又那么冷静含蓄,作者把自己的同情和憎恶藏在深远之处,用那需要仔细体会琢磨的描述,构成一种深沉的格调……

小说的魅力,当然不外来自作者的思想力量和艺术才能。梅里美并不是一个单纯的文体家、形式主义者,他的作品具备一种美好的、"因内而符外"的艺术风格,而这,又是他的时代社会条件、出身经历、教育素养、性格才能综合作用的结果。

在梅里美的身上,结合着两个不同的时代,即资产阶级与封建阶级为争夺统治权而进行严重较量的时代,以及资产阶级完全战胜封建阶级后在法国建立了稳固统治的时代。前者以1830年七月革命的胜利而告终,后者到1871年巴黎公社革命高潮时告一段落。梅里美生于1803年,他的童年和少年正是在作为法国大革命最后阶段的拿破仑帝国时期度过的,当能听见拿破仑与欧洲封建君主国鏖战的鼓号声,而且,他出生在一个典型的资产阶级知识分子的家庭,父亲是拿破仑的热烈崇拜者,母亲是18世纪启蒙思想家的信徒。这一切使他得以继承了资产阶级革命时期英雄主义的余绪,既决定了他在两个阶段、两种制度的斗争发生历史性曲折、封建阶级卷土重来时期里的战斗热情和锐气,也决定了他在资产阶级统治秩序已经完全建立、英雄主义已经消逝的时期里的苦闷和不满。他的中短篇小说,总的来说,就是他在这两个历史阶段里两种不同精神状态的产物。

梅里美走上文学创作的道路,是在波旁王朝已经复辟的19世纪20年代,那时,正是政治思想领域里资产阶级自由主义思潮高涨,文学领域里以浪漫主义为旗帜向伪古典主义展开斗争、争取文学自由的时期。梅里美一开始就是浪漫派文艺沙龙里的常客,属于复辟王朝的反对派的营垒。他以充沛的反封建的热情,作为浪漫主义文学运动的同路人,出现在19世纪20年代后期的文学舞台上,连续在1828年、1829年发表了两部战斗性的作品:剧本《雅克团》与长篇小说

《查理九世时代轶事》。前者通过法国中世纪一次农民大起义的故事,揭露了封建压迫和封建剥削的残酷;后者通过法国历史上著名的宗教大屠杀事件,控诉了封建统治阶级和反动教会的凶残。这两部作品以极为尖锐的批判,从根本上否定了封建阶级在19世纪法兰西政治生活中继续存在的理由,直接壮大了当时反复辟的思想斗争的声势。

与此同时,梅里美写作了他的第一批中短篇小说。可以理解,他在剧本和长篇小说中所表现的那种反封建的热情,也必然会贯穿在他的中短篇小说里。他最早的一篇小说《查理十一的幻觉》,以鬼怪小说的手法把封建时代的宫廷生活、专制王权下的政治阴谋描写得十分阴森可怕,令人毛骨悚然。作者强烈的反封建意识,正是通过那充满幽灵和鲜血的封建时代的画面表露出来的。《费德里哥》表现了梅里美反宗教、反教会的精神。他通过一个赌徒进天堂的故事,把宗教的教义以及天堂地狱的观念恣意加以揶揄和嘲弄,抹去它们面上神圣的油彩,将它们表现得再滑稽可笑不过。这种大胆的讽刺显然是针对复辟时期封建阶级所掀起的那股反动的教权主义思潮和当时极为猖獗的教会势力的。短篇小说《夺堡记》描述了拿破仑的部下攻克俄军固守的一个堡垒的经过,表现出帝国时期法国士兵的英勇善战和乐观精神,流露了作者在丧权辱国的复辟王朝的统治下对拿破仑帝国的怀念。在《一场赌博》中,梅里美又以欣赏的态度写出拿破仑时期一个青年军官的形象,他是一个颇有豪士之风的人物,有真诚的爱国心和道德感。梅里美所描写的这些正面人物所属的时代和社会阵营以及他们身上的特点,正表现了梅里美对当时复辟王朝统治下的社会现实的批判倾向,而且,也反映了复辟时期流行的拿破仑崇拜这一社会思潮,这一思潮是明显地带着与复辟王朝相敌对的性质的。

除了反封建的主题外,梅里美前期中短篇小说中还有对资本主义关系的批判。《塔曼戈》就是这方面的一篇杰作,这篇小说集中揭露黑奴贩子的惨无人道,在不长的篇幅里,以巨大的艺术力量提出了19

世纪的一个重大的社会问题——殖民主义的罪恶活动和非洲黑人的悲惨处境,其批判的矛头直指整个资产阶级的文明,同时,锋芒也扫到了默许这种罪恶活动的复辟王朝政府当局身上。他那出色的名篇《马铁奥·法尔哥尼》则塑造了一个豪迈侠义的人物形象,在人欲横流的社会现实面前,散发出淳朴的气息,梅里美怀着明显的赞赏之情来描写这个人物,特别肯定了他那种以不法者之间的"义"来对抗法律和国家机器的精神和他为忠于这种"义"而不惜牺牲自己儿子的非凡的人格,体现了梅里美自己与统治阶级、上流社会大不相同的价值标准。这种具有某种"英雄主义"因素的人物与资本主义关系对立的主题,在他后期的中短篇小说里又有所发展。

1830年七月革命以后,开始了梅里美的第二个时期,也是他创作的第二个阶段。这个时期,1789年以来资产阶级对封建阶级轰轰烈烈的大规模斗争已告结束,银行家的稳固的统治,使得"整个资产阶级社会完全埋头于财富的创造与和平竞争,竟忘记了古罗马的幽灵曾经守护过它的摇篮"[①],物质生产的确有了相当长足的发展,但英雄主义已经完全成为过去,资产阶级在精神上进入了一个"萧索时期"。反封建任务从历史的前台消失后,资本主义的矛盾就突出地显现出来了,和18世纪启蒙思想家所预告的"理性的王国"比起来,新的资本主义社会只是"一幅令人极度失望的讽刺画"。在这样一个"萧索时期",像梅里美这样一个"由狮子的骨和血喂养大的",也就是说从启蒙思想家那里、从大革命时期的历史里吸取了精神营养的人,自然会感到苦闷和不满,尽管他在七月王朝时期是一个生活富裕的政府官员。于是,这苦闷和不满就成为他后期中短篇小说的灵魂,一个被他用了不少伪装来加以隐藏以至使人很不容易察觉的灵魂。

这种不满表现在后期作品中,首先是对资产阶级社会人情风俗的

---

① 马克思:《路易·波拿巴的雾月十八日》。

否定性的描写。较早的《古花瓶》就是一幅资产阶级上流社会享乐放纵、伤风败俗的风俗画，这里的男男女女生活空虚、极端无聊，在糜烂的污泥中自得其乐，而感情比较认真的人物倒是被中伤、诬蔑、嬉笑取乐的对象，在这样恶浊的社会环境里，真正的爱情似乎像古董一样不时髦了，它必然遭到悲惨的结局。如果说在《古花瓶》中还有例外的感情真挚的情侣的话，那么在《双重误会》里，那个美丽、端庄而渴望爱情的女主人公，就根本遇不到有丝毫纯洁感情的对象了，你竟然想在你那个阶级的婚姻中、你那个阶级的上流社会里遇到真正的爱情，岂非天真？《双重误会》，这是一个对自己的鄙俗卑污的环境缺乏现实感的悲剧，女主人公先是被粗暴的夫权所玷污，后又遭到轻薄子弟的追逐，最后成了资产阶级社交场合中时髦人物逢场作戏的牺牲品，她那种渴求真诚的柔情，就像是一朵白色的荏弱的花，在那个鄙俗不堪、充满了狰狞情欲的环境里，一再被伤害、践踏。通过这样一个悲剧，梅里美对虚伪的资产阶级婚姻和丑恶的资产阶级上流社会进行了相当深刻的批判。《炼狱里的灵魂》写的似乎是过去时代异国的故事，而且滑稽不经，其实仍有对现实的讽喻，它是资产阶级社会中的寻欢作乐、腐败社会风气的写照，人们可以从穿着西班牙服装的唐璜那种无法无天、厚颜无耻、不择手段、纵情淫逸的行径里，看出巴黎资产阶级纨绔子弟的身影，更有意思的是，小说还巧妙地讽刺了这种新式的恶棍在饱尝了尘世的享乐生活之后，又把脸朝向天国，在自己身上洒下几滴圣水，洗涤了全身的罪恶，由魔鬼一变而成了圣徒。在这一点上，《阿尔赛娜·吉约》颇有异曲同工之妙，它对资产阶级信女的真实嘴脸做了深刻的揭露，原来在那对穷人、对不幸者的一连串感人的慈善行为之下，深藏着一副自私自利、冷酷无情甚至专横毒辣的心肠，在梅里美的笔下，和这位身份高贵、光彩夺目、虔诚笃信、乐善好施的资产阶级太太相比，那个瘦弱、残疾、卑贱、沦落为妓而又缺少宗教感情的少女，倒要高尚得多、善良得多，即使是那个不务正业的资产阶级花花公子也比她稍有几分人性。这篇作品也反映了下层人民悲惨不幸的生活,其中蕴含着梅里美对卑贱者、不幸者的深切同情。

应该承认,在对资本主义社会的揭露批判上,梅里美远不及巴尔扎克那样全面深刻,触及了现代社会生活中各个重大的方面,也不像雨果那样充满民主主义的激情,表现了强烈的对社会不平的愤慨。不过,他对资本主义现实的不合理有自己独特的感受,他的选材也有其别出心裁的角度,他在19世纪文学中开辟了自己独创的领域:把对资本主义关系的不满表现为对某种淳朴、粗犷、强烈、勇敢的个性的追求,通过赞赏那些多少带有原始气息的人物,曲折地表现了自己对鄙俗、灰暗的资本主义现实的否定。在早期的短篇《马铁奥·法尔哥尼》中,他已经表现了这种特点,七月革命后,这种倾向在他的创作中就更为明显。在1830年所写的三篇关于西班牙的报道中,他力图从这个国家的风土人情中发掘某些较少被资本主义文明玷污的东西,如豪爽热情的性格、粗犷勇敢的风尚、注重信义的观念、不计功利的习气,等等,把它们当作正常的符合人情的东西,以欣赏的态度来加以描写。在1840年的《高龙巴》中,他又描写了一个没有完全开化、带有几分野性的村姑,表现出她那种只按自然的本性和强烈的感情行事、不在乎上流社会的"体统"和是非标准、目无统治阶级的法纪权威的精神力量,让她高出那些深受资产阶级文明熏陶的人物,她生气勃勃,果敢大胆,在生活中导演了一出惊心动魄的戏剧。而在著名的小说《嘉尔曼》中,梅里美更达到他在这方面的最高成就,塑造出一个举世闻名的人物形象。嘉尔曼是一个社会和法律的"化外之民",身上具有某些邪恶的特点,但梅里美把她表现为一朵"恶之花",赋予她某些闪闪发光的东西:自觉地站在社会的对立面,对统治阶级的规范和法纪表示公开的轻蔑,并以触犯它为乐事。她是一个社会的叛逆者,以"恶"的方式来反抗社会,她又是一个独立不羁性格的典型，不愿忍受社会的任何束缚，她最珍视的是个性的自由，即使是在死亡的威胁面前，她也不肯放弃，于是，以整个生命为代价来忠于自己，就成为这个人物最突出的也是最吸引人的特点。梅里美把这个自由的、粗犷的吉卜赛人的典型和虚伪、苍白的文明社会对照起来，把她的非法活动、惊世骇俗的生活态度与统治阶级的道德法律对立起来，让她以勇敢的忠于自己的死超越于文明社会之上，让这个"恶"的精灵在那个社会的凡夫俗子面前闪闪发光，正表现了他自己对资产阶级文明的否定。

从马铁奥·法尔哥尼到高龙巴以至嘉尔曼，这是梅里美全部艺术形象的中心系列。他们体现了梅里美对现实的不满和他那资产阶级世界观中的个性自由的原则。这个类型的人物形象系列，在19世纪文学中，完全是梅里美所创造、梅里美所特有的，是梅里美的独创性的标志，也是他的作品在思想内容上具有吸引力的重要原因。

在艺术上，梅里美以其精致和娴熟的技巧见长。是什么因素使他成了19世纪文学中一位最精细、最具有雅趣的艺术家呢？梅里美"得天独厚"，生活一开始就是由艺术陪伴着：他出生于艺术家的家庭，父亲是一个颇有才能的画家，母亲是18世纪童话作家波蒙夫人的孙女，也擅长绘画，在这充满艺术气氛的家庭环境里，他从小就培养了艺术的才能和鉴赏力。青年时期，他在成为一个作家之前，已经成为一个精通多种外语、具有广博的历史文化知识的学者；1830年以后，他又长期担任历史文物事务方面的政府官员，有机会广泛地接触丰富的古代文化。这一切使他成为19世纪法国作家中最具备精湛的文化艺术修养的一人。他在文学创作中表现了他那种基于高度文化水平的纯正而雅致的趣味，他刻意求工，其作品就像是精巧的水晶石雕刻品，既避免了巴尔扎克作品中未能杜绝的艺术上的粗疏，也没有雨果那种枝叶蔓延和繁复的缺点。在艺术的精致程度上，他无疑超过了他同时代的这两位巨人,虽然他在一些更主要的方面远不如他们伟大,但如果不是在某一方面,哪怕是较次要的方面赢得胜利的一分,那么他又怎能置身于他们的行列?

梅里美的艺术魅力,在更大的程度上是来自他那独特的艺术风格,而不仅仅是他精细的写作技巧;他对他所描写的人物和现实生活是有爱有憎的,但他总是有意地保持一定的距离,甚至某种超脱,既不倾泻热情的赞美,也不表露强烈的憎恶,对正面人物的描写略带揶揄,对不合理事物的揭露又含着讽刺的微笑,叙述某一惊心动魄的事件或惨绝人寰的悲剧时,又总是用一种平静的态度,这就使得他的作品具有一种幽默调侃的基调,它毫不强加于人,而是静静地诉诸读者的感情,收到平易近人的效果。梅里美对现实生活的描绘力求精确,细节达到高度真实,画面给人以客观现实生活本身的印象,这是梅里美的写实精神的体现;同时,梅里美作为现实主义者,却又喜爱强悍的不平凡的性格和震撼人心的事件,虽然这些都是通过对事件过程和生活场景的现实主义的描写表现出来的,但不可避免地透露着鲜明的浪漫主义的色泽。梅里美的作品具有高度精练的优点,在不长的篇幅中浓缩着丰富的生活内容和复杂的矛盾。他善于抓住事件的关键和主要方面,紧凑地展开,简繁得当,结构严谨。他也善于抓住人物的最有代表性的言行来突出其性格。他是一个高明的故事讲述者,明快流畅是他叙述的特点。他还是一个善于设置多艺术层次的作者,不满足于让读者一眼就看透自己的主题和意图,而是用一些描述来挑起读者的兴趣和思考,随着情节的进展和深化,最后才揭示作品的真谛,在构思上显得很聪明,在情趣上也很耐人寻味。

文学家不是哲学家、理论家,他的力量不在于对现实有某种全面系统的理论认识,而在于能绘制出为自己所特有的、意义深刻的现实生活的图景。一个杰出的作家固然应该有先进的思想体系、广阔的社会视野，但在某种意义上，也许更为重要的是，必须有自己对生活独到的体会，要善于从某种独特的角度去观察生活，得出别人所没有获得的深刻感受，同时把这种感受贯注在自己所选取的某一特定的生活片段中，用有特色的艺术风格来加以表现。只要他具有一定的进步思想，他在独特的创作个性方面达到的成就，将大大弥补他在社会视野上、反映现实上、思想高度上的不足。梅里美就是这样一个作家，他正是以独特的艺术风格而得到后代读者长久的纪念。这，也许是梅里美所提供给我们的启发。

的确，梅里美的世界观有资产阶级的局限性，他的社会视野不广，思想境界也不够高，对资本主义的批判比较温和，因而在19世纪文学中称不上伟大。特别是1850年路易·波拿巴发动政变当上皇帝以后，梅里美由于皇后在少女时代曾是他的学生而成为宫廷的座上客，在喜庆游乐、仪典盛会中浪费了他的才华，最后"江郎才尽"。如果梅里美的思想境界更高一些，作为作家的责任感更明确、更强烈一些，以他的艺术才能，他本来是可以取得更大的文学成就的。这，也许是梅里美所提供给我们的一个教训。

1980年2月1日

法国的"莎士比亚"

——《缪塞戏剧选》中译本序

莎士比亚一直是西方戏剧的最高境界、最高理想,雨果曾称他为"戏剧之王",而缪塞,则被法国人称为"我们的莎士比亚"。

如果考虑到法兰西文艺批评中常有的夸张的风格,我们当然不能过于天真地对待法国人的上述评语,真把缪塞当作与莎士比亚比肩而立的大师;但是,如果考虑到法国是一个戏剧文学有着高度发展的国家,曾产生过高乃依、拉辛、莫里哀这样一些杰出的戏剧家,而法国观众在19世纪以后,又的确对莎士比亚有过热烈的爱好和深切的感受,那么,我们就不能无视法国人把缪塞比喻为莎士比亚这一评语所具有的真正的分量。

缪塞于1810年生于一个小贵族家庭,虽然他后来曾为他"头盔上佩戴着金鹞"的贵族称号而骄傲,但他血管流的却是典型的资产阶级文人世家的血液。祖父是一个颇能舞文弄墨的三四流诗人,父亲也写过不少作品,其中值得注意的是一部卢梭的传记,他所研究的课题说明他是这位激进民主主义思想家的信徒。缪塞的母亲,是一个新教哲学家的后代,在19世纪初期资产阶级与封建阶级两种势力的激烈斗争中,她的政治同情非常鲜明,她是拿破仑的热烈崇拜者,缪塞5岁那年,拿破仑在滑铁卢遭到惨败,母亲带着他为拿破仑痛哭。父母双方的共同倾向,自然也就染就了缪塞思想的底色。从缪塞日后那种胸怀袒露、感情放任的为人和文风,显然可以看出卢梭式的情调,而拿破仑崇拜则又在他的创作中打下深深的烙印,他对拿破仑时代的向往、对那个时代之结束而感到的惋惜和遗憾,再加上个性未能得到充分发展而产生的骚怨、颓唐,已成为了 19 世纪法国文学中资产阶级个性"世纪儿"的标志。

作为一个作家,缪塞的性格和气质很值得注意,因为这实在与他的文学创作关系甚大。首先,要注意的是他聪慧的天赋与耀眼的才华。他在学校念书时,成绩优异,不同于一般的儿童,时仅 9 岁,就以他最初的诗歌获奖,此后,他吟哦不断,到十七八岁时,就以一个出色的青年诗人的身份,出入雨果的第二文社。那时,正是以雨果为首的浪漫派开始向伪古典主义发起进攻,在文学上掀起浪漫主义高潮的时期,缪塞一开始就投入了这一潮流,因为他比雨果小 8 岁,比维尼小 13 岁,比拉马丁小将近 20 岁,更因为他具有独特的创作个性,所以,他在浪漫派中就获得了"顽皮的孩子"之称,并很快以他构思新颖、才情别致的诗和剧本,而在浪漫主义文学运动中奠定了他早熟天才的地位。

再一个特别值得注意的方面,就是缪塞丰富的感情、纤细敏感的气质、自我放任的性格和薄弱的意志力,这些不仅影响了他自己的生活道路,而且也决定了他文学创作的情调。缪塞虽然在音乐美术方面颇有才能,但浅尝而止,没有坚持;他学过法律,后又改道学医,但因为神经受不了解剖学的刺激,终又作罢。他从青年时期起,生活就放浪不羁,摆脱不了对女色和美酒的沉醉。1833 年,他认识乔治·桑,并成为她的情人,但不久爱情就产生裂痕,最后,不到两年,关系终于破裂,这一悲剧的创伤在纤细而柔弱的缪塞身上,长久得不到愈合,而那两年中的感情风暴也长期在他内心里平息不下去,于是,他不断咀嚼自己的痛苦,更加消极颓唐,放浪形骸。而且,我们还要注意到,他是生活在七月王朝这个资产阶级埋头于财富的创造与和平竞争的时期，在某种意义上来说，这是一个英雄主义、激情已经成为过去的"萧索时期",缪塞无所事事，当然也就有时间、有精力、有社会生活的条件，去在个人狭小的天地里沉沦了，于是，在法国文学史上就出现了一个资产阶级浪子式的文人，他作品的风格和情调，多少可以使人想起我国文学史上的柳永所描写的那种状态，"对酒当歌，强乐还无味"。

  缪塞写诗、写剧本，也写小说。虽然他著名的小说《一个世纪儿的忏悔》非常典型地表现了崇拜拿破仑的一代青年失去了理想和沉痛的"世纪病"，但他整个小说方面的成就不及他的诗歌和戏剧。至于他的诗歌和戏剧，固然两者在法国19世纪浪漫主义文学中都占有重要地位，但细加比较，其戏剧方面的成就又超过了诗歌。这倒并不是说，他的诗歌水平不太高，不，他的诗色彩丰富，形象飞动，构思新颖，辞章精美，特别是感情真挚、强烈、深沉，只不过，浪漫派中毕竟不止一个诗歌大师，雨果、维尼、拉马丁，缪塞与他们并肩而立，已经就不容易了，当然谈不上超过他们而在诗歌领域里独放异彩。在戏剧方面则不同，浪漫派中，除缪塞外，主要只有雨果进行戏剧创作，并且以其实绩摧毁了伪古典主义在戏剧领域里的统治，而控制了法兰西舞台十余年之久，而缪塞，却正是以他在戏剧创作上的艺术成就超过了雨果，虽然，他的剧本在当时并没有像雨果的浪漫剧那样煊赫一时，甚至成为了文学史上的重大事件。

  缪塞开始戏剧创作比他的诗歌创作为迟，始于1829年前后，但他最初的剧本却又是与诗分不开的，他1829年12月出版的第一个诗集《西班牙与意大利故事》里，就包括了一些小型的诗剧，其中值得一提的是《唐·巴埃士》与《火中栗》，他1832年出版的第二个诗集《椅中景象》里，也有两部诗剧《杯与唇》和《姑娘们想些什么》。这些诗剧加上1830年的两个剧本《威尼斯之夜》等，基本上可以算作缪塞的早期剧作。"早期"的含义不意味着时间上的大距离，而只不过是指其不如后来的成熟。从这些剧作里，很明显地可以看出缪塞少年时"想当莎士比亚或席勒"这一志愿的最初的实践，模仿和套用莎士比亚和席勒的作品，是这些剧本显而易见的特点。也正因为只是简单的套用和模仿，所以这些剧作还没有体现出既有自己的特色又具有莎士比亚风格的艺术个性。

缪塞在戏剧创作上开始成熟的标志是1833年发表的《任性的玛丽亚娜》，此后，直到1837年，在短短几年中，缪塞又连续完成或发表了一系列接近莎士比亚风格的剧作：《方达西奥》(1833)、《罗朗萨丘》(1834)、《勿以爱情为戏》(1834)、《烛台》(1835)、《慎勿轻誓》(1836)、《逢场作戏》(1837)。每年一部，甚至两部，以很大的密度集中地形成了他戏剧创作的黄金时期。这个集子里所选的，就是他戏剧创作的精华。

和莎士比亚相比，缪塞的剧作作为一个整体，不是以深刻的社会意义、丰富的历史内容见长，甚至看起来，其思想性很淡薄，在这方面，他与莎士比亚显然相形见绌，他的题材大都是爱情纠葛，并且一般地讲，他也无意于深入挖掘爱情故事中的社会根由。但是，这绝不是说，缪塞的剧作就没有积极的社会意义。在《任性的玛丽亚娜》中，我们可以看到作者把宗教感情讥为"假正经"和"没有头脑"，把法官描写为一个衰老丑恶、愚蠢多疑、专横残暴的形象，对他的品质、心地、谈吐一直到身材、假发，都进行了刻薄的讽刺，并且表现了在这个执法官吏的花园里，任何法律都没有效力，他草菅人命，为所欲为。在《方达西奥》里，则有对路易－菲利普从政治需要出发，把女儿许配给比利时国王利奥波德一世一事的讽刺影射，作者通过人物之口讲得很精辟，"政治是一幅致密的蜘蛛网，可怜的蝇虫缠在上面，徒然挣扎，落得个足断翅折"，因此，他把这场婚事称之为"宫廷惨剧"，把那被牺牲的公主称为"被拉到屠宰场去"的"可怜的羊"，他还把至尊的权贵芒图王描写得那么可笑，把丑角的角色派在他的头上，他那么愚蠢低能，却还自作聪明，要追求浪漫情调和不朽，而对君王的宫廷，作者则干脆称之为"华丽的笼子"。在《勿以爱情为戏》这出似乎并无社会意义的戏里，作者对修道院宗教生活的毒害和虚伪性作了有力的揭露，把教士描写成愚昧无知、贪食酗酒的丑恶形象，并且让我们读到这样的哈姆雷特式的指责："人世不过是一条无底的陷阱，里边有着丑恶不堪的怪物。"在《烛台》里，则有对资产阶级淫邪之徒的讽刺，对资产阶级体面家庭、合法婚姻的揶揄与嘲笑。在这些剧本里，思想性、社会性的意义，尽管不是通过故事题材和主要戏剧矛盾体现出来的，但作为作者的思想感情的一种流露，却十分清楚地表明了，阶级社会中那些道德、法律、权贵、正统等神圣的事物，已被作者置于自己的脚下。

在缪塞的剧作中，具有深刻社会意义的作品是《罗朗萨丘》。在某种意义上说，这个剧本是缪塞表现了重大的社会历史题材的唯一的例外，它的历史的、政治的内容使我们不能不对此感到惊奇：一个写出了《慎勿轻誓》《当机立断》《逢场作戏》这种轻巧、思想性淡薄的作品的作者，竟有如此严肃的政治感情和深沉的社会意识。剧本的故事题材来自意大利16世纪真实的历史事件：佛罗伦萨的君主亚历山大暴虐荒淫，于1537年被王室近亲罗朗索刺杀，所不同的只是，罗朗索行刺后逃到了法国，而在剧本里，他却遭到惨死。罗朗萨丘即罗朗索的卑称，剧本通过他长期策划、进行谋杀的故事，表现了16世纪意大利真实的历史，各阶层、各类型的人物——上至君主、罗马教廷的特使、红衣主教、共和派贵族，下至佛罗伦萨的资产者小市民以及画家、刺客，等等——在舞台上的活动，构成了莎士比亚式的五光十色的现实生活图景，展现出专制统治下的民不聊生、阶级关系的紧张和社会下层的愤怒，在这特定的历史背景上，缪塞揭露了封建时代种种腐朽反动的势力。被作者集中揭露的是专制暴君佛罗伦萨公爵，他专制独裁,暴虐残酷,为害百姓,镇压反对派,把佛罗伦萨变成了一个黑暗的地狱;他荒淫无道,任意玩弄和蹂躏妇女,本阶级的贵妇、良民百姓的妻女无不被他所害。作者还把谴责的矛头指向罗马教廷和教会权贵,他们出于政治上的私利,支持和纵容佛罗伦萨公爵的暴政,并唯恐其暴虐的程度有所减缓,特别是那个举足轻重的西保红衣主教,面目更是阴险丑恶,他权欲熏心,为了能操纵政治,从中渔利,甚至不惜逼迫自己的弟媳永远出卖灵肉,充当公爵的情妇。对于贵族共和派,缪塞也没有陷入历史浪漫主义,把他们加以理想化,而是通过写贵族共和派的言行不一与他们在罗朗萨丘行刺成功后的临阵脱逃,揭露了这个政派的嘴脸。《罗朗萨丘》中这些形象描绘都具有很大的鲜明性和尖锐性,表现出了缪塞本人的资产阶级民主主义思想的本色。

尽管如此,我们要再说一遍,缪塞剧作的长处毕竟不在社会思想意义。如果仅从这方面把缪塞的剧作与法国 19 世纪二三十年代的戏剧作品作个比较的话,缪塞并不值得特别称道,比如说,他的剧作就不如梅里美的《雅克团》那样具有强烈的揭露与批判的精神,也不如雨果的浪漫剧那样充满了高昂的反封建的激情。但是,缪塞的剧作显然比雨果和梅里美的更有强旺的艺术生命力。那么,缪塞的剧作何以具有这种力量?在我们看来,这也许要归功于他在戏剧艺术创作上的聪明机智和他在人物性格塑造上的真实、深刻,而这,正是他莎士比亚化的标志。

从阅读效果来说,缪塞的剧作的确使人感到趣味盎然。文艺的趣味是艺术性的必然后果。以出色的艺术手法引起读者愉悦的感觉,并在娱乐中获得教益和效果,这本来就是文艺创作的理想境界。我们也许要嫌缪塞的剧作思想性不高,不足以给人很多教益,但它们具有出色的艺术性,足以引人入胜,却是肯定无疑的。这些剧本的构思都不一般化，各具别致潇洒的风度，它们除了《罗朗萨丘》外，都是轻巧的喜剧或带有喜剧性的作品。一个个都不落传统的喜剧的俗套，作者在这些剧作里，从来不乞求于插科打诨的闹剧手法，又注意远离夸张的喜剧情节，他总把故事安排得像生活一样真实且又戏剧性十足，这里的戏剧性不是公式化的，而是别出心裁，令人意想不到。就以《任性的玛丽亚娜》而言，如果考虑到缪塞青年时期喜爱和崇拜过喜剧大师莫里哀，那么，不难看出这个剧本所受到的莫里哀的影响，它具有和莫里哀某些作品相似的格局：年老嫉妒的丈夫，年青的妻子和情人。然而，人物的关系、戏剧矛盾的展开和后果却又带有某种独创性。这个身上并非没有爱情火种的青年妇女，并没有接受那个痛苦呻吟的情人的小夜曲，却爱上了在两人之间穿针引线的中间人，最后，情人为爱情捐了躯，这个无心的中间人又拒绝了这个年轻女子的爱，这里显然有着作者对这场爱情微妙的讽刺，这就给剧本带来了真正意义上的更深刻的喜剧性。《烛台》的戏剧性也不一般，原来的愚弄者最后成为了被愚弄者，而原来的被愚弄者却成为了胜利者，这出人意料的结果带有浓厚的喜剧性，而它又是与作者明显的讽刺巧妙结合在一起的。《当机立断》和《逢场作戏》几乎都没有重大的戏剧矛盾和明显的情节动作，只不过是人物之间的"斗嘴"，要把这种对白写成一出戏，显然是一个难题，但作者却出奇制胜，他善于挖掘人物思想感情皱褶深处细微的变化，正是这种细微的变化构成了人物之间的矛盾，而作者就是把这种矛盾外化为对白之中的戏剧性，完成了给自己规定的难题，并达到了使读者不能不佩服的艺术效果。缪塞剧作中的戏剧性就是这样丰富多彩，各具特色，而且，在戏剧性展示的过程中，在戏剧矛盾的发展过程中，又充满了细致微妙、起伏有致的变化，其间又不乏一场场机智俏皮、幽默诙谐、渗透着人情味的对话，而其最后的结局，又恰到好处，戛然而止，如果不说是表现了某种隽永的哲理，至少也有着悠长的韵味。

剧本中的戏剧性，本来就是根源于现实生活中矛盾的存在和矛盾的发展变化，只有以生活为蓝本，以现实为归依，才能提炼出合情合理的动人的戏剧性。缪塞在自己成熟的剧作里，没有去模仿和套用传统的程式和格局，人工地制造某种戏剧性，而是从现实生活中抽引出戏剧性的矛盾，把自己的作品建立在这合理的基础上，因此，他的每个剧本都有自己的个性，具有自己独特的生活内容，发出浓郁的生活气息。也许，这就是缪塞之所以接近莎士比亚的一个奥秘，虽然他的生活面不广，甚至可以说相当狭窄，而且是十足的资产阶级式的，如《当机立断》《逢场作戏》以及《烛台》所表明的那样。

缪塞戏剧创作最成功的方面，是塑造了有血有肉、真实动人的人物形象，这是他具有莎士比亚风格的最主要的标志。与其他浪漫派作家如雨果不同，缪塞在自己的剧作里，并不刻意追求情节的曲折和奇特，安排波谲云诡的剧情，而是致力于对人物性格的塑造。在他的剧本里，戏剧矛盾的出现、矛盾的展开和变化以及最后的结局，都是与人物的性格有关，也就是说，有了这样的人物，才会有这样的故事，人物性格成为了行动、情节的根由和契机，玛丽亚娜的任性和奥克塔夫的独立不羁，造成了南辕北辙式的喜剧矛盾，方达西奥游戏人间的性格，竟改变了"历史的进程"，其他如《勿以爱情为戏》《慎勿轻誓》《烛台》中的戏剧性、矛盾的冲突和解决，皆无不建立在人物性格的基础上。缪塞的这个特点，使他的剧作在艺术上高出于雨果的浪漫剧，也使得他的喜剧成为性格喜剧而不是闹剧，使他的悲剧成为真正莎士比亚式的悲剧，而不是人工的伪造。

在表现人物性格方面，缪塞的剧作既与法国古典主义的戏剧不同，也与他的浪漫派同道的作品有别。古典主义戏剧中的人物往往都是程式化或类型化的；法国浪漫主义戏剧中的人物则过于夸张，有失于真。缪塞避免了这两方面的缺点，在人物的个性化和典型性的结合上，取得了莎士比亚式的成就。他笔下的人物，一般都写得真实自然，栩栩如生，各具有自己的个性。玛丽亚娜未动感情时的骄傲、矜持，动了感情后的热情、大胆，爱尔贝丝在宫廷中的苦闷和她对小丑的感情，雅克琳在尴尬处境中的周旋和她爱情的逐步转移，都写得颇有心理深度，经得起分析和推敲，其他如冯·布克愤怒之中藏着慈爱，卡密尔冷淡之中的热情、矛盾中的反复和犹疑，布里丹的贪馋丑态，等等，都跃然纸上，很有生活气息。

特别令人注意的是，缪塞在他的剧作中创造了一种特定的人物形象，我们不妨把他们称为"浪子"。在这一行列里，我们最先看到奥克塔夫，接着又有方达西奥，而后的华朗坦与拜迪康也多少有点这种味道。这几个人物都是年青的小生，似乎只有钱拉·菲利普来扮演才最为合适。他们秉性聪明、风度潇洒，他们那幽默俏皮、明讽隐喻、机锋毕露的谈吐，实在令人赞赏叫绝，显示了他们观察的敏锐、对世情的洞悉和性格的调侃，他们的心地纯正，品德不同凡俗，才情隽永，然而，他们却偏偏又带有浪荡子的特点。奥克塔夫经常流浪在外，"与酒醉亲密无间"，无论什么都"不能把他快乐杯中的酒碰洒一滴"；方达西奥也是到处游荡，走遍了每个酒馆，曾不止一次在那里酩酊大醉，后来被债主逼得"破帽遮颜"，辗转躲避；华朗坦也是游手好闲，"不是无所用心，就是疯狂享乐"。他们都抱着游戏人间、今朝有酒今朝醉的人生态度，颇有一些沉沦的情调。不妨说，他们在某种意义上就是缪塞本人放浪形骸的影子，而且，他们之所以消极沉沦，主要并不是由于他们本身品性方面的原因，而有着社会的根由。他们都看透了这很不美好的人间，在既定的规范和习俗中发现了种种矛盾与不合理，因而在他们游戏人间的放浪中，明显地带着某种哈姆雷特式的忧郁。奥克塔夫本来就不合时俗，在人世的上空走危险的钢索，而在朋友被害后，更感到自己也已被埋进了冰冷的石板，永远也不再有"青春时期的欢乐""无忧无虑的疏狂"和"自由欢畅的岁月"；方达西奥更是早就厌倦了人世，他尖锐地看出世间的人们

"一个个全是茕茕孑立",他们平庸、毫无特色、"全是一模一样",他深深感到生活的无聊、人的渺小、客观现实的丑恶,因此,他像哈姆雷特发出"这是一个荒芜不治的花园,里面长满了恶毒的莠草"这样的感叹一样,也发出了这样的诅咒,"我真想让这沉重的苍穹,变成一顶无垠的布帽,把这座愚蠢的城市,连同这些愚蠢的居民,兜头带脑全部罩上"。缪塞笔下的这一组人物身上的这些特点,在一定程度上,无疑具有某种社会典型意义,他们看起来像是茂丘西奥①的后代,实质上是法国19世纪上半期的"世纪儿"的化身,虽然他们有的(如奥克塔夫)是意大利那不勒斯的市民,有的(如方达西奥)生活在德国的慕尼黑。

缪塞剧作中最深刻、最丰满的人物形象是罗朗萨丘。这个形象的塑造看来是受了《哈姆雷特》的影响。丹麦王子哈姆雷特以装疯卖傻来掩护他为父报仇、"扭转乾坤"的大事,罗朗萨丘则以为非作歹、助纣为虐为保护色,长期策划铲除暴君。不过,在《哈姆雷特》中,作者从根源写到后果,即哈姆雷特得知了父亲被害的真相后就决定装疯的,而在《罗朗萨丘》中,作者则是从表现写起,最后才上溯到缘由。因此,我们看到在舞台上出现的罗朗萨丘一开始是一个歹徒、佞臣、走狗的形象,接着,我们又看到教会恶势力对他如何忌恨、把他视为眼中钉,他母亲如何讲述他少年时期优秀的品德和雄心壮志,敌人和亲人两方面的反应,给读者和观众造成了悬念,而后,罗朗萨丘的真实面目和他的苦心才逐渐显露出来。这样,罗朗萨丘的外衣和假面一层层剥落,其性格一步步深入地展示,就成为了剧本戏剧性发展的一条主线,并有助于表现他性格的深沉和复杂。

罗朗萨丘是缪塞笔下唯一有悲剧性深度的艺术形象,是真正莎士比亚悲剧式的人物。他本来是一个品德高尚、热爱真理、有雄心壮志、有焕发的才华和广博的学识的青年,眼见佛罗伦萨在专制暴政下

---

① 莎士比亚剧本《罗密欧与朱丽叶》中的人物,罗密欧的好友,聪明活泼,机智诙谐。

沦为了苦海,他忧国忧民,怀着强烈的爱国热忱,决心以古罗马反独裁统治的历史人物布鲁都斯自命,企图以个人的英雄行为拯救祖国于水深火热之中。为了刺杀暴君,他不得不伪装成无耻的佞臣,为非作歹,以便在与暴君沉瀣一气的过程中伺机下手,于是,这就出现了一系列的矛盾:他崇高动机与卑鄙手段之间的矛盾;他高尚的品质、他的内美与他肮脏的伪装、他无耻的外表之间的矛盾。这一系列矛盾给他内心带来的痛苦,其分量似乎比哈姆雷特在莪菲丽亚面前装疯时的痛苦并不更轻,特别悲怆的是,虽然他出于对佛罗伦萨、对人民的爱而披上伪装,苦心经营他的英雄业绩,但他那伪装和假面具都因长期粘在他的皮肉上而成为了他自己的一个组成部分,于是,在客观现实生活中,他事实上就异化为他自己本质的对立面,被城邦、被百姓视为一个奸诈邪恶之徒而遭到唾弃。更具有本质意义的悲剧是,他是一个理想主义者,他不仅把自己谋杀暴君的后果加以理想化,以为个人的英雄行为一定会扭转乾坤,而且,他把百姓和共和派也理想化了,以为一旦他行刺成功就会得到他们的响应。然而,在那个历史时代里,人民还是消极、无能为力的,他们可以诅咒暴君,然而还不能铲除专制,至于贵族共和派,更是具有明显的阶级局限性,他们的软弱、胆怯和自身的狭隘的功利,决定了他们不可能真正成为罗朗萨丘的盟友以共同缔造城邦的共和,因此,罗朗萨丘这样一个孤独的英雄,竟在意大利全境遭到通缉,最后死于刺客和一群百姓之手。缪塞写出了他剧本主人公悲剧命运的社会的、历史的必然性,从而使他的《罗朗萨丘》真正达到了莎士比亚式悲剧的高度。

在 19 世纪法国浪漫主义文学运动中,莎士比亚是浪漫派用来与古典主义戏剧对抗的一面旗帜。1823 年,司汤达的论文集《拉辛与莎士比亚》最先就宣告了这点。1827 年,英国剧团来巴黎演出莎士比亚的戏剧时所造成的轰动,又是一桩明显的事实。而同年,雨果在他浪漫主义文学运动的宣言《〈克伦威尔〉序》中,更是引人注目地、高高地举起了莎士比亚的旗帜。不言而喻,莎士比亚成为了法国浪漫派在戏剧创作中模仿、学习的对象,而从今天来看,在这方面真正有成就者,首先当推缪塞。

因此,如果说雨果的浪漫剧是从文学运动的声势方面,显示了浪漫主义戏剧创作的实绩的话,那么,缪塞的剧作则是从艺术风格上,标志了浪漫主义戏剧文学所达到的水平。

1982 年 3 月

法国浪漫主义文学的根源、发展和分野

——《法国浪漫派作品选》编选者序

一、法国浪漫主义文学的根源、发展和分野

本书所指的浪漫主义文学,并不是文艺理论上广义的浪漫主义,浪漫主义作家作品在任何时代都可能有,正像现实主义作家在任何时代都可能有一样。我们在这里所指的,是作为特定时期文艺思潮的浪漫主义,即18世纪资产阶级秩序刚奠定后不久一个时期里的浪漫主义。

从1789年资产阶级革命到1830年七月革命这一时期的文学,充满了不同思想、不同流派的对立和冲突,这是该历史时期激烈的阶级斗争的反映,而浪漫主义则是这一时期主要的文学现象。

浪漫主义文学在思想内容上并不是统一的,其中存在着不同的阶级流派,即贵族浪漫主义和资产阶级浪漫主义。法国19世纪二三十年代的浪漫主义运动则是资产阶级性质的,其实质是资产阶级浪漫主义对贵族伪古典主义的斗争,这构成了19世纪前30年文学发展的基本内容。

从艺术创作方法的意义上说,法国19世纪浪漫主义文学同样也具有一般浪漫主义文学共有的特征,如对理想的追求、对幻想和奇特事物的爱好、感情的泛滥和发扬、形象和语言的夸张,等等,不论贵族浪漫主义还是资产阶级浪漫主义都是如此。这些特点不仅是一种阶

级文学的表征，而且也为两个阶级的文学所共有，以至成为了几十年间具有普遍社会性的文学现象，这当然有着深刻的社会根由。它决定于资产阶级革命后的社会生活条件。

最直接的一个原因是资产阶级与贵族阶级在大革命中的经历。在革命期间，不论贵族还是资产阶级都经历了作为"平民手段"的法兰西恐怖主义的可怕岁月。贵族们不仅失去了自己的天堂和所有制，而且还要为自己的头颅而胆战心惊。资产阶级在激烈的斗争中也并不安宁，每当前一个党派被后一个更激进的党派推开并送上断头台的时候，他们也经历过"这一个起床就被逮捕……另一个以微温派的罪名被告发"的日子。这两个争夺政治统治权的阶级，都开始疲于这种酷烈的搏斗，因而，在雅各宾专政结束之后，贵族的残余力量和资产阶级都力图忘记革命的内战和革命的恐怖，而耽于一种解脱后的狂欢与享受。在文艺方面，"人们通过阅读来忘却别的一切"，并且追求"那些充满出人意料的事件、残酷的场面以及硫酸性的热情小说"。

更深刻的社会原因则是，资产阶级革命之后，《人权宣言》宣布了在升官发财方面人人平等的权利，资本主义社会自由竞争的局面，代替了封建社会世袭制所造成的固定、停滞的状态，资产者、小资产者都企图通过投机取巧而在某一天早晨突然达到权力和财富的顶点；在革命中破产落魄的贵族阶级分子，也力图利用新的社会法则来改善自己的地位或捞取更多的东西，人们对飞来好运的期望和馋涎欲滴的野心，又因被生活环境阻挠、束缚而变得更加炽热，不免想入非非，耽于梦幻和理想成为普遍的社会心理状态。因而在文学中，也就很自然去"寻求虚幻荒诞的国土，或谎话与诗歌的世界"。再一方面，资产阶级革命的胜利、资本主义秩序的建立，直接为资产阶级个性的产生提供了社会条件；资产阶级社会的现实又不断使这种个性的发展和大量衍生有了良好的温床。资产阶级个性自我意识的发展、自我感情的膨胀、自我之爱、自我崇拜的盛行，正构成了浪漫主义文学作品不断产生和深受欢迎的社会心理基础。而且,对贵族阶级来说,大革命使他们失去了天堂,启蒙思潮也冲垮了封建的上层建筑,沧海桑田,变得令人难以置信,于是,悲观颓唐、阴暗消沉的情绪,人生虚幻、命运多蹇的感慨以及对神秘彼岸的热烈向往,都杂然而生;而对资产阶级、小资产阶级的成员来说,启蒙思想家所描绘的理性社会的图景在资本主义现实面前的破灭,则又使他们不免失望、苦闷和彷徨,特别是在资产阶级与封建阶级斗争过程中出现了反复或历史性曲折的时候,他们的苦闷更甚,并且还充满了不满与愤慨。总而言之,这两个阶级都有"情"可抒,不抒不快,而采取文艺形式的抒发又能引起广大同类的共鸣,这样,便造成了法国文学史上持续多年的自我感情表现的高潮。正因为上述的社会条件为浪漫主义文学的盛行提供了肥沃的土壤,法国土产的中世纪文学中浪漫的遐想和形象,卢梭那种感情奔放、个性不羁的风格和对大自然的诗化,才为19世纪浪漫派文学所继承,而略早于法国的德国与英国的浪漫主义文学才有可能在法国产生难以想象的共鸣和巨大的影响。

浪漫主义文学盛行的征兆在大革命刚一过去的头几年里就已经很明显了。刚度过恐怖时期的人们乐于在一种非现实主义描写、带有刺激性的小说里陶醉,于是,情节紧张、内容怪诞、味道浓辣的浪漫通俗小说应运而生,盛行一时。在执政府时期,这种小说多如牛毛,数量简直令人难以置信,甚至每天出版五六本之多。有些是鬼怪小说,如《天鹅骑士录——历史与道德的故事》(1796)共三卷,每卷四百页,书中女主人公在第一卷第三十页就死了,小说的大部分,描写她血淋淋的尸体夜夜从坟墓中出来去找她的丈夫。有些是宗教神秘主义的作品,如被夏多布里昂重视的《修道士》(1797),它除了写主人公修道士的"艳情"外,就是写他如何"祈求撒旦,唤醒死人,遍游世界,和游浪的犹太人一样被魔鬼赶来赶去"。有些小说虽然没有神怪,而且自称"写生",但离奇怪诞,极度夸张,如《哀耐丝妲》

（1797），写一个残忍的丈夫，专事虐待自己的妻子，把自己的小女孩也"一脚踢向城墙"，最后被坏女人刺死。临终时他宣布他的妻子是一个女圣者。除了这类神怪通俗小说以外，几乎与此同时，浪漫情调十足的心理小说和言情小说也时髦起来。英国浪漫主义作家葛德文"奇特而有力"的小说《凯莱布·威廉斯》引起了当时法国通俗心理小说的繁衍。德国这一时期的文学的影响则更大，法国通俗言情小说的盛行就是从《少年维特之烦恼》开始的，人们还把德国那些情调感伤、眼泪汪汪的通俗小说大量翻译介绍过来，进行仿制。这些流行的言情小说不外是才子佳人的俗套，再加上怅惘欲绝的感情纠葛和伤感怨苦的情调。当时受到狂热欢迎的《巴尔密拉》（1801）就是这样的典型之作。所有这些通俗小说虽然朝生暮死，但它们大量而广泛地流行，反映了当时人们喜爱奇特浓烈的文学描写的普遍社会心理，浪漫主义文学正是在这种社会心理的温床上发展起来的。

在19世纪初年的这种背景上，出现了贵族浪漫主义与资产阶级浪漫主义各自最早的代表夏多布里昂与斯达尔夫人、龚斯当。他们在相同的浪漫主义的"曲调"中，填进了各自不同的"歌词"——不同的阶级内容，不仅各自在理论上提出符合本阶级要求的美学主张，而且用使当时代人受到强烈感染的艺术形式，诗化了本阶级的愿望、心境、思想情感、精神状态，成了本阶级浪漫主义文学的先驱。

夏多布里昂对贵族浪漫主义的意义首先在于，他适应了贵族阶级对启蒙思想反动的需要，重新树立了基督教的权威，特别是树立了它对文学艺术的指导，在这基础上，建立了一整套消极浪漫主义的美学思想。他与同时进行这一理论活动的德·迈斯特·波纳尔有所不同，不仅用理论的文字来论证，而且通过形象的言辞来讴歌。他用北美洲原野的落日景象与宁静的夜景来表现上帝的存在，用哥特式的教堂和宗教的文艺形式来说明基督教的诗意，力图唤起对基督教的美感。他美化了中世纪,唤起了对中世纪的反动理想,使 19 世纪贵族浪漫主义文学在内容上具有了基督教的"精华"。夏多布里昂对贵族浪漫主义文学另一个最大的意义在于,他在著名的小说《勒内》和《阿达拉》中,塑造出了穿着传奇式外衣的人物典型,集中表现了贵族人物经过大革命丧失了自己的一切之后,在现实生活里找不到自己地位时悲观绝望的精神状态、阴暗的心理和郁郁寡欢的情怀。他著名的主人公勒内是法国浪漫主义画廊中第一个使当代人着迷的艺术形象,一个破落贵族的典型,在当时具有普遍的社会意义,"勒内之流在上一个世纪之末多到遍地皆是"。这个人物身上贫乏而反动的阶级内容,如牢骚满腹、游手好闲、耽于遐想,以及摆脱不了的孤独感和忧郁感、炽烈的欲望和对死亡的向往,等等,都被作者披上了华丽的情感的辞藻,用诗情画意来加以表现。这样,作者就同时为没落的本阶级提供了一部富有诗意的自传和一种用华美的形式表现腐朽阶级内容的文学方法。夏多布里昂对贵族浪漫主义文学的第三个意义在于,他发展了本阶级对自然美的描绘。对自然美的描绘始于卢梭,继者有贝那丹·德·圣皮埃尔,夏多布里昂并不是开创者,但他另具特色的是,他把贵族阶级那种没落颓废的感情深深渗透在对大自然的描绘之中,在 19 世纪浪漫主义文学中,最先表现了对废墟之美、萧条之美的爱好。

总之,夏多布里昂为贵族阶级的内容找到了最美丽、最有迷惑力的艺术表现形式,从而给贵族浪漫主义文学提供了具有典范意义的形象、情调、方法和形式。19 世纪初一切在君主政体和天主教原则下进行写作的人,莫不以他作为一面旗帜。甚至早期的雨果也把他当作榜样。而且,由于夏多布里昂是用浓浓的诗意和华美的外衣裹着他的主人公,着力于描绘主人公那种不可救药的忧郁的情状,而竭力把这种忧郁的阶级内容和根由深深藏在浪漫主义的情调后面,这就使得同时代其他阶级对现实也有所不满的读者有可能只听曲调而不注意词句,因此对勒内式的感情产生强烈的共鸣。勒内成了一个被普遍接受的人物形象，他具有广泛的魅力，甚至在资产阶级浪漫主义文学中也引起了一系列勒内式人物的产生，勒内式的孤独和忧郁，成了一切在现实生活中找不到地位而与社会不协调的个性的同义语，它被笼统地称为"世纪病"。由此，形成了法国文学史上的一个假象：似乎存在着一种统一的浪漫主义文学，而夏多布里昂则是这种文学的先驱。

在贵族浪漫主义文学中，拉马丁和维尼也占有相当重要的地位。像夏多布里昂一样，他们都出身于贵族阶级，而且本人的经历与这个阶级在19世纪前30年最后的挣扎也紧密地结合在一起。他们的文学活动开始于复辟时期，并在反动的年代里达到了最高"成就"，拉马丁成了"波旁王朝的桂冠诗人"，维尼也被巴黎日耳曼区的贵族社会称赞为"拜伦最有才华的后继者"。但到1830年以后，他们的文学声望就迅速下降，为时不久，或者在创作中无所作为，或者销声匿迹。作为文学现象，他们基本上是与复辟时期同命运、共存亡的。他们在诗歌的艺术形式中表现了复辟时期贵族阶级的精神状态、愿望、意志和思想观点。如果说，拉马丁通过他那些忧愁的沉思、感伤的回忆、死亡的咏叹以及要及时行乐的感慨，给这个没落阶级的愁怀郁闷、不堪回首、悲观绝望提供了真实的诗的写照，那么，维尼则用他诗中那些处于极度痛苦中的孤傲坚忍的形象，企图唤起这个垂死阶级的意志，坚定它在危难困境之中的决心，正表现了贵族阶级倒退的历史观和阴暗的心理。但是，一到资本主义秩序的巩固已经再不容怀疑的时候，他们却又迅速变换了色彩，拉马丁成为了资产阶级政治的代表人物，鼓吹调和与泛爱，维尼也在《查铁敦》中以贫贱者的代言人的身份来揭露资本主义现实的不合理。这种奇特的似乎已经不再关心自身利益的阶级意识形态的现象，标志着贵族阶级文学在19世纪喜剧性的告终，从此以后，再也没有出现过如此鲜明突出的代表人物，而这两个最后的富有才能的代表人物，虽然成功地换上了像样的新装，毕竟未能掩盖"他们臀部带有旧的封建纹章"。

资产阶级浪漫主义的先驱是斯达尔夫人,与她活动在同一时期并具有相同倾向的作家有龚斯当、塞南古和诺地埃。他们都出身于与旧阶级多少有些联系的阶层,有的出身资产阶级上层,有的出身贵族,但在思想上都是18世纪启蒙思想的信徒。他们在法国大革命火热的岁月中度过了青年时代,这次激烈、彻底而又复杂的社会变革,难免对他们的家庭和他们本人有所冲击和伤害,他们的生活中都有或长或短的流亡经历,特别是在拿破仑帝国时期,更为当局所不容,由此,他们深切地感受到了个人与新建立起来的资本主义秩序的尖锐矛盾。而他们所受到的18世纪哲学家的思想影响,则使他们不是从没落阶级的立场,而是从启蒙思想的角度来观察新秩序下不合理的弊端,从而在自己的作品里揭示了革命后资产阶级关系的不协调,抒发了革命后的失望和不满,最先表现了资产阶级个性与社会的矛盾。他们把自己对这种矛盾的感受赋予笔下的人物,于是,在19世纪初的文学中就出现了一批与社会矛盾对立着的资产阶级个性的形象:斯达尔夫人的苔尔芬、柯丽娜,龚斯当的阿道尔夫,塞南古的奥伯尔曼,诺地埃的夏尔。

这些人物基本上都是资产阶级个性自由原则的产物,他们接受了"人生来自由"的思想,追求个性解放、精神独立和自由发展。然而,已经建立起来的资产阶级秩序,并没有为他们所要求的自由提供广阔的天地,而是"设定了各方面的限制",特别是社会习俗、偏见,与他们格格不入,社会生活中那些与过去时代相联系的某些带有封建残余的规范,更成为了他们的束缚与障碍。我们可以看到,就是由于这个原因,苔尔芬、柯丽娜的个人幸福遭到了破坏,阿道尔夫也陷于不可解脱的矛盾之中。因此,这些人物自然是以社会习俗、偏见规范的反对者的姿态出现的。与社会的对立和破裂,是他们共同的特点。这种基本的状态,一方面使他们向社会发出了指责,因而具有某种反抗性,一方面又使他们自认为特别不幸,把生命看作一种苦难,轻则陷入不可自拔的悒郁,重则轻生自戕,因而身上又具有某种颓废的因素。这样,从19世纪初的文学一开始,资产阶级个性就显示出了它的二重性——积极的反抗性与消极的悲观主义。而对于这些形象的塑造者,即一批最先在资本主义秩序下出现的资产阶级作家来说,一方面他们通过这类形象与社会的矛盾,对当时的资本主义现实作了某种程度的揭露和批判,显示出了他们的进步意义,另一方面,他们又不得不让这些形象带有浓厚的悲观主义的色彩,流露了自己的失望和迷惘,暴露了他们看不出前途的局限性。

资产阶级个性与社会矛盾的题材,并非19世纪初资产阶级浪漫主义文学所特有,后来在资产阶级现实主义文学中也有表现。然而,它在资产阶级浪漫主义文学这里,无疑具有不同于后来的特点。斯达尔夫人、龚斯当、塞南古等处理这种题材的方式,显然深受《少年维特之烦恼》的影响,不论从情调还是体裁来说都是如此。他们都是让自己的主人公通过自叙或通信的形式,来抒写自己的思想情绪、印象观感,于是,感情的倾泻和渲染就成了作品的主要内容,自怜自爱和言过其实当然也就不可避免,并构成整个作品感伤的基调。在这里,人物都是一团团感情,而不是体现了真实社会关系的栩栩如生的血肉之躯,同样,作品里充满了倾诉、呼号和呻吟,而不是对现实社会生活广阔而生动的描绘。这些正表明了它们的浪漫主义的风格。

这些作品几乎是以最大的密度出现在19世纪之初,从1802年到1807年这五年之间,《苔尔芬》《萨尔兹堡的画家》《奥伯尔曼》《阿道尔夫》《柯丽娜》,几乎每年一部,相继问世或脱稿。一股如此集中、如此强劲的潮流本来可以造成一次文学高潮,把浪漫主义文学运动提前20年,然而,它却生不逢时,它出现的时候正是拿破仑走上权力的顶峰、在法国建立铁的统治的年代。出于军事专制的需要,拿破仑加强了对整个意识形态领域的控制，凡不符合他的政策的，都受到了禁止和干预，1805年出版物管理局的成立就是一个标志。于是，"法国的哲学沉默了；拿破仑时代的史学则拄着官方的拐杖一瘸一拐地跛行"。这种没有自由空气的统治，与当时出现的情感奔放的文学，当然更为敌对。在最初几年之中，斯达尔夫人、龚斯当被驱逐，诺地埃遭监禁，塞南古过着韬晦的生活，他们的作品几乎都写于放逐或隐居之中，而这些作品，或者进一步给作者带来了麻烦，或者一时得不到出版的机会，或者遭到焚禁。因此，这一充满了活力与激情的文学，竟然没有在法国掀起热潮，恰巧相反，拿破仑统治下的巴黎，正如史家所描述的那样，只有古典的颂歌在流行，"诗人们唱着勉强而空洞无物的调子"。

资产阶级浪漫主义文学的风起云涌，倒是发生在"法国革命的最后阶段"已经完全结束、波旁王朝又恢复了统治权的反动年代。这在社会历史和文学发展两方面都有其必然性。在政治方面，波旁王朝的复辟和倒行逆施的政策，在新的历史条件下又使两个阶级的斗争激化起来，资产阶级自由主义思潮在意识形态领域里对旧阶级及其统治的冲击，就是这一斗争的一部分。对资产阶级来说，在旧阶级的政治统治下取得思想言论、出版创作的自由，并对这个阶级的统治进行批判、加以否定，是一项首先必须完成的事情。资产阶级浪漫主义文学就是在这种社会的、阶级的要求下而获得新的活力的。这种文学完全是资产阶级自由主义思潮的一个组成部分，即使是在当时，投身于这一文学运动的人，也已经明确地认识到"浪漫主义……不过是文学上的自由主义而已"，其目的"只求带给国家一种自由，即艺术的自由或思想的自由"。

正是在强大的资产阶级自由主义思潮的冲击下，复辟时期反倒比拿破仑帝国时期多几分自由主义的气息，并且成为了法国19世纪历史中议会民主的"黄金时代"，这就给资产阶级浪漫主义文学的繁荣提供了土壤。从文学形式来说,17世纪古典主义的趣味、标准和方法,在18世纪启蒙时代并没有得到彻底的清算,甚至在某些方面还得到伏尔泰这类作家的遵循;在大革命时期,借用"久受崇敬的服装"的需要,又使得古典的、庄严的文学风格反倒进一步得到尊重;同样,在帝国时期,那种抑制个人情感、歌功颂德的古典主义文学,又受到了拿破仑的重视,这个资产阶级皇帝曾经这样讲到高乃依:"如果他活着,我要封他爵位。"

到了复辟时期,这种陈旧的文学标准又受到官方的支持,用来表现和美化复辟了统治权的旧阶级,正如斯达尔夫人所说的:"戏剧中的因袭性是与政治等级中的贵族阶级密不可分的。"在这种支持下,向死人顶礼膜拜、因袭守旧成风,形成了文学上的伪古典主义。因此,虽然法国的历史已经向前飞跃了一个历史时期,但戏剧和诗歌仍束缚于旧的形式之下,这就形成了"19世纪的法兰西"与"古老的诗歌形式"的矛盾。随着对复辟王朝斗争的发展,法国的浪漫派在19世纪20年代终于提出这样的问题:"既然我们从古老的社会形式中解放出来了,那么我们为什么不从古老的诗歌形式中解放出来?"把矛头指向了伪古典主义。而由于伪古典主义是一种拥有深厚传统势力的半官方文学,新文学要克服巨大的阻力,自然就形成了一种运动,并且不可避免地采取了激烈的革命的形式。

这次运动的中坚人物和积极成员,不再是世纪初出现的那些作家,他们之中只有诺地埃是一个承上启下的人物,而换了一批充满活力的文艺青年。他们绝大多数不是来自上层或与旧阶级联系在一起的阶层,基本上都出身于中产阶级家庭,在两个阶级的斗争中,更多的是置身于资产阶级的营垒,而从他们的思想观点来说,则几乎毫无例外都是18世纪启蒙思想家的精神之子,这就决定了他们共同的反封建、反复辟的政治思想倾向。值得注意的是,在运动的行列里不仅有公认的浪漫主义文学的代表雨果、缪塞、戈蒂耶、大仲马等,而且还有后来成了现实主义作家的巴尔扎克、司汤达、梅里美。因此，这个运动既是一次统一战线的联合行动，表现了共同的反封建复辟的政治倾向，又是一座探求如何摆脱旧的文学形式、创造"使当今人愉快"的文学的大学校。19世纪上半期文学中几乎所有的杰出人物都是从这个学校出来的，甚至其他艺术部类中的佼佼者，如著名的画家德·拉克鲁瓦也是如此。

在时间上，资产阶级浪漫主义运动的发展是与资产阶级自由主义思潮的日趋高涨紧密联系在一起的。它兴起于19世纪20年代中期，到七月革命前夕发展到最高潮。在20年代初，后来的浪漫主义者还没有文学革新的自觉意识，虽然在1823年，司汤达最先在《拉辛与莎士比亚》中以浪漫主义的名义提出了要抛弃古典主义、创造19世纪自己的文学的主张，但并未得到响应。这一年成立的第一文社也没有提出明确的文学纲领，这个社团以诺地埃为中心，以他家的沙龙为聚会地点，参加的不仅有后来的浪漫派，而且还有维护伪古典主义的文人，而在浪漫派中，又混杂着拉马丁与维尼。1824年查理十世上台后，情况有了改变，这时国内政治更趋反动，在资产阶级自由主义思潮加强反击的局势下，原来有保皇倾向的雨果在政治上开始转向，明确地站到了波旁王朝的对立面。政治态度的变化为新的文学主张和新的文学创作提供了思想基础。1827年，雨果发表了讨伐伪古典主义的檄文——著名的《〈克伦威尔〉序》，于是，浪漫派有了自己的宣言和领袖人物。1828年，以雨果为首成立了第二文社，参加者有缪塞、大仲马、诺地埃、圣伯夫、戈蒂耶、纳尔瓦，此外，还有几个热衷于新文艺的青年画家，都是清一色的浪漫派。后来为《欧那尼》而斗争的那支战斗队伍，主要就是由他们组成，短短几年之内，他们聚集在《〈克伦威尔〉序》的旗帜之下，和雨果一道，造成了他们自称的"一个类似文艺复兴的运动"，以一大批使人耳目一新的作品显示了浪漫主义文学的巨大声势。这一股强大的文学新潮流，有力地冲击着传统的文学观念。随着政治形势的发展，两种文学思潮、两个文学派别的斗争也日益尖锐，到1830年雨果著名浪漫剧《欧那尼》上演时，斗争就达到了白热化的短兵相接的地步。这一有名的战斗发生在七月革命前夕，正如这次革命以资产阶级革命的胜利告终一样，《欧那尼》演出的成功，标志着资产阶级浪漫主义运动发展到了顶点。这一时间和进程的巧合一致更清楚地表明了浪漫主义文学胜利的性质和意义。从此以后，浪漫主义文学又继续经历了若干年的繁荣，到40年代初才宣告结束，一般都把1843年雨果的浪漫剧《城堡里的伯爵》上演的失败视为这一界标。

资产阶级浪漫主义文学运动具有明确的纲领，也相应地提出了一整套创作理论和批评标准。反对因袭前人、反对按古人的趣味标准进行创作、主张创造符合19世纪人们思想感情的新文学，是这次运动的中心目标。运动的锋芒横扫那些模仿抄袭、墨守成规、对死人顶礼膜拜的伪古典主义者。正因为运动的主将把"文学自由"与"政治自由"联系了起来，所以能够把运动保持在政治斗争的水平，使它达到了相当彻底的程度。这种彻底性不仅表现在对波旁王朝的敌视上，而且也表现在对古典主义作为一种文学创作方法进行了一次历史上前所未有的总清算，包括反对戏剧创作中的三一律、悲喜剧之间严格的界限、题材问题上的"高雅趣味"、文学语言的种种规范，等等。创造19世纪文学的任务被明确地提了出来，这种文学不仅被规定要符合"米拉波为它缔造过自由、拿破仑为它创建过强权"的19世纪的法兰西，而且必须是"个人的"，即作为自由个性的自由表现；拉辛这一个传统的文学创作的偶像被否定了，莎士比亚成为了学习的对象；古典主义的严谨、整齐、明晰的美学标准被抛弃了，而代之以对丰富、自然、复杂的追求，因而，丑怪与粗俗在文学中也获得了地位；灵感得到强调，个性受到尊重，情感被提到首位，理想和美被认为是文学创作的灵魂。如果说,在创作论方面,资产阶级浪漫派与古典主义针锋相对,那么,在文学的社会功能问题上,它又与贵族的消极的浪漫主义泾渭分明,它认为诗人应该是"教化者",诗歌必须负担道德教育的任务,而且应该参加政治斗争。法国资产阶级浪漫派这一系列的观点和主张,既是特定的文学流派的思想材料,也具有一般浪漫主义文艺理论的意义。雨果是法国资产阶级浪漫主义文学运动的理论发言人,他的理论文字全面阐释了法国浪漫派的思想观点,因而在批评史上既是文学运动的历史文献,也是浪漫主义文学理论的样品。

正因为资产阶级浪漫主义文学是在政治斗争和文学斗争的条件下产生的,所以在内容和形式上都显示出了革新的意义。首先,它适应了19世纪20年代资产阶级向贵族阶级夺回统治权的斗争的需要,带有强烈的反封建的色彩。雨果在政治态度转变以后所写的第一个浪漫剧《玛丽蓉·德·洛尔墨》就是反封建的,剧本一上演就遭到了禁止,此后,他的戏剧作品《欧那尼》《吕伊·布拉斯》《国王寻乐》《玛丽·都铎》,小说作品《巴黎圣母院》,都无不充满了反封建的精神。大仲马的剧本《亨利三世和他的宫廷》也属于这类性质。这些作品一般都是通过历史题材或异国题材,表现专制主义时代的黑暗、封建统治阶级的残酷与腐朽,虽然并没有直接触及复辟时期的矛盾和斗争,但都明显地贯穿着资产阶级浪漫派否定旧阶级、旧制度的创作意图,是对封建社会、封建阶级的一次清算,客观上配合了资产阶级最后一次从贵族手里夺回统治权的斗争。这是资产阶级浪漫主义文学在当时的战斗作用,也是它最主要的进步历史意义。其次,它受到了当时欧洲各民族争取独立自由的斗争的影响,对这一斗争做了热情的反响,对强权者、压迫者表示了愤怒的抗议,对"爱尔兰被人变成一块墓地,意大利成为一个监禁所,西伯利亚成为波兰人的流放地"表示了不平。这些民族解放斗争之所以引起法国资产阶级浪漫派的同情,是因为它们都是资产阶级民主主义的性质,是法国大革命在整个欧洲大陆所引起的余波,并且是在法国革命的思想原则和口号下进行的。其中特别是19世纪20年代希腊独立战争,更是激发了法国浪漫派的灵感,由此,法国文学中得以出现对这解放斗争的热情歌颂,雨果《东方集》中的希腊组诗就是这种杰出的诗篇。英国浪漫主义诗人拜伦死于希腊解放斗争中,当然也引起了法国浪漫派的伤悼,并且在法国文学中留下了纪念的篇章。再次,法国资产阶级浪漫主义文学也接触到了19世纪上半期资本主义社会的现实问题,并且表示了不满和抗议。这批在20年代开始活动的作家,是资产阶级秩序奠定后的第二代作家,他们思想中的理想原则仍然是资产阶级的自由、平等、博爱,这构成了他们一切热情的思想源泉、一切爱憎的根本出发点。以这些原则为标准,他们在作品中对资本主义现实表示了不满。在这方面,他们的成就远远不能和批判现实主义作家相比,但面对着资产阶级政府的强暴、资产阶级法律的不公平、司法制度的腐朽,浪漫派作家也发出了愤慨的抗议,并难能可贵地把同情寄予受迫害、受摧残的普通人,雨果的《克洛德·格》和《死囚末日记》就是这样的作品。最后,资产阶级浪漫主义文学普遍充满了个性解放的精神和自我的自由表现。在一个特定的时期中,有这样多的诗人在这样多的诗里对自己的感情作了如此充分的倾诉、渲染和描绘,在法国文学史上还是第一次。这是一个感情大发扬、大解放的时期,一切感情都可以入诗,并且得到美化,这就在法国文学中添增了不少很有真情实感的篇章,不仅有对真挚爱情的歌唱、关于人生意义的咏叹,而且也有诗人面对着不正义的事物用"青铜之弦"发出强亢的声音。

总起来说,在这一时期的法国浪漫主义文学中,历史的、民族的、社会的题材比起个人的题材更为令人瞩目,政治色彩比个人色彩更浓。和19世纪初的浪漫主义文学比较起来,它更充满了一种对过时事物的义愤的基调,更表现出一种战斗的姿态。它与19世纪二三十年代资产阶级的进步性是密不可分的,它所表现的反封建的主题思想，实际上是资产阶级民主革命基本完成之后在文学上的总结。这已超出了狭隘文学流派的意义，有的现实主义作家，如司汤达、梅里美，也都在浪漫主义文学运动的旗帜下，写出了具有强烈的反封建精神的作品，如《红与黑》与《雅克团》。

在艺术创作上，资产阶级浪漫主义文学运动在戏剧、诗歌、小说三个方面都取得了相当大的成绩。戏剧领域是浪漫派与伪古典主义者斗争的主战场，浪漫派在这里获得了彻底的胜利，他们埋葬了三一律，举起了莎士比亚的旗帜，又引进奇情剧、感伤剧的因素，还贯彻了美丑对照的原则，加上异国情调和地方色彩，从而使法国舞台五光十色，非常热闹。虽然浪漫剧由于风格的夸张而在艺术上缺乏持久的生命力，但它毕竟从19世纪30年代初起，统治了法国剧坛达10多年之久，而且也出现了具有莎士比亚风格的作品，如缪塞的《罗朗萨丘》。在诗歌方面，19世纪的浪漫派显然开辟了法国诗歌的黄金时期，留下了比任何一个时代数量更多的著名诗集，如雨果的《东方集》《秋叶集》，缪塞的《四夜诗》，戈蒂耶的《珐琅与雕玉》等，他们在抒情、写景、叙事上都显示了出色的才能和圆熟的技巧，并且在充分自由地抒发自己的个性与情感的时候，突破了古典主义的诗法，以丰富的诗韵、奇丽的想象、多彩的色调使这些诗歌格外生色。在小说方面，资产阶级浪漫派也写下了法国小说史中新的一章。他们完全脱离了上个世纪小说的传统，把哲理性和思辨性加以排除，而追求奇特的故事和非凡的人物。他们的技巧显然有一个发展过程，初期的浪漫主义小说流于怪诞，往往求助于刺激性和廉价的感伤，后来在艺术上则日趋成熟，形成了以不平凡的事件、理想化的人物、奇妙的构思、浓烈的色彩来表现浪漫主义激情的艺术风格，从《冰岛凶汉》到《巴黎圣母院》，就典型地表明了这一过程。这种成熟的艺术风格对现实主义作家也不无影响，他们往往在对现实作真实的描写时，又力图表现出某些不平凡的事物，巴尔扎克、司汤达、梅里美都是如此。

而另一方面，对浪漫主义小说家来说，愈到后来也愈加吸收了现实主义小说的某些因素，在表现理想化的事件和人物时，也注意对现实生活场景作真实的描写。他们在这样做的时候，实际上是把浪漫主义与现实主义结合了起来，从而使浪漫主义小说发展到一个新的高度，创造出历史上一切浪漫主义文学中也许是最辉煌的杰作，如《悲惨世界》。

19世纪资产阶级浪漫派是一个集合体，其中存在着不同的类型，并由此形成浪漫主义文学中的不同倾向。这一文学主流的伟大代表是雨果。他在浪漫主义文学运动中起了领袖和主将的作用，是他团结了浪漫派进行文学斗争，是他全面提出了文学运动的纲领，也是他，在戏剧、诗歌、小说各方面都创造出一系列出色的作品，奠定了浪漫主义的胜利，显示了这种文学的实绩。他的文学活动经久不衰，一直到七八十年代，还继续产生巨大的影响。他在政治上是资产阶级民主主义者，在世界观上是资产阶级人道主义者，在他身上有着斗士和作家的特点，他向强权作过不屈不挠的斗争，他对资本主义社会的不平发出过愤怒的谴责，对劳动人民的苦难寄予过深切的同情，他以磅礴的气势、雄浑的笔力、巨大的艺术力量，表现了这些进步的内容，在世界文学中占有显著的位置。

与雨果有点相似，也充满了浪漫主义理想和热情的作家是乔治·桑。她出现在法国文坛上比雨果迟，在浪漫主义文学运动高潮之后才开始文学生涯，从19世纪30年代到50年代非常活跃。她完全是一个自觉的浪漫主义者，她从民主主义的热情出发，接受了空想社会主义的影响，充满了对未来社会的理想，并以表现这种热情和理想为己任。她不仅继承了斯达尔夫人的题材，把资产阶级妇女个性解放的主题加以诗化，而且还作为卢梭的信徒，用纯朴的田园生活来对照资产阶级的庸俗，给法国文学增添了描写农村景象的清新的篇章。

大仲马是浪漫派的另一种类型。他是浪漫主义运动中的"元老"

和积极分子，经历过第一文社、第二文社和《欧那尼》之争等所有重要的事件，早在《欧那尼》之前，就为新文学写出了《亨利三世和他的宫廷》，然而，在资产阶级浪漫派中，他也许是格调最不高的一个。他主要活动在19世纪40年代，从事商业化小说的创作。他的小说仅以编织得巧妙、引人入胜的故事取胜，既无浪漫主义的理想，又无浪漫主义的激情，不过是浪漫风格的通俗小说而已，其社会意义不高。与他同一类型的还有欧仁·苏，他的小说与大仲马的十分相似，只是在复杂曲折的情节之中，添加了一些"爱"的说教。当然，从他们的小说里也都多少可以看到历史时代或社会现实的某些面影，而且，他们兴味盎然的故事毕竟显示了他们出色的技巧。

还有一种特别值得注意的类型，那就是缪塞和戈蒂耶。缪塞无疑是浪漫派中最富有才情的一个。他纤细、敏感，在文坛活动的时间并不长，其作品基本上都是创作于19世纪三四十年代，但他才华焕发，在抒情诗、戏剧和小说方面都有出色的成绩。特别是他在著名的小说《一个世纪儿的忏悔》中，从青年一代与社会现实的矛盾，表现了他们在生活中得不到自由发展而产生的忧郁、苦闷、愤嫉和颓唐，为在19世纪上半叶具有普遍社会意义的资产阶级青年"世纪病"提供了生动而深刻的写照，而他本人也正是一个典型的"世纪病"患者。他对社会不满，也有所指责和讽嘲，然而，他又以游戏人间的态度去对待，他缺乏理想、信仰、热情，有几分颓废，散发出资产阶级浪子的气息，在浪漫派之中一直有"顽皮的孩子"之称。戈蒂耶也是一个富有艺术才能的诗人，而且，他作为浪漫主义文学运动的勇士，其功劳是不可磨灭的，他的《浪漫主义史》一直是这次运动的可贵的历史文献。但他在缺乏道义感和严肃性并带有颓废倾向这一方面，又与缪塞有些相像，因此，他在浪漫主义运动高潮过后不久，就成为了唯美主义的鼓吹者。在思想倾向上与缪塞、戈蒂耶一脉相承的，是波德莱尔，他比他们更进了一步，已经完全作为雨果、乔治·桑的理想主义的对立面出现,并把颓废的倾向发展到惊世骇俗的地步,由此,他开了19世纪下半叶颓废派文学的先河。由缪塞到戈蒂耶再到波德莱尔,反映了与社会现实矛盾着的资产阶级诗人的演变和发展的一种规律,是19世纪中重要的文学现象之一。

二、关于本书的内容与编选原则

19世纪法国浪漫主义文学虽然产生于英国的浪漫主义和德国的浪漫主义之后,但是在声势和实绩上却比这两个国家的浪漫主义为大。这不仅表现在法国浪漫主义呈现为一场有明确的纲领、有系统的理论主张的文学运动和一系列有鲜明政治色彩的社会事件,而且更表现在它拥有更多的具有世界意义的作家,产生了更多的具有代表性的思想意义和动人的艺术魅力、能经受时间考验的文学作品。在诗歌方面,我们很难在这三个国家的浪漫主义文学之间分出高低,但在小说和戏剧方面,法国的浪漫派无疑居于领先地位,迄今广泛为读者所知的这方面的名著就不在少数。因此,我们在这个篇幅有限的专集里,事实上根本不可能对丰富的浪漫派文学作比较详尽的介绍,甚至比较全面一点的介绍也不容易做到。而且,在目前外国文学作品广泛被翻译介绍的情况下,我们还必须尽可能地避免出版上的重复,此外,法国浪漫派的戏剧和小说名著又很少是篇幅短小的,所有这些原因,使我们在选题上自然会遇到一些不方便。

在小说方面,我们选了夏多布里昂的中篇小说《阿达拉》,斯达尔夫人的长篇小说《柯丽娜》的片段和维尼的《军人的屈辱与伟大》中的一个短篇。《阿达拉》发表于1801年,后来,于1802年被作者收入他的理论名著《基督教精华》,作为论证基督教的感人力量的一个例证和片断。从时间来看,这个中篇小说显然是法国浪漫主义文学的"第一只燕子"。而就其内容和风格来说,它不仅对夏多布里昂,而且对整个浪漫主义文学都具有表征意义。它以华丽的辞藻、浓烈的色彩、夸张的比喻，在北美洲这五光十色的异域背景上，描写了一个充满了奇特的遭遇、命定的痛苦、过分的呻吟和感伤的情调的爱情故事。它那眼泪斑斑的故事，离奇的情节，其中满是独特景象的异国风光，漂亮的文体，雕琢的技巧，正投合了当时人们希求在文学中追求新奇与刺激的心理，使人耳目一新。它所显示的风格无疑是法国文学中前所未有的，说它是划时代的并不过分。当时就有批评家指出它"一切全是新鲜的：山川、人物和色彩"。就其思想倾向来说，《阿达拉》与夏多布里昂另一部更为重要的作品《勒内》相比，则另有一番意义。如果说《勒内》表现了一种具体阶级内容并不特别鲜明，而其表现形态却具有相当普遍性的"世纪病"，因而成为一部"当代人富有诗意的自传"的话，那么，《阿达拉》却反映了贵族意识形态的代表在18世纪资产阶级革命风暴刚一过去、19世纪刚一开始的时候对于宗教的向往。在这篇作品里，对于爱情的描绘往往被对基督教的歌颂所淹没，基督教被描写为一种具有理性光辉的人生哲学和真谛，它往往与男女主人公那种激烈的情感、谬误的信仰、狂热的意念相对，而成为一种启迪和教诲；它还被作者描写成改造现实的巨大的精神力量，在那位代表着上帝的老教士的开化和引导下，一些野蛮的印第安人信仰了基督教，并"在宗教的呼声中淳化"，他们按照基督教的教义建立了一个人人相爱、财产公有、习俗圣洁的社会，这当然就是夏多布里昂为人类所勾画的一幅基督教王国的理想蓝图；更有甚者，在这篇小说里，基督教还被描写为一种新奇的事物，在黑暗的树林中和可怕的风暴里把人救出来的那条猎犬、阿达拉去世时洞内的万道霞光、把夏克达斯引向墓冢的那条母鹿，简直都是上帝的显灵，这一切描写在小说的浪漫主义风格中又多少加进了一些神怪的因素。正因为基督教的复兴在大革命后的拿破仑时期是一个重大的社会现象，《阿达拉》显然是一篇富有代表性的作品。虽然，它在某些方面的代表性并不如《勒内》，但如果考虑到它的可读性、趣味性，它似乎又比《勒内》较强。

《柯丽娜》发表于1807年，是法国浪漫主义文学中一部很有独创性的作品。个性与社会矛盾的主题、妇女解放的主题，在这部作品里以一种典型的资产阶级的浪漫主义热情得到充分的表现。主人公柯丽娜是一个追求个人幸福，但在社会偏见面前遭到失败的悲剧人物，但她的悲剧比一般的爱情悲剧具有更为深刻的社会根由。她是一个走向社会，维持着独立的生活，而向着广大公众，并为他们所爱戴的才华横溢的女诗人、女音乐家，一个理想化的职业妇女的形象，一个在资本主义条件下才可能出现的新型的妇女。因此，她必然和环境以及周围大量存在的凡夫俗子处于一种矛盾的状态，她被社会传统的偏见包围着，并为社会所不容。她的爱情悲剧既不是由于封建暴力，也不是由于宗教门第观念，更不是由于男方的品行造成的，却是由于社会偏见伸延到她所热爱的青年奥斯瓦尔德身上，使他成为了一个被传统的规范紧紧禁锢着头脑的奴隶，使他对于妇女有一种褊狭的理想和标准，而对柯丽娜这种新型妇女感到不适应所造成的。不把悲剧根由归之于个人的品德，而把它归结于资本主义关系确定后妇女本身状态的变化与封建残余观念的矛盾这一社会问题，这是《柯丽娜》这个长篇小说在主题上别开生面、另具特色之所在，正是通过这样一对矛盾，斯达尔夫人表现了个性解放的要求，表现了在妇女解放问题上的资产阶级的热情和理想。从这个角度比较，《柯丽娜》的思想意义，显然比斯达尔夫人另一部长篇小说《苔尔芬》更为丰富和深刻，虽然《苔尔芬》出版的年代更早，而且也是表现杰出的女性与社会环境的矛盾，以及卑污粗俗的社会现实对于具有高尚品格、严肃感情的妇女的逼迫与伤害。这是我们为什么选择了《柯丽娜》的原因。当然，在艺术形式上，《苔尔芬》也有比较大的局限，它采用的是书信体，这种形式对于小说所表现的内容来说，无异于一块紧狭的襁褓之于一个茁壮的人体。《柯丽娜》则从这种过时的形式中解放了出来，而适应作者写景、状物、倾泻热情的需要。本来，我们从这部长篇小说中选了《柯丽娜在罗马》与《柯丽娜在苏格兰》两卷，前者表现柯丽娜作为一个才华出众的职业妇女在意大利所享受的光荣，其中受群众欢呼拥戴的场面显然是斯达尔夫人本人作为一个职业妇女所追求的理想境界；后者则表现柯丽娜这一个光华照人的女性与英国保守、狭隘、传统势力极强的社会现实的矛盾，是她的悲剧命运的开始。这两卷是全书的核心，前后映照，表现主题。可惜限于篇幅，我们只得请译者仅把后一卷译出。

《萝莱特》选自维尼的短篇小说集《军人的屈辱与伟大》，这个集子由三个短篇故事组成，出版于1835年。我们知道，维尼出身于贵族，青年时期正值波旁王朝复辟，这决定了他在政治上基本上是属于保守的贵族阵营。《萝莱特》开头时，路易十八从巴黎撤退的场面，就是以维尼自己的生活经历为基础写成的，那时，他正作为国家卫队护卫着路易十八逃避拿破仑百日政变的军事锋芒。《军人的屈辱与伟大》中的短篇小说多少反映了他对旧时代、旧制度的同情，但如果加以比较的话，《萝莱特》在这方面还算是最轻微的。而且，作品毕竟是30年代中期的产物，距资产阶级与封建阶级、进步与反动的斗争时日已久，作者的某种同情已经失去了现实的意义，特别是《萝莱特》这一篇，与其说是与作者的政治态度有关，不如说是作者一种人生见解的表现。维尼的家庭世代都是军人，他自己在青年时期便参加了军队，他对于军人有一种职业性的自豪。他说过："在我们这个时代最纯洁的东西，就是士兵的灵魂。"《萝莱特》正是他这一思想的表现。这个短篇小说的主人公，那个老营长，是一个职业军人的形象，而不是某一种政治势力拥护者的形象，他为法国的好几届政权都流过血。短篇小说通过他与那一对政治犯夫妇的故事，展现出他那善良、仁慈、坚毅、是非分明、正义感充沛、言而有信的品德。从这个意义上来说，维尼并没有陷于他自己的政治党派性之中，而且也没有赋予他笔下那一个令人喜爱、令人同情的政治犯以自己党派的色彩。他写出这个仅仅因为写了讽刺诗就惨遭非命的青年和他年轻妻子的悲惨故事，把揭露和控诉的矛头指向了1797年的督政府。督政府是大资产阶级专权的机构，暴虐和腐败本是它的特点，平民革命家巴贝夫和他的战友也正是在1797年被送上断头台的。因此，维尼的揭露和批判在一定程度上还有积极意义。在艺术性方面，这个短篇小说达到了很高的水平，故事叙述得极为感人，人物形象描绘得鲜明深刻，在这里，一切都是用写实的手法，没有什么风格上的夸张，没有什么奇特的事物，除了老营长身上体现的那种令人惊奇的感情力量。也许正是在这一点上，这个短篇小说在显示它的浪漫主义色彩。

在戏剧方面，我们选了三个剧本：大仲马的《亨利三世和他的宫廷》、缪塞的《罗朗萨丘》与雨果的《吕伊·布拉斯》。

《亨利三世和他的宫廷》是法国戏剧史上取得胜利的第一个浪漫主义剧本，是它，在1829年推开了长期被古典主义戏剧统治的法兰西剧院，在舞台上获得上演。这次演出虽然不像雨果的《欧那尼》的演出那样成了浪漫主义文学对古典主义彻底胜利的标志，但时间毕竟比《欧那尼》早了一年，其意义无疑不容忽视；而其效果虽然不如《欧那尼》那样具有爆炸性，但也引起了7个伪古典主义作家联名上书查理十世要求禁演，构成了一桩社会事件。在内容方面，它与同年出版的梅里美的历史小说《查理九世时代轶事》不约而同，都是通过法国16世纪动乱年代里的历史题材、宫廷阴谋故事去揭露封建社会的黑暗与贵族统治阶级的凶残。梅里美的小说写的是法国历史上著名的"圣巴托罗缪之夜"宗教大屠杀，直接揭露了发动这次大屠杀的最高统治者查理九世及其宫廷；大仲马的剧本则像一个续篇，描写了查理九世的继承者亨利三世朝代的黑暗，集中表现这个国王和他的母后以及天主教集团"神圣联盟"的首领吉斯公爵三者之间错综复杂的勾心斗角的权力之争,把封建贵族统治阶级最高层之中的种种阴险、毒辣、卑鄙、凶狠,淋漓尽致地搬上了舞台,这在资产阶级与贵族阶级进行最后一次政治斗争的七月革命的前夕,当然有着现实意义。它是在历史外衣的掩盖下对复辟王朝继续存在的一种现实的否定,它之被禁绝非偶然。大仲马不是历史学家,他的历史剧,正如他日后的历史小说一样,与历史的真实往往诸多不符,同时,他又不是一个严谨的作家,他的历史剧又往往流于通俗剧、传奇剧的水平。在《亨利三世和他的宫廷》里,不近情理的巧合、粗糙的戏剧性安排以至机关布景,几乎都经不起推敲,但作者善于安排情节,制造纠葛,因而作品能够引人入胜,显示了他后来在他著名小说中所显示的那种出色的才能。这个剧本具有强烈的戏剧效果,呈现出与传统的古典主义戏剧完全不同的风格。

《罗朗萨丘》发表于1834年,它是法国浪漫主义文学中最优秀的戏剧作品,真正莎士比亚式的杰作。莎士比亚在法国浪漫主义文学运动中一直起着极为重要的作用,它是法国浪漫派的偶像,早在1823年,司汤达就在《拉辛与莎士比亚》中,把莎士比亚当作新文学的旗帜而与古典主义的旗帜拉辛相对。1827年,英国剧团来法国演出莎士比亚的戏剧时,更对法国浪漫派产生了深刻的影响,用他们自己的话来说,这位英国作家的戏剧所展示的境界,对于他们"就像天上的伊甸园对于亚当一样新鲜和令人愉快"。因此,他们在戏剧创作中自然而然就师法莎士比亚,力图创作出与古典主义戏剧风格不同的作品。但艺术上的主张和理想是一回事,能否真正在艺术上达到自己所主张和所理想的境界又是一回事。莎士比亚式的杰作在浪漫主义运动的高涨时期并未出现,而是到了高潮已经过去的19世纪30年代方才产生,这就是缪塞的《罗朗萨丘》。

《罗朗萨丘》以16世纪意大利佛罗伦萨的真实历史事件为题材:

当时的佛罗伦萨已沦为神圣德意志帝国的属国，傀儡君主亚历山大公爵荒淫暴虐无道，遭到其堂弟罗朗索的刺杀。缪塞的《罗朗萨丘》并不以单纯表演这一事件为目的，而力图表现丰富的历史社会生活内容。它在这个事件的周围，安置了当时意大利社会各阶层的人物，通过他们的形象和活动，展示出16世纪意大利社会的五光十色。剧本一开始就发散着的浓烈的生活气息和生动的人物和情节，明显地呈现出了一种莎士比亚式的风格。剧本中的这一历史事件则是在错综复杂的矛盾中进行的：人民群众与暴君的矛盾，暴君与罗马教廷和统治集团内死硬派的矛盾，整个反动统治集团与共和派的矛盾，罗马教廷以及死硬派与罗朗索的矛盾，罗朗索与共和派的矛盾，还有罗朗索作为亚历山大的"帮凶"时与人民的矛盾，以及他作为杀死了暴君的英雄时与人民的矛盾，等等。所有这些矛盾又和最主要、最基本的那个矛盾，即罗朗索与亚历山大那隐蔽的矛盾纠缠在一起，有的是牵扯着，有的是掩盖着，有的则是激化着那一主要的矛盾。剧本有条不紊地表现了所有这一切，使戏剧冲突不断出现而又层层深入，展示核心，导向高潮。这一个各种矛盾交错冲突的过程，既增加了戏剧情节的生动性和引人入胜的效果，又充分地表现了社会生活和政治事件本身所具有的复杂性，这是剧本所具有的莎士比亚式的风格的又一方面。当然，剧本最大的艺术成就和最突出的莎士比亚化的标志还在于塑造了罗朗索这样一个具有多式面貌、多种人格和多层心理深度的复杂艺术形象。在佛罗伦萨市民的印象里，他是一个助纣为虐的坏蛋，在公爵眼里，他是得心应手的驯服工具，但在竭力维护公爵的血腥统治的罗马教廷和佛罗伦萨的恶势力看来，他却是一个有颠覆性的危险人物，真正了解他成长过程和性格为人的母亲又对他助纣为虐的行为感到奇怪和不解。他的真面目就这样深深地隐藏着，只是随着事件的发展才逐渐地显现出来。原来他是一个有胆有识、文武双全而又忧国忧民的志士，为了要拯救佛罗伦萨，他制定了刺杀公爵的密谋：他投公爵之所好,充当他攀花折柳的向导和跟班,是为了能接近暴君,获得行事的时机;他促使亚历山大变本加厉,暴虐无道,是为了让暴君与城邦的矛盾深化;他装成一个见了刀剑就害怕的胆小鬼,是为了掩盖他从事英雄业绩的意图和他真实的本领。为了解放祖国的目的,他作出了坚毅的努力,忍受着所有人的误解和唾骂以及自己内心极度的痛苦,正像莎士比亚笔下的哈姆雷特为了复仇而装疯一样。于是,他这种意图与特殊的策略手段之间的矛盾,就造成了他的面貌和人格的多重性,在这一点上,他是一个具有心理深度的哈姆雷特式的人物。而就他的勇敢,他的业绩,他完全没有利己动机、在刺杀成功之后毫无权力野心的高尚品格,还有就他最后悲惨的结局来说,他实际上是一个崇高的悲剧形象,一个莎士比亚笔下的勃鲁多斯式的人物,虽然他被世人鄙称为"罗朗萨丘"。

《吕伊·布拉斯》上演于1838年,是雨果著名的浪漫剧之一。浪漫主义戏剧的实绩,虽然不是靠雨果一人创造出来的,但大部分功劳无疑应该归他。1827年,他第一个剧本《克伦威尔》虽然并没有产生什么影响,但其序言却是浪漫主义戏剧乃至整个浪漫主义文学运动的理论宣言。1829年,他的浪漫剧《玛丽蓉·德·洛尔墨》,因其对专制王权的批判而遭禁演。1830年,他又以《欧那尼》的胜利演出,实现了浪漫主义戏剧对古典主义戏剧的彻底胜利。此后,他又陆续不断创作出新的剧作,保持着浪漫主义戏剧的声势。因此,如果说从30年代初到40年代的法兰西剧坛是在雨果的统治下,那也并非毫无根据的耸人听闻之谈。雨果全部的浪漫剧,在思想内容上的特点,是鲜明的资产阶级民主主义思想,这在当时,特别是在1830年七月革命前,显然具有针对复辟王朝和封建势力的现实战斗性;而在风格上,他以莎士比亚为榜样,力图表现出莎士比亚式的丰富性、复杂性以及强烈的五光十色(但他并没有创作出真正莎士比亚式的作品)。如果要在他十几个剧本之中加以评比的话,比较出色的是

《玛丽蓉·德·洛尔墨》《欧那尼》和《吕伊·布拉斯》。这三个剧本中前一个是法国17世纪题材,后两个都是西班牙题材,国度虽然不同,格局大体相似,写的都是没有希望的爱情,必然失败的爱情,爱情的双方或者因为社会地位悬殊,或者因为处境截然相反而注定要演成悲剧。在《玛丽蓉·德·洛尔墨》中,是一个妓女与一个为当局所不容、必欲置之死地的青年的恋爱;在《欧那尼》中,是一个被追缉的强盗与贵族小姐的恋爱;而在《吕伊·布拉斯》中,是一个仆人与王后的恋爱。至于艺术手法,则是雨果的美丑对照原则的绝对化的运用,人物的对照、情节的对照、性格的对照、形体与灵魂的对照,还有奇特的情节、人物身份的变换、真真假假、阴错阳差,以及不断出现的几乎不可能的偶合以至机关布景,等等。所有这些就足以在舞台上令人眼花缭乱,何况雨果是一个诗人,其词章之华美和台词的抒情性,都增加了吸引观众的魅力。但是,他的这种艺术风格甚少生活的气息,有些过分做作,人物又都是出自作者的想象,而缺少心理深度,因而,这些剧本都没有真正达到莎士比亚化杰作的高度。上述的优点与缺点,既是雨果浪漫剧普遍所具有的,当然也是《吕伊·布拉斯》未能例外的。我们之所以在雨果比较著名的几个剧本中选了它,乃因为它是雨果在19世纪30年代中期的作品,技巧比较圆熟,有的人物身上还不乏生活气息,如唐·恺撒,而主人公吕伊·布拉斯的确是一个光辉的平民形象,并且多少有一些心理深度。此外,还有一个很次要的原因,那就是因为不久前在我国流传一个名为《疯狂的贵族》的外国影片,自称乃根据雨果的作品改编,我们请译者把《吕伊·布拉斯》翻译出来,在这里加以介绍,也是为了便于读者了解雨果的原作与上述的电影改编距离之大。

浪漫主义总要结出丰硕的诗果,这在任何国家都不例外。法国浪漫派的诗歌创作当然也是极为丰富的,甚至他们的小说和戏剧都多少打上诗的烙印。诗人不少,诗集也不少,我们这里只选了公认的四大浪漫主义诗人拉马丁、维尼、缪塞和雨果的诗作。拉马丁是最早红得发紫的诗人,他的顶峰时代是1820年至1823年前后。1820年出版的《沉思集》使他名噪一时,以至他的第二个诗集又沿用了第一个诗集之名,叫作《新沉思集》。拉马丁的这两个诗集以低吟慢唱所抒发的愁怀和郁闷,正是经历了大革命之后法国贵族们在复辟时期所特有的阶级情绪,《湖》是他的名篇,实事求是地说,这倒的确是一首情诗,写的是逝去了的爱情,失去了的情人,是以诗人自己在爱情上的经历和感受写出来的。就其所写的那种怀念和感伤的情状而言,倒也有几分普遍性,但是,那种不堪回首的基调,特别是诗中那"及时相爱""及时行乐"的感慨,却又多少流露了没落阶级的情绪。

和拉马丁比较起来,维尼是贵族浪漫主义文学中思想较为深沉的一个诗人,他不像拉马丁那样浅显,比拉马丁更有思想,他的诗中常有哲理而又不流于说教。《狼之死》是他的代表作,就其艺术性来说,它写得的确非常成功,以不长的篇幅绘声绘色,呈现出一幅生动的情景,诗体严谨,修辞简洁,大有古典的诗风。就其思想内容来说,则表现了没落阶级的另一种不同于颓唐的意志和情绪。狼的形象是死亡的形象,也是孤高、坚忍的形象,正是维尼对于那注定要死亡的贵族阶级的一种诗化,他通过这一在死亡之前显示出某种顽强意志的形象,既流露了他无可奈何的悲哀,又企图唤起自己阶级的某种精神。从这个意义上来说,这首诗的思想是顽固而阴沉的,对当时的贵族浪漫主义文学来说,另具一种典型的代表性。

缪塞的诗写得很好,这是文学史上的定评,特别是他的情诗《四夜诗》更为有名。这几首著名的诗,与其说是他手写出来的,不如说是他的心血浇出来的。1833年春季,他认识了女作家乔治·桑,很快就成为她的情人。他们的恋爱热烈而又充满了感情风暴,没有维持两年,终于破裂。《四夜诗》就是缪塞在爱情上失意后极为痛苦、极为动荡不安的心情的产物,最早的一首《五月之夜》成于1835年5月,继之,《十二月之夜》成于同年12月,《八月之夜》成于1836年6月,最后一首《十月之夜》则是1837年10月的作品了。应该指出,缪塞是一个感情敏锐而脆弱、性格柔弱不稳甚至带有病态的诗人,他的情诗当然都是在个人狭小天地里的呻吟,我们选用《十二月之夜》,只是把它当作浪漫派诗人感情呼号的一个样本。至于《咏月》虽然只是一首小诗,但写得不落俗套,一反文人学士的附庸风雅,而表现了缪塞作为浪漫派中"顽皮的孩子"的才情与性格。

雨果可说是法兰西的民族诗人,他的一生几乎跨越了整个19世纪,而其漫长的创作生涯又都由诗歌贯穿着。他的诗歌佳品不可胜数,选不胜选,仅仅在浪漫主义文学构成法国文学的主流时期,也就是40年代初之前,他就有《短曲与民谣集》《东方集》《秋叶集》《黄昏之歌》《心声集》《光与影集》这六个诗集。他早期的诗都集中在《短曲与民谣集》中。众所周知,他的诗歌创作在早期走过一段弯路,其中充满了对君主制度和天主教的狂热、对波旁王朝的奉承和对1789年资产阶级革命的偏见,而在诗艺上则拘泥于古典主义诗歌的格律,语言华而不实,矫揉造作。在20年代中期,资产阶级自由主义思潮的高涨和反复辟王朝斗争的发展,雨果的政治态度开始端正,这带来了他诗歌创作的转变。《东方集》就是这一转变的表现。这里的诗摆脱了古典主义的气息,而具有典型的浪漫主义的"五彩缤纷和华丽",诗律也较过去自由灵活,诗人不再从古代、中世纪汲取自己的诗情,而是任想象驰骋在东方伊斯兰教的异国情调里。重要的还不是《东方集》中诗歌形式的变化,而是出现了新的诗歌主题,对自由的向往和对解放斗争的歌颂,这就是《东方集》中的希腊组诗。我们考虑到这些诗是浪漫主义文学大发扬时期的产物,既标志着雨果诗歌创作的转折,又的确表现了资产阶级浪漫主义文学对19世纪20年代希腊民族解放斗争的高昂的热情,所以,从中选择了两首。《孩子》一诗通过对一个希腊儿童的描绘表现了希腊人民对异族压迫者的仇恨；《卡纳里斯》一诗，则描绘了希腊解放斗争中的英雄人物以弱胜强、英勇杀敌的壮烈图景。当然，这两首诗远远不能概括雨果诗歌创作的全貌，正如我们以上所选的少数诗歌不能概括拉马丁、维尼和缪塞诗歌创作的全貌一样，我们在这一栏诗选里，只不过提供很有限的几个样品，以使读者对浪漫派诗歌有一个初步的印象。

在理论批评方面，夏多布里昂的《基督教精华》与雨果的《〈克伦威尔〉序》，是浪漫主义文学兴起发展阶段的两部极为重要的论著。斯达尔夫人的《论文学》与《德意志论》，司汤达的《拉辛与莎士比亚》也很具重要性，但它们较多地涉及浪漫主义文学以外的一些问题，因此，我们在这里暂不把它们作为主要的浪漫主义理论文献来介绍。至于前两部浪漫主义文学的理论文献，由于一个已有片断的译介[①]，一个已有全部的译文[②]，我们在本书里就不再选用，而选入了戈蒂耶的《〈莫班小姐〉序》。

《〈莫班小姐〉序》写于1834年5月，在作者动手写他的长篇小说《莫班小姐》之前。我们认为，这篇序言是文艺批评史上为艺术而艺术的唯美主义思潮的理论代表作。过去有同志认为，"为艺术而艺术的浪漫主义文学，在法国产生于复辟时期"[③]。我们不同意这个论断。首先，为艺术而艺术的唯美主义，并不是浪漫主义文学所共有的纲领，而只是以戈蒂耶为代表的一派人的主张，浪漫主义文学的主将雨果，就是唯美主义的反对者，他主张"美为真服务"。其次，浪漫派这种分流不是从复辟时期开始的，那时的戈蒂耶还充满着热情投入了反对伪古典主义的现实斗争。这种分流是从七月王朝开始的。1832

---

① 见《古典文艺理论译丛》第二册。
② 见拙译《雨果论文学》。
③ 《为艺术而艺术这个口号》，《读书》，1980年第三期，第158页。

年，戈蒂耶就在诗集《阿尔贝丢斯》的序言中，第一次提出了艺术至上的思想，当然，对此有更淋漓尽致的发挥的，还是他的《〈莫班小姐〉序》。正是从此以后，戈蒂耶钻进了他诗歌创作的象牙之塔，开创了19世纪唯美主义的形式主义的诗风，直接影响了19世纪下半期的巴那斯派。从以上这个时间表来看，特别是从作家基本的思想倾向和整个的创作特点来看，在法国文学史上最先代表着为艺术而艺术的唯美主义的，既不是有的同志所认为的维克多·库辛，也不是有的同志所认为的巴尔扎克。在这里，必须作一点必要的说明：上面我们所提到的《读书》杂志上的那一篇文章曾经这样指出，"第一个认为巴尔扎克第一次使用'为艺术而艺术'这个名词的是柳鸣九同志，见他写的一篇译后记[①]"。这是一个误解。事实是这样的：《古典文艺理论译丛》第十期刊载了一组巴尔扎克的文论，其中最后一篇是柳译的，在这一组文论的后面，有一篇总的《后记》（而不是《译后记》），这是该刊编辑部约请一位对巴尔扎克素有研究的同志写的，并非出自柳的手笔，只是因为紧紧附在柳译的那篇文论之后，才造成了这样一个误解。在为艺术而艺术这个问题上，我们一直认为戈蒂耶是为艺术而艺术的唯美主义思潮最早的代表人物，今天，我们在这个集子里请人把《〈莫班小姐〉序》译介出来，并不是因为我们欣赏和赞成他的主张，只是为了把真正代表了唯美主义思潮的批评文论提供出来，作为研究者的参考资料。

在这个专集里不可能把浪漫派的文学作品全部译介出来，为了弥补这个不足，我们约请一些同志编写了浪漫主义文学名著的提要；为了比较清楚地表现出浪漫主义文学发展的过程，又约请同志编译了一份年表。最后，还需要说明一点：这个专集，更确切地说，是法国浪漫主义盛行时期的文学，起于19世纪之初，止于浪漫主义文学衰落

---

① 《古典文艺理论译丛》第十期，第158页。

的 19 世纪 40 年代初，我们姑且以 1843 年为界，这年，雨果的《城堡里的伯爵》上演遭到失败。在本专集之中，凡小说选、戏剧选、诗歌选、名著提要以及年表，都以这一上下限为范围。至于属于这一范围里的乔治·桑和她的作品，我们之所以没有选入，是因为准备将来为她编选专集。

1981 年 9 月 2 日

画卷·史诗·精神·激情

——《悲惨世界》中译本序

流亡生活。盖纳西岛上巉岩突兀。面对着辽阔的大西洋。"今天,1861年6月30日,上午8:30,当一轮红日挂上我的窗扉时,我写完了《悲惨世界》。"①

这是一轴辉煌的画卷,这是一部动人的史诗,这是一种浩博的精神,这是一股充沛的激情,当我们今天要用简单的话来概括《悲惨世界》的时候,与其笼统地称它为"名著""杰作""瑰宝",似乎不如这样具体地称呼它较为确切。

作为画卷,它可以使我们联想起什么?它像《清明上河图》?《清明上河图》描绘的是一个特定时间的广阔空间,而它的规模却要大得多,它表现的是一个漫长时代的历史内容。

主人公冉·阿让的故事是从1795年开始的,但画幅的卷首延伸得更远,卞福汝主教的经历与国民公会的代表这个形象把我们带到阶级斗争严酷、个人命运难以预料的1793年大革命高潮的年代。接着,我们就随着卞福汝主教与冉·阿让进入了1789年资产阶级革命所开辟的历史时期,即作者在序言中所称的"本世纪",也就是我们通常所说的"资本主义时代",在这个新社会形态的初期阶段,我们就看到了社会下层的苦难,巴黎欢呼自己的资产阶级英雄拿破仑像初

---

① 雨果1861年6月30日给奥古斯特·瓦克利的信。见安德烈·莫洛亚:《雨果传》第九卷,第2章。

升的太阳在意大利升起之日,正是冉·阿让仅仅因为偷了一块面包就被投入监狱之时,荣光鼎盛、轰轰烈烈的拿破仑时期,对于冉·阿让是监狱中19年的苦役生活。他出狱的时候,又正是拿破仑在滑铁卢遭到失败后的几个月。在经过了滑铁卢古战场之后,我们又进入了另一段历史,从"1817年内",我们看到百合花再度开放时期形形色色的社会政治生活,看到芳汀的悲剧、珂赛特的苦难、马吕斯家庭的矛盾,当然,还有冉·阿让的坎坷与困顿。而后,我们又随着人物经过了1830年的革命;到了七月王朝时期,看到这一时期的社会矛盾如何导致1832年巴黎人民起义,看到以街垒斗争为中心,各个人物的命运有了什么变化与结局。

  这是整整将近半个世纪历史的宏大画幅,漫长历史过程中广阔的社会生活的画面,一一在我们面前展现:外省偏僻的小城,滨海的新兴工业城镇,可怕的法庭,黑暗的监狱,巴黎悲惨的贫民窟,阴暗的修道院,恐怖的坟场,郊区寒碜的客店,保皇派的沙龙,资产阶级的家庭,大学生聚集的拉丁区,惨厉绝伦的滑铁卢战场,战火纷飞的街垒,藏污纳垢的下水道……这一漫长浩大的画轴中的每一个场景,无不栩栩如生,其细部也真切入微,你可以说它们都是以现实主义的手法描绘出来的,但是,每一个画幅的形象又是那么鲜明突出,色彩是那么浓重瑰丽,气势是那么磅礴浩大,情绪是那么灼热炽烈,使人又感到有一种浪漫主义的格调……

  这种对历史发展与现实生活的描绘,只是一种背景?或者只是一个搬演故事的框架?如果这样去理解,那将大大贬低雨果某种更为宽广的自觉意识,他以那样大的篇幅、用历史学家的手笔描绘了这个世纪两大历史事件——滑铁卢战役与1832年的人民起义,显然远远超过了历史背景描绘的需要,他以那样详尽细致的笔法,在人物活动的环境与故事中,填进了那样多实在的社会历史内容,显然又远远超过叙述单个人物故事经历的需要。我们记得,他曾经这样说过,"谁要是谈到诗人,他也就是在谈历史学家与哲学家"①,不难看出,他那种自觉的意识,就是以历史学家为己任的意识,这是他那个时代一切有出息的文学家所共有的标志。1861年,当他完成这部作品的时候,距离他在那位立志要成为法国历史的书记的巴尔扎克墓前发表著名的悼词,已有12年了。他要书写出什么样的历史足以与巴尔扎克那部"其实就是题作历史也完全可以"的作品匹敌或相称?巴尔扎克是用近一百部作品描写贵族复辟时期的贵族社会怎样在满身铜臭的暴发户的进逼下逐渐灭亡或者被这一暴发户所腐化的历史,而他则是在一部作品里,写出"本世纪"的历史之流迂回曲折、起伏跌宕的巨变,在全部历史的景象与过程的中心,安置着一个共同的触目惊心的现实,即下层人民悲惨的命运。虽然,在他看来,这一过程中的不同阶段具有不同的意义和性质,如拿破仑帝国"是光荣的本身",继之而来的复辟时期"实质上是昏天黑地"、是"长时期莫大空虚",然而,在不同的阶段,下层人民的处境同样都是艰难的,并没有什么变化,他以冉·阿让、芳汀与珂赛特的故事说明了这一点,指出了"本世纪"的每一个阶段都一直存在着"三个问题"——"贫穷使男子潦倒,饥饿使妇女堕落,黑暗使儿童羸弱",因此,我们可以说,雨果要写的就是"本世纪"中穷人的悲惨史。

作为一部史诗,它不是民族的史诗,而是个人的史诗,但又不限于个人的意义。它使我们联想起什么?《奥德赛》?《奥德赛》的主人公奥德修斯在海上漂流了10年,历经各种险阻,终于回到了自己的家乡。它作为人的史诗意义,不仅在于它表现的是个人在人生的某一个阶段里经历了极为丰富、极不平凡甚至可歌可泣的际遇,而且在于,在这种经历的过程中,显示出了人的力量与人的品格,人的精神与人的气势,从而作为一个最早的范例,提供了关于人的史诗的经典

---

① 雨果:《莎士比亚的天才》,《莎士比亚论》第二部分第一卷。

性的涵义。在这个意义上，《悲惨世界》与《奥德赛》有某种相同之处，它是近代19世纪的《奥德赛》，它表现出了主人公冉·阿让在近代社会中的奥德修斯式的经历。

冉·阿让的经历无疑具有明显的传奇色彩，他一生的道路是那么坎坷，他所遇到的厄运与磨难是那么严峻，他的生活中充满了那么多的惊险，所有这一切都不下于奥德修斯在海上长期漂流所遇到的险阻。在《奥德赛》里，主人公的史诗是在与自然力的代表大海、与象征着大海之摧毁力量的各种魔怪的斗争中展开的。而冉·阿让的史诗则主要是以他向资产阶级社会强加在他头上的厄运、向不断迫害他的资产阶级法律作斗争为内容的，这是在文明社会里一场接一场、一次又一次的反复搏斗，足以使人惊心动魄。服刑期间三次越狱、商马第案件被捕后又一次从监狱里逃脱、令人不可思议地在都隆港的海里失踪、在巴黎街巷里成功地摆脱沙威的追捕、假装死人、伪造身份，等等，这一个又一个的惊险事件，无不具有一种极不平凡的传奇的性质。正因为冉·阿让要对付的是庞大的压在头上的社会机器和编织得密密麻麻的法律之网，雨果要使这个人物斗争的史诗能够进行下去，并导向预定的结局，就必须赋予他惊人的刚毅、非凡的体力、罕见的勇敢机智。冉·阿让得到了这一切，他能"折断窗口的铁条"，他可以带着珂赛特爬上高墙。他是如何潜入海底不见踪迹的？他怎么能长期被闷在棺材里而不至于窒息而死？这些近乎神奇的本领不是可以与奥德修斯战胜独眼巨人，女妖斯库拉、卡利布狄斯的本领比美？除了这种超自然的体力之外，雨果还赋予他的主人公以现代文明社会的活动能力，他让冉·阿让从事工业，有所发明创造，并且一度成为了一个治理有方、改变了滨海蒙特猗小城的整个面貌的行政长官，这就在这个人物身上补全了各种非凡的活力，使他成为19世纪文学中一个强有力的人物形象，真正具有了近代社会的传奇性。这些无疑都属于一种浪漫主义的性质。

这个人物的浪漫主义色彩,不仅表现在他非凡的活动能力上,而且,更重要的是表现在他的道德精神方面。如果说他的身世经历像史诗一样不平凡,那么,他的精神历程也像史诗一样可歌可泣。他为了使姐姐和她的孩子免于饥饿,偷了一块面包,因此被判了19年的徒刑,社会的残害、法律的惩罚、现实的冷酷使他这样一个本性善良的人"逐渐成为了猛兽",带有一种向社会报复的情绪,以至作出了两件真正使他终生内疚的错事,即偷了卞福汝主教的两个银烛台与抢了穷小孩一个钱币,但这种内疚却导致一种更深的觉悟,成为他精神发展的起点,他在蒙特猗给穷人谋福利,保护受害者以及乐于助人的种种义举,已经表现出他博爱的胸怀、仁慈的心肠和慷慨无私的精神,实为人间所难得,而在商马第案件中,他的诚实、勇敢、自我牺牲的行动,则更显示出他崇高的人格与光辉的品质。正像他在传奇般的经历中要克服现实生活中的种种险阻一样,他在精神历程中也要绕过、战胜种种为我的利己主义的暗礁,才能达到一种不平凡的精神高度,而且,这种暗礁有时比现实生活中的险阻似乎更难以越过。请看,他在决定自己投案以救助无辜的商马第之前,经过了多么激烈的、艰苦的思想斗争,那一场发生在脑海里的斗争其惊心动魄的程度,似乎并不下于滑铁卢战役。作者把它表现得像惊涛骇浪一样具有非凡的气势,甚至还用了"白发三千丈"式的神来之笔——冉·阿让的头发一夜之间全都白了!后来,这个道德上的巨人,又不顾个人安危救出珂赛特,长期含辛茹苦把她抚养成人,此外,在巴黎进行救济穷人的活动,冒着生命危险在难以想象的艰苦条件下从可怕的下水道里救出马吕斯,等等,一次又一次验证了他崇高的人格,延伸了他崇高的精神历程,而历程的崇高性,正是史诗所经常具有的重要标志。

我们这里谈的并不是抽象的人格与品德,因为,我们面前的冉·阿让并不是一个抽象的人,也不像《巴黎的秘密》中那个鲁道夫那样,是一个普施仁爱于人间的"崇高的"贵族王公。虽然雨果有时也赋予冉·阿让普通人所不可能具有的条件，如拥有巨额钱财与巨大的企业，一度是一个地方长官等，但他基本上是一个劳动人民的形象。从出身来讲，他是贫苦的修树枝的工人；从经历来讲，他一生的绝大部分时间，除了当工人或服苦役外，就是被资产阶级的国家机器所不容，被资产阶级法律所通缉；从品德上来讲，他始终保持着劳动人民淳朴、善良、富有同情心与自我牺牲精神的品德；从外形来讲，他的身上经常穿着褴褛的衣裳，带有粗犷的气质与汗水的气息，而且，他始终是与社会下层不幸、悲苦的人们联结成一体、休戚相关，同呼吸，共命运。因此，完全可以说，冉·阿让是被压迫、被损害、被侮辱的劳苦人民的代表，他的全部经历与命运，他所包含的社会意义，都具有一种崇高的悲怆性，这种有社会代表意义的悲怆性，使得《悲惨世界》成为劳苦大众在资本主义黑暗社会里挣扎与奋斗的悲怆的史诗。

作为一种浩博的精神，它是资产阶级人道主义精神的充分体现。

雨果并不是出身于劳动人民，他甚至也没有什么重要的与劳动阶层的社会关系，他本人的经历、道路与社会下层也相距甚远，是什么力量推动他去写《悲惨世界》这样一部讲述下层人民苦难的巨著？是什么思想基础使他用小说全部的形象力量来提出劳苦人民的悲怆命运问题？

> 我同情贫苦的人和劳动者，
> 对他们讲友爱，从思想深处。
> ……
> 怎样减少人世间的痛苦？
> 饥饿、艰难的劳动、贫困和罪恶，
> 这种种问题紧紧抓住了我。

不能不承认，这种力量与思想基础，就是他的资产阶级人道主义思想。

1801年,一个名叫皮埃尔·莫的贫苦农民,因为偷了一块面包被判处了5年劳役,出狱后,他的身份证使他在就业中屡遭拒绝。这件事引起了雨果的同情,由此他才产生了写《悲惨世界》的意图,他把这个事件作为小说主人公冉·阿让的故事的蓝本,只不过,他又作了一些更动,特别是把5年苦役扩大为19年苦役,并让冉·阿让终生遭到法律的迫害,以此构成小说的主要线索与内容。此外,他又以芳汀、珂赛特、商马第等其他社会下层人物的不幸与苦难作为补充,从而表现了一个整个的悲惨世界,在其中倾注了他真诚的人道主义的同情,这种同情在整个小说里无处不在、无处不有,从主干到枝叶到末梢,它是那么渗透弥漫在整个悲惨世界里,似乎包容了一切,不能不使人产生一种浩博之感。

这种人道主义的同情还推动了雨果进行尖锐的社会批判。他把下层人民的苦难,明确地归之于"法律和习俗所造成的社会压迫",他的整部小说的目的,就在于揭露这种压迫如何在"文明鼎盛时期人为地把人间变成地狱,并且使人类与生俱来的幸运遭受不可避免的灾祸"。对于冉·阿让的冤屈,他责问道:"愿意工作,但缺少工作,愿意劳动,而又缺乏面包,首先这能不能算他严重的过错","犯了过失,并且招认了,处罚是否苛刻过分","这种做法的结果,是否构成强者对弱者的谋杀,是否构成社会侵犯个人的罪行?并且这种罪行一直继续达19年之久"。同样,芳汀这个形象也包含着雨果对社会的强烈控诉,她原来是一个天真纯洁的少女,但恶浊的社会玷污了她,损害了她;她一直有自食其力、过勤劳节俭生活的决心,但包工压低她的工资,债主对她进行盘剥,她把自己的头发和牙齿出卖以后,仍然走投无路,被迫为娼,最后,死得那样凄凉悲惨。"芳汀的故事说明什么呢?"雨果尖锐地提出了这个问题。他的回答很明确:"社会造成了一个奴隶,即一个娼妓。"不难看出,在《悲惨世界》里,与对劳动人民深切的同情同时并存、水乳交融的,是作者对黑暗的社会现实的强烈抗议，因此，在这里，雨果的资产阶级人道主义思想，就不仅是他同情劳动人民的出发点，也是他进行社会批判的一种尺度与武器。

资产阶级人道主义并非一种至善至美的思想体系，它有时代与阶级的局限性，对它进行全面的历史评价与分析并不是本文的任务，我们在这里只想指出，在《悲惨世界》这部小说里，资产阶级人道主义思想的确起了积极的作用，它使得这部小说成为了一部富有同情心的书，一部感情充沛的书，一部充满了社会正义感的书，不论是它的同情还是它的抗议，对于不同时代、不同国度的读者，都有强烈的感染。当然，资产阶级人道主义思想的阶级局限性，也必然给这部小说带来缺陷与弱点，如果说，在《悲惨世界》里，资产阶级人道主义思想作为一种对社会现实的批评标准与尺度还是强有力的话，那么，它被作者当作改造社会、谋求未来道路的思想原则时，就暴露了它的历史唯心主义的性质，这种情况特别表现在卞福汝主教这个人物形象上。

在《悲惨世界》的构思中，卞福汝主教居于一个重要的地位。这个形象是雨果以实际生活中狄涅城一个有德行的主教米奥里斯为蓝本塑造出来的，雨果以小说整整一卷的篇幅从各方面描写了这个人物，他大公无私，把自己的府第让出来供医院收容穷苦的病人，他清廉而又慷慨，把自己的生活压低到最低的水平，以便将薪俸的绝大部分津贴各种福利事业，他品德高洁，从不追逐名位，更不结帮营私，与贵族权势格格不入，与教会恶势力泾渭分明，对社会下层，他充满了仁爱，为了穷人，他可以长途跋涉，不畏险阻，深入山区僻壤，而对富人、政府与法律，他却不乏针砭与讥讽，他在宣教中，从不宣传宗教谬说与教会的偏见，不把上帝视为神，而只当作一种抽象的信仰，他也不谈地狱的恐怖与今世的赎罪，而只提倡有德行的人生，人对人的善意、关切、尊重与互助。显而易见，雨果虽然让这个人物穿着主教的袍子，但却竭力避免在他这些崇高的品德上涂抹宗教的灵光，把它们描写成宗教圣徒或教会长老的圣德，而赋予它们一种人道主义的色彩，把它们完全归于一种人的道德的范畴，因此，就其思想实质与精神而言，卞福汝主教就是雨果心目中一个理想的人道主义者的形象。对于这样一个理想化的道德形象，我们不能说他不真实，事实上，"真实的米奥里斯主教大人的为人，完全和书中的米里哀主教大人一样，甚至更善良"①。我们也不应否认这样一个形象人格的高尚与道德的光辉，从伦理原则与道德规范来说，这种资产阶级人道主义的理想形象，仍不失某种积极的意义。问题在于，雨果不仅赋予他的资产阶级人道主义理想形象道德伦理的意义，而且赋予他某种社会历史动力的意义。在《悲惨世界》中，他让卞福汝主教置于一个提纲挈领的关键性的地位。首先，他把这个人物作为体现着九三年原则的那位国民公会代表的对立面，实际上，也就是把这个人物所主张的博爱、人道、感化的原则，作为国民公会代表所代表的革命、战争、专政、暴力的原则的对立面，并且把这种资产阶级人道主义的仁爱原则，视为对改造社会更为合理，也更为有效的途径。而后，从这种思想出发，他虚构了卞福汝如何以献身的精神感化了一个为害社会与民众的凶残的匪帮，描写了他的善行如何感化了冉·阿让，把他提升到一个新的精神高度，他还让卞福汝的精神延伸到冉·阿让的身上，又让冉·阿让以这种精神先在海滨蒙特猗创建了一个穷人的"福地"，最后，又感化了实际上作为政府机器与法律制度的化身的沙威，使他完全"精神崩溃"而最后"自我毁灭"。于是，人道主义的仁爱在小说中就成为了一种千灵万验、无坚不摧的神奇的力量。这种不符合社会历史真实的描写，显然近乎童话，不能不说是出自作者本人历史唯心主义的幻想。

作为激情，《悲惨世界》是雨果高昂的资产阶级民主主义激情的体现。

---

① 安德烈·莫洛亚：《雨果传》第九卷，第2章。

虽然在社会历史的问题上，《悲惨世界》宣扬了仁爱万能与阶级调和，但是，这并不是它唯一的思想内容，也不是它压倒其他一切的基调，在这里，还有对1832年人民革命运动与起义斗争的出色描写和热情歌颂。这种情况可以使人想到巴尔扎克描写同一次起义中的圣玛丽修道院的共和党的英雄们，所不同的是，巴尔扎克是在对这些英雄的现实主义的描写中流露了他的赞赏，而雨果则是明确地把这次起义中的革命人民与英雄人物当作描绘与讴歌的"神明"，而且，巴尔扎克的赞赏是违反了自己保皇派的政治态度，而雨果则是出于一种巨大的民主主义的政治热情。

起义与街垒战斗在《悲惨世界》里占有重要的地位和大量的篇幅，是长篇小说最后两部的主体，甚至它本身就具有一部长篇小说的规模。在这里，我们可以看到，七月王朝时期这一重大历史事件的整个发展过程与全貌，人民在起义前对君主政体的不满，对共和主义的向往、革命危机的临近、秘密革命团体的活动、群众在事变前的战斗准备、示威的游行、起义的爆发、硝烟弥漫的巴黎街头、街垒斗争中的英雄人物……所有这些，都是以壮丽的色彩、细致的笔法描述出来的，具有德拉克洛瓦的《自由女神引导着人民前进》那种辉煌的风格，你在19世纪法国文学中，不，在整个西方文学中，见过还有什么作品像《悲惨世界》这样，对一次革命起义作过如此正面的、如此完整的、如此规模宏大、如此热情奔放的描述？作品的这一举足轻重的部分，无疑给《悲惨世界》定下了革命民主主义的基调。

在这种基调中，我们有时可以听到一种更为深沉的声音，就像在贝多芬第五交响乐紧张搏击、激烈冲突的基调中出现于第二乐章的那沉郁的旋律，那是马吕斯在街垒上对于他眼前那场酷烈斗争的沉思："内战？这意味着什么？人与人之间所有的战争是不是就是兄弟之间的战争？战争从性质只能按它的目的来判断，既没有什么内战，也没有什么外战，只有非正义的战争与正义的战争，直到人类伟大的和约缔结那一天为止，战争，至少是那些代表着将来、反对落后的过去的战争，都是不可少的。只有当战争扼杀公理、进步、理性、文明和真理的时候，它才是可耻的，剑才变成了匕首。"这沉思无疑代表着雨果本人严肃的思考，在这里，固然还有抽象人道主义的意味，但革命民主主义的思想已经突破了人道主义的框架，对斗争必要性的认识已经超越了对仁爱的宣扬。在《悲惨世界》的基调中，我们有时还可以听到一节引吭的高歌，就像贝多芬第九交响乐中升越在雄伟基调之上的洪亮的欢乐颂，那是共和主义英雄人物安灼拉在街垒上发表的演说："公民们，19世纪是伟大的，但20世纪将是幸福的，那时什么都不同于以往的历史……到那时，人们将不再顾虑有饥荒、剥削，随着穷困而来的卖淫，随着失业而来的穷困，也不再有断头台、匕首、厮杀和现实世界里一切意外的暴行。那时几乎可以说是太平盛世，人皆幸福了……朋友们，我们所生活和我们向你们讲这番话的这个时刻，是黑暗的时刻，但是，这正是为了将来而必须付出的可怕的代价，一次革命就是走向未来的通行税……兄弟们，死在这街垒上也就是死于未来的曙光中。"这一段话，响彻在《悲惨世界》最后两部，表达了作者虽然还很朦胧，但却非常热情地对理想未来的憧憬，以及实现这一理想必须通过革命的正确信念，同样也突破了雨果的资产阶级人道主义的局限，使《悲惨世界》的主题提升到一个新的高度。

雨果的革命民主主义激情，还鲜明地表现为对起义民众、革命人民的热情礼赞。在《悲惨世界》里，疲惫不堪、衣衫褴褛、遍体创伤、为正义事业而斗争的人们，是一个伟大的整体与象征，人民的象征。他们在事关祖国存亡的时候，会毫不犹豫地走上前线，当事关自由的时候，会筑起街垒。他们就是1789年、1830年的革命风暴中的英雄，他们在墙壁上刻下的"人民万岁"的大字，直到1848年起义中还闪闪发光。他们在街垒上抗击着政府军队的残酷镇压，弹尽援绝，忍受着饥饿，进行英勇的斗争，直到最后壮烈牺牲。雨果以富有革命诗情的描写表现出了起义人民的巨大形象，而在这一个伟大的整体中，他又突出了安灼拉、马白夫与伽弗洛什这三个英雄人物。"人民之友社"的核心人物安灼拉，是大革命期间民主激进派领袖罗伯斯庇尔的信徒，坚强的共和主义者，街垒起义的组织者与领导人，他有坚定的政治信念与充沛的革命热情，在街垒起义中果敢沉着、临危不惧，雨果以雅各宾专政时期的革命家圣鞠斯特为蓝本塑造了这个人物，使 19 世纪的文学中出现了一个难得的革命领袖的正面形象。马白夫老爹是巴黎普通人民的形象，起义的积极参加者，当街垒的红旗被政府军的排枪击落时，他自告奋勇，在敌人的枪口下攀登到街垒的最高处，把红旗高高竖起，用自己的生命和鲜血保卫了革命的旗帜，这一悲壮感人的场面，雨果是以庄严的颂歌的笔调写出来的，并对此发出了热情的礼赞。伽弗洛什，这个巴黎流浪儿童的典型，是法国文学中最生动、最有魅力的艺术形象之一。他无家可归，但在贫贱生活中总是快快活活、自由自在地哼着幽默的小调，他身上凝聚着法国人民那种开朗乐天的性格。他看起来不那么正统，嘴里也讲粗话，但却保持了儿童的天真与纯洁。他有时也偷窃，那是为了救济比他更可怜的弱者，他在街头那些年幼无助的儿童面前，总是充满了同情与善良，以侠义的保护人自居，慷慨地把自己的住处与面包让给他们。他酷爱自由，是 1830 年革命的"参加者"，到 1832 年又成为街垒上的战士。他在起义斗争中勇敢机智，街垒上无处不听见他顽皮、快活的声音，直到最后壮烈牺牲，他还唱着幽默的歌曲。这三个人物是雨果心目中人民的象征，他塑造出他们的高大的身躯，又赋予他们普通人的特点，表现出他们属于人民这一伟大的整体，正是理想社会将来借以实现的那种社会力量。

如果可以说，以上是《悲惨世界》的四种素质、四个方面，那么，同时就应该强调，它们并不能全部概括这个长篇巨著的历史内容、生活内容与思想内容。就《悲惨世界》在内容上的丰富、深广与复杂而言，它无疑在雨果数量众多的文学作品中居于首位，即使是在19世纪文学中，也只有巴尔扎克的巨著《人间喜剧》的整体可与之比美，对于它厚实的容积，也许只有借助巨大的森林、辽阔的海洋这类比喻，才能提供一个总体的概念，而《悲惨世界》之在内容上具有丰富性与复杂性，则既因为它是作者漫长的创作道路和思想发展过程的某种总结，又因为它是深刻复杂的时代社会条件汇聚的产物。

雨果在完成《悲惨世界》之前，不论在政治思想上与文学创作上，都走过了曲折的道路。他生于1802年，少年时期恰逢波旁王朝复辟，虽然他父亲是拿破仑麾下的一员将领，但受了拥护波旁王朝的母亲的影响，又由于事关自己家庭在复辟王朝治下切身的政治利害，少年雨果的政治态度是保皇主义的。他很早就开始写作，以波旁王朝的"桂冠诗人"夏多布里昂为偶像，立下了这样的誓言，"成为夏多布里昂，否则别无他志"。他早期的诗歌创作倾向保守，文学主张也因袭守旧，属于伪古典主义的营垒。在19世纪20年代波旁王朝更趋反动、资产阶级自由主义思潮日趋高涨的条件下，雨果的政治态度有了大幅度的转变，抛弃了保皇主义，拥护1789年以来包括拿破仑在内的资产阶级革命的潮流，在文学上则成为了资产阶级浪漫主义运动的领袖，与伪古典主义作了尖锐的斗争。这一个时期，直到1830年七月革命以后，他重要的诗歌、戏剧、小说作品《玛丽蓉·德·洛尔墨》（1828）、《东方集》（1829）、《欧那尼》（1830）、《巴黎圣母院》（1831）、《国王寻乐》（1832）、《玛丽·都铎》（1833）、《吕伊·布拉斯》，都充满了强烈的反封建、反教会的精神。七月王朝时期，雨果在政治上一直摇摆于君主立宪主义与共和主义之间。1848年，巴黎无产阶级在二月革命中提出推翻七月王朝、建立共和国的口号后，他才坚决站在共和主义的立场上。在巴黎无产阶级六月起义中，他对被镇压的起义者抱同情态度，并成为了1849年至1851年间国民议会中社会民主派的领袖。1851年,路易·拿破仑发动反革命政变,雨果坚决反对,因此,同年被迫流亡国外,从此一直与拿破仑三世的反动统治进行不妥协的斗争,充满革命气势的诗集《惩罚集》,就是他在斗争中扔向统治者的投枪与利剑。1870年,拿破仑三世垮台,他才结束长期流亡生活,回到了巴黎。

《悲惨世界》虽然是完成于流亡期间的1861年,但早在1828年,雨果就有了以皮埃尔·莫的故事为题材写一本小说的计划。1845年,他开始写作。1848年,在原有题材的基础上大大扩充了小说的内容,深化了小说的主题思想,但不久便辍笔中断,只是在流亡到大西洋中的盖纳西岛上后,从1860年4月26日,才集中时间与精力再次进行写作。从《悲惨世界》在作者的心里孕育了30多年这一事实,不难想象,这个长篇小说必然反映雨果在法国19世纪上半期复杂的社会历史现实中曲折的思想历程所包含的不同方面与不同成分。事实上,在小说中,对于1789年以后革命高潮年代的回顾,多少还带有少年雨果保守政治思想的一点浅淡的痕迹;马吕斯摆脱保皇派的思想影响,对拿破仑与对自己父亲的认识有了转变,其实就是雨果本人在19世纪20年代政治思想转变的写照;《滑铁卢》一卷中对战争的形势与过程的描述,渗透着雨果在20年代形成的形势与过程的描述,渗透着雨果在20年代形成的资产阶级民主主义的历史诗情;卞福汝主教这个人物和作者赋予他的精神,使人想起雨果在20年代末期的中篇小说《死囚末日记》中抽象人道主义的声调;长篇小说中一系列人物的悲惨故事,无疑又一次表达了雨果在30年代小说《克洛德·格》中所发出的对统治阶级、对资产阶级国家机器与法律的强烈控诉与抗议;而雨果描写1832年起义斗争时所表现出的资产阶级激进民主主义,则显然是他作为反拿破仑三世的政治斗士所表现出来的政治热情与斗争精神在艺术中的升华。因此,我们几乎可以说,《悲惨世界》集雨果思想之大成,它同时体现了雨果的进步性与局限性、优点与缺陷,体现了一个资产阶级作家在思想上所能达到的高度与他不可避免的矛盾与局限。

《悲惨世界》既是雨果思想的总结,当然更是19世纪的历史发展与社会现实生活的产物,这不仅因为它所描绘的图景和它们所包含的历史内容,都直接来自那个时代丰富的历史与现实,而且特别因为它所提出的主要社会问题——劳动人民悲惨处境问题,它提出这个问题的方式以及它所设想的解决方案,无不打上了时代的烙印。

资产阶级革命后的现实,证实了18世纪启蒙作家们所预言的理性王国的破产,大革命后整整一代人,包括在19世纪进行写作的作家,面对着不合理的、丑恶的现实,身处于复杂尴尬的社会关系中,自然都感受到了一种幻灭,他们以资产阶级人道主义、启蒙作家的理性原则作尺度,去衡量社会现实,就不难发现社会的种种弊端,并且把这些弊端看得很严重、很尖锐,对它们从社会历史的高度进行了批判,以道德伦理的名义进行了谴责。社会下层的苦难,就是他们所见到的弊端之一。但是,由于资产阶级生活经验与社会视野的限制,在那些弊端中,劳动人民悲惨处境这一最触目惊心的弊端,反倒没有最先、最强烈地引起他们的严重关注,因此,在19世纪早期进行写作的一些法国作家的作品里,这个近代社会最严重的问题,并没有占重要的位置。只是因为贫富对立的现实日益严重,下层人民的不幸愈加触目惊心,加上空想社会主义思潮的影响,从40年代起,法国文学中才出现了一股关心下层人民、反映下层人民痛苦的潮流,从40年代早期乔治·桑的《木工小史》《康絮爱萝》,欧仁·苏的《巴黎的秘密》,大仲马的《基督山伯爵》,一直到40年代后期乔治·桑的田园小说,在这里,社会下层的苦难这一主题,完全是从资产阶级人道主义同情的角度提出来的,而其解决的方式则充满了阶级调和的幻想。《悲惨世界》就是这一股潮流的结果,是这种具有普遍社会意义的文学现象的一部分,它提出问题的角度以及它企图解决问题的方式,都没有超出这个潮流的范围与水平。但是，另一方面，《悲惨世界》却又肯定超乎这个潮流，这不仅因为雨果艺术创造的才力超过了其他几位作家，而且，因为他从自己漫长曲折的道路中，对19世纪法国社会的历史内容有了更丰富、更深刻的认识与理解，因为他具有更高的思想境界，更充沛的社会正义感，更强烈、更真诚的人道主义精神，他早已抛弃了"成为夏多布里昂"的夙愿，而致力于对人类命运、社会历史问题的思索与探讨，还在现实生活里，成为了为法兰西民族的自由而斗争的战士，尽管他在为悲惨的人们设想解脱的出路时，不免陷于幻想，但他留下的这部作品毕竟是19世纪文学中少有的一部代表作，一部关于劳动人民处境的最强有力、最深挚、最动人的真正的杰作。

"好几十年过去了。时间可以淹没小丘和山岗，但淹没不了高峰，人类遗忘的大海淹没了多少19世纪的作品，而雨果的作品像群岛一样，傲然挺立在大海之上，露出它们那千姿百态的尖顶。"[1]

最著名的雨果传记的作者作如是说，距今又已经好几十年了，当雨果逝世一百周年将要来到的时候，我们深感这段话说得非常切实。在雨果的"群岛"中，《悲惨世界》显然要算是耸立得最高的一个，它不仅没有被淹没在遗忘的大海里，而且已经成为不同时代、不同国度的千千万万人民，不断造访的一块胜地。

1984年2月1日

---

[1] 安德烈·莫洛亚：《雨果传》第十卷，第8章。

奇特的结合

——《劳动》中译本序

文学史上有各种类型的作品，《劳动》也许是比较特别的一部，它竟把实在的、繁细的、真切的、滞重的描写，与空灵的、浩博的、远渺的、飘浮的理想结合在一起。在思想内容上，它是世界文学中为数不多的空想社会主义小说之一，而在描写方法上，却又属于与任何空想似乎都格格不入的自然主义。

小说写于作者逝世的前一年，即1901年，是他创作历程与思想发展晚期阶段的产物。那么，在这以前，作者在文学上与思想上走过什么样的道路呢？

从创作历程来说，早期，左拉具有明显的浪漫主义的倾向，而后，他成为了自然主义文学的大师，他以《实验小说论》等理论代表作，提出了以写实为基本原则，而又不等同于现实主义的创作主张，这种主张与巴尔扎克式的现实主义的差别在于，它提倡对现实采取冷静的、客观主义的态度与科学的实验主义的精神，以生理学与遗传学的观点去观察、分析与表现人，对现实生活进行琐细的、繁尽的、实录性的描述。左拉根据这种创作理论，从1871年至1893年期间，完成了包括20部长篇小说的巨著《卢贡-马卡尔家族》，奠定了他在世界文学史上的重要地位，而自从他走上了自然主义的创作道路，他就坚定不移，再也没有丝毫转向，直到他创作生涯的最后一刻。

从思想发展来说，左拉作为一个出身贫寒的知识分子，从来就是进步的资产阶级民主主义者,他早期的创作已充分地说明了这一点;在创作以表现第二帝国时期社会史为主要目的的《卢贡－马卡尔家族》的过程中,随着他对资本主义社会各方面现实认识的开拓与深化,他在政治上愈来愈激进,从1897年,他以极大的政治热情与大无畏精神,投入了德莱斐斯案件的斗争,像正义的化身一样,站在整个腐朽、反动的资产阶级政府的对立面,不计得失成败,不顾个人安危,对反动政府进行了无情的揭露、愤怒的指责、坚持不懈的斗争。一个资产阶级民主主义者在资本主义条件下,能达到什么样的最高度?近代历史上最早一个光辉的范例,看来就是由左拉提供的。与此同时,作为左拉后期思想发展的另一个重要的标志,是他接受了社会主义思潮的影响,因此,当他由于德莱斐斯案流亡国外的时候,就开始写作以表现对未来社会理想的《四福音书》。《劳动》是《四福音书》中的第二部,也是《四福音书》中三部完成的作品中较为出色的一部。

《劳动》在左拉创作历程中与思想发展中所占的地位,决定了这部作品既是左拉以往文学创作的某种延续,又是新的创作阶段的代表作,既具有左拉小说中一贯所具有的那些因素,又具有新的构思与形象,对资本主义社会罪恶现实的揭露与对美好社会的幻想,构成了作品的两种主要成分。

为了便于揭示当代资本主义社会最基本、最深刻的社会矛盾,暴露资本主义制度的弊端与危机,左拉在这部小说里,就像他在《萌芽》里一样,又一次选择了集中着资本主义社会最严重社会问题的工业区作为故事开展的环境与背景,而为了表达他对新的、前所未有的理想社会的向往,描绘这种社会的美妙图景,指出实现它的途径,他又在这样一个真实的环境里,虚构了主人公侣克,其奇特性不下于《奥德赛》的现代传奇。于是,这两种截然不同的成分,就像是两种色彩交织在一起,或者像两种基调在一起奏鸣。

我们当然应该格外看重这部小说里的写实部分,特别是因为作者所描写的主要是无产阶级的生活。在这方面,左拉比19世纪任何一位作家都处于优胜的地位,从司汤达到巴尔扎克、到福楼拜,谁也没有像他这样真实而细致地描写过社会底层劳动者、无产者的生存状况,虽然这些作家都是以他们对自己时代作了真实的描绘而永垂不朽。小说第一卷的整整前两章,可以说是整个作品的"地狱篇",在这里,主人公侣克在亚比末这一个资本主义工业化的"地狱"里漫步,就像但丁在维吉尔的引导下进行他那可怕的旅行一样。但丁在《地狱篇》里,每到一层,就描写一种罪行与一个受熬煎的灵魂,实际上就是一一展示他的城邦佛罗伦萨中的社会现象。同样,侣克每到一处,也见到一种骇人听闻的贫困与悲惨,实际上也就是左拉在一一展示资本主义工业区这人间地狱中种种可怕的情景。这里,天空里压着悲惨的烟云,地上满是肮脏的泥泞,整个环境令人窒息恶心,钢铁厂里发出的巨响淹没一切声音,震耳欲聋。厂里发出的闪眼的火光,灼烧着人的眼睛,人们为了生产在支付生命的代价,而这里的生产又是以制造杀人的炮弹与大炮为目的。在左拉的笔下,工厂被描写成一种邪恶的奴役着人的怪物,它慢慢把千百个工人的血汗烧干,使他们的骨骼变形,使童工像幼苗一样过早枯萎……工厂外,又是一片贫穷与饥饿:等在大门口向丈夫索取工资度日而不可得的主妇、整天没有吃上面包的孩子、无家可归的少女、在食品店乞求赊欠的母亲……在这些篇章里,左拉那种力求真实入微的自然主义描写,发挥了详尽实录的效能,以一个个生动、真实、完整、细致的生活场景,给后世留下了一份关于19世纪下半叶无产阶级的劳动与生活的确实可靠的历史文献。

随着情节的发展,左拉以他的"地狱篇"为中心,扩大了他描写的范围,他把故事安排在一个特定的起点上。这时,正经历了为期两个月的罢工,紧张地对峙着的劳资双方,激愤的工人声言要"打倒社会的强权""杀死一切社会的害人虫",资产阶级则调动了宪兵、军队进行监视与镇压,空气里充满了仇恨的气息……罢工由于过度的压榨而爆发,罢工又引起了工商业之间的矛盾,引起了生产与消费的矛盾,其中还夹杂着农业的矛盾,中间商、农民、小贩、中资产阶级无不卷入了社会矛盾的旋涡。在这样背景性的画面上,左拉又进一步描写了工人的活动,描写了与悲惨的社会下层截然对照的资产阶级的圈子。左拉的描写总是力求完备,甚至不厌其详,这是他自然主义方法的一个特点。他写工人,则把工人分类排比,似乎要全部写尽,这里,有思想偏激、要破坏一切、追求无政府主义理想的朗琪,有脚踏实地为无产阶级利益而斗争的社会主义者鲍耐尔,有一心追求个人享乐的流氓无产者赖贵,有老实本分的劳动者福襄尔、蒲龙,还有悲惨的女工淑茜和可怜的童工佛都沟;他写资产者的圈子,也写出了各种类型的人物,有纵情享乐、腐朽糜烂的大资产者寄生虫、钢铁厂的主人包亚宣伦,有精明强悍的资产阶级铁腕人物、钢铁厂的经理戴勒富,有主张对贫苦人民实行高压政策的军人邵利帆上尉,有主张对造反的工人采取怀柔政策的法院院长,有主张调动军队对工人进行镇压的市长顾理哀,也有只顾自己的私利、处世圆通的县长沙德赖尔,还有表面虔诚而骨子里淫乱的市长夫人莉奥娜尔以及放荡邪恶、腐蚀一切、毒化一切的经理夫人樊南姐。所有这些人物的活动构成了19世纪下半期两大阶级的完整的缩影,构成了充满不可调和的矛盾与冲突、孕育着深刻危机的资本主义社会的缩影,当我们从左拉的描绘中看到这种社会图景的时候,怎么能说他的自然主义一无是处?

在《劳动》里,左拉并不停留在形象描绘本身,他的描绘带有明确的思想性与目的性,如果说,过去他在有些作品里往往限于将生活现象尽可能齐全地罗列在一起的话,那么,他这种自然主义的方法到了《劳动》里就开始有了某种变化,在这里,他往往是要通过一定的描绘来表述一定的思想,或者也可以说,他总是怀着一定的思想目的来进行描绘的。他的"地狱篇"中的全部描写，基本上就是为了集中揭示雇佣劳动制的矛盾与不合理。雇佣劳动制，这是社会主义思想体系中一个常用来揭示资本主义生产的术语，难能可贵的是，左拉在他作品的多处都明确地使用了这个概念，更难能可贵的是，他总是力图以形象的力量来揭示雇佣劳动制的罪恶。你看，他写侣克回忆在巴黎工人区所见到的贫困与苦难时，就直接指出雇佣劳动制是"腐蚀当代社会的丑恶的恶疮"；你看，他以象征性的笔法写亚比末的工厂如何像怪物一样奴役着工人、吞噬着工人的情景，那是为了揭示资本主义条件下劳动的异化，揭示"劳动的崇高与万能"如何被歪曲成"腐败与不合理的劳动"，并"产生可怕的贫困与痛苦"；你看，他描写工人家庭的主妇用可怜的工资去购买食物又遭中间剥削的情景，那是为了表现工人群众"在愈是陈旧、牙齿反倒愈加锋利的社会机器嘎吱作响的齿轮下，无时不被剥削、被吞食、被碾碎"；你看，他描写工人下工以后就酗酒的恶习，那是为了指出"在雇佣劳动制中毫无愉快、毫无乐趣，人们只有到小酒店来消遣"的社会原因；你看，他描述工人妇女的沦落，那是为了说明这样的现实："劳动失去了光荣，大多数人只为少数人的自私享受而劳作，劳动已被厌恶与诅咒，可怕的贫困由此而来，而盗窃与卖淫就是其卑劣的结果……"不仅大段的描绘具有明确的目的性，即使是对一个个生活细节、一个个微不足道的人物，左拉也绝不放过，似乎他安排每一个人物粉墨登场、他描绘每一个场景，都是为了要表现某一个思想。这种情况，对左拉过去那种客观冷漠的、罗列性的描写来说，未免不是一种矫枉过正，在我们看来，它已经多少带有一些说教的性质了。但是，一个资产阶级作家，接受了社会主义思潮的影响，满怀着一种热忱，要用自己形象描绘的全部力量，专注于揭露资本主义社会的罪恶根源，揭露雇佣劳动制的罪恶本质及其可怕的后果，而且达到了如此明确、如此尖锐的程度，这不又是很可宝贵的吗？这使得《劳动》成为19世纪法国文学中一部非常严肃的书、一部思想性很强的作品,如果我们不说它是思想性最强的一部作品的话。

是的,可贵的是左拉接受了社会主义思潮的影响。这个过程可以上溯到19世纪70年代,而这又是一个多么曲折的过程啊!我们知道,左拉在1877年写著名小说《小酒店》时,对社会主义还所知甚少,而且是冷漠旁观的,他甚至在小说里把个别社会主义的词句放在一个小白脸二流子郎第耶的嘴里。到1885年写《萌芽》的时候,他对工人的生活与劳动的状况以及社会主义的著作,其中包括马克思所起草的1864年国际工人联合会的宣言与纲领,都作过认真的研究,他接受了社会主义思想的影响,在《萌芽》中满怀同情描写了煤矿工人悲惨的生活与艰苦的劳动,正面表现了他们的罢工,歌颂了他们的斗争精神与团结友爱,虽然小说以罢工失败结束,但仍充满了作者对光明未来的向往与憧憬。不过,在左拉的思想里,毕竟还留存着一个巨大的问题,那就是无产阶级解放的道路究竟是什么,消除旧的社会、建立新的社会究竟要通过什么途径。当然,社会主义在欧洲经历了由空想到科学的发展;科学社会主义产生的标志就是1848年《共产党宣言》的发表,但在法国,即使1864年第一国际支部成立后,马克思主义的传播仍处于早期阶段,蒲鲁东主义与无政府主义对工人运动还有很大的影响,法国社会主义革命的课题在现实生活中远远没有得到解决。在这种历史条件下,左拉也就不可能在他的文学创作中解决现实生活中尚待解决的问题,尽管他有表现社会改革、社会革命的善良愿望。这样,到1887年的《土地》中,我们又看到表述社会主义口号和主张的任务,又被左拉派给以乞讨与盗窃为生的"大炮"这个"大路上的流浪汉",而到了1901年的《劳动》里,实在找不到出路和途径的左拉,干脆就投入了傅立叶的空想社会主义的怀抱。

傅立叶生活在19世纪上半叶,1837年就已经去世了。作为自由资本主义上升时期的思想家,傅立叶对资本主义的本质的认识与批判,其深刻与彻底的程度,在那个时代历史条件下,是无与伦比的,他指出了资本主义社会也像被18世纪资产阶级革命否定了的封建社会一样,同样是一个不合理,因而也就丧失了自己继续存在理由的社会,在这个社会里,工人生活悲惨,劳动只是他们受煎熬的地狱,而少数人则过着寄生与糜烂的生活,政治与法律是为少数人的私利服务的,道德沦丧,婚姻也成了商业投机,通奸与淫乱是必然的结果,而这一切罪恶的根源,都在于资本主义剥削制度。对傅立叶这种深刻的批判,恩格斯曾给予了高度的评价,他指出,在马克思主义以前,对资本主义社会"能够进行这种批评的只有傅立叶一人"[①],从这种批判中,傅立叶的结论是,资本主义社会必须进行改造,为此,他提出了改造的方案与未来社会的蓝图。在他理想的社会里,人群组织为社会的基层单位"法朗吉",进行工业与农业生产,人人劳动,并且以劳动为愉快,个人利益与集体利益和谐一致,每个成员按劳取酬,能享受到良好的公共福利与权益,资本家也可以自愿投资,成为"法朗吉"的成员,参加劳动,领取报酬,以其投资,还能分得一定的利润。

左拉在《劳动》中所尊奉的就是这样一种主义。他在第一卷第五章中,几乎用了整章的篇幅,通过主人公侣克夜间的沉思与阅读,表现了他的社会信仰,在马克思主义产生以前所有那些认识到资本主义的不合理而力图找出一种新的社会福音的哲人中,侣克最赞颂、最信奉的就是傅立叶,在他看来,傅立叶的学说是"真理的精髓","具有异乎寻常的力量",能唤起人类的伟大的激情,把劳动改造为"快乐的源泉""公民应尽的义务,生活应守的规则",建立起"一切属于集体"的"共产新村",使社会的成员都生活在幸福与友爱之中。左拉所描写的侣克的信仰,其实就是他本人的信仰,他不仅让侣克成为他本人社会信仰的阐释者,而且也让侣克成为他的信仰的实践者,也就

---

① 恩格斯:《〈傅立叶论商业的片断〉的前言和结束语》,《马克思恩格斯全集》第二卷,第659页。

是说，让侣克成为了一个把傅立叶的社会福音付诸实践的"使徒"，一个拯救人类的新的摩西，他先在克勒舒里建立了一个新型的工厂，即傅立叶的"法朗吉"的雏形，而后，经过长期的奋斗与辛劳的工作，克服了困难和破坏，逐渐发展了新的社会事业，最后在整个波克莱建立起了一个新型的城市，人类理想社会的模型。

这是一支空想社会主义的狂想曲。在侣克创办的新型工厂里，不再生产杀人的枪炮，而生产和平建设所需的铁轨。生产蒸蒸日上，收入日益增多，人们把纯收入按一定比例进行分配。这里，不再有资本家的专制统治，一切都由管理委员会进行治理，其创始者侣克不过是管理委员会的一个成员而已。劳动在这里不再是苦役，而成为了光荣的、愉快的事业，工人劳动的条件改善了，再也没有悲惨的烟云和肮脏的泥泞，到处都是阳光与新鲜的空气。人们的生活条件也改善了，新的住宅代替了原来破烂不堪的小屋，分散在花园里。公共福利也日益完备，建立了小学、图书馆、举行会议的礼堂、娱乐场所以及托儿所，等等。在托儿所里，"一大群可爱的小天使在温暖的空气与阳光中游玩"；在小学里，学生得到了符合天性发展的全面德智体的教育，而且还与生产劳动相结合。在他后来所扩建的新型城市中，更是人间天堂，最重要的是，人们都懂得爱，都生活在友善与博爱之中，并且以这个城市为基地，眼见将要实现全民族平等博爱的大联合。在法国文学史上，有什么乌托邦的图景堪与此比美？也许只有拉伯雷《巨人传》中的德廉美修道院，那是文艺复兴时期人文主义者所理想的人类社会的缩影，其主要的特征是个性解放的精神与对文化知识的热爱，它充满了一种诗意与象征，在文化思想史上以其理想的光辉而著称。左拉的空想社会图景，写得不如拉伯雷的那样富有诗意，谁都知道，自然主义与诗意总有点格格不入，即使是在表现一种远渺的理想图景时，左拉的描写也仍然有着罗列的、滞重的成分，他甚至在自己的理想图景中也没有忘记安排浴室！并把浴室、娱乐场所、图书馆、学校、礼堂的地理位置描写得那么细致具体。如果说左拉笔下的空想社会主义蓝图有什么值得特别重视的话，那就是它毕竟要算是法国文学史上规模最大，描绘得最细致、最繁详的一幅乌托邦图景，而且，作者的确是怀着巨大的社会改革的热情与对无产阶级的善良愿望谱写出来的。

然而，空想，就是幻想。不论傅立叶还是左拉，他们的问题不在于对未来作了美妙的畅想，而在于他们提出来的实现理想社会的途径是不现实的，脱离实际的，因而也就是唯心主义的。傅立叶在现实生活中，期待有善心的资本家向他提供资金，帮助他建立起理想的"法朗吉"。他期待了一辈子，最后以失望而告终。左拉的处境似乎比傅立叶好得多，他可以弃阶级社会无情的现实于不顾，而行使他艺术家虚构的权利，把傅立叶在现实生活中根本无法实现的东西在艺术中加以实现。他让侣克有那么好的运气，竟然一再碰见那么仁慈、慷慨的富翁施主，他早年在巴黎贫民窟从事慈善救济活动的时候，就遇见了亚比末钢铁厂巨大财富的拥有者舒莎妮，即包亚宣伦夫人，并且实际上成为了舒莎妮向穷人施恩的助手与使者；他来到波克莱城，眼见了工业区中一片悲惨生活的情景，而决心致力于傅立叶所宣扬的事业时，几乎没有费半点周折就得到了曹尔丹兄妹的全力支持，这一对拥有百万家财的兄妹简直是天生的一对，妹妹姗蕾德像天使一样善良，而且早就接受了傅立叶主义的影响，哥哥曹尔丹，一心致力于科学研究，对其他一切都漠不关心，甚至把自己巨大的产业与财富视为一种负担，因此，当侣克要求他们贡献出自己的产业与巨额资金时，他们答应得那么痛快，似乎是求之不得，因而带着一种欢乐的感情！于是，侣克就具有了物质基础，得以在人类历史上创建起第一个傅立叶主义的"法朗吉"，一个并不存在于人类现实生活中、只存在于人类的小说里的"法朗吉"，而左拉也就相当轻而易举地解决了人类社会改革的这一个巨大的课题，只不过是在观念中、在想象中解决了而已。显然，不论是侣克这个致力于缔造新的理想社会的资产阶级知识分子，还是赞助这种事业的资产者富翁舒莎妮与曹尔丹兄妹，都是作家脱离了生活的真实而虚构出来的人物，他们作为带有救世主性质的形象，作为博爱象征的形象，根本不具有现实的根源，是左拉的一种善良愿望的产物，也是左拉的抽象人道主义、阶级调和思想的产物，客观上，他们作为一种艺术表现，倒是正说明了左拉所企望的依靠资产者的善心与捐助来建立新社会的途径，完全是一种毫无任何现实可能性的幻想。在小说里，实际上对建立新型工厂、新的城市起决定性作用的，开始是曹尔丹捐出的50万法郎，侣克讲得很明白："没有钱，我什么都不能着手，为了创立我所梦想的工厂，以便我在那里改组劳动，使它成为未来城市的基础，我还需要50万法郎。"这样一来，侣克与曹尔丹就又都把救世主的位置让给了金钱。这种空想，对于在小说中力图批判雇佣劳动制、力图揭露金钱的罪恶作用的左拉来说，多少又具有讽刺的意味。当然，除了金钱以外，左拉还把抽象的爱当作建立新社会的另一神奇的力量，当侣克的事业遇到极大的困难和人群的反对时，他认识到这是由于人们不懂得如何友善相爱而造成的，于是，他就致力于在人们之间建立爱，他的努力果然"立竿见影"，困难克服了，危机度过了，新社会的事业蓬勃发展，所有那些反对过它的资产者，都出于明智而纷纷加入了这一新社会的联合事业。这无疑是现代社会中一个神话，时至今日，现代社会中严酷的阶级现实，早已使得这种神话显得幼稚可笑，它与现实生活的距离，显然比武尔坎与罗伯茨公司的距离，还要来得大。

在小说第二卷的开始，侣克就建立起了"法朗吉"，此后，还有整整两卷共十章的篇幅，如果左拉在这样长的篇幅里，都陷于空想与抽象的爱的呓语，那么，他的小说肯定是会使人无法卒读的，不过，左拉还相当善于安排，他虽然不可避免地还要进行一些说教，或者同样不可避免地要在他苍白的理想人物身上花费一些笔墨，但他还是努力在空想社会主义"法朗吉"的框架中,搬演现实生活的事件,进行写实。如果说,左拉在描写正面理想、提出社会改革方案时是苍白无力的话,那么,一旦他回到真实的描写,对现实生活进行批判与揭示时,他就恢复了生气与活力,为自己的时代社会留下了有认识价值的画面。

如淑茜的遭遇。淑茜是一个无产阶级不幸妇女的形象,背负着沉重的社会苦难与习惯势力的重担,被压在社会的最底层,在"法朗吉"建立以前,她是资本主义雇佣劳动制的受害者,作为女工,她不仅要忍受可怕的劳役,而且还常遭到失业与饥饿的威胁,因此,在与男性的关系中,她又处于被损害、被欺辱、被任意处置的可悲的地位。在侣克的"法朗吉"建立以后,她从劳役、失业、贫困、饥寒中解放出来,但却没有从旧社会因袭的男性专制的家庭桎梏中解放出来,她仍然不得不忍受她的男人——流氓无产者赖贵的淫威。因此,她与侣克的私情获得了周围人们的谅解,她前期悲惨的遭遇以及她成为侣克的情妇以后尴尬的处境,都是左拉怀着巨大的同情写出来的,而且写得真实动人。虽然她与侣克的关系被左拉赋予了合理的性质,但在客观上却反映了资本主义社会中无数无产阶级妇女被资产阶级男子占有的这种现实。可以说,她的全部遭遇,都具有无产阶级妇女在阶级社会中不幸命运的某种典型性,至于她后期的幸福生活,那就是善良的左拉凭空赐给她的了。

又如,资产阶级的破坏。侣克创办起新的工厂以后,波克莱城的资产阶级社会进行了一次大破坏,使侣克的事业几乎陷于失败。这种破坏所针对的"法朗吉"虽然并不是现实的存在,但小说中所描写的整个资产阶级的反对,包括大资产者的阴谋、小商人的怨恨、资产阶级报纸的污蔑攻击、法院的干预,却还是具有真实性,反映了资产阶级社会对于任何有利于社会进步、有利于下层人民的事物所经常有的那种敌视。左拉的这些描写,不是可以使我们想起易卜生的《人民公敌》中对资产阶级社会的现实主义描绘吗?

再如,资产者的疯狂。在小说里,有两个资产者的形象无疑比较鲜明突出,即亚比末钢铁厂的实际统治者戴勒富与他的妻子樊南妲。左拉把戴勒富表现成惰怠、寄生、腐朽的资产阶级中少有的一个精明强悍、意志坚强、手段厉害的人物,他专心致力于财富的积累,而丝毫没有注意他的妻子长期以来就是自己东家的情妇。他作为一个资产阶级中的强者,对于整个资产阶级的腐朽与糜烂是无能为力的,他所攫取与积累的大量财富,都消失在东家与樊南妲的奢侈淫乐的无底洞里,当他看到了他的失败,特别是知道了自己妻子的奸情的时候,他那强悍的个性、冷酷的为人、狂妄的自尊心,就必然使他在狂怒中与樊南妲同归于尽。樊南妲则是资产阶级中一个邪恶、淫逸、狠毒的典型,她不仅以物质的享乐、肉欲的满足为追求的目的,而且以捉弄人、危害人、报复人为乐趣。在对这两个人物的描写中,左拉运用了写实主义的方法,使他们成为具有一定社会意义的真实形象,对于他们那种强烈的个性,他又用了浪漫主义的色泽加以润饰,就像司汤达写"意大利性格"、梅里美写"西班牙性格"一样,而在写樊南妲的欲情和她与赖贵的性关系时,他又用了惯用的自然主义手法。

当读者读完最后一页,合上全书的时候,一定会感到,在这本小说里,不仅有空想社会主义的思想,有对资本主义社会的现实主义的描写,而且,也有某种浪漫主义的色彩,当然还有自然主义的手法。有鉴于此,谁能说通常被称为自然主义作家的左拉是单一的?谁能说他的小说里只有一种自然主义成分?谁又能说他的自然主义方法是那么简单?

这样多的成分掺杂在一部作品里,虽然可谓一种奇特的结合,但是,却难免有点杂然、不协调,因此,我们实在不敢说,《劳动》在艺术上是一部杰作。不过,左拉在小说里,表现了那么多社会思想内容与理想,对此,我们完全可以说,《劳动》是19世纪下半期一份宝贵的思想材料，而且，不论它在科学社会主义已经诞生的当时是否已经落后于时代，不论它在科学社会主义已经在不止一个国家成为了现实的今天显得如何幼稚，但那位61岁的老人在留下这份思想材料的时候，该是带着多么天真的情怀与热烈的向往啊！

1984 年元月

严酷的真实

——《土地》中译本序

当左拉完成了他的《卢贡-马卡尔家族》中大部分作品的时候,为了在他这一家族史巨著中补充对法国农村生活的描写,他于1868年2月开始写作长篇小说《土地》,作品于次年问世,成为左拉的家族史小说中的第15部。

法国文学史上,曾经有过不少描写贵族家庭、资产阶级家庭悲剧的作品,但写农民家庭悲剧的作品却极为少见,《土地》的中心内容,是包斯平原上一个农家围绕土地与财产的纷争,其别开生面的题材,自当格外令人瞩目。

路易·富安的历代祖先都是农奴,经过几个世纪的操劳与积攒,到资产阶级革命的时候,这一家拥有了21阿尔庞的土地,路易·富安的父亲约瑟夫·卡西米尔把这些土地分给他的两个儿子路易·富安、米席·富安与两个女儿玛丽亚娜·富安、乐莉·富安。现在,路易·富安也已经老了,眼看自己无力再进行耕种,只好把自己的田产又分给三个儿女——长子雅森德、次子布托与女儿帆妮,而从他们那里领取定额的年金过活。虽然这一切都通过法律手续明确了下来,但路易·富安分掉自己的田产,就意味着将丧失一切。首先是他那无赖汉长子、绰号为"耶稣基督"的雅森德把自己分得的土地,"典当出去换酒喝",拒不向父亲交付年金,而且,反倒用种种卑劣的手段去骗取他的生活费。次子布托以"耶稣基督"不付年金为借口,也不再尽自己的义务。富安老爹不得已,放弃了自己的房屋,寄住在女儿帆妮与女婿戴洛姆家,不久,又因受不了这对夫妇的刻薄与嫌弃而搬到"耶稣基督"的破屋里,当他发觉"耶稣基督"与其女儿莱渣子一直觊觎着他私藏的储蓄与证券并多次进行了盗窃后,他又怀着怕被谋财害命的恐惧,投奔次子布托,然而,他在布托这里,先是彻底地失去了他全部的私蓄,然后,又遭到布托夫妇极为冷酷无情的对待,过着猪狗一般的悲惨生活,有时还被赶出家门,流浪在原野上,忍饥受冻。

与路易·富安的悲剧平行发展的,是他的侄女法兰丝瓦斯的悲剧。法兰丝瓦斯与其姐莉慈,父母早丧,两人相依为命,共同耕种父亲遗留下来的田产。莉慈与布托结婚后,姐妹仍未分家,布托一直想通过占有法兰丝瓦斯而永远霸占她的一份产业,未成年的法兰丝瓦斯对布托进行了坚决的抗拒,由此,莉慈一家不断爆发争吵与殴斗。法兰丝瓦斯成年后,与从外乡来到本地当长工的约翰相好,分走了自己的土地与家产,建立起自己的家庭,并不久将要有自己和约翰的孩子。布托夫妇则一直盼望这个少妇和她将出生的继承人死亡,以便得到她那份产业。有一次,法兰丝瓦斯在田里劳动的时候,她在莉慈与布托联合使用暴力的情况下,终于被布托奸污,又在与莉慈殴斗时被摔在大镰刀上而致死,腹中还有待产的婴儿。法兰丝瓦斯死后,布托夫妇又发现富安老爹当时目睹了法兰丝瓦斯被害的真相,为了灭口,他们把自己的父亲闷死在床上,又纵火灭迹。小说的最后,布托夫妇逍遥法外,约翰则被迫离开包斯,准备参军,奔赴即将爆发的普法战争的前线。

从小说的故事内容不难看出,左拉的全部笔触都落在农村生活上,显然,他力图提供一份关于法国19世纪下半叶农民阶级生活状况与道德精神面貌的全面写照与实录。在小说里,他以文献资料式的详尽,描写了农民们衣、食、住、行的条件,在他的笔下,从农民平日劳动时所着的简陋的衣裙,到节日穿戴的用廉价衣料做成的"礼服",从每日三餐粗糙的食物,到喜庆时节的狂饮,都有真实如画的再现。左拉在描写中,注意到了农民中不同阶层在生活条件上的差异,他让读者看到贫苦农民像狗洞一样的栖身之所和他们半饥饿的状态,富裕农民整齐洁净的家舍和家中充足的饮食。他还把小说的情节安排在不同的季节,在以优美的文笔描绘出包斯平原上阴晴雨雪、晦明变化、朝暮景色的同时,又生动地呈现出农民播种、刈草、收割、打场、耕地等一幅幅动人的情景。他对农民生活的描写是抒情的,带有某种诗意,小说的开端与结尾所描写的播种图,几乎可与雨果的名诗《播种者》比美,而他在描写劳动的细节时,又以资料家的眼光,不遗漏农民所使用的工具的质地与式样以及他们劳动的方式、方法。对于农民不同的生活方面,左拉表现出风俗学家的浓厚兴趣,详尽地描写了他们在财产经济问题上如何签订条件、履行手续以及农村财产关系的种种表现形式,他们在乡村教堂里如何喧闹地过着徒具形式的宗教生活,他们在政治上如何对待选举、如何在农村公共事务上由于利益的矛盾而进行那种粗野得像口角一样的"论辩",他们在市集上如何讨价还价、彼此进行小小的欺骗,等等。左拉在风俗学式的考察中,善于摄取一个个不流于一般化、具有独特性的生活场面,以生动的描写给小说增添了有声有色的精彩篇章,农民在冰雹袭击下的惊恐与诅咒,他们在耕作时的打闹,在草场上劳动的艰苦和他们解闷的笑谑,酿酒时节的欢乐与滑稽的场面,婚礼上的热闹,晚饭后在牛栏里夜聚时的传闻、消息与闲聊,小酒店里乱哄哄的高谈阔论以至生老病死的悲惨情景,以及农民妇女分娩时的痛苦,所有这些都以斑驳杂然的色彩呈现在小说里。

农民阶级的生活,是法国文学中比较少被作家表现的一个题材,虽然梅里美在《雅克团》中,巴尔扎克在《农民》中,也真实地描写过农民,但是,农民生活与劳动的全面状况远远没有得到充分细致的展现,至于乔治·桑田园小说中的农民,则完全是作者理想化的形象。左拉为写作《土地》，坐着驿车到包斯平原的农村中作了一个星期的考察，广泛收集创作素材，这次旅行再加上他在梅塘乡间的生活经验，使他具有了丰富的感性知识，他以自然主义的方法，详尽地表现了农民生活的真实，给法国文学献出了一部有文献资料价值的、独具一格的作品。

如果说，左拉的《土地》在真实再现法国19世纪下半叶农民的生活状况上所达到的成就，是毋庸置疑的话，那么，他在真实表现农民的道德精神面貌方面所做到的一切，在法国文学史上至少也是特别引人注意的，他在这部小说里，通过不同的人物形象，着力表现农民作为小私有者的愚昧、落后、贪婪、自私、冷酷以至残忍，其严酷真实的程度，甚至达到了惊世骇俗的效果。

富安老爹是一个正常的农民，不论他的长处还是他的弱点，都是农民所具有的正常的、自然的特性。他勤劳本分，一辈子种地务农，从未有过非分之举与非分之念，他对人也不失淳朴与善良，他像大多数农民一样，在家庭里作为一家之长，多少有些专制独断，对亲属与对自己，有时免不了有些悭吝。他最大的特点是对土地的渴望与热爱，他不仅把土地作为自己谋生的一个最基本的条件与保证他老年生活的一种财产而特别加以珍视，特别具有一种排斥一切其他要求的控制欲、占有欲，而且，长期的劳动生活又使他在这种珍视的基础上，形成了一种土地拜物教的感情，一种宁可牺牲自己的利益而无限加以疼爱的感情。他一生都以"那么大的兴奋与激情，拼命耕作"，一生都以减少自己的费用与消耗，以"最悭吝的节俭"一块一块积攒自己的土地。于是，他原来旺盛的生命力与健壮的身体完全消耗光了，而今他年老体衰，不能再进行耕种，他把土地当作心爱的女人，不愿意看着它被荒芜而"受委屈""受苦"，因此，他不顾法律公证人的劝告与他的长姐玛丽亚娜的反对，决定把田产分给自己的儿女。他这种为土地着想的拜物教的感情，在农村的环境里，显然不及他长姐那种现实利害的打算对自己有利，他分掉了自己的土地，实际上就是丧失了他在生活中的最根本的基石。于是，他每况愈下，后来，在忘恩负义的儿女的冷酷对待下，他落得流浪包斯平原。富安在凄风苦雨中来回流浪、无家可归的那一章，显然是借鉴了莎士比亚的《李尔王》中老国王流浪在荒原上的那一个场景。左拉通过这一章加强富安命运的悲剧性质，揭示了农村私有关系制约下农民家庭的悲剧以及人情的冷酷。

与富安相对的一个形象是他的姐姐、绰号叫"老大"的玛丽亚娜，他们在两个意义上是相对的。一是富安对自己的家庭子辈还有某种长者的温情，尽管他也很自私自利，但"老大"，却冷酷到了违反人性的地步。她唯一的女儿遗留下一男一女，即帕眉尔与希拉利昂姐弟，他们生活无着，仅仅靠在农村里出卖廉价的劳动力为生，而且，希拉利昂还是一个白痴，生活重担全压在帕眉尔的肩上，眼见他们在自己跟前过着悲惨的猪狗般的生活，"老大"毫无怜悯之心，虽然她自己有土地和财产，单身过着富裕的生活，但对一对比乞丐还不如的姐弟从不给予最轻微的施舍。她与富安的第二个不同，在于她对土地有一种永不放弃的占有欲，不像富安那样有一种多少带点浪漫色彩的土地拜物教——与其永远占有它，不如为它着想而使它得到充分的利用。她极力反对富安把土地分给儿女，早就预言了富安分掉土地就会遭到厄运。她根据长期的经验，深知失去了土地就会失去一切，因此，她强悍、顽固得像一头凶狠的鸷鹰一样，把持着自己的土地所有权，守卫着自己的每一点财产，包括每一杯可口的美酒。在生活上，她待人刻薄，悭吝到了极点，好占别人的小便宜，包括在人家的庆宴中多吃几口。她不仅顽强保护自己哪怕是最小的利益，而且她还喜欢在人与人的关系中展开攻势，"唯恐天下不乱"。她眼见布托夫妇与法兰丝瓦斯在财产问题上有矛盾，于是就进行干预。她促成了法兰丝瓦斯与约翰的婚姻，并非出于成全他人的美意，而完全是为了要与布托捣乱，打破他积攒财产的美梦。这样一个顽固、强悍的女性，就像一棵根深蒂固、生命力特别强旺的大树，老而不衰。她舒适自得的晚境正好与富安的悲惨下场形成对照。左拉以浪漫的、夸张的笔调，把她写成包斯平原上的一个强者，烘托出了造成富安那种悲剧下场的野性残酷的风俗民情。

在这种野性残酷的风土中，布托是一个特别突出的代表。他一方面从他父亲那里继承了对土地的沉醉迷恋，对土地的占有欲几乎居于他生活的中心，一切都从属于这一要求。他与莉慈早有私情并已有了孩子，但他并不打算对她负责，只是当他看到莉慈所继承的土地财物对他有利时，他才决定与她结婚。他身上虽然有流氓的气息，但他耕种起自己的土地、进行各种农业劳动时，又完全是一个勤奋的农民，其热情与劲头都不减当年的父亲。另一方面，他又具有与其姑母"老大"相类似的特点，在攫取土地和为自己谋利上，他强悍、凶狠、狡黠、厚颜无耻、冷酷甚至残忍，当他父亲把土地分给儿女们的时候，一接触到儿女应承担的义务，他马上就表现得特别忘恩负义，而且心计颇深，善于谋算，他那些刻薄的反讽，流露出他那种极端的自私自利与冷酷。他在分地与抓阄中，比同样自私自利的兄弟姊妹更为刁钻，甚至有些无赖。他对土地与财富的贪婪是无限的，父亲的土地被分成几份，使他感到揪心的痛苦与愤怒，他一心想要独占。对待父亲，他不仅不尽原来议定的义务，而且为了获得父亲的私蓄，施用了各种手段，巧取豪夺。他心计很深，早就对法兰丝瓦斯不怀好意，他既有占有法兰丝瓦斯的欲望，也怀有霸占她的财产的野心，比较起来，后者更为强烈。眼见法兰丝瓦斯与约翰结婚，他感到的痛苦还不及他因失去了她的那一份财产而感到的痛苦那么强烈、持久。除了他的欲望，他身上显然还带有野性和无所顾忌的无耻，为了实现他的欲望，他什么事都干得出来，什么手段都可以使用，他的手段当然远没有文明化的资产阶级那样隐蔽、阴毒，但有时也带有一种精细的狡点。他在市场上的讨价还价，显然还带有一种原始诈骗的性质。他所使用的手段的主要特点是粗暴与凶狠，正是这种特点，使得他的家庭弥漫着一种恐怖的气氛，先是对法兰丝瓦斯的逼迫，后是对他父亲富安的残害。最后，终于在他的家里发生了最伤天害理、令人发指的罪行。这是一个理查三世式的人物，左拉既从人性的意义上写出贪婪是如何使他成为一个犯罪的人，又充分地表现出这种贪欲在一个农村小私有者身上的表现形式，表现出他那种有别于封建阶级人物的骄横、资产阶级人物的阴毒而出于粗野的本能的犯罪过程。布托这个人物在《土地》中的出现，使得法国19世纪文学中恶的人物系列中又增加了一个另一种类型的标本。

除了以上几个主要人物外，其他的农民形象也具有鲜明的性格特点。富安的长子雅森德，他曾经参加过1848年革命，后来又在第二帝国时期参加殖民军在非洲打过仗，对当地人民进行过劫掠。虽然1848年革命在他脑子里留下了一些模糊的资产阶级共和主义的概念和口号，但在殖民军中的经历却在他身上打下更为深刻的兵痞的烙印。他在乡下游手好闲，不务正业，他完全不像他父亲和他弟弟那样有耕种土地的热情，有占有土地的欲望。他只要有钱，就要喝得大醉，几乎整天都是酩酊的状态，而没有钱的时候，他就靠盗窃与偷猎为生。富安分给他的土地，很快就被他换成酒化为乌有。这是一个农民二流子的形象，左拉在描写他那种兵痞特性和在酒与泥泞里打滚的生活时，又表现出他"心地并不坏"和"具有走江湖的人的直爽心肠"，并且通过他一些粗俗不文、滑稽逗乐的故事，给小说带来一点戏谑的成分，一种拉伯雷式的色彩。富安的女婿戴洛姆又是一个正常的农民，他自私，对土地也很贪婪，但他勤劳务农，又特别善于经营与耕作，和他的妻子一道把农活与家务安排得有条不紊。他们夫妇俩对富安也相当冷酷，不过，比较起来，他不像布托那样蛮横，也不像雅森德那样无赖，他待人处世，稍为通情达理，他从个人利益出发，用正规的手段与聪明的办法去赢得自己的利益。他是农村中循规蹈矩、精明能干的富裕农民的形象。莉慈姐妹是颇有代表性的一对农村妇女,她们从小相亲相爱,形影不离,但最后却成为死敌。左拉从两个方面去写这种关系的发展变化。一方面是由于本能,莉慈与布托结婚后,发现了丈夫对小姨有所企图,从嫉妒的本能出发,便把妹妹视为眼中钉,而法兰丝瓦斯则由于本能地被布托所吸引,也对姐姐心怀嫉妒,倒反故意拒绝布托以扰乱整个家庭的气氛。左拉就这样以自然主义方法,从生理的角度描写了三人关系的复杂状态,并把它引向法兰丝瓦斯的悲剧结局。另一方面,左拉又把对财产的占有欲描写为腐蚀与毒化姐妹关系的又一根由,法兰丝瓦斯从小对自己的权益与财产就有牢固的占有欲,虽然她当时还是一个善良的小姑娘,她一直顽固地要实现她的所有权,等着成年后与布托夫妇分家。莉慈则因为眼见妹妹分走了一份财产而更增加了对她的憎恨。然而,最后,法兰丝瓦斯明知自己是死在姐姐手里,她却又顽固地从家族所有权的感情出发,不仅没有揭发使她致死的布托夫妇,而且拒绝把财产留给自己的丈夫、外乡人约翰,宁可让它落在姐姐与姐夫手里。

在个体农民形象的周围,左拉还描写了当时农村环境中其他阶层的人物。有靠开了几十年妓院发了财、以年金过着阔绰生活的乡居资产者查理夫妇,他们得到周围农民的尊敬与恭维,村民们认为他们的钱财就说明了他们高贵的身份,把他们悠闲舒适的晚年称颂为"他们30年工作的正当报酬";有农业资本家胡德根,他的情妇是当地人的"公共财产",他最后不得好死;有庸庸碌碌的乡村神甫高达,有整天醉醺醺的敲钟人培贵,他是一个极端波拿巴主义者,第二帝国在农村中的一块小小的基石;还有虐待学生的小学教员、世故的法律公证人和贪杯的土地丈量员,游手好闲的小杂货店老板与小酒店老板,以及他们的俗不可耐、不务正业但却善于钻营的儿子。《土地》中的主要农民形象和他们周围这些形形色色的人物,构成了第二帝国时期猥琐、卑微、灰暗、阴沉的农村众生相,一幅比《奥尔良的葬礼》规模更大也更为严酷的图景,正与作者笔下辽阔、富饶、悠远、色彩鲜明、富有诗意的包斯平原的大自然景色形成对照。

《土地》中的图景,必然会引起某种震惊。它发表后,5个青年作家,波尔梅丹、罗斯尼、德卡夫、马格利特与基希,于1887年8月18日在《费加罗报》上发表宣言,认为他们过去所崇敬的老师背叛了自己的原则,写出了丑恶的作品,他们指责这部小说"对农民生活的描写太不切实,笔墨颇为淫秽","从维护风化的观点,实有反对之必要",并宣称从此要抛弃对左拉的自然主义的信仰。还有的作家也批评这部小说"贬低了人类,侮辱了美与爱的一切形象,否定了良好的与善的一切"。《土地》之遭到攻击,根本原因在于,左拉不是从道德化的"维护风化"的规范去表现第二帝国时期农村阴暗的现实,也不是按人们所希望与所愿意的那样去描写农民,而是以自然主义的方法致力于表现严酷的真实,他的描写虽然令人骇然,但绝不是臆造与歪曲。小说中最令人发指的罪行、布托夫妇杀害父亲的情节,是左拉以1886年11月在阿西斯·德·布洛瓦起诉的一桩案件为蓝本写出来的,这个案件的罪犯托马斯夫妇把他们的母亲烧死在自己家里的壁炉中。因此,当这部作品严酷的真实性愈来愈被人们认识的时候,对它的指责也就成为了一种陈迹。

从创作意图来说,左拉没有从理想化与道德化的要求去表现农民,正是要通过对第二帝国时期农村生活的真实描写,提出农民的状况与法国农业的前途这一巨大的社会问题。为了写作《土地》,他阅读了当时一些有关农业与农村人口的专著,并且他在钻研中还"总是碰到社会主义这个问题"①。由此,他又主动要求与法国社会主义运动的领导人盖德进行会晤。1886年春,他与盖德晤谈了两次,倾听了

---

① 左拉1886年6月给J. 封·桑登·柯尔夫的信。见阿尔芒·拉鲁:《左拉先生,您好》,第209页,巴黎,阿米奥-杜蒙。

盖德对于法国农民问题与农业问题的观点。

马克思对第二帝国时期的农民,作过这样的论述:"波拿巴王朝所代表的不是革命的农民,而是保守的农民,不是力求摆脱由小块土地所决定的社会生存条件的农民,而是想巩固这些条件和这种小块土地的农民;不是力求联合城市并以自己的力量去推翻旧制度的农村居民,而是愚蠢地据守这个旧制度并期待帝国的幽灵来拯救他们和他们的小块土地并赐给他们以特权地位的农村居民。"①如果说,在封建社会中,个体农民是作为封建阶级压榨剥削的对象、作为物质财富的创造者而是一个革命的阶级的话,如果说,在19世纪上半叶,"农民阶级是对刚被推翻的土地贵族的普遍抗议,小块土地的界线成为资产阶级抵抗其旧日统治者的一切攻击的自然堡垒"②,因而这个阶级具有明显的进步性的话,那么到了19世纪下半叶资本主义生产大幅度发展的历史条件下,小块土地所有制就愈来愈与大规模的社会生产以及日益迫切的技术改良格格不入,愈来愈成为保守的因素。左拉所描写的就是这一历史阶段里保守的小土地所有制、农村小私有者。在他的理解中,一方面是顽固的对小块土地所有权的执着、狂热的对财产的占有欲与贪婪,使得他们成为了"放在田野上的狼群""发狂的昆虫",使得他们之间充满了小气的计较、冷酷的关系、激烈的争夺,而他们自己又在这残酷的关系中遭受着痛苦;另一方面,小私有制所决定的生产力与生活水平的低下,又使得这些乡下居民的身上保持着粗野与低级的本能。在这种理解下,他以毫不遮掩的自然主义的方法,赤裸裸地描写了他们的贪婪与犯罪、情欲与乱伦。

左拉从盖德那里接受了这样的观点:小土地所有制墨守成规,经营落后,土地分散,不利于机器耕作,使得农民成了土地的奴隶,而装备很差的农民又惧怕外国农产品的竞争。他在《土地》中也着

---

① 马克思:《路易·波拿巴的雾月十八日》,《马克思恩格斯选集》第一卷,第694页。
② 同上书,第696页。

重地表现了小农经济在 19 世纪下半叶历史条件下的落后性，在这方面，值得注意的是胡德根这个人物的经历。胡德根作为农业资本家，当然有其剥削阶级的本质，他对手下的雇工实行专制独断的统治，用工资作为手段驱使他们从事艰苦的劳动，他还操纵地方的政治和村里的公共事务，为自己的私利服务，但是，在农业技术上，他为了加强竞争的地位，倒具有一种改革的精神，以很大的乐趣投入这种改革，使他经营的农场颇有成效。左拉通过他被情妇欺骗后由于妒火中烧而在农场里巡走的情节，表现了农场的规模、生产的方式、机械化的程度、劳动条件、房舍设备、劳动力的数目和他们劳动量的大小、农畜产品的种类、供销情况与市场价格，等等，揭示了资本主义大生产较之于落后的、原始的小土地耕作的优越性。然而，在左拉的笔下，这个农场和它先进的技术像一个微不足道的小岛一样，被包围在原始、落后的小生产的庞大海洋中，胡德根所使用的机器和技术遭到了周围农民的敌视与嘲笑，被骂为"魔鬼的发明"。左拉在小说的第二部第五章中，集中提出了小土地所有制给法国农业发展所造成的危机。他通过小说人物的议论指出，由于广大的小地产因循守旧的耕作，"包斯，法国古代的谷仓，现在已经逐渐枯竭……已不能再养活一个愚蠢的民族"，而且，个体农民把一个铜子儿一个铜子儿积蓄起来，并不投资于土地，进行技术改革，而去"购买西班牙、葡萄牙甚至墨西哥的金融证券"，如此恶性循环，法国农业眼见面临巨大的危机，再也无法抵御美国小麦的倾销。左拉在小说中通过形象的描写，对当时流行的小地产优越论进行了批判，对波拿巴王朝所代表的保守的小土地所有者的落后面与阴暗面进行了无情揭露，有助于人们认识真实的情况，这是小说《土地》所具有的不可否认的价值。不过，应该指出，左拉在进行这种描写的时候，并没有也不可能真正站在当时的科学社会主义思想的高度，写出农民阶级的力量与缺陷、优点与弱点，而是带着资产阶级社会学的观点与人性恶的思想，过多地渲染了农民身上的阴暗与污点，因而也就不免流于一种片面与偏颇，这不能不说是表现了作家的阶级局限性。至于他把资本主义农场作为个体小生产的对立面而多少加以美化，则又反映了他看不出法国农民的前途与法国农村的前景。左拉在揭示保守的个体农民的落后面的同时，对他们也进行了一些同情的描写，他表现了从封建时代的农奴演变而来的个体劳动小私有者在资本主义关系中的命运并未得到改善。他通过第一部第五章，反映了法国农民在封建社会中悲惨的历史命运与艰难的求生挣扎之后，又在第四部第三章中，通过布托纳税的情节，表现了农民在资本主义社会中所受到的压榨，加在他们头上的地税、人头税、动产税、门窗税，等等，项目之繁多，几乎不减当年封建时代，而且"每年都不断提高"。就此，左拉描写了农民对"自己头上有种种行政司法机构，有资产阶级的懒鬼们在压迫"而感到的愤怒情绪，描写了他们渴望取消赋税、兵役的强烈愿望，对第二帝国政府所散布的美化农民现状、把乡村描绘成人间乐园的波拿巴主义的宣传，进行了辛辣的讽刺。可惜的是，左拉在他的小说里，并不把表现农民与资本主义制度的矛盾当作自己主要的任务，就像他在《萌芽》中把工人与资本主义制度的矛盾当作主要内容那样，因而，他的小说也就没有写在法国现实生活中实际存在的贫苦农民对资本主义制度的反抗与斗争，这使小说《土地》未能具有它本来可能具有的社会进步意义。

  法国农民与法国农村的前景如何？左拉在《土地》中也企图有所涉及，关于这个问题，他曾经从盖德那里获知了这样的观点：只有采用高度机械化与化学肥料作为基础的优良耕作方法，才能改变农业经济的落后与贫困，而这只有在小农生产方式消灭和土地国有化之后才有可能。将来，政权还要转移到工人阶级的手里以消灭资本主义的劳役与资产阶级的政府。盖德的上述观点在《土地》中有明显的反映，左拉在小说里安排了"大炮"这样一个人物，他是"巴黎郊区的工人"，"曾经参加过社会党所有的集会"。他从一个村庄到一个村庄宣传一项"伟大事业",那就是"巴黎的同志们将夺取政权","废除年金,占领大的资产,使全部金钱与劳动工具还给全体人民。人们将组织一个新社会,一个巨大的金融、工业与商业的机构,对劳动与享受进行合理的分配"。"在乡下,将没收土地",由国家农场"进行大规模的耕种,使用大量的资金、机械以及种种其他先进设备",而个体小农,"你们在旁边看见国家农场的丰收,无须别人请求,你们将自动献出你们的田亩"。《土地》中这一重要的章节,说明了左拉在某种程度上接受了社会主义思潮的影响,然而,他让这些思想观点由"大炮"这个人物来宣讲,而这个人物又被他描写成"大路上的流浪汉""乡村里的恐怖对象""靠偷窃和强迫施舍过活的流氓",这又反映了他对社会主义力量的不理解,实际上没有在生活中看到实现社会主义前途的阶级力量。

与此相关的一个人物是工人出身的约翰。左拉把他写成《土地》中的一个正面形象,虽然他也有个人的欲望与对财产的希求,但他勤劳、正直、本分、善良,对土地既有一种超乎功利的、近似对大自然的审美感的热爱,又有一种像哲人一样意境高远的崇拜。但是,左拉又把他写成一个与社会主义思潮毫无关系,并且在包斯平原上无所作为的人。他在小说里,似乎只是这个乡村中的匆匆过客,他未能如他原来所希望的那样在这里扎下根,而是在那冷酷的环境与关系里,成为了一个失败者,最后,被迫离开了这片乡土。左拉对约翰的处理,从另一个方面反映了他思想的局限性与某种悲观主义的情绪。尽管他在小说的最后,通过约翰的思想,对大地、对人类劳动的永恒性,作了颇有诗意的歌颂。

在艺术风格上,《土地》是一部具有多种因素的复合式的作品。其中对包斯平原上大自然景色的诗情画意的描写,带有左拉早期作品中浪漫主义的风格。对农村生活的现实主义的描绘,其真实性则严酷得使人震惊,而左拉的自然主义方法,在这部作品里又表现得特别突出，他经常是不厌其详地、不加任何遮盖地去写一些下流的对话、动物性的情欲、丑恶的场面与血淋淋的犯罪，使人读来颇感恶心。这无疑有损《土地》的艺术价值，也使得《土地》往往很容易成为一部有争议的作品。

给萨特以历史地位

——《萨特研究》编选者序

一、给萨特以历史地位

让-保罗·萨特于1980年4月15日在巴黎逝世。不论是什么国度,不论是什么党派,不论是政治界、哲学思想界还是文学艺术界,人们都不能不关注这一悲讯,都不能不感到若有所失。当这个人不再思想的时候,当他不再发出他那经常是不同凡响的声音的时候,人们也许更深切地感到了他的丢失了的分量。他在西方思想界所空下来的位置,显然不是短时间里就有人能填补的。不同观点的人,对他肯定会有这种或那种评价,但随着时间的推移,在将来,当人们回顾人类20世纪思想发展道路的时候,将不得不承认,萨特毕竟是这道路上的一个显著的里程碑。

萨特的经历纯粹是一个知识分子的经历,也可以说相当单纯,即始终是作为一个从事精神生产的智力劳动者。他生于一个海军军官的家庭,两岁丧父,母亲改嫁,从小跟随外祖父母生活。外祖父是一个学识渊博的语言学教授,萨特在他这里,得到了良好的文化熏陶。中学期间,萨特成绩优异,爱好文学,进行了广泛的阅读,曾产生过拯救人类于痛苦的浪漫理想。1924年,他进入以培养了不少杰出人物著称的法国著名学府巴黎高等师范学校,攻读哲学。1929年,他在大中学教师学衔会考中名列前茅，取得哲学教师的资格，并认识了他后来的终身伴侣女作家西蒙娜·德·波伏瓦。短期服役后，从1931年到1933年，他在外省担任中学教师。1933年，他作为官费生赴柏林的法兰西学院研究德国哲学家海德格尔与胡塞尔的学说，开始形成了他的存在主义的哲学思想体系。1934年以后，他继续从事教学并开始写作。第二次世界大战爆发，他应召入伍，1940年在前线被俘。1941年获释后继续任教。1945年，他创办《现代》杂志，此后，他成为职业作家，一直到他逝世。

　　萨特的一生是在精神文化领域里不断开拓、不断劳作的一生。对于一个身体并不好、从3岁起就瞎了一只眼睛的人来说，要完成深造的学业并留下五十卷左右浩瀚汪洋的论著，那是多么不简单的事！他是哲学家，师承了海德格尔的学说，但成就与影响远远超过了那位德国的先行者，而成为了存在主义哲学首屈一指的代表，他的主要哲学著作《想象》《存在与虚无》《存在主义是一种人道主义》《辩证理性批判》《方法论若干问题》，已成为20世纪资产阶级哲学思想发展变化的重要思想材料。他是文学家，他把深刻的哲理带进了小说和戏剧，他的中篇小说《恶心》、短篇小说集《墙》和长篇小说《自由之路》早已被承认为法国当代文学名著；他得心应手的体裁是戏剧，在这方面，他的成就显然更高于他的小说，他一生九个剧本并不为多，但如《苍蝇》《间隔》等，在法国戏剧中都占有重要的地位。他也是一个文艺批评家，著有《什么是文学》和三部著名的文学评传——《波德莱尔》《圣日内》和《福楼拜传》。他又是一个政治家，他的文集《境况种种》有十卷之多，其中除了关于法国文学、欧美文学的评论和文艺理论著作外，还有对于第二次世界大战期间斗争的回顾，对殖民主义的抨击，对世界和平的呼吁，对阿尔及利亚战争、越南战争以及一系列世界政治事件所发表的意见。几乎可以说，萨特在精神文化、社会科学的多数领域中，都留下了丰硕的成果，仅仅在其中一个领域里取得这样的成就已经是不容易了,何况是在这样多方面的领域里呢。无疑,这是一个文化巨人的标志。因此,萨特的影响不仅遍及法国和整个西方世界,而且还达到了亚洲、非洲的一些地区。现在,当我们来估量萨特的历史地位时,已经就很难想象一部没有萨特的当代思想史、一部没有萨特的当代文学史,会是什么样子。

要对萨特作出评价,首先就要遇到他的存在主义哲学思想这个艰深而玄妙的难题,而在这个问题上,人们的意见是相当纷纭的。事实上,萨特也受过不少责备和挑剔。萨特的存在主义哲学的核心,不外是"存在先于本质"论、"自由选择"论以及关于世界是荒诞的思想,即认为:人生是荒诞的,现实是令人恶心的,人的存在在先,本质在后;人存在着,进行自由选择,进行自由创造,而后获得自己的本质,人在选择、创造自我本质的过程中,享有充分的自由,然而,这种本质的获得和确定,却是在整个过程的终结才最后完成;等等。对此,人们当然可以提出种种批评:把存在与本质割裂开来,这岂不是形而上学?强调个体的自由选择,岂不是主观唯心论、唯意志论?甚至是为一切罪恶的行为提供理论根据?既然在萨特的哲学里,生活是荒诞的,人是自由的,不仅对法律道德是自由的,而且对宗教信仰、理想也是自由的,那岂不是为那些颓废、消极、放纵的垮掉的一代提供了哲学基础?如果要着意从立论上、概念上、逻辑上去指摘萨特哲学思想的错误和矛盾,也许还不止这些。到目前为止,除了马克思主义的辩证唯物主义、历史唯物主义,还有什么"完美无缺"的思想体系呢?狄德罗的唯物论被认为是机械的、形而上学的,归根到底仍是唯心主义的,黑格尔也被称为客观唯心主义者。然而,这两个远非"完美无缺"的哲学家,却得到马列主义经典作家多么崇高的评价啊!我们对待萨特,难道不应该这样吗?如果有人力图把萨特贬成一个哲学上的侏儒,去寻章摘句对萨特进行"彻底批判""彻底扬弃",

那就随他们去吧,我们的任务却是,指出萨特哲学思想中可取的部分和合理的内核。这样做肯定要比把萨特批得体无完肤费力且不讨好,但却甚为值得,这倒不是为了死者个人,而是作为一个社会主义大国的研究界所应尽的责任。

如果撩开萨特那些抽象、艰深的概念在他哲学体系上所织成的厚厚的、难以透视的帷幕,也许不妨可以说,萨特哲学的精神是对于"行动"的强调。萨特把上帝、神、命定从他的哲学中彻底驱逐了出去,他规定人的本质、人的意义、人的价值要由人自己的行动来证明、来决定,因而,重要的是人自己的行动,"人是自由的,懦夫使自己懦弱,英雄把自己变成英雄"。这种哲学思想强调了个体的自由创造性、主观能动性,显然大大优越于命定论、宿命论。它把人的存在归结为这种自主的选择和创造,这就充实了人类的存在的积极内容,大大优越于那种消极被动、怠惰等待的处世哲学。它把自主的选择和创造作为决定人的本质的条件,也有助于人为获得有价值的本质而作出主观的努力,不失为人生道路上一种可取的动力。至于萨特所认为的世界是荒诞的,人是孤独的、痛苦的,人生是悲剧性的,这种观点的确表现了一种苦闷失望、悲观消极的思想情绪,但这不正反映了哲学家对资本主义现实的不满?萨特曾经把自己的存在主义哲学称为"一种人道主义",他无疑是资产阶级人道主义思想传统在20世纪最有创造性的一个继承者,他在20世纪资本主义社会现实荒诞的条件下,发扬了资产阶级人道主义的积极精神,追求人的真正的价值,提倡人面对着荒诞的现实争取积极的存在的意义。特别难能可贵的是,萨特作为一个资产阶级思想家,对于马克思主义又始终抱着一种善意的亲近的态度,与某些资产阶级思想家本能的敌对和随意的谩骂是完全不同的。他承认马克思主义的价值,虽然他并不完全了解马克思主义,甚至还有误解,他试图把存在主义和马克思主义结合起来,虽然他把自己的哲学视为对马克思主义的"补充",看来似乎有些狂妄。总的说来，他对马克思主义的态度还是赞赏和向往的，这就显示了他作为一个超脱了狭隘阶级局限性的思想家的风度。

对于一个哲学体系的评价，从理论上、方法上作出"定性分析"固然重要，但更重要的是看这种哲学的实践，看它在现实生活中的作用。正是在这个意义上，对哲学家萨特的估价，必须和作为文学家、社会活动家的萨特联系在一起。

萨特第一部哲学著作《想象》发表于1936年，而他的存在主义哲学代表作《存在与虚无》发表于1943年，这正是法西斯势力这一种"恶"在欧洲日益猖獗并正在造成巨大灾难的时期。萨特在发表哲学著作的同时，又以文学创作宣传他的哲学思想，公正地说，他这些论著和作品，在当时的条件下，是带着与这种"恶"相对抗的性质的。他的第一部小说，也是他自己最重视的小说《恶心》，纯粹是哲理性的，它通过一个知识分子单身汉安东纳·洛根丁的日常生活，表现了萨特本人对资本主义社会现实的感受和思考。其中主人公那种对现实的恶心感，对客观世界的不可知感，对环境的无以名状的恐惧感、迷惘感，对生活的陌生感以及在人与人关系中的孤独感，显然是作为人对当时阴云密布、灾难即将临头的欧洲现实的一种自然而然的反应被作者加以细致描写的，也可以说是在那种历史条件和形势下，萨特对人的状况和人与社会关系的状况的一种批判性的认识，其中当然包含着对那个时代社会现实的一种否定。如果说《恶心》带有某种抽象的性质，那么，小说《墙》则具有鲜明的政治色彩。作者在这篇小说里描写了西班牙战争期间反革命的白色恐怖，揭露了法西斯军队如何像"疯子"一样"逮捕所有和他们想法不同的人"，特别揭露了他们对政治犯那种惨无人道的精神折磨和肉体迫害，表现了他对那正在欧洲肆虐逞凶的反动势力的憎恶。他同一时期的另一篇小说《艾罗斯特拉特》则是他"自由选择"的哲学思想的一种文艺图解，写的是一种恶人的"自我选择"，主人公对人类极端蔑视，疯狂仇恨，宣称自己是"一个不爱人类的人",并要上街用他手枪中仅有的6颗子弹去杀"半打人"。艾罗斯特拉特本是古希腊的一个无赖,为了要使自己的名字留传后世得以不朽,放火焚烧了狄安娜神殿,由此,他的名字就成为了"以无赖的行为使自己出名"的同义语。萨特以这个名字称呼他小说中的主人公,正表现了他对那种以反人道来标榜自己的恶棍的否定,表现了他对恶的"自由选择"的否定,可见,在萨特的哲学里,自由选择是包含着善恶是非的标准的。而且,萨特也没有停留在抽象的善恶上,他总是力图联系现实的斗争来表示自己的态度。当整个欧洲几乎都笼罩在希特勒的阴影之下,法国处于屈辱的被占领状态的时候,萨特又写作了著名的剧本《苍蝇》,剧本根据埃斯库罗斯的悲剧《俄瑞斯忒斯》三部曲改编,写阿迦门农的儿子为父报仇的故事,在古代悲剧的题材中,注入了他存在主义的哲理,俄瑞斯忒斯就是一个作了英雄的自我选择而成为了英雄的人物,他为了给父亲报仇,敢于承担责任、采取行动、杀死母亲,因而获得了自身的意义和价值。萨特在剧本中清楚地表现这样的寓意:只要是为自己的自由而采取行动,就能获得肯定的意义,这在当时无异于向法兰西同胞发出了进行反抗的暗示,因而剧本遭到了德国占领当局的禁演。

第二次世界大战结束后,欧洲满目疮痍,希特勒的浩劫所造成的严重后果还没有消失,原子弹和冷战又在人们的心里投射了新的阴影,道德标准、价值标准完全动摇,理想破灭。萨特的论著和作品所宣传的世界是荒诞的,人生是没有意义的思想,正投合了人们对现实生活怀疑悲观的认识和他们苦闷消极的情绪。但是,如果一种哲学只使人陷于痛苦的绝境不能自拔的话,那它是不会有生命力的。萨特的存在主义哲学的力量在于,它一方面指出了现实的荒诞,另一方面又给苦于在荒诞之中挣扎的人们指出了一条出路——自我选择。因而,在他们看来,这种哲学似乎替自己找到了一个在不合理的现实中的比较合理的支撑点,给了他们一种用来摆脱苦闷和失望的精神力量。这就是萨特的思想战后在整个西欧风靡一时的社会心理基础。值得注意的是，这种社会心理并不是来自生活中那种营私牟利、飞扬跋扈、制造灾难的反动腐朽的阶级力量，而恰巧是，或者主要是来自现实生活中在一定程度上受损害、受宰割、被欺骗、被牺牲的人们，也就是中小资产阶级。因而，萨特的存在主义就不是反动资产阶级的意识形态，而是中小资产阶级知识分子阶层的思想的哲学形式，它具有某种合理的因素和积极的意义，而萨特在战后所发表的一些作品里，也正力图给他抽象的哲学命题填进具体的积极的社会内容。

先是他的长篇三部曲《自由之路》。三部曲的第一、二部《懂事的年龄》与《延缓》于1945年问世，第三部《心灵之死》发表在1949年。萨特在三部曲里，通过一个知识分子主人公的生活道路，再一次给他所主张的"自我选择"提供了一个具体范例，说明了他这一哲学概念中正面的、积极的含义。小说以第二次世界大战前夕和战争初期的年月为背景，主人公玛第厄像萨特本人一样，也是一个出身于资产阶级家庭的哲学教师，他完全陷在现实的荒诞、个人的苦恼中，他自己也不满意并力图摆脱，他曾经想到西班牙去参加斗争，但犹疑、矛盾，没有采取行动的决心，他虽然在意识形态上愿意参加共产党，但又怕妨碍自己的自由。战争的风暴、民族的危难逐渐把他拔出个人的狭隘的天地，使他感到自己所追求的个人自由是那么空虚，他投入了斗争，在一次抵抗德国侵略者的阻击战中，作出了自己的"自由选择"，以英勇的行动而成为了英雄。在他死后，他的朋友、共产党人布吕内继续进行斗争。同时还有他著名的哲理剧《间隔》。这个剧本同样也阐释了"自由选择"的主题，只不过是从另一个角度出发。它通过表现三个生前有恶德、有污点或有罪过的男女，在地狱里互相纠缠、互相矛盾冲突、互相折磨的卑劣而痛苦的景象，实际上提出了一种道德上的告诫。在萨特看来，这一男二女正因为是作出了卑劣的自我选择，他们的本质是低劣的，所以他们现在才是那样难堪，以至在他们之间，别人像地狱一样使自己难以忍受。正像他把那个仇恨人类、具有恶的本质的无赖蔑称为"艾罗斯特拉特"一样，萨特又把那种卑劣的人与人的关系概括为"别人，就是地狱"这一在当代文学史上也许是最为著名的哲理警句，这一警句，既是萨特对资本主义现实中丑恶的人与人的关系深刻的揭示，同时也包含着对那种推脱自己的责任、把命运归咎于别人、怨天尤人、消极等待、不进行积极的自我选择的人的嘲笑和讽刺。这个剧本上演后，以其深刻的哲理和巧妙的戏剧性而受到了热烈的欢迎，成为萨特剧中经常上演的保留剧目，并被批评家誉为法国当代戏剧的经典作品。除了这两部作品以外，萨特从战后40年代直到他晚年所写的文学作品，绝大部分都有积极的思想内容和进步的社会意义：剧本《死无葬身之地》(1946)表现被德国占领当局逮捕的游击队员威武不屈的英雄主义，《毕恭毕敬的妓女》(1947)尖锐地揭露了美国的种族歧视和上层统治阶级的卑劣，《涅克拉索夫》(1956)对法国反动势力进行了讽刺，《阿尔托纳的隐藏者》(1960)抨击了法西斯的残余势力，根据欧里庇得斯的悲剧改编的《特洛亚妇女》(1966)影射了殖民战争的不正义。仅仅《肮脏的手》(1948)流露了萨特本人对无产阶级政党的某种偏见。

萨特另一个极为重要的方面，是作为一个思想家投入了当代政治社会的斗争。在这方面，他是资本主义社会现实的批判者，是反动资产阶级的非正义和罪行的抗议者，是被压迫者和被迫害者的朋友，是社会主义、共产主义的同路人。20世纪40年代，他参加过反法西斯斗争，从俘虏营出来后，他组织过"社会主义与自由"的抗敌组织，参加过全国阵线领导下的作家委员会，为法共领导下的地下刊物撰稿。50年代，他谴责美帝的侵略战争，"为了抗议法国政府对这种帝国主义行为的屈从"，他与法共接近，关系密切，成为法共的同路人；虽然他对50年代中期共产主义运动中的一些事件不理解，但也曾为无产阶级专政的必要性进行过辩护。60年代，他冒着被捕的危险，反对法国对阿尔及利亚的殖民战争，并不止一次揭露法国殖民者在那里的暴行，1964年，瑞典皇家学院决定授予他诺贝尔奖金，他坚决拒绝，表示"谢绝一切来自官方的荣誉"。60年代后期，萨特曾公开谴责苏联出兵侵略捷克斯洛伐克。70年代，他积极支持工人罢工和学生运动，当法国左派的《人民事业报》受到政府的压制时，他挺身而出，保护这个刊物，并亲自走上街头叫卖。在苏联入侵阿富汗时，他还表示了强烈的反对。萨特用自己的行动写下的这份"政治履历表"，充分显示出了一种不畏强暴、不谋私利、忘我地主持正义的精神和任自己的感情真挚地流露而不加矫饰和伪装的襟怀坦白的政治风格。他以这种精神来指导他的文学活动，主张"倾向性的文学"，要求作家用文学来为战斗行动服务。这就使萨特成为了法国历史上那种作家兼斗士的光荣传统的当之无愧的继承者。如果说，属于这个传统的，18世纪有为最大的冤案卡拉事件的昭雪而向封建统治、反动教会作了勇敢斗争的伏尔泰，19世纪有与拿破仑三世的独裁政权进行了长期不妥协斗争的雨果和为德莱弗斯冤案而与整个资产阶级国家机器对抗的左拉，20世纪有把自己的斗争汇入了社会主义时代潮流的罗曼·罗兰与法朗士，那么，在20世纪中叶，则有让－保罗·萨特补充了他们的行列。

萨特曾被称为"20世纪人类的良心"，但对此，资产阶级批评家曾进行了奚落：他的错误太多了，成不了良心。类似的批评也曾来自社会主义国家：他在政治上太"反复无常"了，不可取。萨特作为一个资产阶级思想家，的确有根本的局限，他在政治上、思想上也有过不止一次错误，但是，在近半个世纪以来当代极为复杂、变化多端的政治环境中，试问能保持一贯正确、绝对正确的究竟有多少？只不过萨特比较表里如一、不隐蔽自己的观点、不掩盖自己的矛盾、不文过饰非而已，"万能的上帝啊，请您把那无数的众生叫到我跟前来！让他们听听我的忏悔……然后,让他们每一个在您的宝座前,同样真诚地暴露自己的心灵,看看有谁敢于对您说:'我比这个人好'!"

萨特在生前不为资产阶级所喜欢,他们认为他是资本主义世界里的一个"骂娘的人"。但他作为思想家,在我们社会主义国家里也受到过不公正的对待,批评者认为,他"为资本帝国主义制度作辩护",他发出了"反动资产阶级临死前的悲鸣",他企图把马克思主义与存在主义调和起来,更是包含着"极大的祸心"。这,对于主观上对中国的社会主义抱着善意、对马克思主义也严肃认真的萨特来说,也许是最大的不幸。这一个精神上叛逆了资产阶级因而被资产阶级视为异己者的哲人,能在什么地方找到自己的支撑点?萨特应该得到现代无产阶级的接待,我们不能拒绝萨特所留下来的这份精神遗产,这一份遗产应该为无产阶级所继承,也只能由无产阶级来继承,由无产阶级来科学地加以分析,取其精华,去其糟粕。

萨特的逝世,给一个社会主义大国的理论界提出了一个艰巨的研究课题。我们相信,通过对萨特的研究,人们将不难发现:萨特是属于世界进步人类的,正如托尔斯泰属于俄国革命一样。

二、关于本集的编选原则和内容

当前,对萨特的研究,显然还仅仅开始。这一研究任务,不是少数几个人的事情,而是哲学研究界、文学研究界共同的任务。但要进行切实的、深入的研究,首先应该对萨特有必要的了解,要作必要的资料工作。如果说,过去甚至包括现在,对萨特有一些既不公正又与事实不符的责难和批评,实与资料不足有关。资料是科学研究必不可少的依据,缺少了它,就只剩下了主观主义的"分析批判"了。萨特资料的不足,也有客观的原因,国内所拥有的原文图书和报刊的匮缺是其一,即使有一些,各单位分藏,不能互相补充,构成整体,是其二。我们编这本《萨特研究》的目的，就在于企图多少改变这种情况，多方收集，以求提供一些关于萨特的必要的资料。

在编选资料方面，目前有一个常见的做法：如果是以某一个作家为对象，往往就把外国批评家、评论者对这个作家的论述收集汇编在一起。外国评论者的论述是外国人研究的心得，无疑对我们有重要的参考价值，然而，它们毕竟是外国评论者的议论和结论，有时结合着作家作品的实际，有时却只是一种阐述和发挥，即使结合了作家作品的实际，往往也只是在评论者本人论述所需要的范围之内。这种编选方法对于其作品已经为中国读者所熟知的作家，如莎士比亚、巴尔扎克等是适宜的，但对萨特这样一个中国读者所知不多的作家就不合适了，如果这个专辑采取那种办法，那么，读者也许只能看到一些评论家对于萨特的高谈阔论，而看不到萨特本人的庐山真面目，哪怕是庐山真相的几张摄影或几幅写生。因此，我们采取了另一种编选办法：选择一部分萨特的文论，以提供萨特本人对他的政治、哲学、文学思想所作的阐释和解释；选择一部分萨特的文学作品，以提供萨特存在主义文学的代表或典型章节；编述萨特的年表，萨特全部文学作品的内容提要以及与萨特有特殊关系的作家的资料，以提供萨特的生平和创作等情况；刊载一部分萨特进行文学活动时期的文学背景材料，以提供萨特与当时文艺创作状况的材料。总之，我们力图从各个方面介绍萨特的全貌，希望读者拿到手里的，是一份比较全面的关于萨特的资料，当然，限于篇幅，我们的介绍只可能是初步的，而且，与其说是全貌，不如说是概貌更为确切。

萨特作为哲学家、思想家、社会活动家，其文论的数量是相当庞大的，不过，既然我们这个专辑是作为现当代文学资料的一种，所以，萨特的哲学文论不在我们入选之列。我们着重从文学和一般思想的角度，选择了《为什么写作》《答加缪书》和《七十岁自画像》三篇。

《为什么写作》是萨特1947年发表的文艺理论专著《什么是文

学》中的一章,它既是萨特的文艺理论,又是萨特本人最高的创作纲领。早在1945年,萨特在《现代》杂志的创刊号上,就发表了题为《争取倾向性文学》的社论,要求文学具有倾向性,干预生活。这是萨特一贯的文艺思想,也是他自己创作活动的根本出发点。《为什么写作》是一篇相当艰深的美学论文,带有某种思辨的性质,从这里,我们可以看到萨特作为美学理论家所具有的康德、黑格尔美学论著中的那种深邃,他把常见的文艺现象阐述得那样透辟,显示了非凡的思考力。对于"为什么写作"这个命题,他虽然是从以个体为中心的人本思想出发,但却达到了正确的结论,他始终抓住根本的哲理,从作者与读者、创作与阅读、美与审美各对关系,阐明了个体人的创作活动的社会性和严肃性;他的论述充满了对辩证法的运用,他明确地以"为艺术而艺术"以及巴那斯派的"艺术家不动感情"的形式主义美学观为对立面,完整地论述了他的艺术既不能脱离"别人"和社会,同时也必须是为"别人"、为社会的美学哲理,这当然是对19世纪下半叶以来泛滥极广的"为艺术而艺术"的思潮的一次强有力的清算,针对戈蒂耶所提出的那个著名的形式主义美学口号,萨特提出了"艺术品,就是召唤",写作就是介入,以及要"在审美命令的深处觉察道德命令"等一系列深刻的思想。那么召唤什么?介入什么?于是,在这篇文论里,思辨的哲理一变而为明确的宣言,那就是提倡揭露一切"非正义行为""应被取缔的弊端",那就是要作正义的召唤。在萨特看来,只有正义的召唤才能产生"好的小说",而非正义的东西,如反犹太主义、法西斯主义则必然断送作者的艺术生命,他甚至把他的"介入"解释得这样明确:"有朝一日,笔杆子被迫搁置,那时候,作家就有必要拿起武器。"萨特的论述,响彻了高昂的资产阶级民主主义的声音,它是资产阶级美学理论中的优秀传统在20世纪的一次复兴,如果把它和萨特本人总是力求通过写作为进步事业服务、总是把批判的矛头指向腐朽反动的社会阶级力量、指向不合理的资本主义现实的创作实践联系起来，那么，更可以看出，在这篇抽象的思辨性的美学论文中，实际上有着非常进步的时代社会内容，它在当代资产阶级文艺理论中，是难得的力作，理应得到我们格外的重视。

《答加缪书》是萨特文论中有代表性的另一篇，它虽然和某一事件有关，但其重要性不同于他的十本文集《境况种种》（十卷）中关于时事政治事件、社会问题所发表的谈话或文章，而标志着法国当代文学史上一次重要的论争和他与另一个同他同样举足轻重的大作家的关系。加缪才华横溢，出现于20世纪40年代的法国文坛，既是抵抗运动的英雄，又是对现代生活荒诞性的深刻思考者、揭示者，他在存在主义风靡全欧的时期几乎与萨特齐名，两人的友谊更是从抵抗运动时期就开始了的。论争由于1951年加缪出版的《反抗者》一书而来，在这本书里，加缪根据当时所揭露的苏联存在着集中营的事实，对苏联表示了否定的态度，萨特所主持的《现代》杂志对加缪这种态度的"保留"和萨特的亲密合作者尚松对《反抗者》一书的批评引起了论争。如果撩开论争中的一些词句上的纠缠和论争中难免都有的策略和手法上的遮掩，不难看出，实质性的问题是对苏联的态度。在当时出现了"两大阵营"的历史条件下，加缪那种不以对象为转移而反抗一切不合理事物的态度，当然显得是一种脱离现实、脱离历史的"抽象的""纯粹的"反抗，这正是萨特在《答加缪书》中对他的批评；而萨特则主张不要脱离实际，要与具体的社会力量结合，"参加他们的战斗"，明确提出了"帮助那边的奴隶的唯一途径是站在这里的奴隶一边"。当然，这里并不存在一个萨特否认集中营的存在并认为它合理的问题，问题是双方对于如何斗争和对现实斗争采取什么态度，的确存在很大的分歧，萨特实际上表现了他当时的党派精神和阵营色彩。我们把这篇文章译出来，并不是为了对一个属于历史范畴的问题作出某种结论，更不是为了再一次确认这样一次争论所涉及的问题就足以给加缪这一位杰出的作家戴上"右"的帽子。我们完全把它作为文学史上一份思想材料译介出来,以披露这次重要论争的某些实际情况,以提供萨特关于在现实斗争中应采取什么政治态度的哲理所作的解释。

《七十岁自画像》是萨特的自述文章。萨特叙述自己的生活和思想的作品不少,较早的有《词语》一书,它主要记述了萨特童年时的生活,被人称为"最富有人情味的作品"。他的文集《境况种种》中,也有多篇自述性的文章,仅以第十卷而言,就有三篇之多。比较起来,《七十岁自画像》在萨特的自述性作品中最为重要。此文发表于1975年,正当萨特将70岁的时候。这时,萨特已经走过了他一生绝大部分道路,完成了他所有的作品,他仅有的一只眼睛也近乎失明,再也不可能进行写作,作为一个作家的生涯这时已经完全告终,他用答记者问的形式发表了这一长篇的谈话,收在他最后一部文集中,作为他最后一篇文章。毫无疑问,这是萨特对自己的"盖棺论定"。这篇谈话,与其说是回顾了他一生的经历,不如说是总结了他作为思想家、作家、社会活动家的各个方面,对于研究萨特,这比追述他的生平更为有用,从这里,不仅可以看到他经历中的某些片断,他个人生活的情况(包括工作方式与起居),更重要的是可以了解他思想的各个方面,可以看到他的精神状况和他为人处世的准则,总之,一个全面的萨特,萨特的一个全貌。不过,这里还有一个问题:萨特是不是有一个统一的全貌呢?他的思想被认为是充满了矛盾,他的行为被认为变化无常,在那些矛盾的现象中,在那些反复的变化中,是否有某种统一性、某种一致性呢?这是萨特研究中的关键。只有在萨特基本上完成了他一生的创作活动和社会政治活动的时候,对这个问题才有条件作出一定的结论。《七十岁自画像》的价值就在于它提供了萨特思想和行动中某种统一性的解释。不论萨特的思想和著作中有多少矛盾,但是,就他对自己所处的那个社会而言,正如他所说的,"我可以说明这个社会是不道德的,它不是为了人,而是为了利润而建立的,因此,就应该彻底改变它";就他对自己的阶级而言,正如他所说的,"我断定资产者都是坏蛋,我想我恰恰可以通过对资产者说话,毁坏他们的名声","我的立场扼要地说,在于把资产者作为坏蛋来谴责";就他对马克思主义的态度而言,正如他所说的,"我想马克思主义有些方面是站得住的:阶级斗争、剩余价值等等","马克思主义是我们时代不可超越的哲学"。也正是在对这一系列根本问题的认识基础上,他提出了这样的警句名言:"我们只有在两者之间作选择,不是社会主义就是野蛮。"在他看来,斗争是艰巨的,"至少需要50年的斗争,人民的权利才能从资产阶级权力那里夺到果实……斗争有时前进,有时后退,成绩有限,但失败并非不能挽回,最终才能实现社会主义",但与此同时,他又具有一种历史的乐观主义,"我相信历史在前进,在一步步走向革命,发展和变化是令人鼓舞的",在这样一个历史潮流中,他这样规定自己的任务和职责,"我能做的一切,就是努力争取尽可能多的人,就是说争取群众加入为彻底改变这个社会而采取的行动"。当然,在近几十年来世界范围里复杂的斗争中,在各种力量不断变化、大动荡、大改组的过程中,萨特对有关问题的态度不可能也不应该固定不变。然而,正如他的自述所表明的那样,他主观的变化是由于客观事物的变化而引起的,而他主观的变化却又始终是依据着一定的原则,那就是他本人所说的他要求自己政治上"尽可能诚实"的原则,以及我们从他的行动中所归纳出来的尽可能地主持正义、促进社会向前发展的原则。譬如对于苏联,在战后冷战的年代里,在萨特看来,"共产党人是有理的,苏联尽管有我们知道的种种过错,那时候它毕竟是受迫害的,它还没有能力在战争中抵抗美国",因此,他当时"认可共产党人的言论,大致上他们指责美国的,也就是我们指责的",但后来苏联发生了变化,在世界范围里已扮演了不光彩的角色,萨特也就成为了苏联霸权主义的抗议者了。再譬如对中国,萨特从20世纪50年代起就怀着友好的感情,中国发生"文化大革命"后,他就采取了保留的态度,而在这种保留之中同时又带有一种愿意继续观察、了解和研究的实事求是的精神。再譬如对法国激进的左派青年,萨特在他们受到压制的时候是见义勇为、挺身而出加以支持和保护的,而在涉及他们的观点理论的时候,他又明确表示了自己与他们的距离。凡此种种,就是《七十岁自画像》一文所提供的萨特看起来似乎矛盾、实际上却又统一的形象。而且,这一长篇叙述既充满了一种对自己的价值和力量的自信,又具有一种平易质朴、老实自然的风度,在某些方面,还具有一种卢梭《忏悔录》式的坦率,如承认1954年访问苏联时言过其实、撒过谎,承认曾经也有过单单为了赚钱而进行写作,等等。在这里,用来美化自己、粉饰自己的虚伪的道德面纱是没有的,呈现出来的是一个真实的萨特,这更增添了这篇自述的文献价值,也是我们之所以选择它的一个原因。

在作品方面,这个专辑并不是萨特作品选,不言而喻,不可能把萨特文学创作中有价值、有意义的作品都选入,而只能提供一部分最为典型的文学创作的样品。在这里,我们不妨根据自己的理解,把萨特的文学作品作这样一种区分:一类是直接写现实的政治题材或社会题材的作品,在小说中有短篇《墙》、长篇《自由之路》,在戏剧中则有《毕恭毕敬的妓女》《肮脏的手》《涅克拉索夫》《阿尔托纳的隐藏者》等;另一类则是以虚构的非现实的故事为题材的作品,在小说中有中篇《恶心》、短篇《艾罗斯特拉特》等,在戏剧中则有《间隔》《苍蝇》《魔鬼与上帝》。前一类作品由于其故事和形象描绘都有明确的现实性,所以,其思想意义似乎比较一目了然,至少具有某种确定性,即它们写的是什么、批判的是什么、反对的是什么、思想意义是什么,都很具体、明确。虽然萨特的文学作品几乎毫无例外都有某种哲理,然而,这一类作品所展示出来的现实的社会生活内容,对读者来说,其直接的吸引力和表现力显然大于作者所要说明的抽象的哲理。而且,作品中直接的社会现实生活的内容,也只允许作者按照这种社会生活现实性的规律去加以描写,而不可能对他的哲理作更多的阐发,于是,在这一类作品中,社会生活直接的现实性就往往掩盖了间接的、抽象的哲理性。因此,读者在《墙》和《死无葬身之地》中,首先看到的是法西斯势力的残酷和灭绝人性;在《毕恭毕敬的妓女》中,首先看到的是种族歧视的野蛮和种族主义者的伪善和冷酷;在《涅克拉索夫》中,首先看到的是反动势力的无耻和卑劣;在《阿尔托纳的隐藏者》中,首先看到的是法西斯残余势力的腐朽与阴暗。这些作品,对读者来说,就首先是这些具体的社会内容,首先是作者对这些社会内容的具体的、明确的思想和态度,而不是某种另需深入地加以探究的哲理。这些作品无疑都具有较高的思想意义和艺术价值,但对于一个以其哲理著称的思想家来说,它们还不是最充分地具有表征意义的代表之作,它们具有某种时事性,特别是像《肮脏的手》,更是萨特某一时某一种思想观点的产物。基于以上这些看法,我们在这个集子里,没有选这一类作品的章节。

我们所选的是第二类作品,亦即那些不是以某一具体明确的现实社会生活为题材的作品,它们或伪托于当代的传说,如《苍蝇》,或虚构为荒诞不经的神话,如《间隔》《魔鬼与上帝》,或者写的是当代现实生活,但并没有具体的历史背景和社会事件,如《恶心》。这类作品不像前一类作品那样明明白白、直截了当告诉读者它们所指的是什么、要说明的是什么,它们具有某种象征性,其寓意比较深藏,比较费解,比较容易引起评论者不同的解释。而且,正因为这些作品的题材不是十分具体的社会现实,而带有极大的虚构、带有极大的主观随意性,所以也就更便于作者在其中贯注和阐发自己的哲理。无疑,它们在哲理上的丰富、寓意上的深刻大大超过前一类作品。象征意味与隐喻性是它们的特点,它们是萨特存在主义哲学思想最充分、最完整的文学形式。在我们看来,这就使它们成为了萨特研究中更值得探究的课题，事实上，它们也的确是对萨特来说最具有表征意义的篇章。基于以上这种看法，我们在这个专辑里选了《恶心》《苍蝇》和《间隔》作为萨特存在主义文学的典型样品。

有一种意见认为，《恶心》根本不能算是小说，这里既没有明确的社会历史背景，也没有统一连贯的故事情节，更没有共性与个性统一的典型人物形象，即使是结构，也显得松散零乱。然而，萨特自己偏偏这样说："从纯粹文学的角度来说，《恶心》是我最好的文学作品。"事实上，也正是《恶心》的发表，使得萨特开始蜚声文坛。那么，《恶心》的思想艺术价值究竟何在？《恶心》在艺术形式上，显然近似鲁迅的《狂人日记》，采用的也是日记体、自述体。作者根本无意于写出吸引人的故事，无意于设计完整的结构，而只求写出一种哲理性的认识：现实是荒诞的。如何才能更好地表现这种认识呢？最充分、最方便的方法，就是写出人对这种荒诞现实的感受，而在不满、愤怒、厌倦、烦躁、反感等否定性的感受之中，最能说明现实的性质、对现实最具有强烈否定的感受的，莫过于萨特所描写的"恶心""作呕"这种感受了。现实生活中的一切使人恶心，当一个作家写出了这一点的时候，他也就达到了对现实生活加以相当彻底否定的程度。萨特进行了这种创造性的、甚少先例的描写，而为了把这种恶心感表现得最充分、最细致不过，他钻进了洛根丁这样一个极为敏感、极为纤细的知识分子的主观世界之中，让他对现实生活中的一切作出反应，作出反感到恶心地步的反应，从而表现出现实生活的不合理、丑恶、虚妄和荒诞。《恶心》并没有表现出具体的历史时代背景，洛根丁眼前那个一切令人恶心的带维勒城，在法国以至整个欧洲的地图上是找不到的，短篇小说里也并没有出现某种反动社会势力的代表和资产阶级统治者的形象，但是，其中那种强烈的厌恶的情绪，虽然是针对30年代末资本主义社会现实的，特别是针对法西斯势力开始猖獗的那样一个时代社会，这正如《狂人日记》一样，显然其中只有

"狂人"的一些"胡言乱语",但正表现了一种激烈的反封建主义的精神。因此,在法国,有人很自然把这部带有某种抽象性质的小说,称为"左翼小说"。我们选用了这部小说中的一些篇章,目的就在于展示萨特哲学中关于现实的荒诞性这个命题的具体社会内容,以及存在主义小说作品在思想上和艺术上的某些特点,我们力求从小说中选出最有典型意义的片段,至于是否真正做到了这一点,还有待读者鉴定。

《苍蝇》是萨特剧本中的杰作之一。在这部作品里,古代神话故事与20世纪40年代法国的现实、传统的古典的艺术形式与典型的现代哲理达到了一种水乳交融的奇妙结合。剧本写于1941年,出版于1942年,正是整个法国被法西斯的魔影所笼罩而一时还看不到任何光明前景的时候,严酷的现实使得剧本本身充满了一种阴森可怕、肃穆压抑的悲剧气氛,而最后又是以主人公崇高勇敢的行动为结束。它是一个真正的悲剧,它的悲剧性既在于它充满了激烈尖锐的矛盾、痛苦流血的争斗的故事,在于阿尔戈斯城被恶神愚弄控制的悲剧,更重要的在于主人公最后的结局,他正义勇敢的行动却使他成为了一个"人民公敌",成为了他自己姐姐憎恶的对象。萨特安排这样一个结局,并不是因为希腊悲剧中俄瑞斯忒斯为父报仇杀死自己亲生母亲的故事,本来就反映了古代母权社会向父权社会的过渡中那种重大的、酷烈的、难以解决的社会矛盾,而是为了强调俄瑞斯忒斯斗争的艰巨性,强调他与之斗争的对象并不仅仅是一对杀父的凶手,而是一个控制着一切、掌握着一切的邪恶的朱庇特神,是他这样一个无所不能的巨大的恶的力量。因而,他复了仇、伸张了正义之后,"万里长征"仅仅才开始,他还必须承受着邪恶的神的报复,受到他们紧追不舍的逼迫和折磨,由他自己来把象征着罪恶的苍蝇从自己的祖国故土引走,让它们追在他的后面,而他的行程,将是永无尽头的……在这里,萨特所要表现的是一场多么严酷、多么充满了悲剧性、多么艰巨的斗争!而他的主人公又是以多么勇敢、多么坚毅、多么崇高的精神，把它承担了下来，面临着那无止境的道路，迈出了自己的大步。在这样一个气氛压抑低沉、充满了血腥气味的悲剧里，充满了一种多么高昂的英雄主义精神、自我牺牲精神和乐观主义精神！在其中，萨特贯注了他自己多么炽热的感情，贯注了他自己面对着祖国被法西斯德国占领这一悲惨的现实而具有的多么强烈的爱憎和坚决的斗争意志！而所有这一切，又完全是以莎士比亚化而非席勒化的方式表现在活生生的古代生活的场景里。当这个剧本还没有译本，甚至还没有什么介绍的时候，我们认为，把它作为一个样本收在这个集子里，来说明萨特对正义斗争的激情，也许是最适宜不过了。

当然，此剧在生动的古代生活场景里，有着浓厚的哲理性，实际上，它也是存在主义哲学文学表现形式的最重要的代表作，萨特的主要哲理思想在这里几乎得到了完整的表述，这也是我们选用它的另一个主要原因。全剧所表现的与其说是俄瑞斯忒斯如何复仇的过程和故事，不如说是俄瑞斯忒斯是如何决定复仇的过程和故事。这是一个从小就遭到厄运的人物，在童年时代，就曾几乎被杀父的仇人置于死地，逃到外邦后，总算在雅典自由的阳光下长成成人，形成了温柔天真的性格和对幸福、理想的向往，他漫无目的地在希腊漫游，来到了自己的故国阿耳戈斯。虽然他为自己的身世家仇感到悲愤，但并没有明确的复仇计划，何况，他的哲学教师一直以怀疑主义、息事宁人的哲学对他施加影响，更主要的是天神朱庇特一直在施展他的神通，企图把他引出这个城邦，制止他走向复仇的道路。他的姐姐厄勒克特拉悲惨的生活和她那像烈火一样的渴望报复的感情，使得他作出了抉择，而一旦他作出了抉择，他就成为了一个天神也无能为力去加以摆布的、充分具有自由意志而又能够采取任何自由行动的独立的个人。令人意想不到的是，他复仇的结果却引起了他那个姐姐由于亲生母亲被杀而产生的悔恨。于是，厄勒克特拉成为了他的对立面，两人也得到了不同的结果：一个由于不相信复仇的正义性、被悔恨所压倒而又沦入了恶神的摆布和控制；一个由坚信自己斗争的正义性、勇敢承担起责任而始终成为恶神所不能战胜的英雄。整个剧本的戏剧冲突就在这个过程中展开，与其说是情节性的变化，不如说是心理性的，即人物思想感情的变化，构成了戏剧冲突发展的真正契机，而存在主义的哲理——存在先于本质、人获得什么样的本质决定于进行怎样的抉择、抉择的主动权在于人而不在于神或他人，等等——也就是在这样一个人物心理变化和故事情节变化的交织中得到了阐述，所有这一切都是完整的浑然一体，因此，我们在这个专辑里不做任何节选。

《间隔》是萨特另一部重要的戏剧作品。与《苍蝇》一样，它也是以神话为题材，象征性和寓意性是它们共同的特点。在我们看来，在萨特创作中，它们无疑是最富有隽永意味的两个，彼此相辅相成，一正一反，从两个不同的方面表现了萨特关于自由选择、人的本质和人的价值的哲理。《苍蝇》，从正面歌颂了"善"的自由选择，歌颂了通过这种选择所获得的英雄主义的"本质"，崇高的人的价值；而《间隔》，则从反面揭露了"恶"的自由选择，揭露了这种自由选择所带来的丑恶的"本质"，卑劣不堪的状态，从而给萨特的存在主义哲学中"善"与"恶"的具体内容作了最明确的阐释。我们把这两个剧本选入这个专辑，也正是为了使人清楚地看出，萨特所主张的自由选择无疑是具有十分明确的善恶标准和道德标准的，他是主张"善"的自由选择而反对"恶"的自由选择的。作为一部独立的文学作品，《间隔》在当代文学中具有极大的深刻性和高度的思想艺术价值。戏剧的纠葛和冲突只是在三个男女之间发生，然而却构成了资本主义现实生活中某种人与人之间关系的缩影，不是一般的缩影，而是有高度概括意义的缩影。他们之间的纠葛和冲突，其根源只是因为他们各人过去有罪过，现在还有卑劣的要求，他们之间存在着难以调和的矛盾，他们需要互相戒备、提防，把自己紧紧裹起来，唯恐对方知道自己、洞悉自己，特别是了解自己过去的一切，他们之间有着鸿沟、有着屏障,以至地狱并不是刀山油锅,也不是但丁笔下的景象,而就是异己的别人!还有什么比这更深刻地写出了资本主义社会现实中人与人之间关系的本质!在一个短短的独幕剧中,通过三个人物之间的戏剧性纠葛,以"别人,就是地狱"这样一个短小的警句,就道出了整个资本主义关系中那种间隔的、对立的、互相不能容忍的性质,这的确显示了萨特作为思想家和艺术家的高度的独创性的才能。剧本的题名 *Huis Clos*,原意是法律上的"禁止旁听"、只限当事人在场之意,萨特以此作为题名,看来是为了表现剧中人物那种唯恐自己被别人所知悉、唯恐自己的隐秘为人所知的精神状态和他们那种互相隐瞒、互相戒备、互相封闭的关系。现在,这个剧名已有多种译法,如《门关户闭》《密室》等,我们认为,萨特显然并不是想要告诉读者和观众,他的剧本讲的只是一个"门关户闭"的房间或一个"密室",何况舞台上那个门关户闭的房间或密室,也是象征着地狱,它作为一个"密室"在剧中并没有重要的有机的意义,而更多地只具有舞台布景的意义而已,因此,我们根据对萨特原作意义的理解,暂且把它译为《间隔》,即偏重于突出萨特剧本所表现的精神方面的东西。在这里,我们作此简短的说明,也是为了就正于专家、读者。

我们在这个专辑不可能把萨特本人的文论和作品都加以翻译介绍,但我们力求多提供一些萨特的实际情况和材料,为此,专设"萨特资料"一栏,编述年表,介绍其主要经历活动;撰写其全部文学作品的内容提要,展示尚未译介的萨特作品的浮光掠影;对与萨特特别有关的两位作家加缪和西蒙娜·德·波伏瓦作些简介,以期有助于加深对萨特的了解。当然,对于这两位在法国现当代文学史上享有重要地位的作家来说,这样的简介是远远不够的,这里只限于勾画他们的大致轮廓和基本倾向,让人看看萨特是属于法国知识界的哪一个族类,显然,正如我们所看到的,在这两位作家身上,也像萨特一样有着严肃的、对于积极进步的理想的追求。

虽然对萨特进行研究，最重要的是要了解萨特的文学创作和社会活动的客观实际，主要要凭他本人所留下的思想材料，但并不是说，当代批评家、作家对萨特的评论是可以忽视的，它们当然具有重要的参考意义。在西方，对于萨特及其存在主义哲学的评论，可以说是多得难以数计，就法国而言，仅以萨特为论述对象的专著，为我们所知的，就有十几种之多，大多出自当代研究者的手笔，其中也有的是与萨特关系比较密切的朋友所写的，如弗朗西·尚松。我们没有选取这些萨特专著中的论述，而是选了两个更有代表性的作者的两部非萨特专著中的章节，一是安德烈·莫洛亚的《从纪德到萨特》一书中论萨特的一章，一是罗杰·加洛蒂的《论人的远景》中论萨特创作的一节。这两本书并不是专论萨特的著作，但前者把萨特放在半个世纪以来法国文学发展的过程中，和其他的重要的作家一起加以论述；后者把萨特放在20世纪哲学思想发展的过程中加以考察。两者都有全局观点，更便于从萨特在发展过程中、在整体范围里的地位和意义，对他加以比较准确的评价，而不至于顾此失彼，取其一点，不及其余。而且，两者的论述也是概括性、鸟瞰式的，对萨特的整体和全貌或主要方面作出了全面的、概括的、扼要的说明，避免了陷入萨特问题某些冷僻的和细枝末节的方面以及拘泥于某些琐细的材料。至于作者，安德烈·莫洛亚本人既是法国当代文学中卓越的小说家，也是一位成就极高的历史学家、文学史家、杰出的传记作家，法国文学史上一些第一流的大作家，以至其他国家的文学家，诸如雪莱、拜伦，尽都是他曾作传的对象。他是一个非常善于掌握作家对象精神特点的大师，并以趣味盎然的文学笔法加以勾画，从而在当代传记文学中占有最高的地位。在论萨特的这一章中，我们可以看到他的这些特点，特别令人欣赏的是，在如此短的篇幅中，莫洛亚竟把如此复杂艰深的萨特和他各方面的成就介绍得如此简明扼要。正因为莫洛亚是资产阶级文学中古典传统在当代杰出的代表，是法国文化史研究中出色的人物，法兰西学士院的40个"不朽者"之一，所以，他对萨特的评价和论断，当然具有某一方面的权威性。加洛蒂则是另一个方面的代表人物，他原是法共著名的理论家和文艺批评家，他的某些情况早在20世纪60年代就已经为我国理论批评界所熟知。我们选择以上这两个批评家的论述，也正是为了介绍整个法国批评界中不同党派、不同倾向、不同信仰的人物对萨特的态度，从而有助于读者了解萨特在法国文化思想领域的地位和影响。

考虑到萨特的文学活动主要是在戏剧领域，为了了解他的戏剧成就是在什么文学背景上取得的，我们从法国著名的批评家、文学史家布阿德福尔的《当代文学史》中，选译了论述法国第二次世界大战以后法国戏剧的有关章节。萨特的戏剧创作基本上是整个战后法国戏剧的一个重要组成部分，从布阿德福尔的论述中，我们不难看到萨特在法国戏剧全局中的地位。至于附录中的法国文艺动态，我们拟在本丛刊的每一辑中连续地定期地介绍，并力求在时间上衔接起来，以构成不中断的"活的历史"。

以上就是我们编选这本研究资料的原则和就有关内容所作的说明。我们只求对萨特研究提供一些初步的资料，由于原文材料不全，更由于编选者水平有限，本专辑难免有疏漏、不足，甚至错误，我们期待着专家、读者的指正。

1980年5月第一稿
1980年9月第二稿

新小说派说明了什么？
——《新小说派研究》编选者序

作为一个文学流派，法国新小说派的形成是20世纪50年代初的事；而作为一种文学实验，"新小说"早在20世纪30年代就已经从娜塔丽·夏洛特的笔下产生了。即使我们只从50年代初算起，这个文学流派至今已有30多年的历史。是的，新小说派的四个主要人物，不论是罗伯-葛利叶、娜塔丽·夏洛特，还是米歇尔·布托、克洛德·西蒙，他们现在仍在继续创作，而且，看来还有相当旺盛的创作精力，他们今后肯定还会写出新的作品来。但是，在我们看来，现在是可以对新小说派做历史结论的时候了。当一个文学流派已经展示尽自己全部的内容——思想方面的内容与艺术方面的内容，当一个文学流派再也跳不出自己的窠臼而一再重复自己的时候，我们就可以说它实际上已经宣告了自己的终结，到了可以"盖棺论定"的时候。新小说派目前的情况正是如此。

今天，在社会主义中国，为什么要对这样一个现代派文学流派加以介绍并对它做历史性的总结呢？[①]

当然，首先是因为这个流派是战后法国的一个显著的、重大的文学现象，在战后整个西方文学中也占有重要的地位。如果说，第二次世界大战期间和大战后的一个时期里，即从30年代末到50年代以前，法国文学中的现代主义潮流是以存在主义文学为其主要内容的

---

① 本文写于1983年11月中旬。

话，那么，50年代初以后直到目前，这股文学潮流则由"新小说"与荒诞派戏剧所构成，而由于现代主义潮流在战后法国文学中是以流派、群体的相对集中的形式出现的，每次出现都呈现出大体一致的思想倾向、风格与艺术特征，公众的注意力又往往更容易被这种那种新奇的创作主张与创作实践所吸引，这就形成了这样一种现象：现代主义似乎是法国战后文学的主潮，而存在主义文学、"新小说"与荒诞派戏剧则在不同的阶段成为了这潮流中的三大"洪峰"。其中，"新小说"无疑是声势最大的一个。它拥有的作家最多，除了四个主要的代表以外，曾经名列于这个流派的，不乏一些著名人物：罗伯特·潘盖、玛格丽特·杜拉斯、萨缪尔·贝克特、克洛德·莫里亚克……且不算在它之后出现的相当一批东施效颦的新"新小说"派作家，其阵营之大当然是存在主义文学与荒诞派戏剧所不能比的。新小说派创作的文学产品的数量无疑也占压倒多数，仅四个主要代表人物的作品与论著，就有近80种之多。从文学活动来说，它在法国文坛上也确曾显赫一时，以其反传统小说的旗帜、引人注目的派别活动，造成了巨大的声势。就其读者面而言，尽管它不像通俗小说那样在社会各阶层都拥有广大的读者，但在文化界、研究界，在文学青年与追求新奇事物的大学生中，却曾风靡一时，特别是罗伯－葛利叶进入电影创作领域里，他的《去年在马里昂巴德》摄制成影片并在国际比赛中获得大奖，更是轰动了西方世界，赢得了无数的观众。就其影响的范围看，早在50年代初，它就从法国波及西方各国和东方的日本、印度。由于以上原因，它早已成为法国以至世界各国文学研究中的一个重要课题。

因此，我们不能无视这一客观存在，我们需要对它进行必要的了解与研究，这是任何分析评判的前提。

其次，则是由于与我们的文学论争有关。"四人帮"垮台后，随着思想解放的进程，人们打破禁区，开始对西方现代派文学进行译介与研究，这是完全必要的，因为研究就是分析、鉴定与探讨，是为了取其精华，去其糟粕，并不是全盘接受、顶礼膜拜。但是，在我们对西方现代派文学了解与研究还很不充分的时候，当我们对西方现代派文学的实际情况所知不详、若明若暗的时候，一方面出现了一种意见，认为中国的社会主义文学应该走西方现代派文学的道路，应该以现代主义为方向，另一方面，则有意见要把现代派文学完全彻底加以否定，认为一无是处。这些意见显然不是建立在对西方现代派文学进行了科学分析的基础上的，难免流于某种盲目性。根据这种情况，我们就颇有必要展示几个西方现代派文学的实例，加以研究与分析。因此，对战后现代派文学的主要品种之一法国新小说派的历史总结，也许就会具有一定的现实意义。

我们在这本资料中，介绍了新小说派的一些文论与作品以及作家、批评家对新小说派的评论。此外，还有一些关于新小说派的说明资料。在文论方面，一部分是新小说派关于小说要革新的理论宣言，如娜塔丽·夏洛特的《怀疑的时代》，罗伯－葛利叶的《未来小说的道路》《自然·人道主义·悲剧》，另一部分是新小说派关于小说如何革新，即关于小说创作技巧问题的论述，如娜塔丽·夏洛特的《对话与潜对话》，布托的《小说的空间》《对小说技巧的探讨》等；在作品方面，新小说派三个主要代表人物每人各有两部代表作入选，他们其他的主要作品，则在"有关资料"一栏中以作品提要的形式予以介绍。总之，这部研究资料的目的在于展示出新小说派在理论与创作实践两方面的概貌，以便于研究界的同志们对新小说派进行分析与研究。在这里，我们不妨拉出一些看法，供研究界参考。

在理论上，新小说派以反对传统的小说、要求在小说创作的方法上进行激烈的改革与新的实验而著称，那么，它的主张究竟有哪些可取之处与哪些基本缺陷呢？传统的文学，总有两个方面，既有经过了时间的考验而留存下来的优秀合理、应该予以继承发扬的东西，也有不适应于新的形势、需要随着时代的前进而加以扬弃或加以改善的东西；文学传统，总是在历史的进程中不断丰富、不断新陈代谢、不断向前发展的。我们可以说，创新才是文学艺术发展的生命，也就是优秀传统延续不断的生命，而在文学史上，根本不存在什么从天上掉下来的、永恒的、一成不变的传统的文学。从这个意义上来说，新小说派要求小说创作方法的革新，这是一种自然而合理的要求。但仅从这一点来估价新小说派的理论主张却又不够，我们还应该看新小说派要求扬弃的究竟是传统中的哪些东西。

他们曾把矛头指向巴尔扎克式的传统手法，认为这种传统手法是20世纪的小说创作所应该扬弃的。不过，应该指出，他们并不反对巴尔扎克的写实主义，倒恰巧是以要求更真实的名义去责怪巴尔扎克传统手法，嫌巴尔扎克式的描绘不够真实，满足不了20世纪读者复杂的头脑。罗伯-葛利叶反对通过人的观点去描写现实、反对巴尔扎克式的表现出事件的确定性，而要求不带任何主观色彩去表现出事物的"纯客观"的存在，剔除人为性；同样，在娜塔丽·夏洛特看来，巴尔扎克也只表现出了事件与人物的表面的真实，而没有表现出人物意识深处原始的真实与建立在这种真实的基础上的人与人之间那种敏感的感应关系。当然，我们应该承认，在真实地描写现实上，人类不应该永远满足巴尔扎克式的创作方法，不能完全墨守这一种陈规而不去开拓新的表现途径，问题在于新小说派的理论主张具有什么积极的建议性的因素，足以指导新的、合理的艺术开拓？如果说，娜塔丽·夏洛特的理论还可能引导作家去挖掘人的内心深处的那些原始的感情活动与思维活动、开辟心理描写的新方面的话（虽然这个新的方面在整个人物塑造与描写中只应占很次要的地位），那么，罗伯-葛利叶的理论却有违艺术创作的规律。文艺作品只是现实生活在人头脑里加工的产物，它根本就是精神产品，而不是客观事物的简单重复，一定要脱离人的角度去描绘现实，无异于揪着头发要把自己拔离地球，是根本不可能的事；至于不要把生活事件的确定性表现出来，而要把事件描绘得令人捉摸不定，那不仅不能揭示现实生活的真相，反而会陷于不可知论而导致对现实生活基本面貌的遮盖与曲解。

衡量一个流派的价值，主要还要看它的创作实践。在这方面，"新小说"已经有了30年至40多年的历史，它提供了足够的例证供我们对它在反映现实上、在思想性上、社会意义上和在艺术技巧上的得失作出估价。

新小说派作家几乎都宣称自己是追求真实的，应该说，新小说派作家也的确表现了一定的真实，这些作家基本上都是以中小资产阶级的生活为题材，我们从他们的作品里，多少可以看一些中小资产者、退休的老人、家庭妇女、教师、职员等人物的生活的浮光掠影。在罗伯-葛利叶与米歇尔·布托的作品里，有着对具体的生活场景和具体的事物详尽而细致的描写，这种描写在细节上也达到很真切、很准确的程度；布托还从多方面、多角度去描写同一生活片断或现实事物，展示出现实的多方面性。但是，这些描写使人对整个社会生活"只见树木，不见森林"，不向读者提供社会生活的完整的概貌，哪怕只是社会生活某一个方面或某一个过程的完整的概貌，更谈不上对社会现实作典型化的提炼了。因此，它们也就不能使读者通过作品对社会现实达到比较全面、比较深刻的认识。更有甚者，由于罗伯-葛利叶认为现实生活本身具有浮动性，在他的作品里，事件与人物更是扑朔迷离，难以捉摸，其中所表现的现实生活内容的确实性也就成了疑问，如果作家自己对现实生活中某一事件的确实性还有怀疑，或者说，他干脆就认为现实生活的某一事件就没有什么真实性与确定性可言，那么，即使我们对此不指出其哲学思想上的实质，他所描绘的图景必然是难以理解的，缺少认识价值的。罗伯-葛利叶最初的两部作品《橡皮》与《窥视者》就已经相当明显地表露出这种特征，而到《在迷宫里》与《德冉》中，这种特征更发展到极端，以至完全可以说，"真实"这位王后，虽然是罗伯-葛利叶多次声称所要追求的对象，但在他的作品里已经难见踪迹了。

在心理描写方面，娜塔丽·夏洛特无疑以她独特的方式达到了某种真实性，那就是她对内心独白、内心独白的前奏以及潜对话的描写，她以这种描写构成小说的主体，从而在西方各种各样心理描写的文学中具有了自己的独创性，又提供了一种先例。她的这种描写应该说是相当真切而细致入微的，展示了人物内心里那些混杂、零乱、琐细的心理活动，使读者看到她笔下的那些中产阶级人物的精神状态，他们内心里原始的感觉、本能的反应、感情上微妙的一动、情绪的细小波动、思绪的一小片断以及由潜对话所呈现出来的他们之间平庸猥琐的关系，等等。不过，我们也应该说，这种精神状态的图景是很不完全的，它只有一般日常生活的内容，而缺乏社会阶级的内容。实际上，作者是把社会阶级内容从人物的心理活动中排除了，而在社会现实生活里，人的内心活动中总是有着大量社会阶级内容的，当作者抽掉了这种内容的时候，她的作品也就失去了一种重要的真实性，即社会生活内容的真实性，而只具有了一种很次要的真实性，即生活琐事的真实性，而且，这种生活琐事的真实性还往往并不呈现出某一生活事件、某一生活片断的局部性的全貌。

总之，在反映现实上，新小说派是一个有明显缺陷的文学流派，它从追求真实出发，但走上了崎岖的小道，不仅没有达到理想的真实境界，反而进入了脱离社会生活、脱离时代社会的荒漠，甚至有时还陷于不可知论的境地。

在文艺创作的思想性、社会意义问题上，新小说派作家与萨特的"介入"的态度相反，采取了遁离的态度，他们远离社会问题，避免对社会问题表示自己的态度、观点与见解。他们明白地表示，他们只是一些对艺术技巧的探索有兴趣的作家，而社会课题是他们所不闻不问的。这样，新小说派的作品一般就只具有形式上的意义，而谈不上思想意义与社会意义。如果这是一种不幸的话，那么，也许在这不幸之中还有一点"万幸"：他们因为回避社会问题而得以免于在作品中表现出某些社会偏见，那是资产阶级作家在涉及社会问题时经常难免要流露的。娜塔丽·夏洛特、米歇尔·布托的作品，基本上就是如此。但是，令人不由自主的是，作家不是生活在真空，而是生活在社会现实中，当他采取某种社会生活为创作的题材时，他总不可避免有某种态度，而避免表示态度，何尝不是一种态度？而且，他所采取的社会题材的性质还必然会衬托出他那种中立态度的性质。在罗伯-葛利叶的作品中，我们就看到了这种必然性。在《橡皮》里，他对一个政治事件完全不表示自己的倾向，甚至不去表现它的真相。在《窥视者》里，他对一桩伤天害理的案件竟然漠然地写来，丝毫不带义愤。到了《纽约革命计划》里，情况有了恶性的发展，虽然，作者并没有在这部作品里明确写出其中的那种"革命"究竟是什么"革命"，是不是指实际生活中真正的革命以及革命究竟发生没有、会不会发生，但他把一幅幅像噩梦一样可怕、又像噩梦一样似有似无的图景，置于"革命计划"的标题下，毕竟流露出某种否定革命的思想倾向。这样，新小说派作家从反对从人的角度去描写现实、反对追求某种思想性与社会意义，自然就发展到摒弃社会责任感、社会道义感，并且有时不可避免要陷于某种阶级偏见。

在艺术技巧上，新小说派肯定具有不可忽视的意义。一个在文学史上站立住了的流派，如果不是以自己对社会现实的深刻认识启迪读者，不是以自己对社会问题的高尚良知去感动读者，也不是以充沛的思想力量去震撼读者，那它一定是别有所长，而一般来说，往往就是在技巧上有所发展，有所创新。我们并不认为新小说派的作品具有特别高超的艺术性，我们也不认为新小说派的作品具有特别强的艺术吸引力。应该指出，新小说派的作品有时读来还需要一定的耐心，但是，不可否认，它确实展览出了好些小说创作的新技巧。它的意义就在这里。这些技巧，如对物的细致与准确的描写（《橡皮》）、通过对同一事物的重复描写中的局部变化以折射出人物内心的变化与生活场景的转换(《嫉妒》)、心理描写与外界描写的重叠(《在迷宫里》)、对某一事物或某一事件多角度与多重性的描写(《度》)、对同一时空条件下不同事件的多头描写(《米兰巷》)、对内心独白之流的描写(《行星仪》)、对原始感觉的描写(《向性》)、对人物之间敏感的感应关系与潜对话的描写(《陌生人肖像》),以及在作品中途用造型艺术手段、借用符号与图像的方法(《运动体》《航空网》),等等。这些技巧虽然肯定不都是符合艺术创作规律的,但也肯定不都是违反艺术规律的,其中总有一部分合理的成分可供研究、参考,它们在今后的法国文学中,无疑不会被人遗忘,其真正合理的成分亦将作为某种艺术经验而被吸收,至于那些技巧是否会被后人继承与发展,这只能有待于未来文学史的证实。在17世纪,当拉法耶特夫人写出心理分析小说《克莱芙王妃》时,有谁能预见她所开创的这个传统将有龚斯当、司汤达、普鲁斯特、娜塔丽·夏洛特这些成就各有高低、意义各有不同的后继者?

总的说来,新小说派是一个以在具体的写作方法上力求创新为其主要特征的大文学流派,是我们应该加以了解、进行研究的一个课题,而当我们作了一番了解与研究后,就比较易于确定它对我们的意义了。不言而喻,这样一个在反映社会生活上、在社会思想意义上有明显缺陷的流派,不足以成为文学上的典范与楷模。虽然新小说派远远不能代表整个西方现代派文学,但它作为西方现代派文学的一个例证,倒满可以说明,要把西方现代派文学作为中国社会主义文学的方向,的确有些轻率。同样不言而喻,新小说派作为新的小说技巧的一次实验与展览,也不应被我们所无视。技法一旦从某一个流派中产生,它就具有相对的独立性,未尝不可以被用来表现其他的内容,如果有助于表现健康的内容,那么,某一个符合艺术规律的具体的新技巧、新手法,为什么不可以"外为中用"呢?

我们希望这本资料多少能说明以上问题,果能如此,我们的编选工作就不是没有积极意义的了。

爱情小说中值得重视的一支

——《外国短篇爱情小说选评》序

最古的中国文学和西方文学，都有这样一个相似的现象：中国最初的诗歌总集《诗经》的第一首，就是动人的情诗，"关关雎鸠，在河之洲，窈窕淑女，君子好逑"；西方最早的史诗《伊利亚特》，则写的是帕里斯王子与海伦王后的情事所引起的一场纷争，虽然这一著名的史诗开篇说是要歌唱"阿喀琉斯的愤怒"。

这无独有偶的历史现象，看来说明了爱情问题在人类文学中所占的重要地位，何况这种重要性被自从人类社会有了文学现象之时直至今天的全部文学发展过程所不断加以证实了。

爱情问题之所以在文学中这样重要，并非因为古来文人学士都特别风流，"寡人有疾"，而是由爱情是人类生活的基本内容之一这样一个客观事实所决定的。

对于人类生活的基本需要，中国古人曾概括为"饮食男女"四个字，在西方有人也归结为三件事，即"吃""喝"与"繁殖"。这种概括只着眼于自然人的本能要求，丝毫没有把人从动物中抬高出来。然而，人与一般动物毕竟有根本区别，是"万物的灵长""宇宙的精华"，人对一般动物而言，总具有人之所以成其为人的一些本质，这就是通常所谓的"人性"。爱情属于人性的范畴，并表现人性的某些重要的方面。当然，人性并不是抽象的，而总是受阶级性、社会性、民族性的制约，总要打上阶级性、社会性、民族性的烙印，人的爱情也是如此。

在一切文学艺术中，对于爱情历来有两种不同的描写。一种基于"饮食男女"的理解，只注重写人的自然本能、人的"欲"、人的动物性、人的官能享受，这种文艺，如果姑且也算文艺的话，历史上几乎每个时代、每个国家都有，我国历代的"春宫文艺"直至今天资本主义社会的"X电影"或"成人书刊"，就是极端的例子。它们毫无思想意义和艺术价值，很难算是什么文艺，往往是当时统治阶级糜烂生活的产物，并为统治阶级的享乐和毒害人民服务。应该承认，欲情文学中也有并不乏某种认识价值的作家和作品。例如，18世纪法国作家萨德虽然文名很坏，但文学史并不能无视他的存在；我国的《金瓶梅》，虽然充满了色情描写，但暴露的价值也不能完全否定。不过，总的说来，这些作品趣味低俗，笔调亵秽，其价值是有限的，在人类文库中，不可能占有重要地位，在社会生活中，也不可能受到普遍的赞赏，严格说，它们不能算是爱情小说。在历代文学中，确还有相当一大部分具有高度价值的作家作品，他（它）们在爱情描写中，着眼点和落笔处往往都是在"欲"字上，而不是在"情"字上，这些作品在中国文学中，有从《三言二拍》的一些短篇到郁达夫的某些小说，在外国文学中有从《十日谈》中一部分故事到具有自然主义创作思想的作家，如左拉、莫泊桑、龚古尔等人的某些（不是全部）小说。这类作品的产生，都有它们各自的社会背景，情况比较复杂，我们无意在此加以分析和评价，只不过想借此指出，"饮食男女"这一类主要从生理方面去理解人的思想观点，历来都对文学具有相当大的影响，甚至一些杰出的作家也未能例外。

文学艺术中的另一种爱情描写，则与前一种或多或少表现了"饮食男女"的观点的作家作品有重大的区别，它基于人是人而不是动物的理解，着力表现人之所以成为人的那些精神的、感情的东西，表现人作为社会人，作为创造了文化、具有了文明、脱离了动物状态的人的特点，着力挖掘人类爱情生活中人的价值、人的品格和人的诗情。本来，爱情就是人类生活中一块优美动人的天地，在这里，人的激情、人的风度、人的文明、人的高贵品质、人的人格力量比在其他方面更容易有充分的、全面的展现，怎么会不引起以表现人的生活、表现人的灵魂为己任的文学家来寻幽探胜呢？于是，在文学发展过程中，就出现了难以数计的动人的爱情篇章，给人以高尚情操的启示和美好感情的感染的真正意义上的爱情作品。毫无疑问，这是各国文学中爱情描写的主流。我确信，随着人类社会的不断前进、人类文明化程度的继续提高、人类精神境界的不断开拓，文学中爱情描写这一传统的、健康的主流就不会中断，就不会被纽约曼哈顿区四十二街上一家接一家的"X电影院"和"成人书店"以及一切庸俗化、低级趣味的爱情描写所淹没，而会更加昌盛。

当编者在这里谈论人的价值、人的品格的时候，自然会碰到这样一个一直有不同意见的理论问题：在不同的时代社会，究竟有没有人们共同的价值、共同的品格？在划时代的社会主义革命之后，传统文学中还有值得无产阶级肯定的健康的"人的价值、人的品格"吗？

的确，人类社会发展至今，经历过好几种社会形态，原始社会、奴隶社会、封建社会、资本主义社会都各不相同，社会主义社会更与以前诸社会形态有原则的区别。而且，自奴隶社会以后，各种阶级社会都有不同的阶级，它们的愿望、意志、利益、思想观点往往截然不同，甚至尖锐对立。这些都是事实。当我们考虑人类不同社会发展阶段、不同阶级的思想体系和意识形态的时候，当然不能也不应该忘记这种阶级的决定性和制约性。然而，在同样的经济发展阶段中，不同世纪的社会往往面对着一些相似的现实、相似的问题，要求他们得出相似的主张，作出相似的处理和回答。如在一夫一妻制占统治地位的历史阶段里，不同时代、不同民族、不同阶级自然都会提出相似的"忠贞"的准则。用同样这个道理，我们也就可以理解，为什么在爱情问题上,人们至今仍崇尚真挚的感情、纯朴的动机、高尚的情操、优美的风度,以至自我牺牲的精神,等等。

不言而喻,社会主义社会中的爱情生活内容应该更丰富、更充实,风格应该更优美、更崇高,而且,社会主义时代高尚的爱情都应该是从属于革命利益、以革命利益为转移的。这是过去时代的爱情所不能比拟的。不过,我们也应该看到,社会主义时代关于爱情的标准和规范也不是从天上掉下来的,而是在批判继承、更新发展传统的合理的标准和规范的基础上形成的,在这个意义上,过去时代和不同程度里那些表现了一定情操力量和人格力量的文学作品,在今天社会主义社会仍然有一定的积极的意义。

正是本着这个目的,我在选集中选评了一部分上述性质的作品,同时,也兼顾了其他类的作品,如对过去时代、对旧社会、对资产阶级有揭露意义的作品,又如,在写作技巧上有一定长处、值得借鉴的作品,等等。当然,这些作品虽然都有一定的思想意义和艺术价值,但毕竟是过去时代、过去社会的现实在过去时代、过去社会的作家头脑中的产物,其中的人物都有一定的历史的、社会的、阶级的局限性。对于他们,我相信,社会主义时代的读者一定会采取具体分析的态度,而不至于、也不应该全盘加以肯定、全盘加以接受。

1981年8月初稿
1982年2月修改

奥克塔夫与人物形象的类型化

——《阿尔芒斯》序

这篇小说的题名似乎叫《奥克塔夫》更为确切，因为小说中最重要的主人公并不是阿尔芒斯，而是奥克塔夫这个哈姆雷特式的青年人。

自从莎士比亚塑造出那位忧郁的丹麦王子以后，忧郁症就成为了西方文学作品中不少格调不凡、聪俊灵秀的青年主人公的通病。这种患者在法国19世纪上半期的文学中，几乎就是成批地出现的：塞南古的奥培曼[①]郁郁寡欢，完全沉浸在痛苦之中；诺缔埃的沙尔[②]在生活中处处都摆脱不了"烦恼的心情"；夏多布里昂笔下的勒内[③]的愁绪似乎充塞了整个宇宙；还有缪塞的沃达夫[④]，他自称属于"忧郁的母亲们生下的神经质的苍白的激动的一代儿女"，从小就染上了"精神上的病毒"[⑤]。

"当时生活在这个破碎了的世界上的，就是这样一代忧愁的青年"[⑥]，他们的忧郁症被称为"世纪病"。

司汤达的奥克塔夫属于他们的行列。

他年轻美貌，自不待言。在19世纪文学中，特别是浪漫主义文

---

① 塞南古（1770~1846），法国作家，奥培曼是他同名书信体小说中的主人公。
② 诺迪埃（1780~1844），法国作家，沙尔是他的小说《萨尔兹堡的画家》中的主人公。
③ 夏多布里昂（1768~1848），法国作家，勒内是他同名小说中的主人公。
④ 缪塞（1810~1857），法国作家，沃达夫是他著名小说《一个世纪儿的忏悔》中的主人公。
⑤ 缪塞：《一个世纪儿的忏悔》第一部，第一章。
⑥ 同上。

学或者是颇有浪漫情调的文学中,这似乎已经是作品主人公所必备的条件。为此,司汤达赋予了他"颀长的身材""高雅的举止",还有一双"乌黑的美妙无双的眼睛"。同样自不待言的,是他聪明颖慧、才智高超、博览群书、出口不凡。以其才貌而言,他比上述那些同胞兄弟有过之而无不及,完全属于传统文学中那种"风流小生"、翩翩美少年的类型,所不同的是,那些风流小生的才貌似乎生来只是为了在情场上一帆风顺或无坚不克的,而奥克塔夫的才貌,在司汤达的安排下,却注定要在他自己的忧郁中白白地消耗掉。这是司汤达既落俗套又不落俗套的第一个所在。

奥克塔夫的忧郁,即使不比文学中其他那些忧郁症患者严重,但也是难以缓解的。他明明是爵爷府第里的一个少爷,却认为"我的生活步步不幸,处处辛酸",他不是"心情一直凄苦莫名",就是"目光流露出地狱的痛苦",舒适的生活、家庭的宠爱、周围人的逢迎、爱情与结婚,都没有使他摆脱这种"精神病"。这无疑是一种奇特的病症,与饱食终日的凡夫俗子、追求享受的纨绔子弟无缘。那么,这种忧郁症的内情是什么?病根何在?

如果说,忧郁与痛苦,是这种病的状态,那么,对外在的现实生活的反感与对自身存在的厌倦就是这种病的实情。当然,最初的典型病例仍然是那位丹麦王子。自从哈姆雷特对自己所处的王国发出"这是一座荒芜不治的花园,里面长满了恶毒的莠草"这一指责、对自己的生命提出"活下去还是不活"的疑问以后,法国那些忧郁症的患者也莫不对自己所处的生活环境牢骚满腹、落落寡合、横眉冷对、愤世嫉俗,而对自己则又厌世轻生。奥克塔夫也正是这样。他对他的社会,厌恶地发出这样的感慨:"人有多么卑劣啊!"对于他自己,他这样沉思:"为什么不了结这一生呢?"甚至痛苦地呼喊:"天哪,怎么不把我压死呀!"

尽管莎士比亚从18世纪开始就对法国作家有了影响,而其影响到19世纪前30年又更为明显,但我们很难说,法国文学中的这些忧郁症的患者,就一定是对哈姆雷特的模仿。问题在于,哈姆雷特体现了这样一个矛盾,即优秀个性与卑污社会环境的矛盾,而这种矛盾,在阶级社会里,又恰巧是带有普遍性或永恒性的,并且,因个性愈是出类拔萃、社会环境愈是恶劣而愈有感人的悲剧意味,于是,这样一个矛盾、这样一种格局在以后的文学中就有可能重现。

如果考虑到法国19世纪初正经历着封建关系被彻底摧毁、资本主义秩序正在建立与巩固的历史过程,在这个过程里,既有与旧时代、旧阶级血肉相连而在新时期丧失了一切,因而痛苦莫名、郁郁寡欢者,也有本来对新时期、新秩序充满了幻想,但在并不美好的资本主义秩序面前感到失望与幻灭因而陷于不可排遣的烦恼者,那么,就不难理解,在法国19世纪初期的文学中何以成批地产生了一批哈姆雷特式的忧郁症患者。而且,作家们也基本上分为这两种人,他们站在各自的立场上,把自己痛苦的感受加以诗化,赋予正义的或可同情的性质,注入形象之中,染上悲剧的色彩,前一种情况如夏多布里昂和他的人物勒内,后一种情况则有塞南古和他的奥培曼、诺缔埃和他的沙尔,这就好像歌词与曲调,虽然歌词各有不同,但"痛苦"与"忧郁"是它们共同的曲调,而其共同的深刻的病根,则又都是个性与社会环境的矛盾。

显然,这里有一个文学形象的类型问题。在世界文学的人物画廊中,总可以找到一些类型或一些系列。作家所描绘出来的人物,往往不可避免地属于某一种类型或某一种系列,这是因为不同时代、不同国度的作家往往面临相同的矛盾、相同的格局,而他们所描写的人性又往往有着共同的或相似的表现形式。不过,杰出的作家之所以杰出,就在于他的人物尽管属于某种类型,然而并不公式化、程式化,而总有内在的、充实的时代社会内容。奥克塔夫当然也带有类型性、系列性,而他的忧郁与痛苦也同样来自个性与社会环境的矛盾,问题在于，他的个性与社会环境的矛盾究竟有什么具体的社会时代内容以及表现得是否深刻。

司汤达把奥克塔夫的故事安排在复辟王朝时代，这正是法国19世纪历史发展中的一个曲折与倒退的时期。被1789年资产阶级大革命推翻了的波旁王朝，又在哥萨克的刺刀保护下回到了巴黎，并进而企图恢复革命前的封建贵族土地所有制与封建君主专制的政治统治。在封建势力这种倒行逆施的过程中，1825年波旁王朝的御用工具"无双议会"通过向革命时期流亡国外的贵族赔偿10亿法郎的法案，就是一个臭名昭著的事件。司汤达在1827年，把这个事件当作他小说故事的历史背景，本身就具有尖锐的社会政治意义。而且，他又在这个背景上，展现出"1827年巴黎沙龙的几个场面"，实际上就是制作出复辟时期贵族社会的缩影。他通过粗略但清晰的线条，勾画了一些贵族社会的人物，表现出他们那种陈腐的精神状态和逆潮流而动的意志愿望。他们在一个已经扬弃了他们的世纪里回光返照、苟延残喘，然而却自以为是在迎着旧朝代复兴的伟大的曙光；他们在法国这片土地上已经失去了他们的根基和他们的财富与力量，但他仍生活在自我陶醉之中，以祖先、血统、门第这些早已没有实用价值的东西而自傲，以装腔作势来掩盖他们的虚弱与贫乏，用虚荣的、硬撑门面的办法来掩盖他们的寒酸与破落；他们在现实生活中早已经是一个"最缺乏生命的阶级"，然而他们却顽固地梦想恢复早已被大革命彻底清扫了的旧秩序，自不量力地要扭转时代历史的车轮；而从他们的人品与私德来说，他们绝不是一批为垂暮的盛世殉道的悲壮激昂的人物，而是一群没有见识、没有崇高的感情、没有纯正的趣味、空虚无聊的小人，在他们之中，卑劣的感情、"坏心眼"、邪恶与阴险、自私自利等则到处可见。这就是奥克塔夫所处的，也是他与之对立的社会环境。

而奥克塔夫的个性呢？是什么样的个性？这一个个性的全部内容几乎都与他的社会环境针锋相对。他从不掩饰自己对这样一个社会环境的反感，在他看来，这个上流社会里的人无一不是卑鄙的，在这个社会里，他不是傲气十足，就是不屑于理睬；与此同时，他对自己是这个社会里的一员、与这些人同类而感到痛苦，因而，离群索居竟是他最大的乐趣，即使对自己所享受的物质条件——舒适的府第，他也很是厌恶，宁可回到学校里那简朴的寝室里去；他是陈腐的贵族的血统门第观念、特权观念的对立面，竟然那么厌弃直接关系到自己切身利益的赔偿法案；他与复辟时期贵族社会里那种力图恢复封建专制旧秩序的反动愿望与反动意志相反，与他们作为垂死的阶级而有的全部卑劣的计较相反，具有"正直而坚强的心灵""高尚的品格"和"荣誉感"，并且还根据他的良知拟订过各种各样的行动计划，而最后，他也的确采取了拜伦式的出走行动，当即将抵达为争取民族独立而战的希腊时，他在一种对"英雄的国家"的敬意中离开了这个世界。

奥克塔夫的个性与社会环境的矛盾，是整个小说的基础，而奥克塔夫与阿尔芒斯的爱情故事与感情纠葛，在某种意义上，不过是这一基本矛盾的一种外延。这不仅因为奥克塔夫与阿尔芒斯的结合、他个人生活的幸福，并没有使他摆脱由于个性与社会环境的矛盾而产生的忧郁，他的命运并没有因爱情而有所改变，倒仍然是按这一基本矛盾所决定的必然方向走向结局，还因为他与阿尔芒斯之间存在着隔阂与误会，而这种隔阂与误会正是由于奥克塔夫与社会环境对立而产生的，是他在自己所厌弃的社会中有了一种过分的敏感而造成的。在这里，司汤达首先显示了一种社会历史的兴趣，他首先想要表现的是社会历史的内容，而不是两性关系的内容，如果要把《阿尔芒斯》看作一部爱情小说的话，那么就应该说，司汤达多么善于在爱情故事里、在微妙的爱情心理的描写中，贯注充实的社会历史内容！

当然，奥克塔夫作为贵族社会的一个成员，何以与自己的社会如此格格不入、如此对立？这是一个问题，对此，司汤达作了可信的交代：他是一个受18世纪资产阶级启蒙哲学家影响的贵族青年，而

18世纪启蒙哲学所提供的理性王国的理想与19世纪并不理想的社会现实的对照，形成了19世纪青年人不满现实的"世纪病"的根子。这在司汤达的时代本来就是屡见不鲜的社会现象，至于在奥克塔夫身上，则是这样一个矛盾：精神上受了狮子的哺育，偏偏却身落在狼窝里。这样一个矛盾在复辟时期是无法解决的，因而，奥克塔夫的痛苦也就不可能得到缓解。对于司汤达来说，这既是他所要描写的一种社会现实，也是他要进行社会批判的一种手段，他正是要通过奥克塔夫身上的矛盾来对复辟时期的贵族阶级进行批判，他想说明，贵族阶级的衰朽没落、陈腐顽固、倒行逆施，即使是在贵族社会内部，也已经引起了有识之士的强烈厌弃。

在法国19世纪文学中，司汤达与巴尔扎克可以说同为把复辟时期的社会矛盾揭示得最为深刻、最为出色的两位大师。如果说，巴尔扎克由于在资本主义社会中因经济问题备尝种种辛酸，因而特别善于从金钱关系去观察、发掘与表现复辟时期的社会阶级矛盾的话，那么，司汤达则因为他在当代政治阶级斗争中经历过坎坷道路，因而特别善于揭示与描写那个时代里由人与人之间的政治关系所决定的社会心理。

司汤达（1783~1842）本人也属于受18世纪启蒙思想哺育并直接在资产阶级大革命的风暴中成长起来的一代人，他还长期置身于把资本主义关系带到欧洲各国的拿破仑大军之中。他的荣辱与命运是和拿破仑这个资产阶级皇帝紧密联系在一起的，拿破仑的失败，也就意味着他个人的困顿与逆境，复辟时期伊始，他就成为一个"丢了饭碗""被扫地出门"的人，他不得不长期旅居意大利达7年之久，1821年回到巴黎后，当然仍旧是过清贫的生活。

每个作家都有自己感受得最深切的东西。他不可能对时代社会有无所不包的感受，谁也不应该向作家提出这种"完整感受"的要求；但重要的是，作家要对自己时代社会有完全属于自己的、深切的感受，并且善于挖掘这种感受、生发这种感受，用这些感受来构成一个形象的世界。司汤达在复辟时期的困境无疑使他切身地体验到这个时代里的个人命运问题。他的创作灵感主要来自复辟时期、来自他自己在复辟时期个人与社会现实矛盾对立的感受，因而，他成为了复辟时代里个性与社会环境的矛盾这一主题最深刻的表现者。他几乎把这个时期的这个主题的各个方面都写全了。1827年的《阿尔芒斯》是开始，继而有1830年的《红与黑》，后来还有1839年的《巴马修道院》，只不过，《红与黑》所表现的是一个有才能的小资产阶级青年的个性与阻碍他、扼杀他的社会环境的矛盾，《巴马修道院》所表现的是一个崇拜拿破仑的贵族青年的个性与浪费他、消蚀他的社会环境的矛盾。

三部作品，情势不同，主题与格局都基本一致。就其深刻与成熟的程度而言，《阿尔芒斯》与后两部杰作是不能相比的，但从作品的产生与作品的主题思想来说，它既是后两部杰作的先导，也是后两部杰作的补充。

1985年元月

精湛的白描艺术

——莫泊桑的《两个朋友》小析

几乎谁都知道莫泊桑这个名字。他是法国19世纪下半叶一位杰出的小说家,著名长篇小说《漂亮朋友》《一生》《温泉》的作者。他的长篇小说固然出色,但他的短篇小说尤为享有盛誉。在世界文坛上,他有"短篇小说之王"之称,这既是就其三百余篇的巨大数量而言,更是因他在短篇小说的写作上具有超群的技艺。如果要说他属于什么主义,那么可以说他就是一个现实主义者,虽然有人说他是个自然主义作家。

文学领域里并不可能有真正的"王",在这里,各种美竞妍斗艳,谁也难以君临一切,你在这一方面优胜,他在那一方面高超。就短篇小说而言,世界文库里大体上存在着两种短篇小说的类型:其一,以严谨的结构表现现实生活中一个片段,注意纵的"时"的发展,故事性强,情节往往带有某种戏剧性;其二,写生活的横断面较多,不一定有多少故事,结构比较灵活自由,有散文的风格,善于发掘生活蕴藉的含义或表现某种浓缩的诗情。如果说,莫泊桑的确是前一类的巨匠与圣手,但在后一类型中的优胜地位,他就不能不让给俄国的契诃夫了。

当然,不论是哪一种类型的短篇小说,都必须是在较短的篇幅里,集中地表现尽可能丰富的社会生活内容。因此,精练应该是短篇小说必备的一种品格。莫泊桑的短篇所具有的示范性不止一点,而精练显然是其中之一,《两个朋友》就是具有这种示范性的一篇杰作。

这篇小说的社会生活容量相当充实:1871年的普法战争、普鲁士人包围巴黎、巴黎处于饥饿状态、战争的破坏与入侵之敌的残暴,等等;思想感情也很充沛:强烈的爱国主义精神,对战争的愤慨与对和平生活的向往;故事的发展也有一个相当的过程:两个朋友在死前的相识与友谊、战争中在街头的相遇、冒险地追求往日的乐趣、被俘后的坚贞不屈以至最后的牺牲。此外,也许更重要的内容,还是人物的性格,两个平凡而又可爱可敬的巴黎人的形象。

所有这一切,都要在不到7000字的篇幅里表现出来,这得有一种什么样的技艺?

如果把这个短篇小说比喻为一个活动的画卷,那么,可以说它有四个中心画面,即战争中两个朋友在巴黎街头的闲荡,战前垂钓的乐趣,战火下冒险的追求以及被俘后的高尚气节。这四个画面虽然是作品的主体结构,作者把他所要表现的东西,故事情节、人物性格与主题思想,几乎都集中、凝聚在这四个画面里,就像电影导演把他要表现的东西,大都集中在特写镜头里一样。

如第一个垂钓的画面,写得多么美!短短两段把不同时节的垂钓之乐写得多么令人神往,颇与欧阳修之写《醉翁亭记》四时之景有不谋而合之处、异曲同工之妙。如果没有这个画面,如何能表现和平生活的恬静与幸福以贯穿反战的主题?如果没有这个画面,如何能表现出这两个人物盎然的生活情趣以突出他们后来忠于祖国、视死如归的爱国主义精神?

再如,第二个垂钓场面——炮火下的垂钓,多么奇特!它给整篇小说带来了些微的浪漫气息与情趣,画面上凄凉的景象是对异族入侵与不义之战的有力控诉,作者在这里还特意让这两个朋友"运用心地善良而见识有限的人的健全理智,分析着重大的政治问题";既有一点轻淡的讽嘲,又用这种自然而别致的方式表述出作品中的反战、反侵略的主题思想。而这两个垂钓的场景，又前后对照，彼此呼应，在小说中的地位还互相对称，形成了一种古典式风格的结构。

画面，重要的是画面，它们是以什么样的笔致呈现出来的？这可不是构图纷繁、画面广阔、色彩酣烈的油画，它们只像是画幅紧凑的钢笔素描，说它们像钢笔素描，是就其构图的简明、线条的清朗而言，寥寥几笔，就表现出一个过程，短短几行，就展现一个形象，一个细节，就揭示出一种心理状态，这岂不像是洁练的速写？

请看，"屋顶上难得看见麻雀，阴沟里的老鼠也少了。人们不管什么东西都吃"，两个小句子就使人看见巴黎全城在被围时期如何受饥饿的煎熬。

又如，"两根钓鱼竿从他们手里落下去，随着河水漂走了"，短短一句话，就把两个朋友遭遇到普鲁士人时的惊慌失措全都勾画出来了。

有人曾说过，简洁是才能的姊妹，意思不外是，要做到简洁，就需要才能。对于画家来说，用几笔速写勾画出一幅图画，而且是一幅真实生动的图画，没有熟练的艺术技巧如何能做到？对于小说家来说，要用短小的篇幅、简明的手法来表现容量不小的社会生活内容，而且要表现得形象鲜明，当然需要深厚的功力。要走简洁的艺术之道，本来很容易流于一种危险，那就是叙述平淡、形象贫乏、内容简单，使人读来像一篇索然无味的电影说明书。然而，莫泊桑是才能卓越的大师，他绝不让这种危险在他的小说里出现，哪怕只是一闪。他的故事叙述得似乎平淡，但却引人入胜；他的主题显露，但却表现得自然；他的人物描绘并不全面，没有把两个主人公身世中的一切都告诉读者，但却非常突出地呈现了主人公可爱的性格和鲜明的特征；他的笔致简明，但构出的图像非常清晰；他的线条利落，但并不流于僵硬，倒又颇为柔和，甚至能于无色彩之中泛出浅浅的色彩，于速写之中贯注微微情趣，还渗透出作者对人物的轻淡的爱意。

这是一种精湛高超的白描艺术，它写出了感人的故事，也写出了情趣与性格。这就是《两个朋友》作为短篇小说艺术佳品的标志,是它艺术示范性的所在。

  这种高超的技艺,当然不是一日之功。莫泊桑在成名之前,曾长期跟福楼拜学习写作艺术,受到福楼拜严格的要求与训练。他在自己的一篇文论里,曾记述了严师对他的教导,如"只用一句话就让我知道马车站里有一匹马和它前前后后五十来匹马有什么不同","为了表达某一事物的特点,要找出最适合的那个名词、那个形容词",等等。从《两个朋友》中,我们可以看到对这种艺术规格的实践,而要按照这种艺术规格办事,既要对生活有广泛而细微的观察,又要在创作过程中对艺术表现形式不断加工锤炼。我们可以想象,"两根钓鱼竿从他们手里落下去"这个简单句,不正是作者反复修改、不断锤炼的结果?

1984 年 11 月 4 日

雨果与创作自由[1]

这是一个"振臂一呼而应者云集"的英雄：像灵敏的战马，在历史的疆场上嗅出了火药的气息；像无畏的旗手，举起了迎风招展的大旗；像勇敢的斗士，敢于向强大的幽灵冲刺；像威武的将军，率领着一支队伍打开了一个新的局面。

这不是一次战役，但也是一次"战役"，这一出轰轰烈烈的历史剧，发生在19世纪法国的精神领域，它名为：雨果与创作自由。

那是在1815年至1830年历史倒退的时期，威武雄壮的第一帝国终于被欧洲君主国的神圣同盟拖垮了，拿破仑已被囚于圣爱伦岛，路易十八用"那种目空一切的君王气魄"重登王位。尽管从1789年以来历史前进的潮流已经冲走了封建制度的一切根基，但复辟了的封建贵族又企图恢复资产阶级革命前的君主专制政治秩序与封建贵族土地所有制。不过，这毕竟是1789年革命之后的时代，资本主义关系在法国土地上已经扎下了牢固的根基，资产阶级已经是取得胜利的强者，只是暂时失去了政治统治权，而不久以后，也就是1830年七月革命，它即将把封建阶级完全从政治角逐场上赶走，彻底结束一个历史时期以来两个阶级争夺统治权的斗争。因此，在复辟时期，始终存在着复辟与反复辟、贵族保皇主义与资产阶级自由主义的斗争。雨果

---

[1] 文中引文，均见拙译《雨果论文学》。

的英雄纪略就是搬演在这样一个历史背景上。

在复辟王朝的统治下，在保皇主义政治空气浓厚的当时，文学风尚与艺术趣味是可想而知的。既然君主专制的政治秩序是令人深深缅怀而不易复得的理想，那么，君主专制昌盛时期的美学趣味、文学规范、批评标准自然为人们所尊奉。具体说来，绝对王权极盛的路易十四时期的古典主义文学就是模仿效法的样板，古典主义的法则成为了文学创作的金科玉律。文学体裁有高低贵贱之分，悲剧最为崇高，喜剧则为低俗；不同的体裁表现不同的题材且有各自不同的规范法则，彼此不能相混，悲剧专为演出帝王将相、王公贵族的事迹，下里平民以至资产者仅可进入喜剧；戏剧的情节、地点与时间必须严格遵守三一律；戏剧必须是诗体，而诗的语言必须高雅，不仅禁用粗野的字句，甚至通俗的词汇也不能入诗。所有这些都是文学创作必须遵守的戒条，稍有违反，就会引起侧目而视，对此，一位法国作家不无讽刺地说过："在复辟时期的美好时光，人们有古典主义的纪律。"

应该看到，过错不在古典主义文学本身。实事求是地说，它也是法国文学的一种骄傲。它在17世纪对文学语言的规范使它产生了一批风格典雅、结构严整、语言精练的文学杰作，用雨果的比喻来说，这种文学有如凡尔赛宫的花园。这花园体现了带有等级色彩与秩序色彩的美学趣味，到处都是人工布置的矫饰之痕。不过，花园毕竟是花园。

问题在于，古典主义文学符合17世纪封建时代的观念，能给17世纪的人以愉快，但却不能适合19世纪资本主义时代的观念，难以使他们从中得到理想的美感满足。试想19世纪的人怎能忍受任何人物在任何情况下都用诗的言语对话，甚至还是以典雅的诗的语言来对话？而从18世纪直到19世纪20年代，文学中却既有东施效颦者，他们制作的仿古典主义赝品矫揉造作、装腔作势、苍白无力，也有一批紧抱着历史亡灵的学院派、批评家，他们以维持古典主义的文学秩序为己任，是为复辟时期的伪古典主义。这种可憎的伪古典主义又已经与波旁王朝官方的文艺政策结为一体,带有了鲜明的政治色彩和反动顽固的性质,不仅是 19 世纪的文学要发展所必须打破的桎梏,而且也是当时资产阶级自由主义要推进所必须摧毁的一个障碍。

时势造英雄。雨果就是出现在这样一个文学形势下。这里,有传统的庞然大物要打倒,有创作自由要夺取,有新的浪漫主义文学道路要开辟,这些历史性的任务要求出现一员闯将,而面对着当时的阻力与障碍,他要完成这些任务,那是必须进行一些战斗的。在"古典主义的纪律"下,自有浪漫主义灵魂的人倒还不少,斯达尔夫人、夏多布里昂、拉马丁、维尼、诺缔埃甚至司汤达,他们都各有自己的风采,但主演这出雄壮戏剧的角色终归还是由雨果来承当。是因为他年轻?是因为他具有特别的政治敏感?是因为他具有那种善于调整自己思想立场、精神状态以完全跟上时代发展的素质?是因为他具有雄健卓绝、足以造成巨大声势与广泛影响的浪漫主义的才力?可以肯定,这些原因哪一个都不是唯一的,但每一个显然都起了作用,也许原因还不止这一些。

19 世纪 20 年代初,两个阶级的矛盾因复辟王朝变本加厉的反动而日益尖锐,资产阶级自由主义思潮也随之逐渐高涨。雨果预感到历史潮流发展的方向,听出了时代战斗的信息,正当复辟王朝一片升平气象的时候,他断然摆脱了由于家庭的影响而在他身上表现得相当突出的保皇主义的政治思想倾向,以全新的战斗姿态出现在法国文学中。

1824 年,拜伦逝世,雨果借纪念这位浪漫主义诗人之机,初露锋芒地讽刺那些抱住亡灵不放的伪古典主义者:"他们总不停地叫别人用现在的东西去换取过去的东西,使我们不由自主想起阿里奥斯托的傻子罗兰,他一本正经地要求一个过路人用一匹活马来换取他的一匹死马。"他要求过时的古典主义退出历史舞台:"必须宣告,过去时代的文学虽留下了一些不朽的纪念碑,但早就应该隐退了,而且,它们在表现了过去时代的人的社会习俗和政治感情之后,实际上也随着过去时代的人而一同隐退了。"对于将要成长起来的新文学，他热情地进行了赞颂："我们时代的真正文学，是一种其作家遭到阿利斯第德式的放逐的文学，是被一切笔杆所排斥而被一切竖琴所采纳的文学，是虽然遭受多方面预谋的迫害但仍然有各种才华在它那充满风暴的领地里开放的文学，它像只在风吹雨打的土地上才生长出来的百花。"

1826年，他在《短曲与民谣集》第三版序言中，明确地对伪古典主义关于文学体裁的等级观、界限观表示反对，"这种体裁的尊严，那种体裁的分寸，这种体裁的界限，那种体裁的范围，悲剧不能有小说所容许的东西，歌曲所容许的正是小诗所禁用的，等等"，在他看来都是不值得尊重的。他认为，伪古典主义已经成为文学的灾难，世界上一切生动活泼的东西只要一经过伪古典主义"冬烘式的教训、学院派的成见、旧方法的沿用、模仿的奇癖"的处理，其"香气、味道与生机都会丧失殆尽"。他特别反对伪古典主义要求模仿古人的主张，指出"模仿精神总是艺术的祸害"，他宣告了创作自由的原则，"在精神作品中，唯一真正的区别就是'好的'和'坏的'，思想是一片肥沃的处女地，上面的庄稼要自由地生长，要听其自然，不要分门别类，排列整齐，像古典花园里的花丛一样"，而创作自由的准则应该是这样的，"诗人只应该有一个模范，那就是自然；只应该有一个领导，那就是真理"。

1827年，他发表了洋洋洒洒数万言的《〈克伦威尔〉序》，这是对伪古典主义全面声讨的檄文，是新的浪漫主义文学运动的宣言。他以傲视传统的革命气概宣称："思想界本应是世界上最为自由的领域……我们要粉碎各种理论、诗学和体系，我们要剥下粉饰艺术门面的旧石膏，什么规则，什么典范，都是不存在的。"他系统地批判被伪古典主义视为金科玉律的一系列文学准则，他讽刺三一律像鸟笼，把生动活泼的生活事件、人物形象塞进去，到头来只"剩下一具枯骨"。他反对遵守规则、模仿典范，认为按此办理，只会"成为模仿的模仿"。他批评那种把悲剧与喜剧、把悲与喜完全对立起来的戒律，指出"这是艺术的两个分枝，如果有人禁止它们枝叶交覆而要把它们截然分开，那么，将产生的全部后果，其一是恶习与可笑的抽象化，其二是罪恶、英雄主义和美德的抽象化"。他抨击那种限制文学的表现范围，禁止滑稽丑怪进入文学的主张，他针锋相对地宣称："让那些没有头脑的学究们去认为畸形、丑陋和怪诞永远也不应该成为艺术表现的对象吧"，"现在可以大声疾呼说，存在于自然中的一切也存在于艺术之中"。他驳斥了文学语言必须向古典主义典范看齐的论调，指出"语言好像大海，始终波动不停。要用某种形式把我们语言的生动形貌固定下来，那是枉费心机而已，不论语言还是太阳都不会停步不前，一旦语言固定不变了，它的死期也就到了"。当然，他没有忘记把主要的矛头指向那些"把守思想关的官吏"，揭露他们如何以历史的亡灵压制后人，"把死人的名字抛在生者的头上，用塔索与迦利尼之名来攻击高乃依，正像后来用高乃依攻击拉辛、用拉辛攻击伏尔泰，也正像今天用高乃依、拉辛、伏尔泰来攻击一切正在成长的人一样"，指责他们在摧残文学天才时使用"针刺之后是棒打"的卑鄙伎俩。《〈克伦威尔〉序》清扫了复辟时期伪古典主义文学的马厩，提出了扩大文学题材、追求真实与自然、运用美丑对照原则等一系列正面的文学主张，它体现了新一代作家争取创作自由的明确目的，充满着一种极大的理论勇气，具有一种摧枯拉朽的论辩威力。这在当时，无异于一面引导人们前进的战旗，一声激励人们冲锋的号角。

  1830年，雨果为年轻诗人查理·多瓦勒的诗集作序时，又更进一步阐述了争取文学创作自由在政治上的意义，指出是时代社会的前进要求文学的解放与创新："既然我们从古老的社会形式中解放出来了，那么，为什么不从古老的诗歌形式中解放出来？新的人民应该有新的艺术，现代法兰西，19世纪的法兰西，米拉波为它缔造过自由、拿破仑为它创建过强权的法兰西，在赞赏着路易十四时代的文学和当时专制主义如此合拍的时候,一定会有自己的有个性和有民族性的文学。"他中肯地指出了当时文学上的创作自由与政治上的资产阶级自由主义的紧密关系:"文学的自由主义一定和政治的自由主义能够同样普遍伸张。艺术创作上的自由和社会领域里的自由,是所有一切富有理性、思想正确的才智之士都应该同步共趋的双重目的,是召集着今天这一代青年人的两面旗帜……文学自由正是政治自由的新生女儿。自由是本世纪的原则,它将所向无敌。"既然如此,那么,争取文学自由的斗争与争取政治自由的斗争也就紧密不可分了,因此,雨果把矛头指向"形形色色的极端顽固派,不论是古典主义的还是专制主义的",他愤慨地揭露他们的种种手段和给新一代作家造成的困难处境,"现在,诽谤、辱骂、仇恨、嫉妒、阴险的陷害和卑劣的出卖正在某些人周围不停地酝酿聚集,这些人都正直诚实,然而却遭到不义的攻击,他们心地赤诚,只求带给国家一种自由,即艺术的自由与思想的自由,他们辛苦勤劳,安分地进行精神劳作,但一方面要遭到检查机构和警宪当局的阴谋暗算,另一方面往往更要忍受他们为它工作的思想界忘恩负义的待遇",至此,雨果就把他争取文学创作自由的理论斗争,提高到了政治社会斗争的水平,使之具有了更深刻的意义。

　　思想的力量来自理论上的明确,文学的领导权在一定意义上就是文学的发言权。雨果以他旗帜鲜明的理论主张,成为了新一代作家的领袖,浪漫派文学青年的导师,而且,他也创作出了新文学的实绩,剧本《玛丽蓉·德·洛尔墨》与《欧那尼》、诗集《东方集》,都是以截然与古典主义相反的浪漫主义风格问世的。营垒已经分明,阵势已经摆开,主将已经出列,随着政治斗争形势的发展,只剩下了一场决战了,而《欧那尼》在1830年七月革命爆发之前的演出,自然就成为了这一决战的战场。这次,雨果又成为了剧场中那次白热化战斗的组织者。预见到包括警察在内的反动保守势力的阴谋破坏,浪漫派实际上组织了一支保卫《欧那尼》演出的"卫队",雨果的热烈信徒、诗人戈蒂耶穿着玫瑰色上衣在这支队伍里特别显目，此举已经作为这一历史事件中著名的插曲而载入了史册。演出时剧场中两派进行了短兵相接的激烈斗争，最后，以古典主义的拥护者完全败北而告终。演出获得了巨大的成功，"欧那尼之战"标志着浪漫主义文学对古典主义文学的彻底胜利，标志着新一代作家争取文学创作自由的彻底胜利。

今天，在纪念雨果逝世一百周年的时候，雨果一个半世纪以前争取创作自由的后果与影响是愈来愈清楚了。

对于雨果来说，正是在追求文学创作自由的过程中，他抛弃了早年歌颂复辟王朝的矫揉造作、华而不实的诗歌，创作了五彩缤纷的《东方集》与既具有强烈的反封建专制主义的精神，又具有令人耳目一新的艺术风格的浪漫剧。而争取创作自由的成功，则给他带来了一个创作上的"丰收季节"，一大批作品、一系列杰作像喷泉一样涌出：《巴黎圣母院》《秋叶集》《玛丽·都铎》《吕伊·布拉斯》《黄昏之歌》《心声集》等等。人总是以自己的实践获得自己的本质的，如果没有争取创作自由的斗争，如果不解放自己的文学创作力，那么怎么可能有日后奠定雨果文学地位的那些杰作？怎么可能有"法兰西诗王"维克多·雨果？

对于整个法兰西文学来说，这次斗争则直接造就了整个新的一代作家与艺术家，缪塞、戈蒂耶、大仲马、巴尔扎克、梅里美、司汤达、德·拉克鲁瓦、德·纳尔瓦等都受过这次斗争的洗礼，正是他们，日后将开创法国19世纪文学艺术的辉煌时代。

创作自由是文学艺术的根本特性所要求的，它是文学创作的基本需要。在人类的历史上，只要是有妨碍创作自由的东西，或传统习惯，或习俗偏见，或阶级政治，或社会制度，就有可能出现争取创作自由的斗争。文学史上争取创作自由的斗争，不止雨果的这一次，但这一次无疑最为轰轰烈烈、有声有色、富于戏剧性。今天，我们也面临争取创作自由的课题，我们所面临的课题当然与雨果的有时代社会内容的区别,今天争取创作自由的实质与核心,是要排除"左"的对文学艺术的干扰,摆脱各种"左"的思想残余对文学艺术的束缚,尽管有所不同,但雨果成功的先例,为什么不能使我们也可以对社会主义文艺将来的黄金季节充满希望?

1985年3月10日

雨果的脚步

你一定见过这样一幅名画：在一片辽阔的大地上，突现一位播种者的身姿，他迈着沉着有力的脚步，将种子一把把撒向田野。法国19世纪杰出的艺术家米勒的《播种者》这幅画，在一本文学书里曾和雨果的名诗《播种的时节——黄昏》配在一起，在这首诗里，雨果赞颂了这样一个动人的形象：在落日的余晖中，播种者高大的身影笼罩着深耕的田垄，他不停地在广阔的平原上行走，"用神圣的手势"向远方抛撒着粮种……

这幅画与这首诗我总不能忘怀，在我心目中的雨果，既不是本杰明笔下坐着有翅膀的飞马、率领着一大批浪漫派的雨果，也不是那著名的漫画中脑袋硕大无比、坐在巴黎上空的云端里遐思冥想的雨果，整个的雨果在我心目中往往和他自己的这首诗、米勒的这幅画里的形象融合在一起，这播种者的身姿多么能显示出整个雨果的形象！他那"神圣的手势"，恰如雨果向人间播下了无数精神文化的种子，他那沉着行进的脚步，正能体现雨果的一生：他行进在自己的国土上，行进在自己的时代里，也许，正因他以这样沉着有力的脚步而不断行进，他才得以把精神的粮种撒在尽可能广大的幅员上。

因此，在今天他逝世一百周年的时候，我更多地想到了他的脚步，像那播种者一样踏实的脚步，永不停歇的脚步。

雨果生于1802年，死于1885年，他生命的跨度几乎就是整个

19世纪。这是一个历史潮流汹涌澎湃、社会生活变化万千的时代，在这个时代里，发生了资产阶级与封建贵族阶级惊心动魄的反复搏斗，完成了法国历史上由封建社会到资本主义社会的变革进程；在这个时代，无产阶级登上了历史的舞台，由自在的阶级变成为自为的阶级，开始进行可歌可泣的伟大斗争；在这个时代，社会生产力不断迅速发展，完全不同于埃及金字塔、罗马水道与哥特式教堂的奇迹都被创造出来了，社会现实与人们的生活方式也随之日新月异；在这个时代，人们对客观世界的认识不断开拓与深化，自然科学的新成就不断涌现；在这个时代，社会思潮波澜起伏，千变万化——拿破仑崇拜、封建教权主义、保皇主义、资产阶级自由主义与民主主义、空想社会主义、科学社会主义，等等；在这个时代，历史风云变幻多端，从大革命后期到拿破仑帝国，而后又到波旁王朝复辟、七月王朝，第二帝国以至第三共和国，反复与转折层出不穷、震动历史的事件纷至沓来：滑铁卢战役、百日政变、王政复辟、七月革命、1832年群众起义、1848年的工人斗争、拿破仑三世政变、普法战争、巴黎公社……

这个时代不断向生活在其中的人们提出各种新的问题——政治的、社会的、思想的、文化的，要求作出回答。也许有很多人并不一定具有特殊的条件就能在某一个时候或某一些时候成功地回答时代社会的问题，适应时代的潮流；但是不论是谁，显然必须具备一些卓越的条件才能始终随着时代的进步而前进，只有对新鲜事物不断保持着敏感，只有善于捕捉时代的信息，具有纯正而清醒的历史感与现实感以及对时代卓越的洞察力，只有对国家的命运、人民的处境、社会的问题，有深切的关怀、严肃的思考与民主主义的激情，只有敢于否定旧我，不断地突破自己，善于调整自己以适应新的形势，才有可能跟上这个时代奔腾向前的潮流。在这个世纪，落伍于时代者何其多也，诗人戈蒂耶在复辟时期曾激昂慷慨一时，到了七月王朝时期，就躲进了为艺术而艺术的象牙之塔；杰出的小说家梅里美在自己的创作中曾表现了充沛的反封建的激情与深刻的对资本主义文明的厌弃，到第二帝国时期，却成为了拿破仑三世宫廷的点缀。而雨果，他的生活跨度虽然比谁都大，然而在那漫长的生涯中，他却始终保持一种阔步前进的雄姿，提供了一个始终追赶着时代潮流、站在时代前列的典范，至今，他那沉着的脚步在历史上似乎还有巨大的回响：

他在复辟时期入世并开始创作，由于家庭的影响，他的起点是保皇主义，但他很快接受了现实生活的启示，由诅咒拿破仑而歌颂这位代表了法国革命最后阶段的皇帝，由保皇主义而站在波旁王朝的对立面，热情地迎接了彻底埋葬波旁王朝的七月革命；

七月王朝时期，他在政治上虽曾一度保守动摇，但巴黎无产阶级在1848年二月革命中提出推翻七月王朝、建立共和国的口号后，他坚决地站在共和主义的立场上，在六月起义中，他又对被镇压的巴黎无产者表示了同情，并成为了1849年至1851年间议会中社会民主派的领袖；

路易·波拿巴发动政变后，雨果从共和主义者而成为激进的民主主义者，在整个第二帝国期间，他流亡国外19年，一直对拿破仑三世的独裁政权进行了毫不妥协的斗争；

在普法战争中，巴黎被围困时，他曾以昂扬的爱国主义精神投入斗争，而巴黎公社时，他尽管对公社不够理解，但公社失败遭到血腥镇压时，他就挺身而出，保护被迫害的公社社员；

在资产阶级民主主义革命阶段，他由封建王权的支持者而成为封建专制暴政的清算者、控诉者，而随着资本主义秩序在法国日益巩固，他又发展为资本主义的剥削与压迫、社会不正义与司法黑暗的揭露者、批判者，他还维护被压迫民族的自由与尊严，谴责沙皇、梅特涅等这些民族压迫者，他反对帝国主义战争，对英法联军侵略中国表示愤慨；

他原来是一个抽象的人道主义者，随着"理性社会"的破灭，他愈来愈深挚地关注资本主义社会下层劳苦大众的悲惨处境，使他的人道主义上升到一个新的高度；

他原来是古典主义诗风的继承者，随着时代对文学提出了新的要求，他迅速抛弃了亡灵的束缚，成长为争取浪漫主义文学创作自由的闯将。他无疑是浪漫主义文学不容置疑的代表人物，但在19世纪后半期现实主义文学潮流日益增长的条件下，他又开始追求与一种描绘社会现实生活，特别是劳动人民生活的现实主义的结合。

一个人的本质决定于他的道路，而道路，是自己走出来的，不是任何主宰规划制造出来的。正是以这样不停顿的阔步，走出了一个时代的巨人，走出了一个法兰西的民族诗人。如果不是这样跟随着时代前进、与时代潮流合拍，雨果如何能在漫长的历史时期的不同阶段，都发出高亢的声音？如何能不断地创作出成批的反映时代社会矛盾，充满正义激情，既能在思想上引起当代人强烈的共鸣，又能在艺术上给予当代人愉快与满足的作品？仅举数例而言，他的《欧那尼》等一系列反封建的浪漫剧曾是当时青年一代在文学上的旗帜，他的《九三年》是整个一代人对于法国革命严肃深沉的思考与认真的总结，他的《惩罚集》代表了人民反拿破仑三世罪恶统治的愤怒心声，在当时曾作为革命传单在法国秘密流传，他的《凶年集》是法国人民一个时期的苦难与斗争的悲壮记录，他的《悲惨世界》过去、现在都深深打动法国人民与世界人民的心，将来同样也会给世代人民以强烈的感染；……正因为雨果不断随着时代前进，他不仅获得了他的"现在"，而且也获得了他的"未来"，他整个创作有持久生命力的一个原因就在于此。

时代历史是永远向前发展的。每个时代都有自己的文学。真正属于一个时代的文学，必然也属于将来。而要创造出这种文学，首先要求创造者与时代一同前进，成为时代的先锋。如果一个作家以深刻表现自己时代社会为己任，那就必须与时代的发展合拍，研究时代的新问题，体验时代的人心，探索适于表现时代的新艺术形式，抵制因袭的惰性，抛弃传统的偏见。雨果很懂得这个道理，他28岁的时候，面对着当时伪古典主义的统治，他明确宣称，19世纪的法兰西，必须有自己特有的文学。这种认识成为了他突破自己、紧追时代潮流的契机与动力。雨果的这一认识，对我们今天仍不失为一种启示。随着时代的前进而不断前进，这似乎已经是一种老生常谈了，然而，在社会改革的今天，却比任何时候更富有尖锐的深刻含义。

这就是我为什么要讲起雨果的脚步的原因。

1985 年 4 月 3 日

雨果的意义与启示

——纪念他逝世一百周年

一百年前,维克多·雨果在病危之际吟出他最后一个诗句"人生是白昼与黑夜的斗争"之后,于5月22日结束了他那真像是"白昼与黑夜的斗争"的一生。雨果与世长辞的噩耗传到法国参议院与上议院,两院立即休会表示哀悼。6月1日,他的遗体被送进先贤祠入葬,法兰西全国志哀,在巴黎举行了隆重的葬礼,30万人跟随着他的枢车,100万人注视着这一庄严的仪式。

这是法国19世纪历史中空前绝后、规模最为宏大的葬礼。一个不具有任何世俗的权势,仅以操笔为业的人竟享有如此巨大的哀荣,这不能不说是人类文化史上一件令人深思的事。它显示着,一个作家以自己的才华、激情、声望与影响,在一个尊重文化、珍视才智的民族中所赢得的地位可以高到什么程度。

一百年过去了,虽然随着时序的进展而愈加汹涌澎湃的人类遗忘的大海,已经淹没了世上无数的人与事,但雨果并没有因为离开了这个世界而被世人淡忘。他的影响不断越过国界,几乎扩张到世界上的每一个国家,他的作品、他的艺术得到愈来愈多的世界人民的喜爱与欣赏,成为人类文化生活中不可缺少的一个组成部分。时至今天,世界上不止一个地方,中国也不止一个地方,在纪念他逝世一百周年。

人们如此广泛纪念雨果,因为他是文学上一个普罗米修斯式的巨人，不仅在本民族的文学中，而且也在全人类文学中，显示了高大的身影。在那些比肩而立的世界文学巨匠中，雨果的创作量无疑是相当惊人的。他在戏剧、小说、诗歌、散文、政论等各方面，都留下了丰硕的成果。作为戏剧家，他是十多个剧本的作者，是浪漫主义戏剧运动的主帅，他的名字和资产阶级浪漫主义文学对贵族伪古典主义文学的斗争是分不开的，意味着人类文学发展过程中一个重大的转折，代表着浪漫主义文学运动的昌盛。是他，以著名的历史剧《克伦威尔》的序言，吹响了对封建阶级意识形态与过时的文学形式进攻的号角；是他，以名剧《欧那尼》奠定了浪漫主义文学对伪古典主义文学彻底的胜利；是他，以数量众多、奇思巧构、富有诗意与气势、戏剧效果强烈的浪漫剧，壮大了浪漫主义文学运动的声势，并且从1830年到1848年几乎统治了法兰西剧坛近20年之久，其中《玛丽蓉·德·洛尔墨》《玛丽·都铎》《吕伊·布拉斯》等，到20世纪仍为法国剧院的保留剧目。

作为小说家，雨果以《巴黎圣母院》《悲惨世界》《海上劳工》《笑面人》《九三年》等一系列巨制鸿篇而著称于世。他在世界文学史上，把浪漫主义小说发展到登峰造极的高度，显示出真正浪漫主义小说艺术的水平与力量。他并不求助于神怪的故事与虚幻的事物，而从人间现实生活中汲取浪漫主义的灵感和诗情。他以浪漫主义博大的胸怀与高远的思想境界，提出人类社会中巨大的课题，专制与人权、法律与公理、贫与富、革命与人道；又以浪漫主义磅礴的气势，表现出重大的历史事件与惊心动魄的世间故事作为他思想的生活形式，以浪漫主义浓重绚烂的色彩，绘制出一幅幅鲜亮夺目、明暗强烈对照的画面作为传达他浪漫主义激情的媒介，塑造出高大的、透视着不平凡的光泽的人物形象以表达他强烈的爱憎与理想。与此同时，他又以清醒的社会意识、具有尖锐现实意义的主题以及真切生动的描写，奇迹般地实现了浪漫主义与现实主义水乳交融的结合，在世界文学中具有一种典范的意义。至今,他这种具有丰富的社会内容与社会意义的浪漫主义风格的小说,仍然是一种可望而不可即的文学成就,并且已为任何具有一定文化修养的人所必读或所共知。

作为诗人,雨果在法国文学几乎享有至高无上的地位,可称为法兰西的民族诗人。在世界诗坛上,这个民族诗人仅以其多达26个诗集的丰产,就已拥有无可置疑的某种优势,何况其中的杰作比比皆是:《东方集》《秋叶集》《黄昏之歌》《心声集》《光与影集》《惩罚集》《静观集》《凶年集》《做祖父的艺术》《历代传说》,等等。雨果的诗歌成就既在于诗歌的抒情内容,也在于诗歌的艺术形式,而首先以其抒情内容,即其"心声"取胜。他具有博大的诗的视野与丰富的诗情,他的诗的灵感很大一部分来自社会现实、人类历史的广阔空间,对自由的热爱、对解放斗争的歌颂、对祖国命运的关怀、对先进历史人物的向往、对社会问题的关注、对专制暴政的控诉、对社会非正义的抗议、对人类历史中光明与黑暗斗争的咏唱,都曾是他诗歌的内容,成了他诗的竖琴上的"青铜之弦",发出了慷慨激昂的声响。另一方面,他又善于从个人日常生活的小天地与内心世界幽深的角落发掘诗情而有了动人的浅吟低唱,抒写爱情、记述家庭悲喜、描绘闲适心情,名篇屡出。雨果是法语诗艺的大师,具有高度的浪漫主义的诗才。色彩瑰丽的意境、奇特巧妙的想象、丰富多彩的语言、独具匠心的结构、反复吟咏的旋律与感情奔放的气势,是他诗歌艺术的特点。在诗歌形式上,他是各种格律出色的掌握者,但他不拘成法,颇多创新。

人们广泛纪念雨果,不仅因为他是人类历史上一个重大的文学现象,而且还因为他体现着一个时代的历史内容,他的文学创作是时代的一面镜子。

雨果生于1802年,在复辟时期成年并开始写作,一直到第三共和国的 19 世纪 80 年代才停笔。出于一种历史学家的意识，他以写自己的时代为己任。他并不满足于从复辟时期开始上溯到 1789 年，而以从资产阶级革命经自由资本主义时期直到垄断资本主义初期这一整个历史阶段为自己描绘的范围，自觉地在自己的作品里反映这个时期的面貌，直接描写这个时期的历史事件，抒发这个时期人们共同的思想情感。

他是法国文学中 1789 年资产阶级革命最辉煌的描绘者，他曾以雄浑的笔力描绘出那个"富有史诗意味的斗争时代"，再现了当时火热的革命情景与上至国民公会下至旺岱的两种制度、两种力量的生死搏斗，表现了那个时期严酷斗争的社会阶级根由与不以人的意志为转移的规律，绘制出体现着不同阶级社会力量的具有古罗马崇高格调的人物形象。

他是 1789 年革命到复辟时期这一复杂历史过程的高屋建瓴的描述者，他在形象地描述这一历史的过程中，曾表述过不少史家般精辟的见解，而同时又留下了难能可贵的画面。有哪位史家像他这样对滑铁卢战役这一历史事件作出如此言简意赅的概括——"王国集团对法兰西不可征服的运动所进行的镇压"？我们在哪里见过对滑铁卢战役有如此惊心动魄、如此悲壮雄伟的巨幅画面？

他是复辟时期政治、法律、社会生活状况出色的反映者，他通过一系列著名人物形象的经历遭遇，表现了这个历史倒退时期政治的反动、司法的黑暗和劳动人民生活的悲惨，揭示了这个时期交织在一起的社会矛盾：复辟与反复辟、保皇主义与拿破仑崇拜、国家机器的专横与社会下层的痛苦，等等。说雨果是这个历史时期的反映者，那还远远不够，他本身就是历史的参与者、创造者。他应和当时广泛的社会心理，在诗歌中鼓吹拿破仑崇拜，他顺着时代的潮流，歌唱希腊的解放斗争，他敏感到当时资产阶级反复辟的政治自由主义，率先提出了文学的自由主义，造成了一次历史性的文学运动。他这些思想、情绪、实践活动,既是当时历史的映照,也是历史本身的一部分。

对于七月王朝时期,雨果也留下宝贵的"形象史料",他广泛表现了这一时期的社会矛盾与阶级政治关系,暴露了令人触目惊心的贫富对立,揭示了七月王朝的金融贵族统治的实质,他还在这基础上绘制了1832年历史事件与人民起义斗争的巨型画卷,其规模之大,描写之完整,气势之雄壮,在法国文学中又是绝无仅有的。

对于第二帝国,雨果更是一个无情的史家,他以多种形式记录了拿破仑三世制造阴谋、发动政变、犯下血腥罪行的始末,他愤怒地揭露过第二帝国时期的专制、暴力、压迫、殖民战争、奢侈、腐朽……他以充满革命气势的诗歌,抒发了这个时期人民的反抗意志与共和理想。及至普法战争、拿破仑三世失败、第二帝国崩溃,雨果又把巴黎的苦难、全民族的爱国主义热情、人民的英勇斗争精神载入了他的诗的史册。

一个漫长社会阶段的历史就这样充实地呈现在雨果的文学创作中,这是其空间多么无垠的创作,它容纳了整个19世纪法国历史前进的每一个脚步,它本身也就构成了一部形象的历史。

人们广泛纪念雨果,也许更重要的是因为他是一个重大的思想现象,是因为他体现着一种足以使千万人共鸣的思想,他是19世纪人道主义思想在文学中的杰出代表。

人道主义思想是贯注在雨果全部创作历程中的一股"浩然之气"。历史上很少有作家像他这样不停地出于明确的人道主义的正义感与精神去关注社会现实问题,又怀着这种关注的结果进入自己的文学创作;很少有作家像他这样满怀激情地宣扬人道主义的精神,讴歌人道主义的理想,像他这样在自己的作品里把人道主义思想表现得那么鲜明充沛。人道主义是雨果全部文学创作的灵魂与标记。正是这种人道主义的思想与激情,引起了不同国度、不同时代的人们的深深感动。

是的,资本主义时代的思想家所创造的人道主义的意识形态肯定有其时代阶级的局限,而雨果,也确曾鼓吹过抽象的人道,笼统反对过死刑,确曾对在激烈的社会变革与严酷的阶级斗争中使用革命暴力的正确性与必要性产生过疑虑,确曾幻想在资本主义社会两大阶级对立中、在贫富对立中进行调和。然而,也正是这种思想,使他在《巴黎圣母院》《吕伊·布拉斯》《国王寻乐》等一批作品中,满怀同情塑造了爱斯梅哈尔达、吕伊·布拉斯、特列布莱等一系列在封建黑暗时代受迫害、被蹂躏的普通人的形象,对封建专制的残暴进行了愤怒的控诉;也正是这种思想,使他怀着对社会下层这一悲惨世界的爱,在《悲惨世界》里叙述了冉·阿让、芳汀与珂赛特催人泪下的苦难生涯,打动了全世界亿万善良人民的心;正是这种思想,使他在《九三年》里描绘出革命军救死扶伤的动人情景,让那三个天真无辜的孩子发出动人的诗的光辉;正是这种思想,使他在他的小说与诗歌里,对资本主义社会的压迫、国家机器与法律的冷酷,表示了强烈的抗议;正是这种思想,使他一生贡献了那么多篇幅给劳动人民,描写他们的不幸,歌颂他们的优秀品质和他们的斗争;也正是这种思想,使他上升到革命民主主义的高度,使他成为反抗拿破仑三世专制暴政的坚强斗士,在19年的流亡生活中一直不屈不挠。总之,这种思想成为雨果批判封建时代、批判资本主义社会、批判一切不合理的事物与一切黑暗现象的尺度,正因为雨果在19世纪文学中是一个比较突出地体现了人道主义思想的作家,所以,他也就比任何一个同时代作家更为出色地显示了人道主义思想的价值与力量。

"谁要是谈到诗人,他也就是在谈历史学家与哲学家。"雨果在对莎士比亚备加赞颂时这样说过。诗人、历史学家、哲学家三位一体,这是雨果对作家的最高理想。雨果本人也就是这样一种类型的作家,虽然,作为历史学家,他有时并不深刻,而作为哲学家,有时又不免浅显。不论怎样,这样一个具有三重性质的作家,对于后世来说,显然不失多方面的意义与启示。

雨果对于我们今天的文学艺术会有什么样的意义与启示？

从艺术上来说，雨果是追求创作自由的一个成功的先例。他在投身于文学事业后不久，就敢于向统治文坛的传统秩序、清规戒律提出挑战，旗帜鲜明地主张文学创作自由。正是由于这种追求创作自由的勇敢精神，他才摆脱了古典主义的束缚，抛弃了矫揉造作、华而不实的风格，而使自己的诗歌、戏剧与小说作品里出现了新的主题、缤纷的色彩、生气勃勃的美。他的先例无疑将激励今天的作家去追求社会主义文学的创作自由。

从思想上来说，雨果是一个不断随着时代的发展而发展的范例。他在世界观上，由信奉天主教到自然神论，再到疑神论，最后是泛神论。在政治思想上，他由保皇主义发展到波拿巴主义，又继续发展为共和主义，最后是激进的民主主义，还从对巴黎公社的革命不理解到成为被迫害的公社社员的保护者。尽管他的思想发展有不少矛盾和反复，但他敢于承认自己的"成见、轻信和错误"，乐于突破自己。正因为他始终随着法国历史的进程不断前进，他才可能成为19世纪法兰西的民族诗人。他的先例无疑将启示今天的作家永远跟上社会主义时代前进的步伐，不断随着时代的发展而发展自己的思想与艺术。

至于雨果文学创作中的主要思想对我们的意义，那似乎更是显而易见：一百年来雨果作品的思想力量向我们提醒了这样一个简单但并没有被所有人承认的道理，那就是，他作品中的人道主义思想虽并非没有局限性，然而，在我们今天建设社会主义精神文明、建立社会主义人道主义的时候，它绝不应该被清除或被遗忘。

（本文是在1985年5月23日首都纪念雨果逝世一百周年大会上的纪念报告）